가스기술사
서브노트

주광호, 박현석 지음

가스기술사 서브노트

발　행 | 2024년 02월 01일
저　자 | 주광호, 박현석
펴낸이 | 정현주
펴낸곳 | 이든북스
출판사등록 | 2018.12.03.(제2018-35호)
주　소 | 부산광역시 해운대구 좌동순환로99번길 22
전　화 | 051-731-3454
이메일 | edenbooks@naver.com

ISBN | 9791196478377(93500)

머리말

가스산업은 오늘날 전 세계 에너지 시장에서 중추적인 역할을 담당하고 있습니다. 또한, 에너지 공급의 다양화, 환경의 지속 가능성, 그리고 경제적 효율성을 추구하면서 끊임없이 진화, 발전하고 있습니다. 이와 관련하여 최근 글로벌 가스산업의 동향을 살펴보면 다음과 같이 요약하여 나타낼 수 있습니다.

1. 에너지 전환 및 청정에너지 정책: 석유 및 가스(Oil & Gas) 산업은 청정에너지 분야에 점점 더 초점을 맞추고 있으며, 이들은 탄화수소를 활용하여 에너지 시장을 구축해 왔음에도 불구하고 저탄소 연료 및 청정에너지 기술에 투자를 늘리고 있습니다.

2. 탈탄소화 기술에 대한 투자: 탄소 포집, 사용 및 저장(CCUS)과 수소 같은 기술을 향한 움직임이 가속화되고 있습니다. 이에 가스산업은 재정적 자원과 기술력을 바탕으로 이러한 탈탄소화 기술을 발전시키는 데 중추적인 역할을 하고 있습니다.

3. 디지털 트랜스포메이션(Digital Transformation): 산업계는 인공지능(AI), 데이터 분석, 사물인터넷(IoT) 등 기술이 융합되는 디지털 트랜스포메이션을 진행 중이며, 이러한 기술은 운영을 최적화하고 안전성을 향상시키며 비용을 절감하고 있습니다.

디지털 트랜스포메이션은 가스산업을 재편하고 생산성을 향상시키며 지속 가능성 목표에 기여토록 합니다.

4. 재생에너지 성장: 환경에 대한 관심, 기술 발전, 경제적 요인에 따라 재생에너지원이 급속히 확대되고 있으며, 태양광, 풍력, 수력 발전을 포함한 재생 가능 에너지원은 점점 더 효율성과 신뢰성이 높아지고 있습니다.

5. 글로벌 가스 및 LNG 시장의 성장: 글로벌 가스 및 LNG 시장은 수요 약세와 온화한 날씨의 영향으로 재조정을 경험했으나 유럽에 대한 러시아의 제한된 가스 공급과 증가하는 아시아의 LNG 수요로 에너지 안보 강화와 공급지역 다양화로 지속적인 성장이 예상됩니다.

6. 특수가스 시장의 성장: 사회의 발전과 기술의 고도화로 실리콘 반도체 생산의 확대, 평면 패널 디스플레이 및 태양광 발전 등 핵심 부문의 발전에 촉진되어 특수가스 시장은 성장의 추세가 예상됩니다.

　이러한 배경에서, 가스기술사는 더욱 중요한 역할의 수행이 요구되고 있습니다. 가스산업의 기술적, 환경적, 경제적 요구사항을 이해하고, 이를 바탕으로 안전하고 효율적인 가스 시스템을 설계, 구축 및 관리해야 합니다. 이런 역량과 전문성은 가스산업이 지속 가능한 미래로 나아가는 데 필수적인 역할을 하게 될 것입니다.

　본서는 필자가 다년간에 걸쳐 가스·안전·기술·정책 분야의 자료를 모으고 분류하고 정리하여 간략하게 만든 가스안전의 요약집으로서, 가스기술사 필기시험에 85점의 점수로 합격한 서브노트를 바탕으로 주요암기 부분 등을 새로 편집하여 가스기술의 전문가들이 현장에서 바로 적용할 수 있도록 구성하였습니다.

　특히 가스기술사를 준비하시는 수험생분들은 가스안전의 전반적인 주제가 일목요연하게 정리되어 있으며 주요암기 목록을 쉽게 활용할 수 있으므로 많은 참고가 될 것으로 기대됩니다.

　아무쪼록 많은 가스기술인들이 본서를 통하여 가스산업에서의 중요한 역할 수행에 도움이 되기 기대하면서, 이 책의 미흡한 점은 지속적으로 수정 보완해 나갈 예정이니 여러분의 관심과 아낌없는 조언을 부탁드립니다.

2024 년 1 월

대표저자 주 광 호

CONTENT

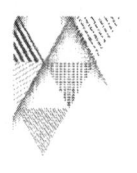

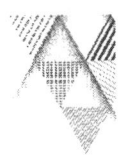

제3장 기초역학

제4장 연소기기 가스용품

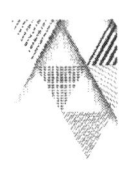

제6장 LPG 설비

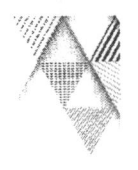

제10장 금속 · 설비재료 ················ 451

제11장 냉동공학 ································· 511

제12장 펌프 · 압축기 ················ 535

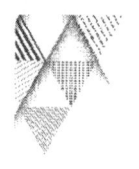

제18장 위험성평가

제19장 에너지환경 신기술

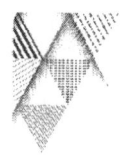

제1장

연소·폭발

1 연소(燃燒, Combustion)

1. 연소의 개념
① 연소의 정의
- ㉠ 급격한 산화반응으로 열과 빛을 수반하는 반응
- ㉡ 산화반응 → 발열반응 → 발광반응
- ㉢ 예: $CH_4 + 2O_2 \rightarrow CO_2 + 2H_2O + Q(열) + 빛$

② 산화반응
- ㉠ 가연물이 산소화되는 과정
- ㉡ 예 : $CH_4 \rightarrow CO_2$, H_2O로 산소화됨

③ 발열반응
- ㉠ 분자의 분해열에 의해 발생
- ㉡ 물질 보유 화학에너지 → 열에너지로 변환 → 발생열은 물질 온도상승

④ 발광반응
발열반응 → 온도상승 → 열복사선 방출 → 가시광선 파장(0.38 ~ 0.76μm) 도달 → 인간 눈에 빛으로 인식

2. 연소의 메카니즘
(1) 메커니즘[1]
① 원인계에 활성화에너지(E) 공급

---

1) 암기 원활연생
- 연소의 메커니즘 : 원인계, 활성계, 연쇄반응, 생성계

② 활성계 도달(연소시작)

③ 활성계는 안정한 상태가 되려고 에너지 방출 → ①로 연쇄
   반응 : 원인계에 연소열 공급

④ 에너지방출로 생성계 이동

(2) 개념도

방출에너지(W)=활성화에너지(E)+연소에너지(Q)

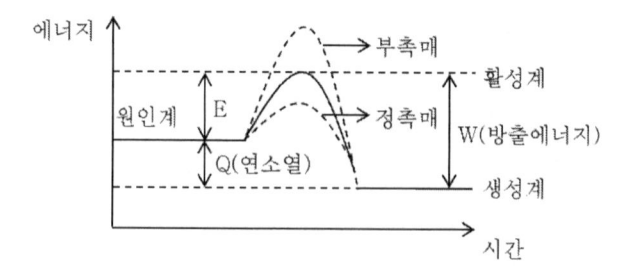

(3) 활성화에너지(E), 방출에너지(W), 연소열(Q) 설명

① 활성화에너지(E)

⊙ 정의 : 원인계 → 활성계 도달하는 데 필요한 에너지

ⓒ 촉매작용

ⓐ 정촉매 : E↓ → 반응속도↑ → 화학반응 효율↑

ⓑ 부촉매 : E↑ → 반응속도↓ → 화학반응 효율↓

② 방출에너지(W) : 활성계가 안정한 상태가 되려고 생성계
   로 이동 시 방출한 에너지

③ 연소열(Q)

⊙ 연소열(Q) = 방출에너지(W) - 활성화에너지(E)

ⓒ 연소열 = 반응엔탈피 - 생성엔탈피

ⓒ 연소열

ⓐ 원인계 미반응부분 활성화 → 연쇄반응

ⓑ 전도, 대류, 복사 형태로 소모

3. 연소의 3요소[2]

(1) 가연물

　① 구비조건

　　㉠ 산소와의 친화력↑　　　　㉡ 연소열↑

　　㉢ 표면적↑　　　　　　　　㉣ 열전도도↓

　　㉤ 활성화에너지↓

　② 가연물 될 수 없는 조건

　　㉠ 흡열반응 물질　㉡ 불활성기체　㉢ 산화할 수 없는 물질

(2) 산소공급원

　① 공기 중의 산소 이용 - 공기 중 산소함량 약 21%

　② 분자 내 산소 이용 - 제 5류 위험물

　③ 산화제 - 오존(O_3) 등

(3) 점화원

　① 점화원 작용 조건

　　㉠ 점화원 에너지 > 가연물의 MIE(최소점화에너지)

　　㉡ $MIE = \dfrac{1}{2} CV^2$

　② 종류 : <u>나정복자고충단전</u>

(4) 연쇄반응(연소의 4 요소)[3]

　① 점화에너지 : H_2 + 2e(점화에너지) → $2H^*$

　② 분기반응 : H^* + O_2 → OH^* + O^*

　③ 전파반응 : OH^* + H_2 → H_2O + H^*

　④ 분기반응 : O^* + H_2 → OH^* + H^*

---

2) 암기 가산점
　- 연소의 3요소 : 가연물, 산소공급원, 점화원

3) 암기 점분전분
　- 연쇄반응 : 점화에너지, 분기반응, 전파반응, 분기반응

4. 완전연소 3요소[4)]

　① 완전연소란? 반응물질이 더 이상 산화되지 않음

　② 3요소

　　㉠ 산소 : 충분한 산소공급

　　㉡ 온도 : 적당한 온도

　　㉢ 시간 : 반응시간

　③ 탄화수소 완전연소식

$$C_mH_n + (m + \frac{n}{4})O_2 \rightarrow mCO_2 + \frac{n}{2}H_2O$$

연소범위(LFL, UFL)

1. 연소범위의 개념

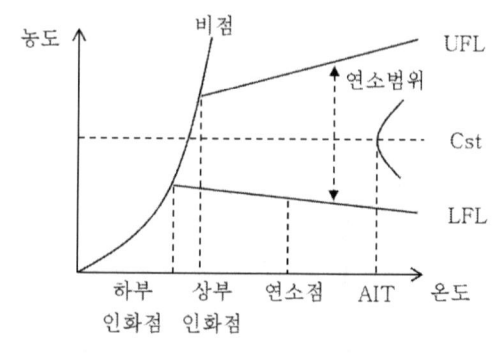

　① 자력으로 화염이 전파하는 공간

---

4) **암기** 산온시
　- 완전연소 3요소 : 산소, 온도, 시간

② 연소 가능 조건(연소의 3요소)
　　㉠ 가연물, ㉡ 산소공급원, ㉢ 점화원 + 연소범위

2. 연소범위(연소하한계, 연소상한계)

(1) 연소하한계(LFL, Lower Flammable Limit)
　① 정의 : 연소를 일으킬 수 있는 최저농도
　② 공식
　　㉠ 단일성분(Jones 식) : $LFL = 0.55\,Cst$
　　　　　　　　　　　　　　Cst : 가연성 가스 조성비
　　㉡ 다성분(르샤틀리에 식) : $\dfrac{100}{L} = \dfrac{V_1}{L_1} + \dfrac{V_2}{L_2} + \cdots + \dfrac{V_n}{L_n}$
　③ 위험성 : LFL↓ → 연소범위↑ → 위험도↑
　④ 대책 : 통풍, 환기 → LFL↓ 유지

(2) 연소상한계(UFL, Upper Flammable Limit)
　① 정의 : 연소를 일으킬 수 있는 최고농도
　② 공식
　　㉠ 단일성분(Jones 식) : $LFL = 3.5\,Cst$
　　㉡ 다성분(르샤틀리에 식) : $\dfrac{100}{U} = \dfrac{V_1}{U_1} + \dfrac{V_2}{U_2} + \cdots + \dfrac{V_n}{U_n}$
　③ 위험성 : UFL↑ → 연소범위↑ → 위험도↑
　④ 대책 : 석유류 밀폐 저장 → UFL↑ 유지

3. 연소범위 영향인자[5]

　① 산소농도↑
　　→ LFL 약간↓(LFL에서는 산소가 과잉)⎫
　　　　　　　　　　　　　　　　　　　　⎬→ 연소범위↑
　　→ UFL 크게↑　　　　　　　　　　　⎭

---

5) 암기 산불난PT화점
　- 연소범위 영향인자 : 산소농도, 불활성가스, 난류, 압력(P), 온도
　　(T), 화염 전파방향, 점화에너지

② 불활성가스↑

$$\to \begin{bmatrix} O_2 \text{ 농도}\downarrow \\ \text{열용량}\uparrow \end{bmatrix} \to \text{온도}\downarrow \begin{bmatrix} \text{LFL 약간}\uparrow \\ \text{UFL 크게}\downarrow \end{bmatrix} \to \text{연소범위}\downarrow$$

③ 난류 : 난류 흐름 → 표면적↑ → 연소범위↑

④ 압력

　㉠ 압력↑ → 분자간 평균거리↓ → 유효충돌↑ → 연소범위↑

　㉡ LFL 약간↓, UFL 크게↑ → 연소범위↑

　㉢ 예외

　　ⓐ CO : 압력↑ → 연소범위↓ ⌉ → 압력↑(10 atm↑) → 연

　　ⓑ H$_2$: 압력↑ → 연소범위↓ ⌋　　소범위↑

⑤ 온도

　㉠ 온도↑→분자간 운동 활발→유효충돌↑→연소범위↑

　㉡ 게이뤼삭의 법칙

　　ⓐ P/T = C

　　ⓑ T↑ → P↑ → 연소범위↑

　　ⓒ 온도 10℃↑ → 반응속도 2배 증가

　　　온도 100℃↑ → LFL 8℃↓, UFL 8%↑

　㉢ 온도 높을 때 : 열 발열속도 > 방열속도 → 연소범위↑

　　온도 낮을 때 : 열 발열속도 < 방열속도 → 연소범위 無

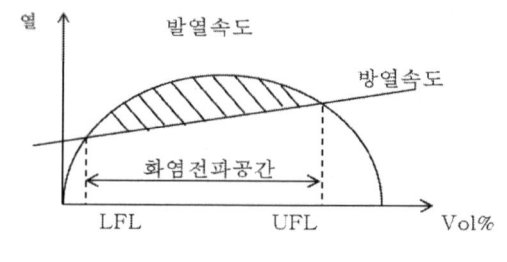

② 화학반응의 온도의존성과 충돌이론

　　ⓐ 아레니우스 식 : $V = C e^{-\frac{E}{RT}}$

　　　(C : 빈도계수, T : 절대온도, E : 활성화에너지)

　　ⓑ T↑, C↑, E↓ → 반응속도↑ → 연소범위↑

⑥ 화염 전파방향

　　㉠ 상향 전파 : 불꽃에 의해 미연소가스 예열↑ → 연소범위↑

　　㉡ 하향 전파 : 불꽃에 의해 미연소가스 예열↓ → 연소범위↓

⑦ 점화에너지↑ → 활성화E↓ → 반응속도↑ → 연소범위↑

4. 연소범위와 관계된 이론(활용범위)

(1) 화학양론 조성비(Cst)

① 정의 : 가연성혼합기 완전연소 위한 연료, 공기 농도비율(%)

② 공식 : $Cst = \dfrac{연료\ 몰수}{연료\ 몰수 + 공기\ 몰수} \times 100(\%)$

③ Cst 활용

　　㉠ 연소범위 계산

　　　ⓐ $LFL = 0.55\ Cst$

　　　ⓑ $LFL = 3.5\ Cst$

　　㉡ 위험도(H) 계산

　　　$Cst \rightarrow LFL,\ UFL$ 계산 $\rightarrow H = \dfrac{UFL - LFL}{LFL}$

　　㉢ MOC 계산

　　　$Cst \rightarrow LFL \rightarrow MOC = LFL \times O_2 \text{mol수}$

　　　→ 불활성화 대책 수립

　　㉣ Cst와 연소속도 관계

　　　ⓐ Cst 부근 → 연소속도 최대

　　　ⓑ Cst 멀어질수록 → 연소속도↓

(2) Burgess-Wheeler 법칙

　① 개념 : 파라핀계 탄화수소 LFL과 연소열 곱은 일정

　② 공식 : $LFL(\%) \times \Delta H(\text{kcal/mol}) = 1,050$

　③ 물리적 의미

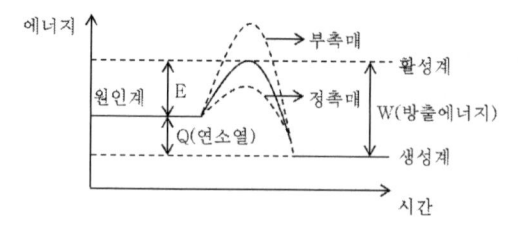

　　　㉠ 주어진 공간에 일정량 이상의 열량 有 → 연소 가능

　　　㉡ 연소열↑ 물질일수록 → LFL↓ → 위험도↑

(3) 자베타키스 법칙

　① 개념 : 파라핀계 탄화수소 UFL 추정식

　② 공식 : $UFL = 6.5\sqrt{LFL}$

(4) MOC(최소산소농도)

　① 정의 : 화염이 전파되기 위한 최소한의 산소농도

　② 공식 : $MOC = LFL \times O_2\text{mol수}$

　③ MOC와 불활성화 관계

　　　㉠ 불활성화 목적 : 가연성혼합기 + 불활성가스 주입 →
　　　MOC↓ 유지 → 연소 방지

　　　㉡ 퍼지 방법 : 진압사스

(5) 위험도(H)

　① 정의 : 연소범위를 폭발하한계로 나눈 값

　② 공식 : $H = \dfrac{UFL - LFL}{LFL}$

　③ 영향인자 : 산불난PT화점 → LFL↓, UFL↑ → 위험도↑

5. 가스별 연소범위

가스종류	연소범위(%)
아세틸렌	2.5~81
수소	4~75
일산화탄소(CO)	12.5~74
펜탄	1.5~7.8
부탄	1.8~8.4
프로판	2.1~9.5
에탄	3~12.5
메탄	5~15
암모니아	15~28

6. 가연성도표(3성분계 상태도)

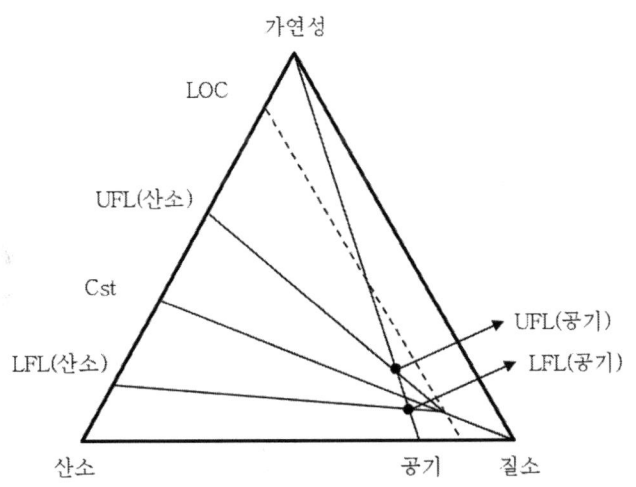

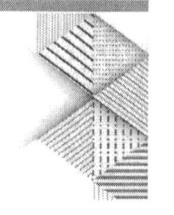

3 자연발화와 인화에 의한 발화

1. 자연발화

① 정의 : 스스로 발열 → 열축적 → 발화점 도달 시 발화

② 메카니즘 : 물질 in 밀폐계 + 입열 → 온도↑ → 반응가속
   → 온도↑ 반복 → 발화점 도달 시 발화

③ 발생형태[6]

　　㉠ 산화열 : 건성유, 반건성유

　　㉡ 중합열 : 시안화수소, 산화에틸렌

　　㉢ 흡착열 : 활성탄, 유연탄

　　㉣ 분해열 : 유기과산화물, 니트로글리세린

　　㉤ 발효열 : 건초더미, 퇴비

④ 영향인자[7]

　　㉠ 열전도율↓

　　㉡ 열 축적 용이성↑

　　㉢ 퇴적발생률↑ → 열 축적 용이성↑

　　㉣ 공기유통↓ → 열 축적 용이성↑　　⎫ → 자연발화

　　㉤ 수분↑ → 정촉매 작용↑　　　　　　⎬　　발생율↑

　　㉥ 발열량↑

　　㉦ 저장온도↑

---

6) **암기** 산중흡착분발
   - 자연발화 발생형태 : 산화열, 중합열, 흡착열, 분해열, 발효열

7) **암기** 열열퇴공수발온
   - 자연발화 영향인자 : 열전도율↓, 열 축적 용이성↑, 퇴적발생률↑,
   　공기유통↓, 수분↑, 발열량↑, 온도↑

⑤ 방지대책8)

　　㉠ 방열속도↑ 대책

　　　ⓐ 열전도율↑

　　　ⓑ 열 축적방법 개선 → 퇴적발생률↓

　　　ⓒ 통풍, 환기 → 공기유통↑

　　㉡ 발열속도↓ 대책

　　　ⓐ 습도조절 → 수분↓

　　　ⓑ 발열량↓

　　　ⓒ 저장 온도↓ → 발열속도↓

⑥ 특징

　　㉠ 점화원 : 점화원 없이 발화

　　㉡ 계의 구분 : 밀폐계 + 열 축적

　　㉢ 계의 온도분포 : 중심부 최대

　　㉣ 방지대책 : 열 축적 방지(방열↑, 발열↓)

2. 인화에 의한 발화

① 정의 : 가연성혼합기 + 연소범위 내 + 점화원 → 발화

② 메카니즘 : 가연성혼합기 형성 → 연소하한계 도달 + 점화원(MIE↑, 최소발화온도↑) → 발화

③ 발생형태별 방지대책 : 점화원에 의해 발생되며, 점화원 종류별 방지대책은 다음과 같음

종류	발화형태	방지대책
나화	난방, 담뱃불	충분한 이격
정전기	석유류 유동, 가연성가스 분출	발도부인

---

8) 암기 열열퇴공수발온
　- 자연발화 방지대책 : 열전도율↑, 열 축적방법 개선, 퇴적발생률↓, 공기유통↑, 수분↓, 발열량↓, 온도↓

종류	발화형태	방지대책
복사열	화염, 태양광선	차광시설
자연발화	산중흡착분발	열열퇴공수발온
고온표면	가열로, 용융금속	충분한 이격
충격·마찰	불티, 공구 충격불꽃	방폭공구
단열압축	폭굉 충격파, 박막폭굉	다단압축, 중간냉각기 설치
전기불꽃	과전류, 단락, 지락, 누전	방폭구조, 과전류·누전 차단기

④ 특징

　㉠ 점화원 : 점화원에 의한 발화

　㉡ 계의 구분 : 개방계 + 점화원

　㉢ 계의 온도분포 : 점화원 부분(가장자리) 최대

　㉣ 방지대책 : 점화원 관리

3. 발화점(AIT), 인화점(Flash Point)

① 정의

㉠ 발화점 : 점화원 없이 주위로부터 에너지 받아 스스로
　점화 가능한 최저온도

ⓛ 인화점 : 연소범위 내 점화원에 의해 순간발화 하는
최저온도
② 발화점 특징(영향인자)
발화지연시간 + 산불난PT화점
㉠ 발화지연시간(Ignition Delay Time)

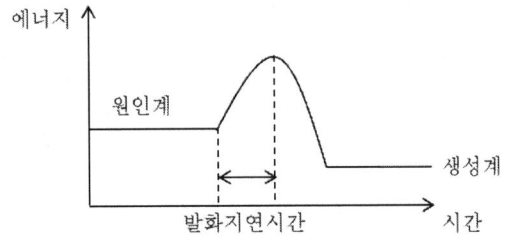

ⓐ 가연성혼합기가 활성화되는데 필요한 시간
ⓑ 아레니우스 식

$$\log t = \frac{E}{RT} + B$$

t : 발화지연시간(s), E : 활성화에너지
T : 자연발화온도(K), B : 상수

ⓒ AIT↑ → 발화지연시간↓

ⓛ~◎ : 산불난PT화점

③ 인화점 특징
㉠ 위험도와의 관계
인화점↓ → LFL↓ → 연소범위↑ → 위험도↑
ⓛ 연소점과의 관계
ⓐ 인화점은 연소지속 불가
충분한 연소열 부족 → 연소지속 X
ⓑ 연소점↑ 시 연쇄반응 가능
미연 가연물 + 연소열 → 연쇄반응 → 연소 지속
ⓒ 온도 큰 순서 : 발화점 > 연소점 > 인화점

④ 발화점 vs 인화점

구 분	발화점	인화점
점화원 유무	점화원 없이 발화	점화원에 의한 발화
발화형태	산중흡착분발	나정복자고충단전
계의 구분	밀폐계 + 열 축적	개방계 + 점화원
온도분포	중심부 최대	가장자리 최대
방지대책	열축적방지 (방열↑,발열↓)	점화원 관리

4 연소 종류(연소의 기본형태)

1. 연소의 기본형태[9]

연소형태	개념	상별 분류
작열연소	① 불꽃 없는 연소 ② 가연성혼합기 형성 X	고체연소 (목탄, 코크스)
분해연소	흡열 → 분해 → 혼합 → 연소 → 배출	액, 고체연소 (석탄, 종이)
증발연소	흡열 → 증발 → 혼합 → 연소 → 배출	액, 고체연소 (파라핀, 황)
자기연소	열분해 → 물질자체 산소 함유 → 산소공급 → 연소	고체연소 (5 류 위험물)

9) 암기 작분증자확예
   - 연소의 기본형태 : 작열연소, 분해연소, 증발연소, 자기연소, 확산
   연소, 예혼합연소

연소형태	개념	상별 분류
확산연소	가연성가스, 산소 농도차 → 반응영역 확산 → 연소	기,액,고체연소 (액면, 제트화재)
예혼합 연소	① 가연성혼합기 미리 형성 ② 연소속도↑	기체연소 (가스 폭발)

5 폭발 종류(물리적, 화학적)

1. 정의, 종류, 특징 및 대책

구분	물리적폭발(응상폭발)[10]	화학적폭발(기상폭발)[11]
정의	상변화, 부피팽창에 의한 폭발	급격한 화학적 반응에 의한 폭발
종류	① 증기폭발[12] 　㉠ 수증기폭발 　㉡ 과열액체 증기폭발 　㉢ 극저온 액화가스 증기폭발 ② 고상간 전이폭발 ③ 전선폭발	① 산화폭발[13] 　㉠ 가스폭발 　㉡ 분무폭발 　㉢ 분진폭발 ② 분해폭발 ③ 중합폭발
특징	① 원인계 = 생성계 ② 분자수, 분자구조 동일	① 원인계 ≠ 생성계 ② 분자수, 분자구조 변화

---

10) 암기 증고전
　- 물리적폭발 종류 : 증기폭발, 고상간 전이폭발, 전선폭발

11) 암기 산분중
　- 화학적폭발 종류 : 산화폭발, 분해폭발, 중합폭발

2. 대책

(1) 물리적폭발(응상폭발)[14]

　① 온도 감소 대책

　　㉠ 환기, 통풍

　　㉡ 냉각설비

　② 압력 방출 대책

　　㉠ 안전밸브 및 파열판

　　㉡ 폭발방산공

　　　ⓐ 파열식

　　　ⓑ 경첩식 : Emergency Vent

　　　ⓒ 이탈식 : 이상내압상승방지장치

　③ 용기 내압강도 유지 : 용기 내압 상승속도 < 내압강도 →
　폭발 방지

　④ 부식방지 : 배유라부부구전부배R

(2) 화학적폭발(기상폭발)

　① 예방 대책

　　㉠ 가연성혼합기 형성 방지

　　㉡ 점화원 관리

　② 폭발방호 대책 : 봉차불억배안

---

12) 암기 수과극
　- 증기폭발 종류 : 수증기폭발, 과열액체 증기폭발, 극저온 액화가스
　증기폭발

13) 암기 가분분
　- 산화폭발 종류 : 가스폭발, 분무폭발, 분진폭발

14) 암기 온압용부
　- 물리적폭발 대책 : 온도 감소 대책, 압력 방출 대책, 용기 내압강도
　유지, 부식방지

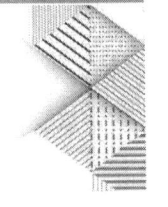

6 증기폭발

1. 개요
　① 정의 : 물리적 폭발로서 액상에서 기상으로의 급격한 상변화에 의한 폭발현상
　② 종류
　　㉠ 수증기폭발
　　㉡ 과열액체 증기폭발
　　㉢ 극저온 액화가스 증기폭발
　③ 특징 : 원인계 = 생성계 (분자수, 분자구조 동일)

2. 증기폭발 종류별 특징
(1) 수증기폭발
　① 정의 : 고온용융물이 액체에 접촉 시 급격한 비등현상으로 인해 부피팽창에 의한 폭발
　② 메카니즘[15]
　　㉠ 접촉 : 용융금속(고온물질)을 물속(저온물질)에 투입
　　㉡ 열전달 : 고온물질의 보유열이 저온물질에 단시간 전달
　　㉢ 비등 : 물은 과열상태되고 급격한 비등 발생
　　㉣ 폭발 : 부피팽창에 의한 압력상승 발생
　　　　　　　압력상승속도 > 용기의 내압강도

---

15) 암기 접열비폭
　- 수증기폭발 메카니즘 : 접촉, 열전달, 비등, 폭발

③ 영향인자16)

　㉠ 물의 깊이↓ → 용융금속 바닥도달률↑ → 열전달↑
　　→ 수증기폭발 발생 확률↑

　㉡ 용융금속의 투입속도↑ → 용융금속 바닥도달률↑ →
　　열전달↑ → 수증기폭발 발생 확률↑

　㉢ 용기의 단면적↓ → 수증기폭발 발생 확률↑

④ 대책17)

　㉠ 로내의 물 침입방지
　　ⓐ 재료수분함량↓
　　ⓑ 로벽건조
　　ⓒ 화재시 주수소화 금지

　㉡ 고온 폐기물 처리
　　건조한 장소에 버린 후 → 저압스프레이로 냉각 살수

　㉢ 작업바닥 건조
　　ⓐ 바닥 건조상태 유지
　　ⓑ 우수침입 방지

　㉣ 주수분쇄설비의 안전설계
　　ⓐ 정의 : 고온물질이 밖으로 흘러나오지 않게 물을 뿌
　　　려주는 설비
　　ⓑ 배수가 용이하고 물이 고이지 않게 조치

---

16) 암기 깊속단
　- 수증기폭발 영향인자 : 물의 깊이, 용융금속의 투입속도, 용기의
　　단면적

17) 암기 로고바주
　- 수증기폭발 대책 : 로내의 물 침입방지, 고온 폐기물 처리, 작업
　　바닥 건조, 주수분쇄설비의 안전설계

---

(2) 과열액체 증기폭발

　① 정의 : 고압의 포화수가 저장된 보일러 Drum 파손 시 액
　　체의 급격한 기화에의해 부피팽창에 의한 폭발

　② 메카니즘[18]

　　㉠ 용기파손 : 오조작, 외력, 화재, 부식에 의해 용기파손

　　㉡ 기화 : 용기 내압 급격히 감소하여 포화수 급격히 기화

　　㉢ 부피팽창 : 증기압 급상승으로 인해 부피팽창

　　㉣ 폭발 : 부피팽창에 의한 압력상승 발생

　　　　　　압력상승속도 > 용기의 내압강도

　③ 대책

　　㉠ 오조작 방지 : 안전교육, 안전운전절차서 강화

　　㉡ 외력에 의한 파괴 방지 : 방호벽, 차단벽

　　㉢ 용기의 내압강도 유지

　　㉣ 화재 발생시 대책

　　　화재발생 → 물분무설비로 용기외벽 냉각

　　　→ 온도↓ → 압력↓
　　　　　　　　　　　　　} → 연소범위↓
　　　→ 용기의 강도저하 방지

　　㉤ 부식방지 : 배유라부부구전부배R

(3) 극저온 액화가스 증기폭발

　① 정의 : 극저온 액화가스가 상온의 물에 누출 시 현열에 의
　　해 과열한계온도까지 상승하여 급격한 비등에 의해 부피
　　팽창에 의한 폭발

---

18) 암기 파기팽폭
　- 과열액채 증기폭발 메카니즘 : 용기파손, 기화, 부피팽창, 폭발

② 메카니즘[19)]

　　㉠ 접촉 및 열전달 : 극저온 액화가스(LNG, O_2, N_2) 상온
　　　의 물 누출

　　㉡ 기화 : 극저온 액화가스가 비점이상의 과열한계온도까
　　　지 상승, 기화

　　㉢ 부피팽창 : 급격한 부피팽창

　　㉣ 폭발 : 부피팽창에 의한 압력상승 발생
　　　　　　압력상승속도 > 용기의 내압강도

③ 영향인자[20)]

　　㉠ 접촉속도↑
　　㉡ 저온액화비점↓
　　㉢ 접촉물질의 온도↑　─ 극저온액화가스 증기폭발효과↑
　　㉣ 주위온도↑
　　㉤ 주위압력↓

④ 대책[21)]

　　㉠ 온도차가 100℃ 이상인 액과 액의 접촉방지

　　㉡ 누설, 방류, 체류 방지

　　㉢ 가스누출감지경보기

---

19) 암기 접기팽폭
　　- 극저온 액화가스 증기폭발 메카니즘 : 접촉, 기화, 부피팽창, 폭발

20) 암기 접비온온압
　　- 극저온 액화가스 증기폭발 영향인자 : 접촉속도↑, 저온액화비점↓,
　　　접촉물질의 온도↑, 주위온도↑, 주위압력↓

21) 암기 접누감
　　- 극저온 액화가스 증기폭발 대책 : 접촉방지, 누설·방류·체류 방
　　　지, 가스누출감지경보기

7 고상간 전이 폭발

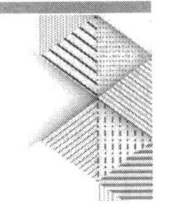

1. 정의 : 고체인 무정형 안티몬이 고상인 결정형 안티몬으로 전이시 발열에 의해 부피팽창에 의한 폭발

2. 메카니즘[22]
   ① 전이 : 고체인 무정형 안티몬이 고상인 결정형 안티몬으로 전이
   ② 발열 : 전이시 발열반응으로 인해 온도 상승
   ③ 부피팽창 : 온도상승에 의한 부피팽창
   　　　　　　(샤를의 법칙 : $V/T=C$)
   ④ 폭발 : 부피팽창에 의한 압력상승 발생
   　　　　압력상승속도 > 용기의 내압강도

3. 대책[23]
   ① 환기

1종 환기	2종 환기	3종 환기	4종 환기
급기기 배기기	급기기 배기구	급기구 배기기	자연환기

   ② 냉각설비
   ③ 반응억제제

---

22) 암기 전발팽폭
   - 고상간 전이 폭발 메카니즘 : 전이, 발열, 부피팽창, 폭발
23) 암기 환냉반압
   - 고상간 전이 폭발 대책 : 환기, 냉각설비, 반응억제제, 압력방출장치

④ 압력방출장치
　　㉠ 안전밸브 및 파열판
　　㉡ 폭발방산공
　　　ⓐ 파열식 : 압력 방출효과 제일 큼
　　　ⓑ 경첩식 : Emergency Vent
　　　ⓒ 이탈식 : 이상내압상승방지장치

8 전선폭발

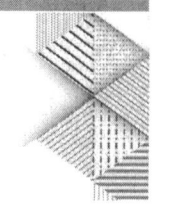

1. 정의 : 고상에서 급격히 액상을 거쳐 기상으로 전이시 급격한
　부피팽창에 의한 폭발

2. 메카니즘[24]
　① 대전류 흐름 : 고체(Al전선)에 한도 이상의 대전류 흐름,
　　줄열 상승으로 용융
　　(줄열 $= I^2RT$, 전류의 2승에 비례하여 줄열 상승)
　② 기화 : 용융된 전선이 다시 기화
　③ 부피팽창 : 온도상승에 의한 부피팽창
　④ 폭발 : 부피팽창에 의한 압력상승 발생
　　　　　　압력상승속도 > 용기의 내압강도
3. 대책[25]
　① 대전류 흐름 방지

---

24) 암기 대기팽폭
　　- 전선폭발 메카니즘 : 대전류 흐름, 기화, 부피팽창, 폭발

② 압력방출장치
　　㉠ 안전밸브 및 파열판
　　㉡ 폭발방산공
　　　ⓐ 파열식
　　　ⓑ 경첩식 : Emergency Vent
　　　ⓒ 이탈식 : 이상내압상승방지장치

9 산화폭발

1. 개요
① 정의 : 가연성가스가 누출되어 가연성혼합기를 형성해 점화원에의한 폭발
② 종류
　　㉠ 가스폭발,　㉡ 분무폭발,　㉢ 분진폭발

2. 메카니즘(가스폭발)[26]
① 누출 + 공기유입 : 가연성가스 누출(UVCE), 인화성탱크에 공기유입(VCE)
② 가연성혼합기 형성 : 공기와의 혼합으로 폭발범위 내 농도 형성

---

25) 암기 대압
　- 전선폭발 대책 : 대전류 흐름 방지, 압력방출장치
26) 암기 누유가착폭
　- 산화폭발 메카니즘 : 누출, 공기유입, 가연성혼합기 형성, 착화, 폭발

③ 착화 : 점화원에 의한 착화 (점화원 : 나정복자고충단전)
④ 폭발 : 폭발로 인한 충격파 및 폭풍파 발생

3. 대책[27]
① 가연성가스 누출 시 대책(UVCE) - UVCE 대책과 동일
② 인화성탱크로의 공기유입 시 대책(VCE)
공기유입 → 산소분석기로 산소농도 분석 → 설정 산소농도 도달 → 불활성가스 주입 → MOC↓ 유지 → 폭발범위 밖으로 유지

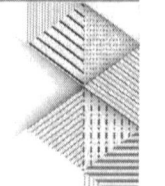

10 분해폭발

1. 개요
① 정의 : 자기 분해성 물질이 어떤 조건하에 분해 시 발열로 의해 부피팽창으로 인한 폭발
② 자기 분해성 물질
아세틸렌(C_2H_2), 산화에틸렌(C_2H_4O), 에틸렌(C_2H_4)

2. 메카니즘[28]

---

27) 암기 가인
   - 산화폭발 대책 : 가연성가스 누출 시 대책(UVCE), 인화성탱크로의 공기유입 시 대책(VCE)

28) 암기 분발부폭
   - 분해폭발 메카니즘 : 분해, 발열, 부피팽창, 폭발

① 분해 : 화염, 스파크, 가열, 단열압축 등 주위 온도와 압력
　　　에 의해 분해
② 발열 : 분해 시 상당히 큰 발열 동반
　　　$C_2H_2 \rightarrow 2C + H_2 + $ 발열$(2,400 \ kcal/m^3)$
③ 부피팽창 : 분해가스 발생 촉진, 분해된 생성가스 열팽창
④ 폭발 : 부피팽창에 의한 압력상승 발생
　　　　압력상승속도 > 용기의 내압강도

3. 분해폭발 종류별 특징 및 대책

(1) 아세틸렌(C_2H_2) 분해폭발
　① 특징
　　㉠ 분해반응식
　　　　$C_2H_2 \rightarrow 2C + H_2 + $ 발열$(2,400 \ Kcal/m^3)$
　　㉡ 발열량↑ ┌ 화염온도↑(3,100℃ 까지 상승)
　　　　　　　└ 압력↑ ┌ 폭연 : 초기압력 9~10배
　　　　　　　　　　　└ 폭굉 : 초기압력 20~50배
　　㉢ 폭발범위 넓다 : 2.5 ~ 81 Vol %
　　㉣ 배관 내에서 폭굉 발생
　　㉤ 구리, 은 등 금속반응 → 폭발성 아세틸리드 형성 →
　　　　작은 충격 → 발화
　② 시설기준
　　㉠ 제법
　　　　CaC_2(칼슘카바이드) $+ 2H_2O \rightarrow Ca(OH)_2 + C_2H_2$
　　　　→ 주수식, 접촉식 있음.
　　㉡ 발생기실
　　　　ⓐ 건물 최상층, 화기로부터 이격
　　　　ⓑ 옥외설치시 개구부는 다른 건축물로부터 1.5m 이상 이격

　　　　ⓒ 지붕 및 천정 : 가벼운 불연 재료
　　　　ⓔ 배기통
　　　　　　ⓐ 단면적 : 바닥면적의 6% 이상
　　　　　　ⓑ 옥상으로 돌출
　　　　　　ⓒ 창, 출입구로부터 1.5m이상 이격
　　　　ⓜ 벽과 발생기 사이 : 발생기 조정, 카바이트 공급작업
　　　　　　공간 보유
　　③ 대책
　　　　⑦ 구리, 구리합금 사용금지
　　　　ⓛ 다공성 물질 충전, 용제 침윤 용기에 다공성 물질 충전
　　　　　　→ 용제(아세톤, DMF) 침윤 후 → 아세틸렌 가압, 용해
　　　　　　시켜 저장
　　　　ⓒ 점화원 관리
　　　　　　ⓐ 충격 및 마찰 : 저장 및 취급 주의
　　　　　　ⓑ 스파크 : 접지, 본딩, 유속제한
　　　　ⓔ 압력방출장치
　　　　　　ⓐ 안전밸브 및 파열판
　　　　　　ⓑ 폭발방산공(Emergency Vent, 이상내압상승방지장치)
　　　　ⓜ 냉각설비
　　　　　　ⓐ 물분무설비
　　　　　　ⓑ 포소화설비
　　　　ⓗ 환기설비
　⑵ 산화에틸렌(C_2H_4O) 분해폭발
　　① 특징
　　　　⑦ 반응식 : $C_2H_4O \rightarrow CH_4 + CO$
　　　　　　　　　　　$2C_2H_4O \rightarrow CH_4 + 2CO + 2H_2$

ⓛ 상온, 상압 시 분해

　　　　초기압력↑ → 전체발열량↑ → 폭발압력↑

　② 대책

　　　㉠ 점화원 관리

　　　　ⓐ 충격 및 마찰 : 저장 및 취급 주의

　　　　ⓑ 스파크 : 접지, 본딩, 유속제한

　　　㉡ 압력방출장치

　　　　ⓐ 안전밸브 및 파열판

　　　　ⓑ 폭발방산공(Emergency Vent, 이상내압상승방지장치)

　　　㉢ 냉각설비

　　　　ⓐ 물분무설비

　　　　ⓑ 포소화설비

(3) 에틸렌(C_2H_4) 분해폭발

　① 특징

　　　㉠ 고온, 고압에서 발생

　　　ⓛ 발생압력 : 초기의 약 6배

　② 대책

　　　㉠ 점화원 관리

　　　　ⓐ 충격 및 마찰 : 저장 및 취급 주의

　　　　ⓑ 스파크 : 접지, 본딩, 유속제한

　　　㉡ 압력방출장치

　　　　ⓐ 안전밸브 및 파열판

　　　　ⓑ 폭발방산공(Emergency Vent, 이상내압상승방지장치)

　　　㉢ 냉각설비

　　　　ⓐ 물분무설비

　　　　ⓑ 포소화설비

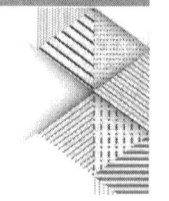

11 중합폭발

1. 개요
① 정의 : 단량체(Monomer)를 중합하여 중합체(Polymer) 생성 시 격렬한 발열로 압력상승으로 인한 폭발
② Monomer ------> Polymer + 발열

2. 메카니즘[29)
① 발열 : 중합반응 시 격렬한 발열 발생 → 압력상승(게이뤼삭의 법칙, $P/T=C$)
② 분출 : 압력상승에 의한 용기파손 → Monomer 분출
   비가연성 Monomer 분출 시 반응 끝
③ 혼합 : 가연성 Monomer 증기생성 → 공기와 혼합 → 가연성혼합기 형성
④ 반응폭주 발생 : 점화원에 의해 착화 → 반응폭주 발생

3. 중합폭발의 원인(=반응폭주 원인) : <u>냉동계공조반원혼</u>

4. 대책
① 반응폭주 대책 : <u>공원내내불냉반</u>
② 점화원 관리
   ㉠ 충격 및 마찰 : 저장 및 취급 주의

---

29) [암기] 발분혼반
   - 중합폭발 메카니즘 : 발열, 분출, 혼합, 반응폭주 발생

    ⓒ 스파크 : 접지, 본딩, 유속제한
  ③ 압력방출장치
    ⑦ 안전밸브 및 파열판
    ⓒ 폭발방산공(Emergency Vent, 이상내압상승방지장치)
    ⓒ 냉각설비
      ⓐ 물분무설비
      ⓑ 포소화설비

12 반응폭주

1. 개요

① 정의 : 화학반응 시 반응과 제어의 균형이 무너지면서 반응속도가 지수함수적으로 증대되어 반응이 폭주하는 현상
② 반응폭주가 일어나기 쉬운공정[30]
  ⑦ 저밀도 폴리에틸렌 중합기
  ⓒ 암모니아 2차개질로
  ⓒ 석유정제수소화 분해반응기
  ⓔ 에틸렌제조시설의 아세틸렌 수첨탑
  ⓜ 메탄올 합성반응탑

---

[30] 암기 저암석에메
  - 반응폭주가 일어나기 쉬운공정 : 저밀도 폴리에틸렌 중합기, 암모니아 2차개질로, 석유정제수소화 분해반응기, 에틸렌제조시설의 아세틸렌 수첨탑, 메탄올 합성반응탑

2. 메카니즘[31]

　　① 불균형 : 반응기 내 반응과 제어의 불균형 → 밀폐계에서
　　　　발열속도 > 방산속도 → 온도↑

　　② 반응폭주 : 온도↑ → 반응가속 → 반응온도 이상 시 폭발

$$\text{(아레니우스 식 : } V = Ce^{-\frac{E}{RT}})$$

3. 반응의 종류

　　① 라디칼반응(연쇄반응)

　　　㉠ 라디칼에 의해 연쇄반응하는 화학, 연소반응
　　　　(라디칼 생성속도 > 손실속도)

　　　㉡ 영향 인자

　　　　ⓐ 반응물질의 양↑ → C(빈도계수)↑ → V(반응속도)↑

　　　　ⓑ 촉매
　　　　　정촉매 : E(활성화에너지)↓ → V(반응속도)↑
　　　　　부촉매 : E↑ → V↓

　　　㉢ 대책 : 할로겐(Cl^-, Br^-), 분말소화약제(Na^+, K^+) 사용 →
　　　　자유 라디칼 포착 → E↑ → 연쇄반응 차단

　　② 열반응(열발화이론)

　　　㉠ 온도가 상승하는 반응 (발열속도 > 방산속도)

　　　㉡ 영향 인자

　　　　ⓐ T(온도)↑ → V↑

　　　　ⓑ 온도 10℃↑ → V 2배↑

　　　㉢ 대책
　　　　냉각소화 →온도↓

---

31) 암기 불반
　　- 반응폭주 메카니즘 : 불균형, 반응폭주

4. 반응폭주 발생원인[32]

① 냉각장치 고장, 냉각능력 부족

반응열 제어실패 → 발열속도 > 방산속도 → 온도↑ →
압력↑(게이뤼삭의 법칙, P/T=C) → 반응폭주

② 동력원의 부조화 및 급정지

급정지 → 단열압축 → 압력↑ → 온도↑($T_2 = T_1 \times \left(\dfrac{r-1}{r}\right)$)
→ 반응폭주

③ 계장시스템의 고장

제어용 계장시스템 고장 → 온도, 압력 제어능력 상실 →
온도, 압력이 지수함수적으로 상승 → 반응폭주

④ 공기유입에 의한 산화반응

감압운전 시 기기류 공기유입 → 가연성 혼합기 형성 →
점화원에 의한 산화반응으로 반응폭주

⑤ 조작자 실수

㉠ 밸브개폐 오조작

㉡ 원재료 종류나 계량 잘못

㉢ 정촉매 공급량 과잉

㉣ 반응속도에 대한 지식부족

㉤ 희석제, 불활성물질 사용방법 부적정

⑥ 반응억제제 투입설비 고장

반응억제제 투입 중지 → 반응가속 → 온도↑ → 압력↑
→ 반응폭주

---

32) 암기 냉동계공조반원혼
- 반응폭주 발생원인 : 냉각장치 고장·냉각능력 부족, 동력원의 부
조화 및 급정지, 계장시스템의 고장, 공기유입에 의한 산화반응,
조작자 실수, 반응억제제 투입설비 고장, 원재료 배합비율 이상,
혼합위험에 대한 발열

⑦ 원재료 배합비율 이상

㉠ 원재료 배합비율 오차 ┐
㉡ 원재료 주입량 부적절 │ 발열반응 발생 (발열>방산) →
㉢ 주입속도 부적절   │ 온도, 압력 지수함수적으로
㉣ 산소공급량 과잉   ┘ 상승 → 반응폭주

⑧ 혼합위험에 대한 발열
사고에 의해 2개 물질 혼합 → 혼합열, 반응열 발생 → 온도, 압력↑→ 반응폭주

5. 대책

화학공장의 위험관리 전략(본수능절) + 내부반응 감시장치

13 폭발재해 형태에 따른 예방대책

1. 개요[33]

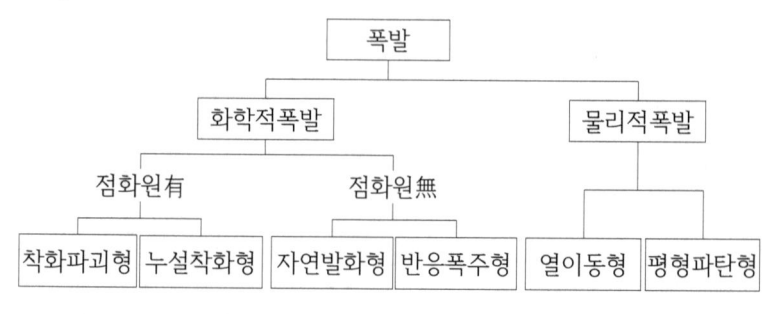

```
                        폭발
              ┌──────────┴──────────┐
          화학적폭발              물리적폭발
      ┌───────┴───────┐        ┌────┴────┐
   점화원有        점화원無
  ┌────┴────┐   ┌────┴────┐  ┌────┴────┐
착화파괴형 누설착화형 자연발화형 반응폭주형 열이동형 평형파탄형
```

---

2. 폭발재해 형태에 따른 대책
  ① 착화파괴형
      ㉠ 정의 : 용기내 위험물 착화 → 압력상승 → 파괴
      ㉡ 종류 : VCE
      ㉢ 특징 : 화학적폭발, 가연성물질일 것, 점화원 필요
      ㉣ 대책 : 점화원 관리, 불활성가스 투입
  ② 누설착화형
      ㉠ 정의 : 위험물 누출 → 증기운형성 → 착화폭발
      ㉡ 종류 : UVCE
      ㉢ 특징 : 화학적폭발, 가연성물질일 것, 점화원 필요
      ㉣ 대책 : <u>누적검펌</u>
  ③ 자연발화형
      ㉠ 정의 : 밀폐계에서 완만한 반응열 축적으로 자연발화
      ㉡ 종류 : 자연발화 (by 산화열, 분해열, 중합열)
      ㉢ 특징 : 화학적폭발, 가연성물질일 것, 점화원은 불필요
      ㉣ 대책 : 온도↓, 수분↓, 부촉매, 열전도율↑, 열축적방
            지, 공기접촉↑(통풍, 환기)
  ④ 반응폭주형
      ㉠ 정의 : 반응과 제어의 불균형이 무너져 급격한 온도상
            승에 의한 폭발
      ㉡ 종류 : 반응폭주
      ㉢ 특징 : 화학적폭발, 가연성물질일 것, 점화원은 불필요
      ㉣ 대책 : <u>공원내내불냉반</u>
  ⑤ 열이동형
      ㉠ 정의 : 직접적인 열전달 → 급격한 비등에 의한 부피
            팽창 → 폭발

     ⓛ 종류 : 수증기폭발, 극저온액화가스 폭발

     ⓒ 특징 : 물리적폭발, 직접적인 열전달에 의한 폭발, 점화원은 불필요

     ⓔ 대책

        ⓐ 수증기폭발 : <u>로고바주</u>

        ⓑ 극저온액화가스 폭발 : <u>접느감</u>

   ⑥ 평형파탄형

     ㉠ 정의 : 간접적인 열전달 → 압력↑ → 용기균열 → 압력↓ → 급격한 비등에 의한 부피팽창 → 폭발

     ⓛ 종류 : BLEVE

     ⓒ 특징 : 물리적폭발, 간접적인 열전달에 의한 폭발, 점화원은 불필요

     ⓔ 대책 : <u>고입내외방폭압</u>

14 균일반응 vs 전파반응

1. 개요

   ① 정의

     ㉠ 균일반응

        ⓐ 화학적변환이 전체에서 균일하게 일어나는 반응

        ⓑ 용기내 폭발

     ⓛ 전파반응

        ⓐ 화학적변환이 반응물 전체를 통해 이동

ⓑ 배관내 폭발
② 폭발 종류
　┌ 물리적폭발 : 상변화에 의한 부피팽창
　└ 화학적폭발 ┌ 균일반응(용기내 폭발) : 열적폭발(반응폭주)
　　　　　　　└ 전파반응(배관내 폭발) ┌ 폭연 : 아음속
　　　　　　　　　　　　　　　　　└ 폭굉 : 초음속

2. 균일반응 vs 전파반응

구분	균일반응	전파반응
종류	열적폭발(반응폭주)	① 폭연 : 아음속 ② 폭굉 : 초음속
메카니즘	용기내 반응과 제어의 불균형 → 밀폐계에서 발열속도 > 방산속도 → 온도↑ → 반응가속 → 발화온도 이상 시 폭발	연소(인화에 의한 발화, 자연발화) → 연소파 → 압축파 → 충격파 → 폭굉파
반응속도	반응계 전체에서 일정	반응계에 따라 달라진다
압력	충격파, 폭굉파 형성 X → 고압형성 X	충격파, 폭굉파 전이 시, $100 \ kg/cm^2$의 폭발압력 형성
대책	반응폭주 대책 모두 쓸 것	폭굉 대책 모두 쓸 것

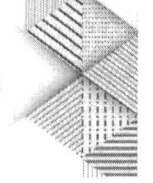

15 자유공간 증기운 폭발(UVCE)

1. 개요
    ① 정의
        ㉠ Unconfined Vapor Cloud Explosion
           (자유공간 증기운 폭발)
        ㉡ 대기중에 가연성가스 유출되어 기화되고 공기와 혼합하
           여 충분한 크기의 증기운 형성 시 점화원에 의해 폭발

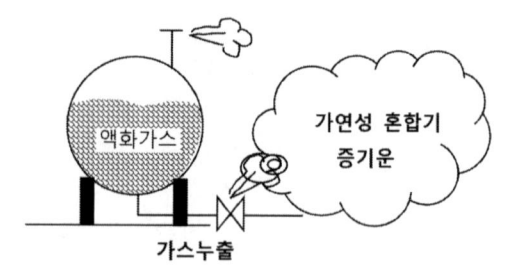

    ② UVCE 발생조건[34]
        ㉠ Flashing 능력↑
        ㉡ 물질이 폭발할 수 있는 한계량 이상 존재
           (물질에 따라 1 ~ 15 ton)
        ㉢ 가연성물질
        ㉣ 누출된 가연성물질과 주위 온도차↑ → 열전달↑

---

34) 암기 F량가온
    - UVCE 발생조건 : Flashing 능력, 폭발 한계량 이상 존재, 가연
      성물질, 온도차

2. 발생 메카니즘[35]

① 누출 : 대량의 가연성액화가스 누출 by 저장탱크·배관 파손, 밸브 오조작

② 확산 : 순간증발 → 온도↓(by 증발잠열) → 밀도↑(ρ↑=PM/RT↓)

③ 大 증기운 형성

　공기와 혼합 → 폭발범위내의 충분한 크기의 증기운형성
　충분한 크기의 증기운 형성 X → Flash Fire

④ 폭발 : 점화원(MIE↑, 최소발화온도↑)에 의해 점화 → 폭발

⑤ Fire Ball 형성 : 가연성물질의 누출량 多 → Fire Ball 형성 가능성↑

3. 증기운 형성 물질(NFPA 30)

Class	물 질	특 성	증발형태
I	LNG	대기압, 저온액화	증발제한 by 열전달
II	LPG, 액화염소	상온, 가압액화	순간증발
III	벤젠, 헥산	비점이상온도, 가압액화	증발제한 by 열전달, 확산
IV	화학공정상 유기액체	고온, 가압액화	순간증발

Class II & IV : 순간증발 → 증기운 형성속도↑ → 증기운폭발 가능성↑

4. UVCE 특징[36]

---

35) [암기] 누확大폭F
   - UVCE 발생 메카니즘 : 누출, 확산, 大 증기운, 폭발, Fire Ball

36) [암기] 먼난효크재화
   - UVCE 특징 : 먼지점 착화, 난류혼합, 폭발효율↓, 증기운크기↑,

① 누출점으로부터 먼지점 착화 → 폭발충격↑

② 난류혼합 → 폭발력↑

③ 폭발효율↓ : 개방계 폭발 → 연소에너지 20% 정도만 폭풍파 전환 → 폭발효율↓

④ 증기운크기↑ → 점화확률↑ & 폭발력↑

⑤ 재해형태 : 폭발력보다는 화재가 보통

⑥ 화학적폭발(누설착화형)로써 Flashing 능력 중요

5. UVCE영향인자[37]

① 점화 전 증기운이 움직인 거리↑

② 점화 전 증기운 시간지연↑

③ 증발된 물질의 분률↑

④ 폭발효율, 폭발확률↑

⑤ 물질이 폭발할 수 있는 한계량 이상 존재
(물질에 따라 1 ~ 15 ton 이상)

⑥ 점화원 : 점화원 에너지↑

6. 방지대책[38]

① 누설, 방류, 체류 억제

㉠ 배관, 용기의 충분한 부식 여유두께

㉡ 배관길이 최소화 → 배관누설가능성↓

재해형태, 화학적폭발

37) 암기 거시분폭량점
   - UVCE 영향인자 : 거리, 시간, 분률, 폭발효율, 폭발 한계량 이상 존재, 점화원

38) 암기 누적검평
   - UVCE 방지대책 : 누설·방류·체류 억제, 적정 재고량 유지, 가스누설검지경보기 및 자동차단설비, 정량적 위험성평가 실시

　　　　ⓒ 방유제 설치

　　　　　ⓐ 액 확산 방지 → 유출 범위 최소화

　　　　　ⓑ 증발표면적↓ → 증발확산량↓ → 가스유출 피해
　　　　　　최소화

　　　　ⓔ RBI 기법도입 → 안정성↑

　　② 적정 재고량 유지

　　　　㉠ 폭발가능 한계량 미만으로 유지
　　　　(물질에 따라 1 ~ 15 ton 미만)

　　　　㉡ 불가피하게 한계량 이상 시 : 소분하여 저장

　　③ 가스누설검지경보기 및 자동차단설비

　　　가스누설 → 검지 ┌→ 경보
　　　　　　　　　　　└→ 자동차단밸브 작동

　　④ 정량적 위험성평가 실시 : 폭발 확률, 크기 분석 후 Risk↓
　　　대책 수립 필요

7. UVCE의 과압형성으로 손상을 일으킬 수 있는 조건[39]

　　① Flashing 능력↑

　　　Class Ⅱ : LPG, 액화염소　　　┐ 순간증발 →
　　　Class Ⅳ : 화학공정상의 유기액체 ┘ 증기운형성 용이

　　② 점화 전 충분한 크기의 증기운 형성(大)

　　　　㉠ 증기운크기↓ → 증기운화재 → 폭풍압 형성 X

　　　　㉡ 증기운크기↑ → 폭풍압 형성 → 과압에 의해 피해↑

　　③ 방출된 물질이 가연성일 것

---

39) 암기 F大가온증폭
　- UVCE의 과압형성으로 손상을 일으킬 수 있는 조건 : Flashing
　　능력, 증기운 형성(大), 가연성, 온도・압력, 증기운은 폭발범위 내
　　존재, 폭풍압효과

④ 온도, 압력이 폭발에 적합한 조건일 것

⑤ 증기운은 폭발범위 내 존재

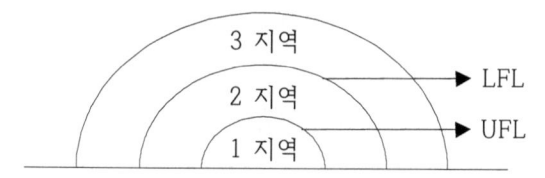

⑦ 1 지역 : 방출지점으로 농도가 농후한 지역 → UFL↑ → 폭발 X

ⓒ 2 지역 : 폭발범위 내 → 화염전파 가능

ⓒ 3 지역 : 증기운의 끝부분으로 농도가 희방한 지역 → LFL↓ → 폭발 X

⑥ 폭풍압효과

⑦ 층류 흐름 → 화염전파속도↓ → 푹풍파 형성↓

ⓒ 난류 흐름 → 화염전파속도↑ → 풍풍과 형성↑ → 폭발피해↑

8. Flash Fire vs UVCE

구분	Flash Fire	UVCE
개념	누출 → 기화 → 즉시 점화	누출 → 충분한 크기 증기운 형성 → 점화
연소속도	층류흐름 → 연소속도 낮고 증가 無	난류흐름 → 연소속도 높고 증가 有 → 압축파 → 푹풍파 발생
폭풍파 손상	압축파 발생 無 → 폭풍파 발생 無	난류흐름 → 압축파 → 폭풍파 발생 → 푹풍파 손상 大
위험성	화염, 복사	과압
발생 조건	가연성 물질량 少 (1 ton 미만)	가연성물질량 多 (1~15 ton 이상)

9. BLEVE vs UVCE

구분	BLEVE	UVCE
폭발분류	물리적폭발	화학적폭발
위험요소	과압, 복사열	과압
계	밀폐계	개방계
폭발효율	25 ~ 50%	1 ~ 10%

10. Flash율(증발율)

$$\frac{q}{Q} = \frac{H_1 - H_2}{L}$$

Q : 전체액량(kg), q : 기화된 액량(kg), L : 증발잠열(kcal/kg)

H_1 : 가압하의 액체 엔탈피(kcal/kg)

H_2 : 대기압하의 액체 엔탈피(kcal/kg)

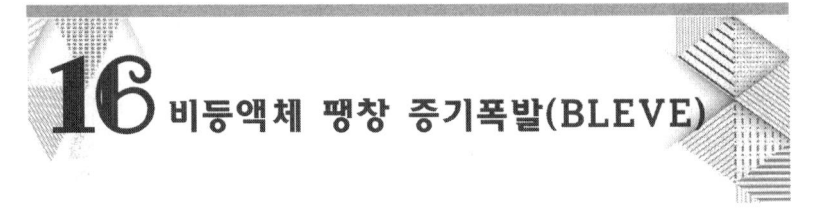

16 비등액체 팽창 증기폭발(BLEVE)

1. 개요

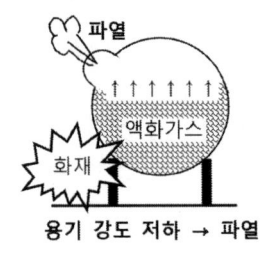

파열

액화가스

화재

용기 강도 저하 → 파열

① 정의

㉠ Boiling Liquid Expanding Vapor Explosion(비등액체 팽창 증기폭발)

㉡ 물리적폭발로 상변화에 의해 부피 팽창에 의한 폭발

② BLEVE가 Fire Ball 형성하기 위한 조건[40)]

  ㉠ 점화원, ㉡ 가연성혼합기 형성, ㉢ 액화가스 중량 1kg 이상

2. BLEVE 발생 메카니즘[41)]

  ① 액온상승 : 탱크주위 화재 발생 → 액화가스 온도상승

  ② 연성파괴

    ㉠ 액상부 : 액상부로 열전도 → 온도상승 속도↓

    ㉡ 기상부

      ⓐ 화재로 급격히 가열 → 내압↑

      ⓑ 화재로 탱크 용기 강도↓ → 균열발생

      ⓒ 탱크 내 증기방출 → 내부압력↓

  ③ 액격현상 : 내부압력↓ → 과열 액화가스 비점 도달 → 급격히 증발 → 탱크내벽에 강한 충격

  ④ 취성파괴 : 액격현상에 의해 탱크파괴 → Fire Ball 발전

3. BLEVE 발생조건[42)]

  ① 비점이상으로 가열

  ② 밀폐계

  ③ 파열, 균열에 의해 내용물이 대기중 방출

  ④ 기계적 강도이상의 압력 형성

---

40) **암기** 점가량
   - BLEVE가 Fire Ball 형성하기 위한 조건 : 점화원, 가연성혼합기 형성, 액화가스 중량 1kg 이상

41) **암기** 액연액취
   - BLEVE 발생 메카니즘 : 액온상승, 연성파괴, 액격현상, 취성파괴

42) **암기** 비밀파기
   - BLEVE 발생조건 : 비점이상으로 가열, 밀폐계, 파열·균열에 의해 내용물이 대기중 방출, 기계적 강도이상의 압력 형성

4. BLEVE 영향인자[43)]

　① 저장물의 인화성, 독성 여부

　② 저장물의 종류 및 형태

　③ 저장물의 물리적 역학상태

　④ 저장용기의 재질

　⑤ 주위 온도 및 압력 조건

5. BLEVE 발생 방지대책[44)]

　① 고정식 살수설비 설치(물분무설비, 수막설비)

　　　살수 ┌→ 폭발제어

　　　　　 └→ 인접탱크, 건물로의 복사열 차단

　② 입열방지

　　　㉠ 용기외벽 단열공사

　　　㉡ 탱크 지하설치

　③ 용기내압강도 유지

　　　㉠ 부식고려 충분한 부식여유 두께

　　　㉡ 내화도료

　　　㉢ 안전율 고려

　④ 외력에 의한 파괴 방지

　　　방호벽, 차단물, 용기두께↑ 설계

---

43) [암기] 인종물재온압
　　- BLEVE 영향인자 : 저장물의 인화성·독성 여부, 저장물의 종류
　　　및 형태, 저장물의 물리적 역학상태, 저장용기의 재질, 주위 온도
　　　및 압력 조건

44) [암기] 고입내외방폭압
　　- BLEVE 발생 방지대책 : 고정식 살수설비 설치, 입열방지, 용기
　　　내압강도 유지, 외력에 의한 파괴 방지, 방액제 내부기초 경사, 폭
　　　발방지 장치, 압력방출장치

⑤ 방액제 내부기초 경사

　　탱크외면으로부터 최소 5m까지 1.5° 이상 경사

⑥ 폭발방지 장치

　　열전도가 큰 다공성 알루미늄 합금박판 설치 → 기상부 강판의 흡수열을 액상부로 전달 → 탱크 기상부 온도를 파괴점 이하로 유지

⑦ 압력방출장치

　　압력방출장치(안전밸브, 파열판, 긴급방출설비) 작동 → 탱크압력↓→ 탱크강판의 응력 파괴치 이하로 유지

17 박막폭굉

1. 개념

고압산소 배관에 윤활유 박막 상 존재 시 → 윤활유 무화 → 폭발

2. 메카니즘 및 대책

메카니즘[45]	대책
고압의 산소·공기 배관에 윤활유가 박막상태 부착	주기적인 청소(Flushing)
고압의 산소·공기 공급으로 과압 형성	산소·공기 공급압력 조정
과압으로 윤활유 무화	검지기→불활성가스주입→MOC↓유지

메카니즘45)	대책

점화원
① 단열압축
  : 압력↑→온도↑→점화
② 정전기
  : 정전기→MIE↑→점화
	① 급격한 밸브 개폐 금지
	② 발도부인

배관 녹으며 폭발	봉차불억배안

18 Fire Ball

1. 개요

① 개념 : 가연성 혼합물 대량분출
+ 점화원 → 반구상 → 원형
→ 버섯형 화염 형성

② Fire Ball 형태

㉠ UVCE에 의한 Fire Ball

㉡ BLEVE에 의한 Fire Ball

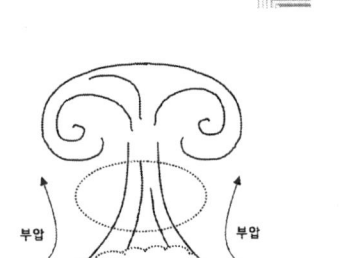

부압   증기운   부압

2. Fire Ball 발생 메카니즘46)

① 액화가스 누출

---

45) 암기 박과무점폭
- 박막폭굉 발생 메카니즘 : 박막상태 부착, 과압 형성, 윤활유 무
화, 점화원, 폭발

46) 암기 누혼점F
- Fire Ball 발생 메카니즘 : 누출, 혼합, 점화, Fire Ball 발생

　　　　⑦ UVCE 발생 과정 중 누출

　　　　ⓒ BLEVE 발생 과정 중 누출

　　② 혼합 : 액화가스 증발 → 공기와 혼합 → 가연성혼합기 형성

　　③ 점화

　　　　⑦ 가연성혼합기 + 점화원 → 지표면에서 반구상 화염 형성

　　　　ⓒ 온도↑ → 밀도↓ → 부력에 의해 화염상승

　　　　　※ 샤를의 법칙 : $V/T=C$, $\rho=W/V$ 따라서 $T\uparrow \rightarrow V\uparrow \rightarrow \rho\downarrow$

　　　　　※ 이상기체 상태방정식 : $\rho=PM/RT$ 따라서 $T\uparrow \rightarrow \rho\downarrow$

　　④ Fire Ball 발생

　　　　⑦ 압력 balance 맞추기 위해 하부에서 공기유입

　　　　ⓒ 원형형태 화염 → 버섯 형태 화염 발생

3. Fire Ball 형성 영향인자[47)]

　　① 폭발범위 : 온도↑, 압력↑, $O_2\uparrow$, 화학양론 조성비 근접
　　　+ 난류 → 폭발범위↑ → Fire Ball 형성 용이

　　② 증기밀도 : 증기밀도↓ → 부력에 의한 상승력↑ → Fire
　　　Ball 형성 용이

　　③ 연소열↑ ┌→ 반응속도↑ ┐→ Fire Ball 형성 용이
　　　　　　　└→ 온도↑ → $\rho\downarrow$ ┘

　　④ 증기와 공기의 혼합물 조성

　　　화학양론 ┌→ 완전연소→연소열↑ ┐→ Fire Ball
　　　조성비근접 └→ 폭발범위↑　　　　┘　형성 용이

4. 대책

　　① UVCE에 의한 Fire Ball 대책 - UVCE 대책 모두 쓸 것

　　② BLEVE에 의한 Fire Ball 대책 - BLEVE 대책 모두 쓸 것

---

47) 암기 폭증연증
　　- Fire Ball 형성 영향인자 : 폭발범위, 증기밀도, 연소열, 증기와
　　공기의 혼합물 조성

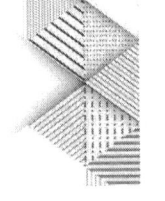

19 Fire Ball 피해예측

1. 개요
상기 개요 쓸 것

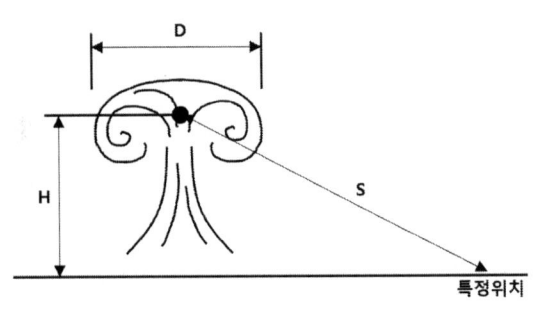

2. 피해예측 절차[48]

① 화구의 크기 산출

㉠ UVCE에 의한 Fire Ball : $D = 3.77 \times M^{0.32}$

㉡ BLEVE에 의한 Fire Ball : $D = 6.48 \times M^{0.325}$

D : 화구의 지름(m), M : 가연성물질 저장·취급량(kg)

② 화염의 지속시간 산출

㉠ UVCE에 의한 Fire Ball : $t = 0.285 \times M^{0.34}$

㉡ BLEVE에 의한 Fire Ball : $t = 0.825 \times M^{0.26}$

t : 화염 지속시간(초)

---

48) 암기 크지높대표복피
   - Fire Ball 피해예측 절차 : 크기 산출, 지속시간 산출, 높이 산출,
     대기투과도, 표면 방사에너지 산출, 복사열량 산출, 피해예측

③ 화구 중심의 높이 산출 : $H = 0.75 \times D$

　　H : 지상으로부터 화구 중심까지의 높이(m)

④ 대기투과도(Transmissivity)

　㉠ 개념 : 화염 복사열량의 대기 투과정도

　㉡ 공식 : $\tau = 2.02 \times P \times S$

　　τ : 대기투과도(무차원), 　P : 수증기 분압(N/m²)

　　S : 표면에서 대상물까지 거리(m)

⑤ 표면 방사에너지 산출 : $E = \dfrac{R M H_c}{\pi D^2 t}$

　　E : 표면 방사에너지(kJ/m²·sec), 　H_c : 연소열량(kJ/kg)

　　R : 연소열의 복사비율(무차원)(0.25~0.4)

⑥ 복사열량 산출 : $Q = \tau \times F \times E$

　　Q : 일정거리에서의 복사열량(kW/m2)

　　τ : 대기투과도(무차원), 　F : 시계인자(무차원)

⑦ 피해예측 → 복사열 영향의 피해 범위

　㉠ 4 kW/m² : 근로자 상해

　㉡ 12.5 kW/m² : 2차 화재

　㉢ 37.5 kW/m² : 시설물 전파

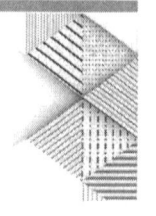

20 불활성화

1. 정의

　① 불활성화(치환, Purging) : 가연성혼합기에 불활성가스
　　(N_2, CO_2, 수증기 등)를 주입하여 최소산소농도(MOC)
　　이하로 유지된 상태

② 이너팅(Inerting) : 최소산소농도(MOC) 이하로 유지하기 위해 불활성가스를 주입하는 행위

2. 불활성화 방법[49]
　① 진공퍼지(Vaccum)

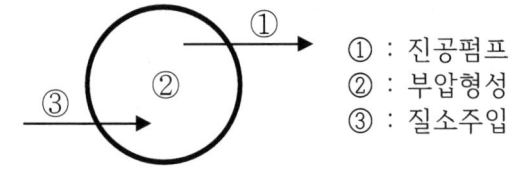

　　① : 진공펌프
　　② : 부압형성
　　③ : 질소주입

　　㉠ 적용 : 진공에 견딜 수 있도록 설계된 반응기
　　㉡ 퍼지 방법
　　　ⓐ 원하는 진공도에 이를 때까지 용기 진공
　　　ⓑ 불활성가스 주입하여 대기압과 같게함
　　　ⓒ 원하는 산소농도까지 상기 반복
　　㉢ 특징
　　　ⓐ 저압퍼지
　　　ⓑ 압력퍼지에 비해 ┌ 불활성가스 사용량↓
　　　　　　　　　　　　 └ 퍼지시간↑
　② 압력퍼지(Pressure)

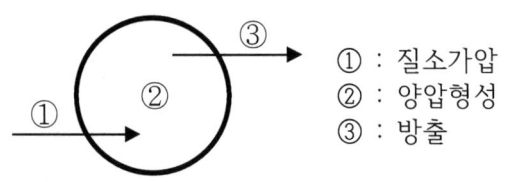

　　① : 질소가압
　　② : 양압형성
　　③ : 방출

　　㉠ 적용 : 압력용기에 사용

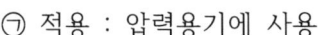

49) [암기] 진압사스
　- 불활성화 방법 종류 : 진공퍼지, 압력퍼지, 사이폰퍼지, 스위퍼퍼지

ⓛ 퍼지 방법

　　ⓐ 용기에 원하는 압력까지 불활성가스 주입

　　ⓑ 주입가스가 충분히 확산되면 대기로 방출

　　ⓒ 원하는 산소농도까지 상기 반복

ⓒ 특징

　　ⓐ 가압퍼지

　　ⓑ 진공퍼지에 비해 ┌ 불활성가스 사용량↑
　　　　　　　　　　　└ 퍼지시간↓

　　ⓒ 불활성가스압력은 압력용기의 설계압력을 고려하여 결정

③ 사이폰퍼지(Siphon)

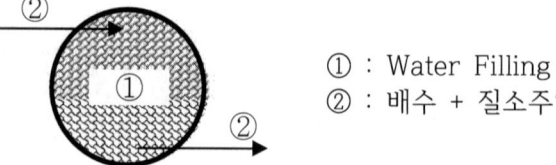

　　① : Water Filling
　　② : 배수 + 질소주입

㉠ 적용 : 대형저장용기

ⓛ 퍼지 방법

　　ⓐ 용기에 액체 채움

　　ⓑ 용기로부터 액체 Drain하면서 증기층에 불활성가스 주입

ⓒ 특징

　　ⓐ 불활성가스 부피 = 용기부피

　　ⓑ 스위프퍼지에 비해 ┌ 불활성가스 사용량↓
　　　　　　　　　　　　└ 퍼지시간↑

④ 스위퍼퍼지(Sweep)

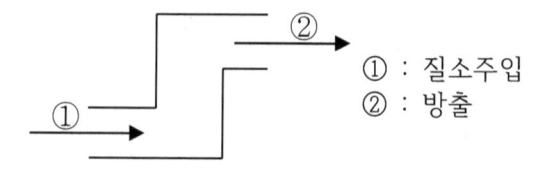

　　① : 질소주입
　　② : 방출

㉠ 적용 : 용기 가압, 진공 불가할 경우

㉡ 퍼지 방법

　　ⓐ 한쪽개구부 : 저압으로 불활성가스 공급

　　ⓑ 다른쪽개구부 : 대기압으로 방출

　　ⓒ 원하는 산소농도에 도달 시까지 계속

㉢ 특징

　　ⓐ 출구흐름 유량 = 입구흐름 유량

　　ⓑ 사이폰퍼지에 비해 ┌ 불활성가스 사용량↑
　　　　　　　　　　　　└ 퍼지시간↓

4. 화학설비의 치환작업 방법[50]

① 비어있는 용기에 가연성물질 충전시 : 용기내부 불활성가스로 치환하여 불활성 분위기 유지 → 가연성물질 충전

② 산소농도 검지 : 산소분석기로 산소농도 분석 → 설정 산소농도 도달 → 불활성가스 주입 → MOC↓ 유지 → 폭발범위 외로 유지

③ 치환작업의 제어점 : 산소농도를 MOC 보다 4% 이상 낮게 설계

④ 불활성설비에 압력조정기 설치 : 압력조정기로 일정한 불활성가스 압력 유지 → 외부 공기 유입방지

⑤ 치환방법(진압사스) 결정 : 용기 상태, 주위환경조건 등 고려 → 적절한 방법 결정

---

50) 암기 비산제압치
　- 화학설비의 치환작업 방법 : 비어있는 용기에 가연성물질 충전시 불활성 분위기 유지, 산소농도 검지, 치환작업의 제어점, 불활성설비에 압력조정기 설치, 치환방법(진압사스) 결정

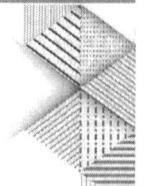

21 연소 설명
(연소열 발열속도, 방열속도)

1. 개요
   ① 연소 : 발열속도 > 방열속도
   ② 폭발, 반응폭주 : 발열속도 >> 방열속도
   ③ 소화 : 발열속도 < 방열속도

2. 연소열 발열·방열속도 곡선
   ① 발열·방열속도 곡선

[연소 가능]   [연소 불가능]

   ② 발화 제어 대책
      ㉠ 방열속도↑ 대책
         ⓐ 연소점 이하로 제어
         ⓑ 냉각설비, 살수설비
      ㉡ 발열속도↓ 대책
         ⓐ 부촉매 주입
         ⓑ 미반응물질 희석
         ⓒ 불활성물질 주입

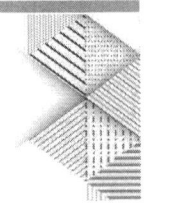

22 점화원 종류, 관리대책

1. 개요
① 연소 3요소 : 가산점
② 연소 조건 : 물적조건 × 에너지조건 = 1

2. 점화원 종류별 발생원인, 방지대책

종류[51)	발화형태	방지대책
나화	난방, 담뱃불	충분한 이격
정전기	석유류 유동, 가연성가스 분출	발도부인
복사열	화염, 태양광선	차광시설
자연발화	산중흡착분발	열열퇴공수발온
고온표면	가열로, 용융금속	충분한 이격
충격·마찰	불티, 공구 충격불꽃	방폭공구
단열압축	폭굉 충격파, 박막폭굉	다단압축, 중간냉각기 설치
전기불꽃	과전류, 단락, 지락, 누전	방폭구조, 과전류·누전 차단기

---

51) 암기 나정복자고충단전
   - 인화에 의한 발화형태 종류 : 나화, 정전기, 복사열, 자연발화, 고
     온표면, 충격·마찰, 단열압축, 전기불꽃

23 폭발효율

1. 개념
① 이론 폭발에너지에 대한 실제 방출에너지
② 폭발효율 공식

$$폭발효율(\eta) = \frac{실제 \ 방출에너지}{이론 \ 폭발에너지} \times 100(\%)$$

2. 폭발효율 영향인자[52)]
① 가스 성질
   ⑦ Flashing 능력
      ⓐ LPG : 증발능력↑ → 순간증발 → 충분한 크기의 증기운 형성
      ⓑ LNG : 증발능력↓ → 순간증발 제한 → 증기운 형성 X → 폭발효율↓
   ⓒ 발열량↑ → 폭발효율↑
   ⓒ 연소범위↑ → 폭발효율↑
   ⓔ 가스 조성
      ⓐ 카르복실기(COOH), 아미노기(-NH₂), NO₂ : 폭발효율↑
      ⓑ 할로겐 그룹(F⁻, Cl⁻, Br⁻) : 폭발효율↓
② 가스 혼합상태
   ⑦ 화학양론 조성비(C_{st}) 부근 : 폭발효율 최대
   ⓒ LFL, UFL 쪽으로 갈수록 : 폭발효율↓

---

52) 암기 성혼점계
  - 폭발효율 영향인자 : 가스 성질, 가스 혼합상태, 점화원 강도, 계

③ 점화원 강도

점화원 강도↑ → 활성라디칼 생성속도↑ → 폭발효율↑

④ 계

㉠ 개방계 : 개방계폭발(UVCE) → 폭발효율↓

㉡ 밀폐계 : 밀폐계폭발(BLEVE) → 폭발효율↑

3. 폭발형태별 폭발효율

구분	폭발효율(%)
UVCE	개방계 → 폭발효율 1~10%
BLEVE	밀폐계 → 폭발효율 25~50%
화학플랜트 설계 시	폭발효율 2%로 산정

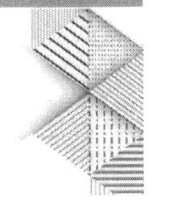

24 폭발지수 및 폭연상수

1. 폭발지수

① 정의 : 폭발지수는 미국 피츠버그 시 부근에서 생산되는 석탄분진을 기준으로 폭발용이도인 발화감도와 폭발의 격렬정도를 나타내는 폭발강도의 곱으로 나타낸 상대적 지수

② 공식

폭발지수 = 발화감도 × 폭발강도

㉠ 발화감도 $= \dfrac{\text{탄진}(MIE \times LFL \times \text{발화온도})}{\text{시료분진}(MIE \times LFL \times \text{발화온도})}$

㉡ 폭발강도 $= \dfrac{\text{시료분진}(\text{최대압력} \times \text{최대압력상승속도})}{\text{탄진}(\text{최대압력} \times \text{최대압력상승속도})}$

③ 영향인자

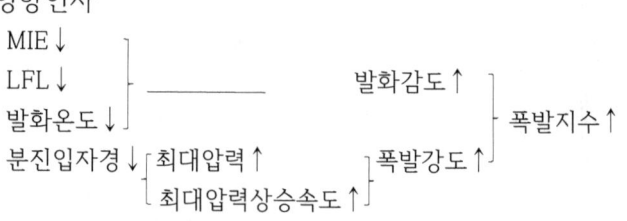

④ 폭발지수와 폭발정도의 관계

발화감도	폭발강도	폭발지수	폭발정도
0.2↓	0.5↓	0.1↓	약한폭발
0.2 ~ 1.0	0.5 ~ 1.0	0.1 ~ 1.0	중간폭발
1.0 ~ 5.0	1.0 ~ 2.0	1 ~ 10	강한폭발
5.0↑	2.0↑	10↑	매우강한폭발

2. 폭연상수(Bartknecht 3승 법칙)

① 정의 : 최대압력상승속도와 용기 내용적의 1/3승의 곱

② 목적 : 분진폭발 우려가 있는 용기나 건물에서 폭발발생 시 폭발압력을 방출시키는 방출구의 크기를 계산하는 데 이용

③ 공식

$$K_{st} = \left(\frac{dP}{dt}\right)_{max} \times V^{\frac{1}{3}}$$

K_{st} : 분진의 폭연상수(bar·m/s), V : 용기의 내용적(m^3)

$\left(\dfrac{dP}{dt}\right)_{max}$: 최대폭발압력상승속도(bar/s)

④ 폭연상수에 따른 분진의 폭발등급

폭연상수(K_{st})	분진의 폭발등급	폭발특성
0	st 0	폭발없음
0 ~ 200	st 1	약함
200 ~ 300	st 2	강함
300 이상	st 3	매우강함

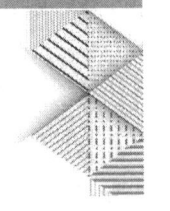

25 폭발확률 및 피해범위예측

1. 개요

① 가스 사고 → 화재 → 복사열 → 폭발 → 과압, 복사열

② Probit(피해정도) 분석

　피해 크기, 확률의 연관관계 → 실험식 분석

2. 사고 피해영향 예측

① 프로빗(Probit) 값과 확률 관계

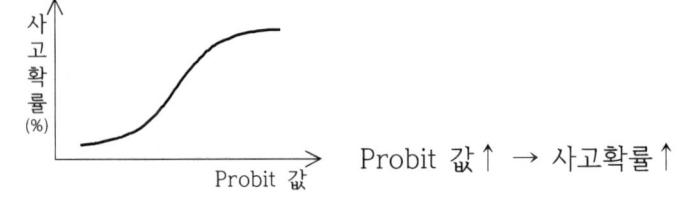

Probit 값↑ → 사고확률↑

② Probit 계산

　㉠ 화재 시 피해영향 : $Pr = -K + A \ln(t\, Q^{4/3})$

　　Pr : Probit 값　　　$K,\ A$: 영향별 상수

　　t : 노출시간(초)　　Q : 복사열(W/m^2)

　㉡ 폭발 시 피해영향

　　ⓐ 폐출혈, 고막파열의 경우 : $Pr = -K + A \ln Ps$

　　　$K,\ A$: 각 사고에 대한 상수, Ps : 피크과압(N/m^2)

　　ⓑ 충격 부상, 사망, 파편영향의 경우 :

　　　$Pr = -K + A \ln Is$　　　Is : 임펄스($N \cdot sec/m^2$)

3. TNT 당량
① TNT 당량의 정의 : 폭발한 물질의 폭발특성을 TNT의 폭발특성치와 비교하여 나타낸 값

② 공식 : $W = \dfrac{\epsilon a \, \Delta H M}{1,120 \, (kcal/kg \; TNT)} \times \eta$

ϵ : 폭발계수,　　　ΔH : 진발열량(kcal/kg),
a : 액화가스 기화율

압축가스 : $a = 1$
액화가스 : $a = \dfrac{H_1 - H_2}{L}$

L : 비점에서의 증발잠열
H_1 : 누출전 액상태의 엔탈피
H_2 : 비점에서의 액엔탈피

W : 폭발물질의 양(kg),　　η : 폭발효율

③ 피해예측 절차[53]
　㉠ 누출량 산출 : 누출원 모델을 이용하여 누출된 물질의 양 산출
　㉡ 진발열량 산출 : 물질의 진발열량 산출
　㉢ 폭발계수 결정 : 실험적인 수치이며, 통상 0.01 내지 0.1 사용
　㉣ TNT 당량 계산 : 상기 공식을 이용하여 TNT 당량 산출
　㉤ 환산거리(Scaled Distance) 및 과압 산출
　　ⓐ 환산거리 산출
　　　$Z = \dfrac{R}{W^{1/3}}$

　　　Z : 환산거리(m/kg$^{1/3}$), W : TNT 당량(kg)
　　　R : 폭발지점으로부터의 거리(m)

---

53) 암기 누진폭T환피
　- TNT 당량 피해예측 절차 : 누출량 산출, 진발열량 산출, 폭발계수 결정, TNT 당량 계산, 환산거리 및 과압 산출, 피해예측

ⓑ 과압 산출

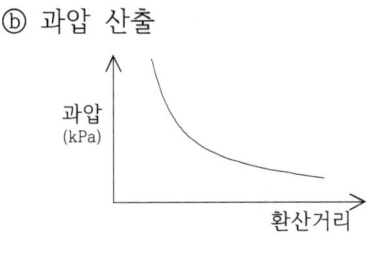

ⓒ Scaling 삼승근법칙(Hopkinso 삼승근법칙)
㉮ 내용 : 환산거리 같다면 폭발질량 관계없이 충격
파 특성값 동일
㉯ 목적 : a) 폭발범위 산정 b) 폭풍파의 특성 결정
ⓑ 피해예측
ⓐ 폭발지점으로부터 거리별 과압 산출
ⓑ 과압 영향의 피해범위(Kosha Guide)

과압(kPa)	손상
0.2	유리창 일부파손
3	구조물 가벼운 손상
30	공장·건물 파손

4. 결론

진발열량↑
폭발물질의 양↑   → TNT 당량↑→ 환산거리↓→ 과압↑→
액화가스 기화율↑   피해가중
폭발효율↑

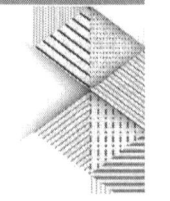

26 폭발 방지 및 방호대책

본수능절 + 봉차불억배안

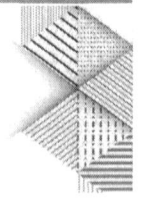

27 폭발 보호(방호)시스템[54]

1. 봉쇄(Containment)
   ① 정의 : 폭발에 견디도록 강하게 제작 및 구획화
   ② 종류
      ㉠ 압력용기
      ㉡ 방폭벽
      ㉢ 방폭큐비클
      ㉣ 차단물
   ③ 특징
      ㉠ 가장 일반적인 방법이며 신뢰도↑
      ㉡ 최대폭발압력으로 산정
      ㉢ 폭연 : 유효
        폭굉 : 불가

---

54) 암기 봉차불억배안
   - 폭발 보호(방호)시스템 종류 : 봉쇄, 차단, 불꽃방지기, 억제, 배
     출, 안전거리

2. 차단(Isolation)
   ① 정의 : 폭발 전파 방지위해 초고속검지 및 차단
   ② 종류
      ㉠ 초고속 검지 시스템
         ⓐ Flame 검지기
         ⓑ Spark 검지기
         ⓒ 압력검지기
      ㉡ 초고속 차단 시스템 : 긴급차단밸브

3. 불꽃방지기(화염전파방지기, Flame Arrester)
   ① 정의 : 가연성가스가 있는 장소로 불꽃의 유입·전파 방지
   ② 종류

   불꽃방지기 ┬ 형식 ┬ 소염소자식 ┬ 금속망형
             │   │   └ 평판형
             │   └ 액봉식 : 수냉형
             └ 사용목적 ┬ 관말단 화염방지기
                        ├ 관내 폭연방지기
                        └ 관내 폭굉방지기

   ③ 특징
      ㉠ 충분한 기계적 특성 : 폭발 및 화재로 인한 압력과 온
         도에 견딜 수 있는 충분한 내구성 필요
      ㉡ 소염능력 : 폭발화염을 저지하는 열역학적 특성
         (열 발열속도 < 열 방산속도)

4. 폭발억제(Explosion Suppression)
   ① 정의 : 화재 조기감지하여 억제제 자동고속 살포로 폭발 성
      장 억제

② 폭발억제 시스템 구성

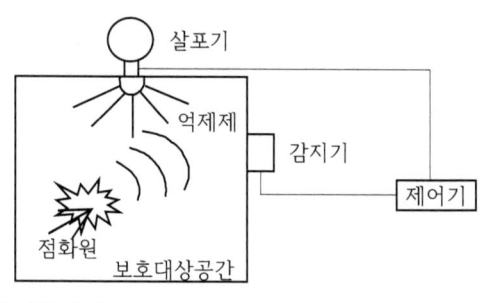

　　㉠ 감지기
　　　　ⓐ 화재 검출 및 제어기 신호 전달
　　　　ⓑ 빠른 응답성 및 정확성 요구
　　　　　　(Flame, Spark, 압력 검지기)
　　㉡ 제어기 : 감지기 신호 받아 뇌관 기폭
　　㉢ 살포기 : 억제제 고속 살포
　　㉣ 억제제 : 할론1301 주로 사용
③ 폭발억제 메카니즘

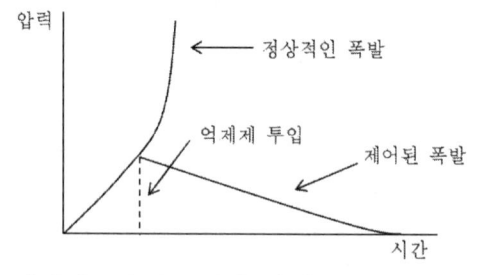

　　라디칼포착제(Br*)에 의해 자유라디칼(H*) 포착 → 활성화
　　에너지↑→ 연소속도↓ → 온도↓ → 압력↓

5. 폭발배출(Explosion Venting)
　　① 정의 : 폭발압력 배출로 전체적인 파괴 방지

② 종류[55)]

　㉠ 안전밸브[56)]

　　ⓐ 양정[57)]

　　　㉮ 저양정식 : 작동거리=배수구직경×1/40~1/15

　　　㉯ 고양정식 : 작동거리=배수구직경×1/50~1/7

　　　㉰ 전양정식 : 작동거리=배수구직경×1/7 이상

　　　㉱ 전량식 : 배수구직경 > 목부직경×1.15배 이상

　　ⓑ 작동방식[58)]

　　　㉮ 일반형 : 스프링 작동식

　　　㉯ 레버식 : 양정 이상유무 확인, 급속방출 가능

　　　㉰ 중추식 : 추무게로 작동

　　　㉱ 벨로즈형 : 토출측 배압 영향 X

　　　㉲ 파일럿 조작형 : 보조 안전밸브 작동에 의해 작동

　　ⓒ 취급유체[59)]

　　　㉮ Safety Valve : 기체 취급

　　　㉯ Relief Valve : 액체 취급

　　　㉰ Safety & Relief Valve : 기체, 액체 취급

---

55) 암기 안파통폭
- 폭발배출 종류 : 안전밸브, 파열판, 통기설비, 폭압방산공

56) 암기 양작취대
- 안전밸브 종류 구분 방법 : 양정구분, 작동방식구분, 취급유체구분, 대기접촉

57) 암기 저고전전
- 안전밸브 양정식 구분 : 저양정식, 고양정식, 전양정식, 전량식

58) 암기 일레중벨파
- 안전밸브 작동방식 구분 : 일반형, 레버식, 중추식, 벨로즈형, 파일럿 조작형

59) 암기 SRS
- 안전밸브 취급유체 구분 : Safety Valve, Relief Valve, Safety & Relief Valve

ⓓ 대기접촉[60]

㉮ 개방형 : 대기방출

㉯ 밀폐형 : 희석, 소각

ⓒ 파열판[61]

ⓐ 인장형 : 오목한 부분 압력 받아 파열

ⓑ 반전형 : 볼록한 부분 압력 받아 파열

ⓒ 통기설비[62]

ⓐ 통기관 : 용기 가압 및 진공 방지 Vent

ⓑ 통기밸브 : 가스·증기 방출 및 흡입 밸브

ⓔ 폭압방산공[63]

ⓐ 파열막식 : 압력 방출효과 제일 큼.

ⓑ 경첩판넬식 : Emergency Vent

ⓒ 이탈식 : 이상내압 상승 방지장치

6. 안전거리(Safety Distance)

① 정의 : 화재·폭발로부터 보호시설의 인적·물적 피해경감을 위한 거리

② 산정 영향인자

㉠ 폭발 과압의 정도

㉡ 복사열의 크기

㉢ 비산물 도달거리

---

60) **암기** 개밀
   - 안전밸브 대기접촉 구분 : 개방형, 밀폐형

61) **암기** 인반
   - 파열판 종류 : 인장형, 반전형

62) **암기** 통통
   - 통기설비 종류 : 통기관, 통기밸브

63) **암기** 파경이
   - 폭압방산공 종류 : 파열막식, 경첩판넬식, 이탈식

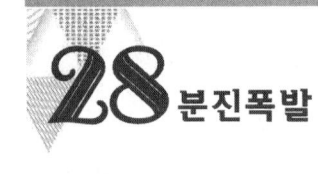
28 분진폭발

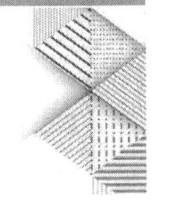

1. 개요

① 분진의 정의

가연성고체를 세분화한 것으로 입자가 대단히 적어 공기 중에 부유하는 420 μm 이하의 입자

② 분진의 종류

발화도	폭연성분진	가연성분진	
		전도성	비전도성
I1 (>270℃)	마그네슘, 알루미늄, 알루미늄 브론즈	아연, 코크스, 카본블랙	페놀수지, 폴리에틸렌, 고무
I2 (200℃<T≤270℃)	알루미늄 (수지)	철, 석탄	코코아, 리그닌, 쌀겨
I3 (150℃<T≤200℃)	-	-	유황

2. 분진폭발 메카니즘[64]

① 흡열과정 : 분진(420 μm 이하 분진 30% 이상) 공기중 부유 → 분진표면에 열에너지 주어짐 → 표면온도↑

② 분해과정 : 열분해 및 건류작용 → 가연성기체 발생

---

64) 암기 흡분혼연123
   - 분진폭발 메카니즘 : 흡열과정, 분해과정, 혼합과정, 연소과정, 1차 폭발, 2·3차 폭발

③ 혼합과정 : 가연성기체과 주위공기와 혼합 → 가연성혼합기 형성

④ 연소과정 : 점화원에 의해 발화 → 화염전파

⑤ 1차 폭발 : 화염의 가속에 의해 1차 폭발

⑥ 2, 3차 폭발 : 1차 폭발 발생열 → 다른입자, 열분해된 잔류물질 연소

3. 분진폭발 발생 조건
   ① 가연물
      ㉠ 가연성 분진일 것
      ㉡ 분진의 크기
         ⓐ 입자분포 : 420 μm 이하 분진 30% 이상
         ⓑ 화염전파할 수 있는 분진크기 분포
   ② 산소
      ㉠ 주위공기와 충분한 교반과 유동
      ㉡ 분진농도는 폭발범위 이내일 것
         ⓐ 하한농도 : 20 ~ 60 g/m^3
         ⓑ 상한농도 : 200 ~ 600 g/m^3
   ③ 점화원
      ㉠ 최소점화에너지(MIE) 이상 : 100mJ 이상
      ㉡ 최소발화온도 이상 : 분진종류에 따라 상이
                            (150℃ ~ 400℃)

4. 분진폭발 vs 가스폭발

구분	분진폭발	가스폭발
발화에너지	분해과정 有(고체) → 발화에너지↑	분해과정 無(기체) → 발화에너지↓

구분	분진폭발	가스폭발
CO 발생	분진(고체) → 불완전연소 → CO 발생량↑ → 중독위험성↑	가스(기체) → 완전연소 → CO 발생량↓ → 중독위험성↓
발생에너지	단위체적당 탄화수소량↑ → 발생에너지↑	단위체적당 탄화수소량↓ → 발생에너지↓
파괴력	연소시간↑, 발생에너지↑ → 파괴력↑	연소시간↓, 발생에너지↓ → 파괴력↓
최초폭발	분해과정 有 → 초기가연성가스 생성속도↓ → 최초폭발↓	분해과정 無 → 초기가연성가스 생성속도↑ → 최초폭발↑
연소정도	분진(고체) → 연소속도↓&연소시간↑ → 전체적으로 연소정도↑	가스(기체) → 연소속도↑&연소시간↓ → 전체적으로 연소정도↓
폭발압력	小	大
폭발조건	물리조건 + 에너지조건 + 공기와 교반과 유동	물적조건 + 에너지조건
2·3차 폭발	有	無

5. 분진폭발에 영향을 미치는 요인[65]
   ① 분진의 화학적 성질 및 조성
      ㉠ 분진의 화학적 성질
         발열량↑, 분진함유량↑, 휘발성↑ → 폭발력↑
      ㉡ 화학적조성
         ⓐ 카르복실기(COOH), 아미노기($-NH_2$), NO_2 : 폭발위험↑
         ⓑ 할로겐 그룹(F^-, Cl^-, Br^-) : 폭발위험↓

---

65) 암기 화입가수산불난압온점
   - 분진폭발에 영향을 미치는 요인 : 화학적 성질 및 조성, 입도 및 분포, 가연성가스·액화성액체 증기 유입, 수분함량, 산소농도, 불활성화 물질, 난류의 정도, 압력, 온도, 점화원

② 입도 및 분포

　　㉠ 420 μm 이하 30% 이상 존재

　　㉡ 입자경↓ → 비표면적↑ → 표면에너지↑(발열속도>방
　　　열속도) → 폭발력↑

　　㉢ 입자경↓ → 최대폭발압력↑ & 최대압력상승속도↑

③ 가연성가스, 액화성액체 증기 유입 → 폭발범위↑ → 폭발
　위험↑

④ 수분함량

　　㉠ 수분함량↑

　　　→ 분진의 부유성 억제
　　　　수분증발 → 주위화염온도↓　　⎫
　　　　　　　　　　　　　　　　　　　⎬ → 폭발위험↓
　　　　증발한 수증기가 불활성가스 작용⎭

　　㉡ 금속성분진(Mg, Al)

　　　$Mg + 2H_2O \rightarrow Mg(OH)_2 + H_2$

　　　수분↑ → H_2(수소) 발생량↑ → 폭발위험↑

⑤ 산소농도↑ → LFL↓&UFL↑ → 폭발범위↑ → 폭발위험↑

⑥ 불활성화 물질 주입 → 열흡수 → 방열↑ → 연소능력↓
　& MOC↓ 유지 → 분진폭발 방지

⑦ 난류발생 → 층류화염을 흐트리어 → 화염의 만곡 형성
　→ 화염대영역↑ → 폭발위험↑

⑧ 압력

　점화 전 초기압력↑ →⎡최대압력상승률↑　⎤→ 폭발위험↑
　　　　　　　　　　　 ⎣UFL↑ → 폭발범위↑⎦

⑨ 온도↑ → LFL↓ & UFL↑ → 폭발범위↑ → 폭발위험↑

⑩ 점화원

　가연성 분진운 최소점화에너지(MIE)↓ & 최소발화온도↓
　→ 점화확률↑ → 폭발위험↑

6. 대책

(1) 예방대책[66]

　　① 가연물 대책 (분진운 퇴적 및 생성방지)

　　　　㉠ 작업표면 평활, 이음 無

　　　　㉡ 분진발생 설비의 밀폐화

　　　　㉢ 분체 이송시 적정제어속도

　　　　㉣ 습식구조 : 항습제, 응집제, 분무

　　　　㉤ 제진설비

　　② 불활성화 대책

　　　　밀폐된 분진발생설비 → 불활성가스 주입 → MOC↓ 유지
　　　　→ 폭발방지

　　③ 점화원 대책

　　　　㉠ 분진발생 취급지역

　　　　　　ⓐ 방폭전기설비

　　　　　　ⓑ 흡연, 직화사용 금지

　　　　㉡ 정전기 대책

　　　　　　분진수송설비, 수송덕트 → 접지·본딩, 적절제어속도유지
　　　　　　→ 정전기 제거

　　　　㉢ 스파크 발생 방지

　　　　　　금속분리장치 설치 → 분쇄기 입구에서 인입되는 금속
　　　　　　과 설비 접촉 방지 → 스파크 발생 방지

(2) 폭발 보호 및 방호

　　<u>봉차불억배안</u>

---

66) 암기 가불점
　　- 분진폭발 예방대책 : 가연물 대책, 불활성화 대책, 점화원 대책

7. 분진 방폭구조

(1) 방폭구조 종류

① 특수방진 방폭구조(SDP)

㉠ 전폐구조

㉡ 접합면 안 길이 일정값 이상 설계

㉢ 또는 일정값 이상의 안 길이를 가진 패킹 처리

② 보통방진 방폭구조(DP)

㉠ 전폐구조

㉡ 접합면 안 길이 일정값 이상 설계

㉢ 또는 패킹 처리

③ 특수분진 방폭구조(XDP)

㉠ SDP, DP 이외의 구조

㉡ 분진 방폭성능 보유

㉢ 검정기관 시험 확인된 구조

(2) 분진 방폭구조 선정

① 폭발 위험장소 등급별

㉠ 20종 : 가연성 분진운 장기간 지속 생성

㉡ 21종 : 가연성 분진운 정상작동 중 생성

㉢ 22종 : 가연성 분진운 이상상태 중 생성

② 분진 종류별

㉠ 폭연성 분진 : SDP

㉡ 가연성 분진 : SDP, DP

8. 분진의 폭발지수, 폭연상수

→ "폭발지수 및 폭연상수" 참조

29 가스화재 vs 가스폭발

1. 가스화재 vs 가스폭발

구 분	가스화재	가스폭발
종류	증풀제플	물리적, 화학적 폭발
메커니즘	흡열→분해/증발→혼합 →연소→배출	흡열→연소→배출
연소형태	확산연소(대부분 난류)	예혼합연소
열방출속도	느리다	빠르다
화염전파	無	① 음속↓ : 폭연 ② 음속↑ : 폭굉
재해형태	복사열	과압
사고빈도	↑	↓
피해규모	↓	↑
충격, 폭굉파	無	有 → 피해↑

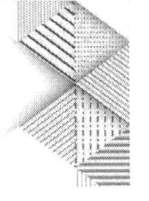

30 확산연소 vs 예혼합연소

1. 확산연소 vs 예혼합연소
    ① 확산연소

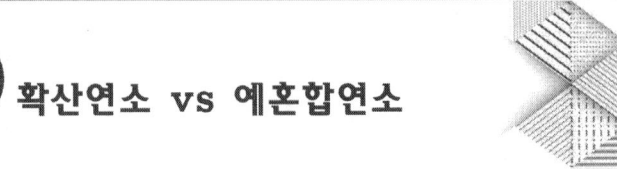

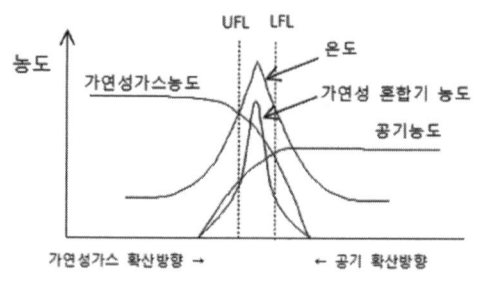

② 예혼합연소

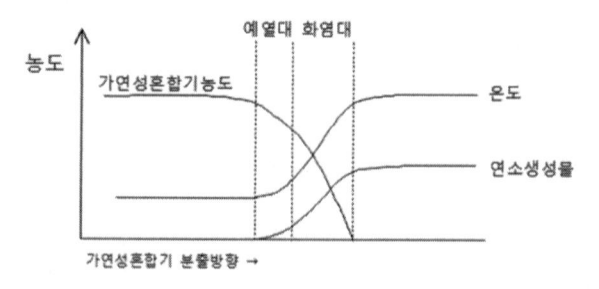

③ 비교

구분	확산연소 (가스화재)	예혼합연소 (가스폭발)
화염형태	그림참조	그림참조
메카니즘	① 기체 : 흡열-혼합- 연소-배출 ② 액·고체 : 흡열-분 해(증발)-혼합-연소 -배출	흡열-연소-배출
연소형태	층류, 난류 확산연소 → 가스화재	층류, 난류 예혼합연소 → 가스폭발
열방출속도	느리다	빠르다
화염전파	無	① 음속↓ : 폭연 ② 음속↑ : 폭굉
재해형태	복사열	과압
종류	증풀제플	물·화 폭발

2. 대책

가스화재, 가스폭발 대책 동일

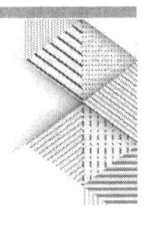

31 가스화재의 형태

1. 개요
   ① 가스화재의 정의

   누출된 가스가 점화원에 의해 착화되는 난류확산연소 및
   불꽃연소
   ② 가스화재의 종류[67]

   ㉠ 증기운화재(Vapor Cloud Fire)

   ㉡ 액면화재(Pool Fire)

   ㉢ 분출화재(Jet Fire, Torch Fire)

   ㉣ 플래쉬화재(Flash Fire)

2. 가스화재의 종류별 특징
(1) 증기운화재(Vapor Cloud Fire)
   ① 정의 : 비중이 큰 인화성액체 누출시 주위와 열교환되어 인
   화성가스 발생하고 가연성혼합기 형성시 점화원에 의한 화재
   ② 메카니즘

   ㉠ 누설 : 비중이 큰 인화성액체(벤젠, 헥산) 누설

---

67) 암기 증풀제플
   - 가스화재의 종류 : 증기운화재, Pool Fire(액면화재), Jet Fire(분
   출화재), 플래쉬화재

ⓒ 흡열과정 : 주위와 열교환 → 인화성 가스 생성 →
낮은 공간 확산

ⓒ 혼합과정 : 공기와 혼합하여 가연성혼합기 형성
(연소범위 내)

ⓒ 연소과정 : 점화원에 의해 착화되어 화재 발생

③ 특징

㉠ 비중이 큰 인화성액체 누설 시 발생

ⓒ 증기비중↑ → 낮은 공간으로 확산

ⓒ 가스확산으로 누출후 30초 ~ 30분 사이 발생

ⓒ 열전달 및 확산이 증발제한 → 충분한 크기의 증기운
형성 X → UVCE 발전 X

(2) 액면화재(Pool Fire)

① 정의

㉠ 누출 후 액상으로 남아있는 LPG가 점화되어 연소하는
화재

ⓒ 용기나 저장조 내와 같이 치수가 정해진 액면 위의
석유화재

② 메카니즘

㉠ 흡열과정 : 화염으로부터 흡열 → 액온상승

ⓒ 증발과정 : 온도↑ → 증기발생

ⓒ 혼합과정 : 증기가 공기와 혼합하여 가연성혼합기 형성

ⓒ 연소

ⓐ 점화원에 의해 착화되어 화재 발생

ⓑ 연소열이 전도, 대류, 복사를 통해 흡열과정 가속

③ 특징

㉠ 액면화재의 연소속도 = 액면강하속도

ⓒ 액면 아래의 온도분포

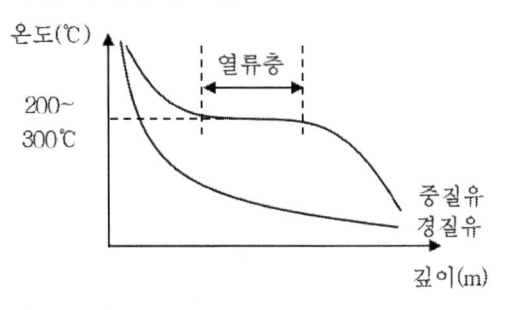

ⓒ 화염높이

화염높이↑ → 복사열량↑ → 피해↑

ⓔ 화염경사

풍속↑ → 화염의 경사↑ → 화염의 높이↓ → 화염과
액면거리↓→ 예열↑ → 예열형 화염전파속도↑

→⌈화염의 길이↑
　⌊연소속도↑

(3) 분출화재(Jet Fire, Torch Fire)

① 정의 : 고압의 LPG 누설시 점화원에 의해 착화되어 불기
둥을 이루면서 연소하는 화재

② 메카니즘

㉠ 누설 : 탱크·배관 손상, 밸브오조작 등으로 LPG 누설

㉡ 분출 : 누출압력↑ → 굉장한 운동력으로 LPG 분출

㉢ 착화 : 점화원에 의한 착화

㉣ 연소 : 화염길이가 긴 불기둥을 이루며 화재 발생

③ 특징

㉠ 산소-아세틸렌 용접기 Tip 화염 또한 Jet Fire

㉡ 근거리 손상 효과

㉢ 화염길이

ⓐ 층류화염

㉮ 가스유속↑ → 화염길이↑

㉯ 화염길이 ∝ 유출구 면적

ⓑ 난류화염

㉮ 화염길이 일정

㉯ 화염길이 ∝ 유출구 직경

L(화염길이) = A × D

A : 연료에 따른 상수

D : 유출구 직경

㉣ Jet Fire vs Pool Fire

구 분	Jet Fire	Pool Fire
누출압력	↑	↓
화염직경	↓	↑
화염길이	↑	↓
복사열에너지	↑	↓

(4) 플래시화재(Flash Fire)

① 정의 : 누출시 증발된 증기가 점화원에 의해 즉시 점화되어 화재 발생

② 메카니즘

㉠ 누출 : LPG 누출 by 저장탱크·배관 파손, 밸브오조작

㉡ 증발 : 순간증발

㉢ 착화 : 점화원에 의한 착화

㉣ 연소 : Flash Fire 발생

(누출량多 → 충분한 크기 증기운 형성→ UVCE 발생)

③ 특징

㉠ 연소속도 증가 X

ⓒ 층류흐름 : 화염전파속도↓ → 충격파형성 X → 폭발 피해↓

ⓒ 위험성

　ⓐ 직접 화염접촉 : 근거리 손상 효과

　ⓑ 복사열 : 원거리 인적 피해

3. 가스화재의 특징[68]

① 전형적인 난류확산 연소

연결부, 파손부위에서 가스 누출되어 점화원에 의해 착화되어 연소

② 불꽃연소

연소속도↑(빠름) → 열방출속도↑(빠름)

③ 발화점↓, LFL↓

화재·폭발 위험↑

④ 화염의 길이 ∝ 유출구 직경

L = A·D 따라서 D↑ → L↑

4. 가스화재 대책

① 가연물 관리

배배접탱이내취안유

② 산소 관리

M불

③ 점화원 관리

기전열정자

---

68) 암기 난물발길
　- 가스화재의 특징 : 난류확산 연소, 불꽃연소, 발화점 · LFL↓ 위험, 화염의 길이 ∝ 유출구 직경

32 연소 vs 폭연 vs 폭굉

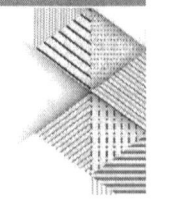

1. 비교

구 분	연소(연소파)	폭연	폭굉(폭굉파)
개념	가연물, 조연물, 점화원 3요소가 화학반응에 의해 열·빛을 내는 산화반응	화염전파속도가 미반응 매질속에서 음속이하	화염전파속도가 미반응 매질속에서 음속이상
화염전 파속도	0.1~10 m/s	10m/s ~ 음속↓	음속이상 (1,000~3,500 m/s)
충격파	無	有(작다)	有(크다)
계	개방계	개방계	밀폐계
메카 니즘	연소파	연소파→압축파 →충격파	연소파→압축파 →충격파→폭굉파
압력 증가	거의없다	수기압 정도	100kg/cm^2 정도
생성 물질	열, 빛	열, 빛, 폭음↓, 충격압↓	열, 빛, 폭음↑, 충격압↑
반응면 전개	열의 분자확산	열의 분자확산 + 난류혼합	반응면이 혼합물을 AIT↑ 압축시키는 충격파로 전파
발화 과정	가연성혼합기 형성시 점화원에 의해 발화	연소열이 미연혼합기 가열에 의해 발화	충격파의 단열압축에 의한 자연발화

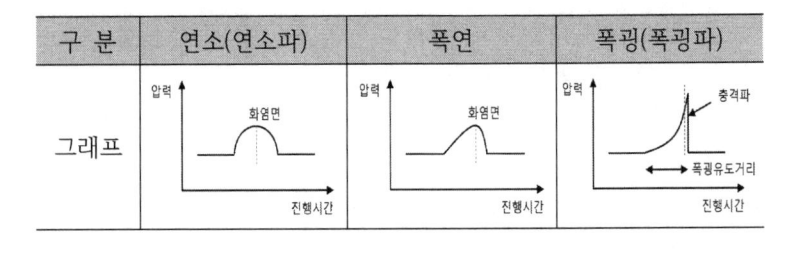

구 분	연소(연소파)	폭연	폭굉(폭굉파)
그래프	압력 화염면 진행시간	압력 화염면 진행시간	압력 충격파 폭굉유도거리 진행시간

33 폭굉

1. 개요

① 정의 : 화염전파속도가 미반응 매질속에서 음속이상의 속
도로 이동하는 폭발 현상

② 폭굉 진행과정

연소파 → 압축파 → 충격파 → 폭굉파

2. D·D·T(폭연·폭굉·전이) 메카니즘(=폭굉유도거리 메카니즘)[69]

① 연소파 형성 : 가연성가스와 공기가 혼합하면서 연소시 발생

② 압축파 형성 : 불꽃에 의해 급격한 팽창 → 기체 압축 →
압축파 형성

③ 충격파 형성 : 화염 가속 → 후행하는 압축파 이동속도 >
선행하는 압축파 이동속도 → 압축파 중첩 → 충격파 형성

④ 폭굉파 형성 : 충격파의 단열압축 → 압력↑ → 온도↑ → 발화
온도 이상 상승 → 충격파 배후에 연소 수반하는 폭굉파 형성

---

[69] **암기** 연압충폭

- D·D·T(폭연·폭굉·전이) 메카니즘(=폭굉유도거리 메카니즘) : 연소
파 형성, 압축파 형성, 충격파 형성, 폭굉파 형성

3. 폭굉 발생조건[70]

　① 가연성 : 폭발범위 내 가연성혼합기 형성

　② 난류 : 난류 흐름 → 층류화염 불안정 → 반응대 두께↑
　　→ 화염전파속도↑ → 압축파 → 충격파 형성

　③ 밀폐계이면서 배관길이 길 것

　④ 배관경 : 배관내에서 진행되는 한계 이상일 것

　⑤ 점화원 : MIE↑ & 최소발화온도↑ → 착화

　⑥ 화염의 길이와 압력움직임 : 화염 가속 → 후행하는 압축
　　파 이동속도 > 선행하는 압축파 이동속도 → 압축파 중첩
　　→ 충격파 형성

4. 폭굉유도거리(DID)

　① 정의 : 연소파에서 폭굉파가 발생하기까지 거리

　② 적용 : DID 결정 → 폭굉방지기, 폭발배출장치 선정

　③ 폭굉유도거리 영향인자[71]　→ DID↓ → 폭발위험성↑

　　㉠ 정상연소속도가 큰 혼합가스일수록

　　㉡ 배관경↓　　　　　　　　㉢ 점화원 에너지↑

　　㉣ 굴곡부, 방해물↑(많을 시)　㉤ 고압(압력↑)

5. 폭굉파의 랭킨-위고니오(Rankine-Hugoniot) 방정식

　① 유체 역학과 충격파 이론에서 유입되는 흐름의 방향과 수
　　직인 충격파의 거동을 나타내는 방정식

---

70) [암기] 가난밀경점화
　- 폭굉 발생조건 : 가연성, 난류, 밀폐계이면서 배관길이 길 것, 배
　　관경, 점화원, 화염의 길이와 압력움직임

71) [암기] 정경점굴고
　- 폭굉유도거리 영향인자 : 정상연소속도, 배관경, 점화원 에너지
　　굴곡부·방해물, 고압

② 랭킨-위고니오 조건

　질량 보존, 운동량 보존, 에너지 보존

③ 방정식

$$\frac{\varDelta P}{\varDelta \rho} = \frac{v_1 + v_2}{A}$$

$\varDelta P$: 충격파 앞뒤 압력변화량,　$\varDelta \rho$: 충격파 앞뒤 밀도변화량

v_1, v_2 : 충격파 앞뒤 속도,　　　A : 충격파의 교차면적

6. 폭굉 방지대책

　본수능절 + 봉차불억배안

34 Oxygen Balance

1. 개념

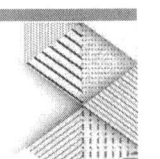

TNT 당량

소　중　대　대　중　소

-135　-90　-45　0　45　90　135　OB

① 화학반응시 산소 과부족량

② 0 가까울수록 → 폭발위력↑

③ 공식　$OB = \dfrac{\text{산소몰수} \times \text{산소분자량}(32g)}{\text{물질분자량}(g)} \times 100$

2. OB 계산 예

　① 니트로글리세린($C_3H_5N_3O_9$)

　　㉠ 반응식

　　　$C_3H_5N_3O_9 \rightarrow 3CO_2 + 2.5H_2O + 1.5N_2 + 0.25O_2$

　　㉡ OB 계산

　　　$OB = \dfrac{0.25 \times 32}{227} \times 100 = 3.5$

　② 질산암모늄(NH_4NO_3)

　　㉠ 반응식

　　　$NH_4NO_3 \rightarrow N_2 + 2H_2O + 0.5O_2$

　　㉡ OB 계산

　　　$OB = \dfrac{0.5 \times 32}{80} \times 100 = 20$

 화재의 분류

1. 화재분류의 개요

NFPA 10 기준		ISO 7165 기준	
A급	일반화재	A급	일반화재
B급	유류화재	B급	유류화재
C급	전기화재	C급	가스화재
D급	금속화재	D급	금속화재
K급	식용유화재	F급	식용유화재

2. 화재분류 별 특징

　① A급 화재

　　㉠ 표시색 : 백색

　　㉡ 가연물 : 목재, 섬유류, 고무류

　　㉢ 소화 : 물, 포(고팽창포)

　② B급 화재

　　㉠ 표시색 : 황색

　　㉡ 가연물 : 석유, 알코올, 페인트

　　㉢ 소화 : 포, 가스계소화약제

　③ C급 화재(전기화재)

　　㉠ 표시색 : 청색

　　㉡ 가연물 : 통전중인 전기설비

　　㉢ 소화 : 비전기전도성 소화약제

　④ C급 화재(가스화재)

　　㉠ 표시색 : 황색

　　㉡ 가연물 : 도시가스, LPG, 수소

　　㉢ 소화 : 물, 밸브 close

　⑤ D급 화재

　　㉠ 표시색 : 無

　　㉡ 가연물 : 가연성금속(Na, K, Al 등)

　　㉢ 소화 : 마른모래, 분말 소화약제

　⑥ K급, F급 화재

　　㉠ 가연물 : 가연성 튀김기름

　　㉡ 소화 : 식용유 냉각, 분말소화약제

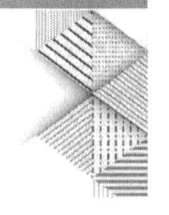

36 화학공장의 전반적인 개요

1. 화학공장의 개요
   ① 화학공장의 생산성 = 반응속도 × 반응률
   ② ┌ 고온, 고압, 정촉매 → 생산성↑
      └ 반응과 제어의 불균형 → 대형사고 발생

2. 화학공장의 화학적 위험성[72]
   ① 화학공정의 위험성
      ㉠ 반응폭주의 위험
      ㉡ 누설, 방류, 체류의 위험 → 화재, 폭발, 중독사고 발생
      ㉢ 온도, 압력 변화에의한 물리적 폭발 위험
   ② 화학물질 자체의 위험성
      ㉠ 유독성, 가연성, 반응성의 위험
      ㉡ 수송 운반시 위험
   ③ 화학설비의 위험성
      ㉠ 장치파손 : 기계적 파괴, 부식 파괴
      ㉡ 휴먼에러
      ㉢ 계측제어 및 안전시스템 고장

3. 화학공장의 특징[73]

---

72) 암기 공물설
   - 화학공장의 화학적 위험성 : 화학공정의 위험성, 화학물질 자체의
     위험성, 화학설비의 위험성

73) 암기 대구시사경주에너지

① 대규모 설비 : 사고시 영향 광범위
② 구조 복잡, 고도의 자동제어시스템 구성
   → 설계, 관리 전문화 필요
③ 시스템 구성요소 다양 : 요소마다 신뢰성 확보 곤란
④ 사고발생 시 ┌ 인명피해↑
             └ 국가 경제상 손실↑
⑤ 숙련된 경험 필요 ┌ 최적화 운전, 안전 운전
                └ 유지보수 능력
⑥ 주민 심적불안 야기 : 사회적 문제
⑦ 보유에너지↑ → 대형재해 위험성↑

4. 화학공장의 재해형태 및 사고원인 분석
   ① 재해형태 분석

재해 형태	발생빈도	치명도	경제적 손실도
화재	↑	↓	中
폭발	中	中	↑
독성물질 중독	↓	↑	↓

   ② 사고원인 분석

발생빈도 순위	사고원인	확률
1	기계, 설비의 결함	40%
2	휴먼에러	30%
3	부식	10%
4	공정이상(반응폭주 등)	5%
5	기타	10%

- 화학공장의 특징 : 대규모 설비, 구조 복잡·고도의 자동제어시스템 구성, 시스템 구성요소 다양, 사고발생 시 피해규모 큼, 숙련된 경험 필요, 주민 심적불안 야기, 보유에너지 큼

㉠ 기계, 설비의 결함
　　　　ⓐ 화학설비의 결함　　　ⓑ 안전장치의 미흡
　　　　ⓒ 제작 결함　　　　　　ⓓ 유지보수 관리 소홀
　　㉡ 휴먼에러
　　　　ⓐ 운전원의 기술, 경험, 지식 부족
　　　　ⓑ 작업 지휘자의 업무지시 잘못

37 화학공장 설계 시 안전상 고려사항74)

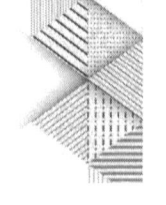

1. 긴급사고를 포용하는 설계
　① 안전장치
　　이방안보통지과정소낙불감긴계예환
　② 폭발보호 및 방호
　　봉차불억배안

2. 본질적인 안전설계

구분	내　용
단순화 및 오류허용	① 오류 발생확률 최소화 설계 ② 인간오류 허용 설계
효율화	① 위험물질의 양 최소한으로 설계 ② 대형회분식 반응기 → 소형연속식 반응기

---

74) **암기** 긴본입법교
　- 화학공장 설계 시 안전상 고려사항 : 긴급사고를 포용하는 설계,
　　본질적인 안전설계, 입지조건 및 설비배치, 법규 및 설계기준 고
　　려, 교육 및 운전절차

구분	내 용
대체	① 위험성 낮은 물질로 대체하여 설계 ② 플랜지 이음 → 용접 이음
완화	① 위험성 낮은 조건 또는 형태로 설계 ② 온도, 압력↓ → 안전성 향상
영향의 제한	① 위험물질 누출 결과가 최소화되도록 설계 ② 방유제, 안전거리, 보유공지

3. 입지조건 및 설비배치
   ① 입지조건
      ㉠ 홍수, 지진, 낙뢰 등 자연환경 고려
      ㉡ 특히 지진 시 위험물 유출과 착화원 발생 고려
   ② 설비배치
      ㉠ 안전거리 : 화재·폭발로부터 인적, 물적 피해경감을 위한 거리
      ㉡ 보유공지 : 소화활동 공간, 피난상 필요공간, 점검보수 공간

4. 법규 및 설계기준 고려
   ① 관련 법규 및 국제규격 고려
      ㉠ 국내 법규 : 산업안전보건법, 소방기본법, 위험물안전
         관리법 등
      ㉡ 국제규격 : ISO, API, NFPA 등
   ② 설계기준
      ㉠ 압력용기, 반응기 등 : 시방서 등 설계기준 활용
      ㉡ 안전밸브, 파열판, 화염방지기 등 : Kosha Guide 등 활용

5. 교육 및 운전절차
   ① 교육 : 안전보건교육, PSM, 비상상황 대처방법, 긴급대피
      요령, MSDS
   ② 절차 : 공장관리요령, 운전절차서, 유지보수절차서

38 화학공정 설계 시 안전상 고려사항

1. 공정설계의 개념
   ① 화학공장 설립 Flow
      계획 → 공정설계 → 구매 → 시공 → 시운전 → 운전 및
      유지보수
   ② 공정설계 단계의 목적 및 중요성
      ㉠ 기술도면 및 사양서 결정 단계
      ㉡ 근원적 안전 좌우 단계

2. 화학공장 공정 설계 시 안전상 고려사항[75]
   ① 원료, 중간제품, 생산제품의 물성조사
   ② 재질 선정 : 반응기, 열교환기, 증류탑 등의 온도, 압력,
      취급물질 고려
   ③ 생산공정 및 각 장치의 규모 결정
      ㉠ 원료투입부터 제품생산까지 전체 생산 시스템 결정
      ㉡ 단위조작별 장치의 필요성 및 규모 검토
   ④ 이상상태 발생시 대책 : 공원내내불냉반
   ⑤ 운전 및 설계 조건 결정

---

[75] **암기** 물재규이운제기소안
   - 화학공장 공정 설계 시 안전상 고려사항 : 물성조사, 재질 선정,
   규모 결정, 이상상태 발생시 대책, 운전 및 설계 조건 결정, 제어
   방법 결정, 기계적 강도 결정, 소화설비 등 종합방재대책, 안전장
   치 설치여부 결정

㉠ 운전조건 결정 기준

　　　ⓐ 본질적 안전 설계 : 운전 온도, 압력 가능한 낮게 설정

　　　ⓑ 폭발범위 내에서 운전 금지

　　　ⓒ 폭발범위 내 운전 불가피할 경우 : 산소분석기, 불활성가스 주입설비, 압력방출설비 등 설치

　　㉡ 설계조건 결정 기준

　　　ⓐ 온도 : 운전시 최고사용온도 + 20℃

　　　ⓑ 압력 : 사용압력 × 1.1배 ⎤ 둘중 큰 것 채택
　　　　　　　사용압력 + 1.8 kg/cm^2 ⎦

　　　ⓒ 유속 : 저항률, 위험물질 특성, 관경 등 고려하여 결정

⑥ 제어방법 결정

　　㉠ 내부반응 감시설비　　㉡ 반응제어의 종류

⑦ 기계적 강도 결정

　　㉠ Sch. No.　　　　　　㉡ 배관 잔존수명

⑧ 소화설비 등 종합방재대책

　　㉠ 물분무설비 : 탱크온도 상승방지, BLEVE 방지

　　㉡ 수막설비 : 복사열 차단

　　㉢ 적정 소화설비 결정 : 옥내·외 소화전, 포소화설비, 할로겐 소화설비

⑨ 안전장치 설치여부 결정

　　㉠ <u>이방안보통지과정소낙불감긴계예환</u>

　　㉡ <u>봉차불억배안</u>

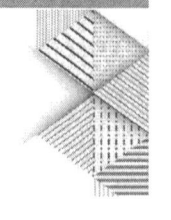

39 화학공정의 위험관리 전략

1. 화학공정 위험의 개요

　① 위험(Risk) = 사고 확률(빈도) × 사고 영향(크기)

　② 위험관리 원리

　　사고 확률(빈도) 또는 사고 영향(크기) 감소 → 위험(Risk)↓

2. 화학공정의 위험관리 전략[76]

(1) 본질적(Inherent) 방법[77]

구 분	내 용
단순화 및 오류허용	㉠ 오류 발생확률 최소화 설계 ㉡ 인간오류 허용 설계
효율화	㉠ 위험물질의 양 최소한으로 설계 ㉡ 대형회분식 반응기 → 소형연속식 반응기
대체	㉠ 위험성 낮은 물질로 대체하여 설계 ㉡ 플랜지 이음 → 용접 이음
완화	㉠ 위험성 낮은 조건 또는 형태로 설계 ㉡ 온도, 압력↓ → 안전성 향상
영향의 제한	㉠ 위험물질 누출 결과가 최소화되도록 설계 ㉡ 방유제, 안전거리, 보유공지

---

76) [암기] 본수능절
　- 화학공정의 위험관리 전략 : 본질적 방법, 수동적 방법, 능동적 방법, 절차상 방법

77) [암기] 단순오류효율대완영
　- 화학공정의 위험관리 전략 중 본질적 방법 종류 : 단순화, 오류허용, 효율화, 대체, 완화, 영향의 제한

(2) 수동적(Passsive) 방법[78]

　① 봉쇄(Containment)

　　㉠ 장치나 건물이 폭발에 견디도록 강하게 제작

　　㉡ 압력용기, 방폭벽, 방폭큐비클, 차단벽

　② 안전거리(Safety Distance)

　　㉠ 화재·폭발로부터 인적, 물적 피해경감을 위한 거리

　　㉡ 산정 영향인자

　　　ⓐ 폭발 과압의 정도

　　　ⓑ 복사열의 크기

　　　ⓒ 비산물 도달거리

　③ 설계 시 고려사항

　　㉠ Fail Safe : 장치 결함의 포용설계

　　㉡ Fool Proof : 인간의 실수 포용설계

　④ 휴먼에러에 대한 대책

　　㉠ 정규적인 안전교육

　　㉡ 반응폭주시 대체능력 배양

　　㉢ 반응폭주우려 설비 : 원격조작, 자동조작

　⑤ 위험성평가

　　㉠ 정량적 위험성평가 실시 : 폭발 확률, 크기 분석 후 Risk↓ 대책 수립 필요

　　㉡ RBI 실시(Risk = LoF × CoF) : 점검주기 및 교체 시기 결정 → 안전설비 기능 유지

---

78) 암기 봉안설휴평
　- 화학공정의 위험관리 전략 중 수동적 방법 종류 : 봉쇄, 안전거리, 설계 시 고려사항, 휴먼에러에 대한 대책, 위험성평가

(3) 능동적(Active) 방법[79]

　① 공장 긴급정지 장치

　　반응기 내 반응폭주우려 온도, 압력 도달전 → 감지 →
　　공장긴급정지장치 작동 → 공장 Shut Down

　② 원재료 공급차단 장치

　　반응기 내 반응폭주우려 온도, 압력 도달전 → 감지 →
　　긴급차단밸브 작동 → 원재료 공급중단

　③ 내용물 긴급이송 설비

　　㉠ 펌프, 배관, 저장시설 이용하여 긴급이송
　　㉡ 내용물 긴급이송에 따른 부압 및 우그러짐에 대한 공
　　　학적 검토 필요 → 대책 : 압경진균냉송

　④ 내용물 긴급방출 설비

　　㉠ 벤트스택 : 독성 시 → 희석배출(허용농도 이하, by Scrubber)
　　㉡ 플레어스택 : 가연물 시 → 연소배출

　⑤ 불활성가스 공급 장치

　　산소분석기로 반응기 내 산소농도 측정 → MOC 근접 →
　　불활성가스 주입 → MOC↓ 유지

　⑥ 냉각수 및 냉매 공급 설비

　　열반응으로 온도↑ → 냉각수 및 냉매 공급 → 온도↓

　⑦ 반응억제제 투입 설비

　　라디칼 반응시 → 라디칼포착제(할로겐, 분말소화약제) 투입
　　→ 자유라디칼 제거 → 활성화에너지↑ → 반응억제

---

79) **암기** 공원내내불냉반
　- 화학공정의 위험관리 전략 중 능동적 방법 종류 : 공장 긴급정지
　　장치, 원재료 공급차단 장치, 내용물 긴급이송 설비, 내용물 긴급
　　방출 설비, 불활성가스 공급 장치, 냉각수 및 냉매 공급 설비, 반
　　응억제제 투입 설비

(4) 절차상(Procedural) 방법[80]

안전 교육[81]	절 차[82]
㉠ 안전, 환경, 보건 ㉡ 비상조치계획 ㉢ PSM ㉣ MSDS	㉠ 공장관리 요령 ㉡ 긴급대피 요량 ㉢ 안전운전 절차서 ㉣ 유지보수 절차서

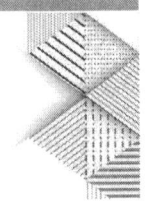

40 소화방법

1. 개요

① 화재의 발생조건 :

가연물 + 산소 + 점화원

② 화재의 지속요건

기체 : 산소와 쉽게 혼합 → 연소 가능

액체 : 증발⌉

고체 : 분해⌋ → 기화 → 화재 지속 가능

---

80) [암기] 안절
   - 화학공정의 위험관리 전략 중 절차상 방법 종류 : 안전교육, 절차

81) [암기] 안비PM
   - 화학공정의 위험관리 전략 중 절차상 방법 안전교육 종류 : 안전
   ·환경·보건, 비상조치계획, PSM, MSDS

82) [암기] 공긴안유
   - 화학공정의 위험관리 전략 중 절차상 방법 절차 종류 : 공장관리
   요령, 긴급대피 요량, 안전운전 절차서, 유지보수 절차서

③ 화재의 제어

┌ 물리적 방법 ┬ 제거소화 → 가연물 제거
│   ├ 질식소화 → 산소농도를 MOC 이하로 유지
│   └ 냉각소화 → 발화온도 이하로 냉각
└ 화학적 방법 : 억제소화 → 연쇄반응 차단

2. 소화방법[83]

① 제거소화[84]

㉠ 연료 이송 : 탱크 화재 시 → 탱크 내 연료 이송 → 이송 시 부압방지 대책 수립

㉡ 공급 차단 : 배관류 파손 시 가스 분출 → 밸브패쇄

㉢ 전원 차단 : 전기화재 시 → 전원 차단 → 잔여 화재는 일반소화

② 질식소화[85]

㉠ 불활성화 설비 : 불활성가스 주입 → MOC↓ 유지

㉡ CO_2 소화기 : 불활성가스 → 연쇄반응 차단

㉢ 포말 : 질식효과(CO_2) + 냉각효과(수분)

③ 냉각소화[86]

㉠ 물 : 물 소화 → 증발잠열 이용 → 소화

㉡ 포말 : 포말 소화 → 수분 증발잠열 이용 → 소화

---

83) **암기** 제질냉억
   - 소화방법 종류 : 제거소화, 질식소화, 냉각소화, 억제소화

84) **암기** 연공전
   - 소화방법 중 제거소화 종류 : 연료 이송, 공급 차단, 전원 차단

85) **암기** 불C포
   - 소화방법 중 질식소화 종류 : 불활성화 설비, CO_2 소화기, 포말

86) **암기** 물포냉
   - 소화방법 중 냉각소화 종류 : 물, 포말, 냉각 소화제 효율성

ⓒ 냉각 소화제 효율성 : 그 물질의 비열, 잠열, 비점에
　　　　　의존
　④ 억제소화[87]
　　　㉠ 연쇄반응 억제 메카니즘[88]
　　　　ⓐ 전파반응 : $OH^* + H_2 → H_2O + H^*$
　　　　ⓑ 분기반응 : $H^* + O_2 → OH^* + O^*$
　　　　ⓒ 억제반응 : $OH^* + HBr → H_2O + Br$(라디칼포착제)
　　　　ⓓ 재생반응 : $Br + CH_3H(RH) → HBr + CH_3(R)$
　　　㉡ 분말 소화기 : 분말 소화약제(Na^+, K^+) 사용 → 자유라
　　　　디칼 포착 → 활성화에너지↑ → 연쇄반응 차단
　　　㉢ 할로겐화물 소화기 : 할로겐 화합물(Cl^-, Br^-) 사용 →
　　　　자유라디칼 포착 → 활성화에너지↑ → 연쇄반응 차단

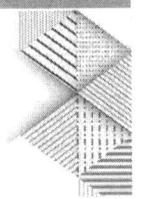

41 화학공장의 화재예방에 관한 기술지침(소방대책)

1. 화학공장에서의 주요화재 장소[89]
　① 저장탱크에서의 화재

---

87) 암기 분할
　- 소화방법 중 억제소화 종류 : 분말 소화기, 할로겐화물 소화기
88) 암기 전분억재
　- 연쇄반응 억제 메카니즘 : 전파반응, 분기반응, 억제반응, 재생반
　　응
89) 암기 저펌플보
　- 화학공장에서의 주요화재 장소 : 저장탱크, 펌프, 플랜지, 보온재

⑦ 상압탱크 : ┌ 내부폭발 후 화재로 전이
　　　　　　　　　└ 방유제 내부 누출에 의한 액면화재
　　　ⓒ 압력탱크 : ┌ 일부 누출 → 분출화재
　　　　　　　　　└ BLEVE : 외부화재에 의한 비등액체 팽창
　　　　　　　　　　　증기폭발
　② 펌프에서의 화재
　　　⑦ Grand 및 Seal : 내부유체 누출 용이, 누출과 동시에
　　　　분출화재
　　　ⓒ 대책 : 이중구조의 Mechanical seal 적용
　③ 플랜지에서의 화재
　　　⑦ 온도 변화 시 → 수축, 팽창 발생 → 밀착부위 손상
　　　　→ 누출
　　　ⓒ 대책
　　　　ⓐ 운전 온도 변화를 단위시간당 허용범위 내에서 제어
　　　　ⓑ 볼트 재조임 작업(고온볼트, 냉각볼트 작업) 실시
　④ 보온재에서의 화재
　　　보온재에 고비점 유류, 가연성액체 침투 → 자연발화

2. 화상
　① 화상의 종류[90]
　　　⑦ 1도 화상(홍반성 화상) : 피부표층의 변화에 국한, 가벼
　　　　운 부기 및 통증, 빨갛게 됨
　　　ⓒ 2도 화상(수포성 화상) : 화상직후 또는 1일내 물집
　　　ⓒ 3도 화상(괴사성 화상) : 피부전체층 괴사, 궤양화

---

90) [암기] 홍수괴흑
　- 화상의 종류 : 1도 화상(홍반성 화상), 2도 화상(수포성 화상), 3
　도 화상(괴사성 화상), 4도 화상(흑색 화상)

　　　　㉣ 4도 화상(흑색 화상) : 피하지방, 근육, 뼈까지 도달
　　② 복사열에 의한 화상[91]
　　　　사람이 4~6초 동안 복사열을 받아 화상을 입는 정도
　　　　㉠ 1도 화상을 받는 한계 : 3 cal/cm^2·s
　　　　㉡ 2도 화상을 받는 한계 : 6 cal/cm^2·s
　　　　㉢ 3도 화상을 받는 한계 : 9 cal/cm^2·s
　　　　㉣ 대책
　　　　　　ⓐ 2,400 kcal/m^2·h 복사열에 견딜 수 있는 작업복 착용
　　　　　　ⓑ 여름철에도 긴소매 작업복 착용

3. 소방대책(가스화재 대책)
(1) 가연물 관리[92]
　　① 배관 및 압력용기 설계 및 재질 선정
　　　　㉠ 부식 여유 두께 고려
　　　　㉡ 취급 물질에 적합한 재질 선정
　　② 공정 배출물의 처리
　　　　㉠ 인화성, 가연성가스의 연소, 흡수, 세정 등의 적절한 처리
　　　　㉡ Relief system
　　③ 접속부 관리
　　　　㉠ 적합한 재질의 가스켓 사용
　　　　㉡ 접합면 상호 밀착 시공

---

91) 암기 369
　　- 복사열에 의한 화상의 종류 : 3 cal/cm^2·s, 6 cal/cm^2·s, 9 cal/cm^2·s

92) 암기 배배접탱이내취안유
　　- 소방대책(가스화재 대책) 중 가연물 관리 방법 : 배관 및 압력용기 설계 및 재질 선정, 공정 배출물의 처리, 접속부 관리, 위험물 저장탱크, 위험물 긴급이송 설비, 내화구조, 위험물 취급설비 구조, 안전거리 및 보유공지 확보, 유지보수

④ 위험물 저장탱크 : 석유류 저장탱크의 화재·폭발 대책 / UVCE 방지대책 / BLEVE 방지대책 中 저장탱크 및 위험물 관리 내용 서술→ 열류층, 통기, 과충전, 이상내압 누적검평, 고입내외방폭압

⑤ 위험물 긴급이송 설비
　　㉠ 구성 : 펌프, 배관, 저장용기
　　㉡ 공학적 고려사항 : 부압에 의한 우그러짐 고려

⑥ 내화구조
　　화재확대 방지를 위해 철구조물의 내화조치

⑦ 위험물 취급설비 구조
　　위험물 취급설비는 재질, 운전 온도 및 압력, 취급물질의 물성 등에 따라 내열성, 내압성, 내식성 있는 구조로 설계

⑧ 안전거리 및 보유공지 확보

⑨ 유지보수 : 위험물 취급설비, 저장탱크, 부속설비 등의 주기적인 유지보수

(2) 산소 관리[93]

　① MOC(최소산소농도)
　　㉠ MOC 이하에서는 연소 불가
　　㉡ 위험물질 별 MOC 관리 기준
　　　ⓐ 인화성액체의 증기 : 12~16%↓
　　　ⓑ 인화성가스 : 10%↓　　ⓒ 가연성분진 : 8%↓
　　　ⓓ 표면화재 : 5%↓　　ⓔ 심부화재 : 2%↓

　② 불활성화
　　㉠ 산소분석기로 반응기 내 산소농도 측정 → MOC 근접 → 불활성가스 주입 → MOC↓ 유지

---

93) 암기 M불
　- 소방대책(가스화재 대책) 중 산소 관리 방법 : MOC, 불활성화

ⓒ 불활성가스 : N_2, CO_2, 수증기 등

ⓒ 불활성화 방법

(3) 점화원 관리[94]

① 기계적 점화원 관리

㉠ 충격, 마찰

ⓐ 설비 정비시 : 비점화성 재질의 공구 사용

ⓑ 높은 장소에서 철재공구 낙하 방지

㉡ 단열압축

ⓐ 압력↑ → 온도↑ → 점화원 작용

ⓑ 취급물질 발화온도 초과 않도록 다단압축 시키면서 중간 냉각

② 전기적인 점화원 관리

㉠ 가스, 분진 폭발 위험장소 설정

㉡ 적합한 방폭 전기기계·기구 사용

③ 열적 점화원 관리

㉠ 나화, 고온표면은 발화온도를 초과하여 쉽게 점화원으로 작용

㉡ 운전온도는 위험물 발화온도의 80% 초과 금지

㉢ 공정물질과 스팀 사용 기기류 : 보온조치

④ 정전기 관리 : <u>발도부인</u>

⑤ 자연발화 관리 : <u>열열퇴공수발온</u>

---

94) 암기 기전열정자
- 소방대책(가스화재 대책) 중 점화원 관리 방법 : 기계적 점화원 관리, 전기적인 점화원 관리, 열적 점화원 관리, 정전기 관리, 자연발화 관리

42 화학공정에서의 폭발대책

1. 폭발대책의 개념
    ① 폭발대책 ┬ 사전대책 : 폭발예방
              └ 사후대책 : ┬ 국소화 대책 : 폭발규모 감소
                          └ 경감화 대책 : 피해확대 방지
    ② 폭발대책 수립 시, 예방개념인 사전대책과 방호개념인
    사후대책 함께 수립

2. 폭발대책
(1) 폭발예방 대책95)
    ① 안전대책 검토
       기획, 계획, 설계, 시운전 등 단계별 안전대책 검토 필요
    ② 폭발 위험성 예지
       ㉠ 위험성 ┬ 정적 위험성 ┬ 물성 위험성: 가연성, 독성, 부식성
               │   └ 상태 위험성 : 외부의 힘, 열응력,
               │   상변화, 고온
               └ 동적 위험성 ┬ 물질 위험성 : 화학반응 진행,
                            │   계 온도·압력 상승
                            └ 부하변동 위험성
       ㉡ 위험성 예지를 통해 폭발재해의 원인이 발생하지 않도
          록 대책 수립

---

95) [암기] 안전예지평배점
   - 폭발예방 대책 : 안전대책 검토, 폭발 위험성 예지, 위험의 분석
   및 평가, 공정 배출물에 의한 화재·폭발 방지, 점화원 관리

③ 위험의 분석 및 평가
　　㉠ 공정기능의 명확화 : PFD, P&ID 활용하여 공정 운전
　　　상태 명확화
　　㉡ 원재료, 제품의 물성 위험 검토 : MSDS 활용하여 공
　　　정위험성 정량화
　　㉢ 기계·설비의 위험성 분석 : 부식, 누출 우려부분 등 위
　　　험성 분석
　　㉣ 위험성 평가 : 정성적, 정량적 위험성 평가
　　㉤ 대책 수립 : 예방 → 국소화 → 억제 → 진압 대책
④ 공정 배출물에 의한 화재·폭발 방지
　　㉠ 배출원 조사 : 배출원 장소 및 수량, 배출물 종류, 조
　　　성 등 조사
　　㉡ 배출의 유형
　　　ⓐ 정상배출
　　　ⓑ 공정 제어 불균형시 배출
　　　ⓒ 안전장치 고장시 배출
　　　ⓓ 플랜트 정지 및 기동시 배출
　　㉢ 공정물질의 위험 예측
　　　누출 ⎡고유 위험성(유독성, 가연성, 반응성) 검토⎤
　　　　　 ⎣누출 거동 예측　　　　　　　　　　　　⎦
　　　　→ 대책 수립
⑤ 점화원 관리
　　㉠ 점화원 종류 : <u>나정복자고충단전</u>
　　㉡ 대책 : 정전기 대책, 자연발화 대책, 단열압축 대책
(2) 폭발 국소화 대책(폭발규모 감소 대책, 폭발 보호·방호 대책)
<u>봉차불억배안</u>

(3) 폭발 경감화 대책(피해확대 방지대책, 주변 환경 방호)96)

① 입지조건

　　㉠ 자연현상 고려 : 지진, 홍수, 지형, 지반

　　㉡ 주위환경 고려 : 주택, 학교, 산업시설

② 자동화, 원격화

　　㉠ 인터록(Interlock) 장치

　　㉡ 위험 장치류 : 원격조작에 의한 무인화

③ 방호벽 설치

　　㉠ 폭발에 의한 물적, 인적 피해 방지

　　㉡ 비산물에 대한 방호

④ 방출물 처리설비

　　㉠ 가연성 물질 : Flare System

　　㉡ 비가연성 물질

　　　┌ 독성 물질 ┬ 수용성 : Wet Scrubber → 폐수처리설비
　　　│　　　　　└ 비수용성 : Dry Scrubber → Vent stack
　　　└ 비독성 물질 : Vent stack

⑤ 가연물 대책

　　㉠ 가연물 제조, 취급, 저장량 최소화

　　㉡ 긴급차단장치 설치

⑥ 장치 등의 배치

　　㉠ 안전거리, 보유공지 확보　　㉡ 방유제, 소화설비 설치

⑦ 긴급시 대책

　　㉠ 소화활동 및 피난 대책　　㉡ 외부 공조 대책

---

96) **암기** 입자방방가장긴
　　- 폭발 경감화 대책 : 입지조건, 자동화・원격화, 방호벽 설치, 방
　　출물 처리설비, 가연물 대책, 장치 등의 배치, 긴급시 대책

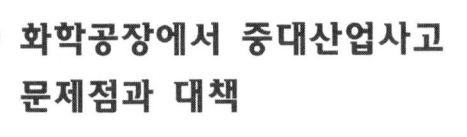
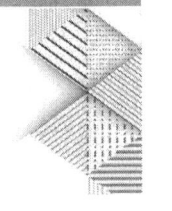

43 화학공장에서 중대산업사고 문제점과 대책

1. 중대산업사고 규모, 빈도 증가 이유

<u>대구시사경주에너지</u> + <u>공물설</u>

2. 안전관리상 문제점[97]

① 화학물질의 종류 다양 및 사용량 多
② 화학설비의 노후화
③ 위험에 대한 기업간 경보체계 미흡
④ 유해위험성 조사 미비
⑤ 비현실적 법령 및 기술기준
⑥ 화학설비의 대형화 및 복잡화
⑦ 안전관련 부속설비 결함 빈번
⑧ 위험설비의 이력관리 및 검사미비

3. 대책

① MSDS 관리 철저, 숙지 및 교육
② RBI 기법 도입
③ 정보체계 구축, 위험의 데이터 베이스화

---

97) 암기 종노경유법대결이
- 화학공장의 안전관리상 문제점 : 화학물질의 종류 다양 및 사용량 多, 화학설비의 노후화, 위험에 대한 기업간 경보체계 미흡, 유해위험성 조사 미비, 비현실적 법령 및 기술기준, 화학설비의 대형화 및 복잡화, 안전관련 부속설비 결함 빈번, 위험설비의 이력관리 및 검사미비

④ 안전향상을 위한 기술기준 개발 및 연구 : VE(가치공학)
⑤ PSM, 위험성 평가
⑥ Fail safe, Fool proof 설계
⑦ 설비 이력관리 시스템 도입

44 화학설비별 위험요인 및 안전대책[98]

1. 위험물 저장 및 입출하 설비
   ① 위험요인[99]
      ㉠ 과압에 의한 파열
      ㉡ 진공에 의한 압괴
      ㉢ UVCE
      ㉣ BLEVE
   ② 안전대책
      ㉠ 과압대책 : 압력방출장치
      ㉡ 진공대책 : 부압방지장치
      ㉢ UVCE : 누적검펑
      ㉣ BLEVE : 고입내외방폭압

---

98) 암기 위건열반이
   - 화학공장 위험요인 및 안전대책 화학설비 구분 : 위험물 저장 및 입출하 설비, 건조설비, 열교환기, 반응설비, 이송·압축장치
99) 암기 과진UB
   - 위험물 저장 및 입출하 설비 위험요인 : 과압에 의한 파열, 진공에 의한 압괴, UVCE, BLEVE

2. 건조설비
　① 위험요인[100]
　　㉠ 정전기로 인한 화재·폭발
　　㉡ 환기 불충분 시 화재·폭발
　② 안전대책
　　㉠ 정전기 대책 : <u>발도부인</u>　　㉡ 충분한 환기 : 환기등급

3. 열교환기
　① 위험요인
　　㉠ 열응력에 의한 설비파손 및 누출
　　㉡ 부식, 마모에 의한 튜브손상 및 침식
　② 안전대책
　　㉠ 열응력 대책　　㉡ 부식 대책

4. 반응설비
　① 위험요인 : 반응폭주
　② 안전대책 : <u>공원내내불냉반</u>

5. 이송, 압축장치
　① 위험요인
　　㉠ 펌프 : 공동현상, 수격현상, 서징
　　㉡ 압축기 : 단열압축에 의한 폭발
　② 안전대책
　　㉠ 공동현상, 수격현상, 서징 대책
　　㉡ 단열압축 대책

---

100) 암기 정환
　　- 건조설비 위험요인 : 정전기로 인한 화재·폭발, 환기 불충분 시
　　　화재·폭발

45 경질유 vs 중질유

1. 경질유
    ① 정의 : 20℃에서 증기압 5mmHg 이상(등유보다 휘발도 큼)
    ② 종류 : 가솔린, 메탄올, 에탄올
    ③ 화염전파형태 : 예혼합형 전파
    ④ 재해형태
        ㉠ Confined explosion
        ㉡ UVCE
        ㉢ BLEVE
    ⑤ 저장탱크 : FRT, CFRT
    ⑥ 특징
        ㉠ 단일성분 → 비점 동일
        ㉡ 비점↓ → 증기압↑ → 증기발생 용이
        ㉢ 인화점↓ → MIE↓
        ㉣ 상온에서 연소범위 내
        ㉤ 점성↓ → 거품형성 불가

2. 중질유
    ① 정의 : 20℃에서 증기압 5mmHg 이하(등유보다 휘발도 작음)
    ② 종류 : 디젤, 중유, 원유
    ③ 화염전파형태 : 예열형 전파
    ④ 재해형태
        ㉠ Boil over

　　　　ⓛ Slop over

　　　　ⓒ Froth over

　　⑤ 저장탱크 : CRT

　　⑥ 특징

　　　　㉠ 다성분→비점 상이

　　　　ⓛ 비점↑→증기압↓→증기발생어렵다

　　　　ⓒ 인화점↑→MIE↑

　　　　㉣ 상온에서 연소범위 이하

　　　　ⓜ 점성↑ → 거품형성 가능

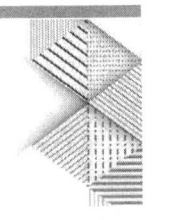

46 석유류 저장탱크

1. CRT vs FRT vs CFRT

구분	CRT	FRT	CFRT
정의	원추형 고정식지붕 탱크	부유지붕형 탱크	CRT + FRT (눈, 비 많을 시)
화재 메카 니즘	① 화재발생 ② 압력 급상승 ③ 이상내압 상승 방지장치에 의해 지붕 날라감 ④ 탱크 화재로 전이 ⑤ 기상부 우그러짐 ⑥ 탱크 벽면 우그	① 환상부분 화재 발생 ② 화재 장기간 지속 ③ 부유지붕 변형 →액체 내부로 하강 ④ 탱크 화재로 전이 ⑤ 기상부 우그러짐	FRT 와 동일

구분	CRT	FRT	CFRT
	러짐	⑥ 탱크 벽면 우그 러짐	
화재 발생 부분	탱크전체 → 위험 도↑	환상부분만 → 위험도↓	① 환상부분만 → 위험도↓ ② 환상부분 파괴 시 → 위험도↑
증발 손실	증발손실량↑ ① 정치저장 손실량 ② 유출입 배출량	증발손실량↓ ① Rim seal 배출량 ② Withdrawal 배 출량 ③ Deck fitting 배출량 ④ Deck seam 배 출량	FRT 와 동일
저장유	중질유	경질유	경질유
설비비	싸다	비싸다	제일 비싸다

2. 석유류 저장탱크 화재·폭발 예방대책
   ① 통기설비
   ② 과충전 방지 장치
   ③ 정전기 발생 방지
   ④ 낙뢰 방지
   ⑤ 불활성화 설비

3. 석유류 저장탱크 소방대책
(1) CRT, FRT, CFRT 공통 소방대책
   ① 내용물 긴급이송 설비

㉠ 구성 : 펌프, 배관, 저장용기

　　　㉡ 공학적 고려사항 : 부압에 의한 우그러짐 고려

　　② 지면화재

　　　㉠ 소규모 화재 : 소화기

　　　㉡ 대규모 화재 : 이동식 포소화설비

　　③ 저장탱크 화재

　　　㉠ 포소화설비

　　　　ⓐ 방출구의 종류 : Ⅰ, Ⅱ, 특형, Ⅲ, Ⅳ

　　　　ⓑ 혼합방식 : 라인프로포셔너, 프레져프로포셔너, 펌프
　　　　　프로포셔너, 프레져사이드프로포셔너

　　　　ⓒ 포소화약제 : 단백포, 합성계면활성제, 불화단백포,
　　　　　수성막포

(2) CRT, CFRT 내 열류층 형성시 대책

　　① 저장유 고속 순환

　　　다성분(다비점) 중질유 화재시 → 열류층 형성 → 고속 순환
　　　→ 열류층 분산 → Boil over 및 Slop over 방지

　　② 포 주입

　　　포 간헐적 주입 → 열류층 냉각 → Boil over 및 Slop
　　　over 방지

(3) FRT 소방대책

　　① 환상부분 화재 대책

　　　㉠ 국부화재 : 소형소화기

　　　㉡ 전체화재 : 포소화설비

　　② 유의사항

　　　다량의 냉각수 또는 포 살포 시 부유지붕이 가라앉을 우려

47 저장탱크 설계시 안전 고려사항

1. 석유류 저장탱크 화재·폭발대책(안전 고려사항)101)
   ① 이상내압 상승방지 장치　② 방유제
   ③ 안전거리　④ 보유공지
   ⑤ 통기설비　⑥ 지락 방지 설비
   ⑦ 과충전 방지 설비　⑧ 정전기 발생 방지 설비
   ⑨ 소화설비　⑩ 낙뢰방지설비
   ⑪ 불활성화 설비　⑫ 이상 누출 감지기
   ⑬ 긴급차단설비　⑭ 예비전력설비
   ⑮ 환기설비

48 중질유 탱크의 재해형태

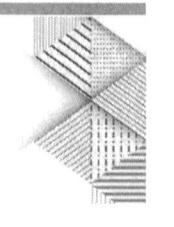

2. Boil over
   ① 개념 : 다성분 중질유 → 열류층 형성 → 탱크저부 수분
   열전달 → 급격한 비등 → 유류 탱크 외부로 분출

---

101) **암기** 이방안보통지과정소낙불감긴계예환
　　- 저장탱크 화재·폭발대책 : 이상내압 상승방지 장치, 방유제, 안
　　전거리, 보유공지, 통기설비, 지락 방지 설비, 과충전 방지 설비,
　　정전기 발생 방지 설비, 소화설비, 낙뢰방지설비, 불활성화 설비,
　　이상 누출 감지기, 긴급차단설비, 예비전력설비, 환기설비

② 메카니즘[102]

　　㉠ 외부 화재발생 : 다성분, 다비점 중질유

　　　　ⓐ 가벼운 성분 : 유류 표면층에서 증발

　　　　ⓑ 무거운 성분 : 화염온도에 의해 가열축적

　　㉡ 열류층 형성 : 화재 장시간 진행 → 200 ~ 300℃ 열류층 형성

　　㉢ 비등 : 열류층 저부로 하강 → 수층과 접촉 → 열전달 → 급격한 비등

　　㉣ 분출 : 급격한 비등 → 다량의 불붙은 기름 탱크 밖으로 분출

③ 발생조건

　　㉠ 다성분, 다비점의 중질유

　　㉡ 화재 장시간 진행 → 열류층 형성

　　㉢ 탱크저부 수분 존재

　　㉣ 고점도 유류 → 거품형성 → 탱크 밖으로 분출

④ 방지대책

　　㉠ Boil over 발생 전 소화

　　㉡ 열류층 형성 방지 : 탱크의 기계적 교반 → 열류층 형성 방지 → Boil over 방지

　　㉢ 수층 형성 방지 : 탱크 저부 배수관 → 수분 배출

　　㉣ 급격한 비등 방지 : 모래, 비등석 주입 → 물이 비점에 도달하기 전 기화 → 급격한 비등 방지

3. Slop over

　　① 개념 : 다성분 중질유 → 열류층 형성 → 물, 포말 주입

---

102) 암기 외열비분
　　- Boil over 메카니즘 : 외부 화재발생, 열류층 형성, 비등, 분출

→ 수분 증발 → 거품 및 열류의 교란 발생 → 하부 유류 열팽창 → 유류 탱크 외부로 분출

② 메카니즘[103]

　㉠ 표면 화재발생 : 다성분, 다비점 중질유

　　ⓐ 가벼운 성분 : 유류표면층에서 증발연소

　　ⓑ 무거운 성분 : 화염온도에 의해 가열축적

　㉡ 열류층 형성 : 화재 장시간 진행 → 200 ~ 300℃ 열류층 형성

　㉢ 열류 교란 : 물, 포말 주입 → 수분 급격히 증발 → 거품 발생 → 열류 교란 발생

　㉣ 분출 : 하부 유류 열팽창 → 다량의 불붙은 기름 탱크 밖으로 분출

③ 발생조건

　㉠ 다성분, 다비점의 중질유

　㉡ 화재 장시간 진행 → 열류층 형성

　㉢ 물, 포말 주입

　㉣ 고점도 유류 → 거품형성 → 거품형성 → 열류의 교란

④ 방지대책

　㉠ Slop over발생 전 소화

　㉡ 열류층 형성 방지 : 탱크의 기계적 교반 → 열류층 형성 방지 → Slop over 방지

　㉢ 수층 형성 방지 : 탱크 저부 배수관 → 수분 배출

　㉣ 물, 포말 간헐적 주입 : 간헐적 주입 → 급격한 증발 방지 → Slop over 방지

---

103) 암기 표열열분
　- Slop over 메카니즘 : 표면 화재발생, 열류층 형성, 열류 교란, 분출

4. Froth over

　① 개념 : 고온의 중질유, 아스팔트유 탱크 내 투입 → 저부 수층에 도달 → 열전달 → 부피팽창 → 탱크 파손 → 기름 유출

　② 메카니즘[104]

　　㉠ 열전달 : 고온의 중질유, 아스팔트유 탱크 내 투입 → 저부 수층에 도달 → 열전달

　　㉡ 비등 : 열전달 → 비등 → 에너지 축적

　　㉢ 유출 : 탱크 파손 → 기름 유출 → 확산

　③ 방지대책

　　㉠ 고온의 중질유는 cooling down 후 탱크 내 투입

　　㉡ 수층 형성 방지

　　　탱크 저부 배수관 → 수분 배출

　　㉢ 이상내압 상승방지 장치

　　　수층과 열전달 → 부피팽창 → 이상내압 상승방지 장치 작동(지붕 날라감) → 기름 유출 방지

5. Oil Over

　저장탱크 내 위험물이 50% 이하로 저장되어 있는 탱크에 외부 화재로 고온의 열이 전달되면 탱크 내 온도상승으로 공기가 팽창하여 폭발하는 현상

---

104) 암기 열비유
　　- Froth over 메카니즘 : 열전달, 비등, 유출

49 Switch Loading

1. 개념
   ① 물리·화학적 성상 다른 물질을 동일 탱크에 교환하여 적재
      하는 것
   ② 고 증기압 제품(경질유) 저장했던 탱크에 저 증기압 제품
      (중질유) 적재하는 것

2. 교환적재 메카니즘[105]
   ① 경질유 하역 : 고 증기압 제품 하역 → 증발 → 가연성증
      기 생성 → 공기와 혼합 → 가연성혼합기 형성
   ② 중질유 적재 : 저 증기압 제품 적재 → 탱크, 배관 표면에
      서 정전기 발생
   ③ 화재·폭발 : 정전기가 가연성혼합기의 MIE, 최소발화온도
      이상 시 화재·폭발 발생

3. 대책
   원칙은 교환적재 금지이나 불가피한 경우 대책

구분	대 책
Purge	불활성가스 퍼지 → LFL 10%↓ 유지
Cleaning	탱크, 배관 내부 → 물, 증기로 세척

---

105) 암기 경중화
   - 교환적재(Switch Loading) 메카니즘 : 경질유 하역, 중질유 적
   재, 화재·폭발

구분	대 책
정전기 방지	접지, 본딩, 대전방지제 등 조치
주입속도 조절	유속제한 1m/s 이하

50 Pool fire (석유류 저장탱크 내의 화재)

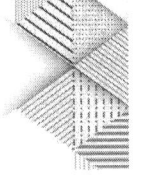

1. 개요

① 정의 : 용기나 저장조 내와 같이 치수가 정해진 액면위의 석유화재

② 액면화재의 4가지 주요요인

   ㉠ 액면강하속도

   ㉡ 액면 아래의 온도분포

   ㉢ 화염높이

   ㉣ 화염경사

2. 메카니즘[106]

① 흡열과정 : 화염으로부터 흡열 → 액온상승

② 증발과정 : 온도↑ → 증기발생

③ 혼합과정 : 증기가 공기와 혼합하여 가연성혼합기 형성

④ 연소

   ㉠ 점화원에 의해 착화되어 화재 발생

   ㉡ 연소열이 전도, 대류, 복사를 통해 흡열과정 가속

---

106) 암기 흡증혼연
   - 액면화재 메카니즘 : 흡열과정, 증발과정, 혼합과정, 연소

3. 액면화재의 4가지 주요요인[107]

(1) 액면강하속도

　① 정의 : 액면강하속도 = 액면화재의 연소속도, 연소열과 증발
　　 열의 비

　② 공식 :　$V = A\dfrac{H_c}{H_v}$

　　 V : 액면강하속도(mm/min)　A : 액면(m^2)
　　 H_c : 연료의 연소열(kcal/kg)　H_v : 연료의 증발잠열(kcal/kg)

　③ 영향인자

　　㉠ 연소열↑ → V↑

　　㉡ 증발잠열↓ → V↑

　　㉢ 용기의 직경

　　　ⓐ 작은 경우(1m ↓) : 전도열 지배, 용기직경↑ → 액
　　　 면강하속도↑

　　　ⓑ 큰 경우(1m ↑) : 복사열 지배, 용기직경과 무관하
　　　 게 V 일정

(2) 액면 아래의 온도분포

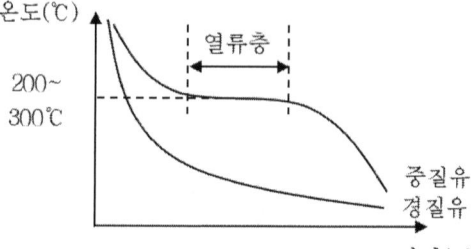

　① 경질유 온도분포(단일성분, 단일비점)

---

107) [암기] 액액높경
　　 - 액면화재의 4가지 주요요인 : 액면강하속도, 액면 아래의 온도분
　　 포, 화염높이, 화염경사

화염중심 1,400 ~ 1,500℃ → 액면에서 비점 → 액면 아래 온도 급격히 감소 → 열류층 無 → Boil over & Slop over 형성 X

② 중질유 온도분포(다성분, 다비점)

┌ 가벼운 성분 : 유류표면층에서 증발연소 ┐
└ 무거운 성분 : 화염온도에 의해 가열축적 ┘

→ 열류층 형성(200~300℃) → Boil over & Slop over 형성

(3) 화염 높이

① 평균 화염높이(H_f)

㉠ 공식 : $H_f = 0.23Q^{2/5} - 1.02D$

Q : 에너지 방출속도(kW) D : 화염직경(m)

㉡ 화염높이↑ → 복사열량↑ → 피해↑

② 화염높이의 영향인자

㉠ 부력↑
㉡ 바람의 영향↓
㉢ 증기압↑, 증발잠열↓

┤ 화염높이↑ → 복사열량↑ → 피해↑

(4) 화염 경사

① 화염 경사(θ)

㉠ 공식 : $\tan\theta = \dfrac{V^2}{Dg}$

V : 풍속(m/s) D : 용기의 직경(m)

g : 중력가속도(m/s^2)

ⓒ 풍속↑ ⌉ → tanθ
용기직경↓ ⌋

② 화염경사의 영향인자

풍속↑ → 화염 경사↑ → 화염의 높이↓ → 화염과 액면거
리↓ → 예열↑ → 예열형 화염전파속도↑→ ⌈화염의 길이↑
⌊연소속도↑

51 Ring fire(윤화)

1. 개념

유류저장탱크 화재시 벽면의 고열에 의해 포소화약제의 거품
소멸되어 탱크 가장자리 부분만 화염이 지속되는 현상

2. 메카니즘[108]

① 화재 진압 : 화재발생 → 포소화약제 방사 → 대부분 진압

② 소포 및 포 이동

㉠ 소포 : 탱크 벽면 고열 → 포 파괴

ⓒ 포 이동 : 벽면 화염 영향력↑ → 포 중앙 이동

③ 화염 지속 : 탱크 가장자리에서 화염 지속

---

108) 암기 화소화
   - 윤화 메카니즘 : 화재 진압, 소포 및 포 이동, 화염 지속

3. 발생원인[109]
　① 탱크 벽면 고열에 의한 소포
　② 내열성이 약한 포소화약제 사용(수성막포, 합성계면활성제포)
　③ 벽면 화염 영향력↑ → 포 중앙 이동
　④ 저장물이 저인화점, 저비점 경질유
　⑤ 탱크 벽면 금속성 재질인 상태에서 액면화재 발생

4. 방지대책
　① 내열성이 강한 포소화약제 사용 : 단백포, 불화단백포
　② 물분무 소화설비 사용 → 벽면 냉각 → 소포현상 방지
　③ 벽면 집중 포소화설비
　④ 이동식 포소화약제 사용 → 잔화제거

 **Flash Over, Back Draft**

1. Flash Over, Back Draft 개념도
　① Flash Over 개념 : 천장부 체류 미연소 가연성가스 + 점
　　화원 → 구획전체 화재 확대
　② Back Draft 개념 : 감쇄기에 신선한 공기 유입 → 폭발 →
　　폭풍동반 화재 분출

109) 암기 고내벽저금
　　- 윤화 발생원인 : 탱크 벽면 고열에 의한 소포, 내열성이 약한 포
　　소화약제 사용, 벽면 화염 영향력, 저장물이 저인화점·저비점 경
　　질유, 탱크 벽면 금속성 재질인 상태에서 액면화재 발생

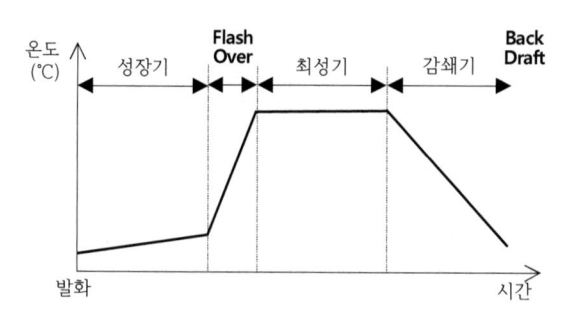

2. Flash Over vs Back Draft

구 분	Flash Over	Back Draft

조건	㉠ 평균온도 : 500℃
	㉡ 산소농도 : 10%
	㉢ 바닥부 복사량
	   : 30 kW/m^2
	㉣ CO_2/CO : 150
		㉠ 가연성물질 다량 축적
		㉡ 실내 충분히 가열
		  (600℃↑)
		㉢ CO : 12 ~74%

발생시기	성장기	감쇄기
안전관점	거주인의 피난안전성 확보	소방관 안전확보
공급요인	열 공급	산소 공급
충격파	無	有
피해	㉠ 화염 분출 ㉡ 인접건물 연소확대	㉠ 농염 분출 ㉡ 벽체 도괴 ㉢ Fire Ball 형성

3. 메카니즘 및 방지대책

(1) Flash Over

　① 메카니즘[110]

　　㉠ 축적 : 연소 → 미연소 가연성가스 발생 → 천장부 축적

---

110) **암기** 축혼발
　　- Flash Over 메카니즘 : 축적, 혼합, 발화

ⓒ 혼합 : 공기와 혼합 → 가연성혼합기 형성

ⓔ 발화 : 화염, 고온에 의해 발화 → 실 전체 화재 발생

② 방지대책111)

㉠ 천장, 측벽 불연화 : 불연화 → 화재 발전 지연

ⓛ 가연물 양 제한 : 가연물 양↓ → 성장기 발생율↓ → Flash Over 발생율↓

ⓒ 개구부의 제한 : 개구부↓ → 산소농도↓ → Flash Over 발생율↓

(2) Back Draft

① 메카니즘112)

㉠ Flash Over 발생 : 축적 → 혼합 → 발화 → Flash Over 발생

ⓛ 산소부족 : 발열 → 산소부족 → 가연성증기 포화상태

ⓒ 산소유입 : 화재실 문 개방 → 산소유입 → 급격한 연소 발생 → 화염 외부 분출

② 방지대책113)

㉠ 폭발력의 억제 : 출입문 패쇄, 조금만 개방 → 다량의 산소유입 방지

ⓛ 소화 : 소방용 호스 밀폐하여 투입 → 방수

ⓒ 환기 : 출입문 개방 전 → 천장 구 개방 → 고온 가스 방출

---

111) 암기 불가개
   - Flash Over 방지대책 : 불연화, 가연물 양 제한, 개구부의 제한
112) 암기 F부유
   - Back Draft 메카니즘 : Flash Over 발생, 산소부족, 산소유입
113) 암기 폭소환
   - Back Draft 방지대책 : 폭발력의 억제, 소화, 환기

제2장

방폭공학

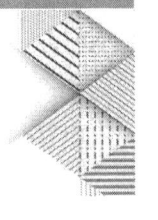

1 폭발방지 원리[114]

1. 가스폭발 조건 : 물적조건 × 에너지조건 = 1
   ① 물적조건 : 가연성혼합기(가연물 + 산소) 형성
   ② 에너지조건 : 점화원(MIE↑, 최소발화온도↑) 존재

2. 폭발방지 이론
(1) 물적조건 제어
   ① 누설, 방류, 체류 방지
   ② 불활성화 → MOC↓유지
   ③ 가스누설검지경보기 → 감지 → 경보, 자동차단밸브 작동
   ④ 통풍, 환기 → 가연물 양↓

(2) 에너지조건 제어
   ① 점화원 관리 : MIE↓, 최소발화온도↓ 유지
      → 점화원 종류 : 나정복자고충단전
   ② 방폭전기 설비 적용 → 압유안본내비몰충

3. 방폭 원리
   ① 물적조건 × 에너지조건 = 1 일 경우, 에너지조건 0 되도록 하는 것
   ② 방폭전기 설비 적용 → 에너지조건 제어

---

114) **암기** 가물에방
   - 폭발방지 원리 : 가스폭발 조건, 폭발방지 이론(물적조건 제어, 에너지조건 제어), 방폭 원리

㉠ 점화원의 방폭적 격리

　　㉡ 전기설비의 안전도↑

　　㉢ 점화능력의 본질적 억제

2 방폭 전기기계·기구 선정 순서

1. 방폭 원리

① 가스폭발 조건 : 물적조건 × 에너지조건 = 1

　　㉠ 물적조건 : 가연성혼합기(가연물 + 산소) 형성

　　㉡ 에너지조건 : 점화원(MIE↑, 최소발화온도↑) 존재

② 방폭 원리

　　㉠ 물적조건 × 에너지조건 = 1 일 경우, 에너지조건 0 되도록 하는 것

　　㉡ 방폭 전기기계·기구 적용 → 에너지조건 제어

2. 방폭 전기기기 선정 순서[115]

① 방폭지역 등급 분류

　　위험 분위기 생성빈도, 지속시간 → 0종, 1종, 2종 장소 분류

② 가스 발화온도에 따른 방폭 종류 선정 기준[116]

---

115) **암기** 등발고환보호
　　- 방폭 전기기기 선정 순서 : 등급 분류, 발화온도에 따른 방폭 종류 선정, 방폭종류별 고려사항, 환경조건, 보호장치 적용

116) **암기** 사고삼이135장팔아
　　- 가스 발화온도에 따른 방폭 종류 선정 기준 : 450, 300, 200, 135, 100, 85

발화도	폭발성가스의 발화온도(℃)	전기기기의 최고표면온도(℃)
T1	450 초과	450 이하
T2	300 초과 450 이하	300 이하
T3	200 초과 300 이하	200 이하
T4	135 초과 200 이하	135 이하
T5	100 초과 135 이하	100 이하
T6	85 초과 100 이하	85 이하

→ 방폭형 전기기기 최고표면온도 < 폭발성가스 발화온도

③ 방폭종류별 고려사항

　㉠ 압력, 유입, 안전증 방폭구조 : 최고 표면온도

　㉡ 본질안전 방폭구조 : 최소점화전류비

　㉢ 내압 방폭구조 : 최대안전틈새

④ 설치 장소, 환경조건(IEC 표준 환경조건)

　㉠ 온도 : -20 ~ 40 ℃

　㉡ 압력 : 80 ~ 110 KPa

　㉢ 상대습도 : 45 ~ 85 %

　㉣ 표고 : 1,000 m 이하

　㉤ 공해, 부식성가스, 진동 없는 장소

⑤ 보호장치 적용 : 방폭성능 영향 우려 있을 시 → 적절한 보호장치 적용 필요

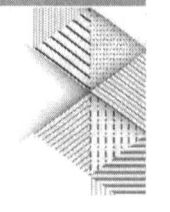

3 방폭 위험장소 분류

1. 방폭 위험장소 분류(가스폭발 위험장소 설정 기준) 개요
    ① 가스폭발 위험장소의 개념 : 위험 분위기 생성빈도, 지속시간
       → 0종, 1종, 2종 장소 분류
    ② 설정 목적 : 전기기계·기구의 적절한 선정과 설치

2. 가스폭발 위험장소 설정의 주요변수[117]
    ① 누출량[118]
        ㉠ 누출원의 기하학적 구조 : 개방된 표면, 연결부 구조 등
        ㉡ 누출률 : 공정압력↑, 누출이 용이한 기하학 구조 →
           누출률↑ → 누출량↑
        ㉢ 농도 : 누출량↑ → 누출된 혼합물 내의 인화성가스 농도↑
        ㉣ 휘발성 : 증기압↑, 기화열↓ → 휘발성↑ → 증발량↑
           → 누출량↑
        ㉤ 액체온도 : 액체온도↑→ 증기압↑→ 휘발성↑→ 증발량↑
           → 누출량↑
        ㉥ 결론 : 누출률↑, 휘발성↑, 액체온도↑ → 누출량↑ →

---

117) [암기] 누하환비기지생
    - 가스폭발 위험장소 설정의 주요변수 : 누출량, 폭발하한값, 환
    기, 인화성가스 비중, 기후 조건, 지형조건, 위험 분위기 생성빈도
    · 지속시간

118) [암기] 기률농휘온
    - 누출량 산정 고려요인 : 누출원의 기하학적 구조, 누출률, 농도,
    휘발성, 액체온도

농도↑ → 위험장소 범위↑

② 폭발하한값(LEL) : LEL↓ → 위험장소 범위↑

③ 환기 : 환기 방해 장해물 有(방유제, 벽, 천장) → 환기량↓ → 위험장소 범위↑

④ 인화성가스 비중

　　㉠ 수평범위 : 상대비중↑ → 위험장소 범위↑

　　㉡ 수직범위 : 상대비중↓ → 위험장소 범위↓

⑤ 기후 조건 : 풍속↓ → 가스·증기 분산속도↓ → 위험장소 범위↑

⑥ 지형조건

　　㉠ 공정 지면 위 Drain 및 Trench

　　　인화성액체 밀도 < 물의 밀도 → 물표면 위로 확산 → 점화 확률↑ → 위험장소 범위↑

　　㉡ Pit 및 Trench

　　　환기 제한 → 위험장소 범위↑ → 1종 장소 분류

⑦ 위험 분위기 생성빈도, 지속시간

　　생성빈도↑, 지속시간↑ → 위험장소 범위↑

3. 가스폭발 위험장소 구분[119]

구분	0 종 장소[120]	1 종 장소[121]	2 종 장소[122]
개념	폭발분위기 장기간 지속 생성	폭발분위기 정상작동 중 생성	폭발분위기 이상상태 중 생성
발생 시간	1,000 시간/년	10~1,000 시간/년	10 시간/년 이하
확률	10%	0.1 ~ 10%	0.1% 이하

---

[119] 암기 개발확장방도
　　- 가스폭발 위험장소 구분 : 개념, 발생시간, 확률, 장소, 방폭구조, 도면표시방법

구분	0종 장소[120]	1종 장소[121]	2종 장소[122]
장소 예	㉠ 용기 내 기상부 ㉡ Pit ㉢ Trench	㉠ 0종 장소 주변 ㉡ Vent 주변 ㉢ 충전부	㉠ 이상반응 ㉡ 오조작 ㉢ 환기 고장 → 우려장소
방폭 구조	ia	poeiaibdmq	0종, 1종 장소 방폭구조 + n
도면 표시 방법	○○○ ○○○	(교차 빗금 패턴)	(빗금 패턴)

4. 분진폭발 위험장소 구분

구분	20종 장소[123]	21종 장소[124]	22종 장소[125]
개념	가연성 분진운 장기간 지속 생성	가연성 분진운 정상작동 중 생성	가연성 분진운 이상상태 중 생성
장소 예	㉠ 용기 내부 ㉡ 호퍼, 집진장치 ㉢ 분진 이송설비	㉠ 용기 조작위해 빈번하게 사용하는 문 주변장소 ㉡ 트럭덤프지역, 샘플링 지점 ㉢ 사일로 및 필터 분진쪽	㉠ 백필터 배기구의 배출구 ㉡ 분진제품을 담는 저장 백 ㉢ 21종 장소를 적절한 조치를 취한 장소

---

120) 암기 용PT
   - 0종 장소 : 용기 내 기상부, Pit, Trench

121) 암기 0V충
   - 1종 장소 : 0종 장소 주변, Vent 주변, 충전부

122) 암기 이오환
   - 2종 장소 : 이상반응, 오조작, 환기고장 우려장소

구분	20종 장소[123]	21종 장소[124]	22종 장소[125]
방폭구조	밀폐방진 방폭구조 - DID A20 또는 B20	㉠ 밀폐방진 방폭구조 - DID A20 또는 A21 - DID B20 또는 B21 ㉡ 특수방진 방폭구조	㉠ 20종, 21종 장소 방폭구조 ㉡ 일반방진 방폭구조 - DID A22 또는 B22
도면 표시 방법	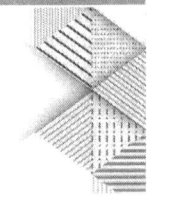		

4 전기 방폭설비 종류

1. 폭발 조건 및 방폭 원리

① 가스폭발 조건 : 물적조건 × 에너지조건 = 1

　㉠ 물적조건 : 가연성혼합기(가연물 + 산소) 형성

　㉡ 에너지조건 : 점화원(MIE↑, 최소발화온도↑) 존재

---

123) 암기 용호이
　- 20종 장소 : 용기 내부, 호퍼·집진장치, 분진 이송설비

124) 암기 용트사
　- 21종 장소 : 용기 조작위해 빈번하게 사용하는 문 주변장소, 트럭덤프 지역·샘플링 지점, 사일로 및 필터 분진쪽

125) 암기 백저21
　- 22종 장소 : 백필터 배기구의 배출구, 분진제품을 담는 저장 백, 21종 장소를 적절한 조치를 취한 장소

② 방폭 원리

　㉠ 물적조건 × 에너지조건 = 1 일 경우, 에너지조건 0 되
　　도록 하는 것

　㉡ 방폭 전기기계·기구 적용 → 에너지조건 제어

2. 방폭 전기기기의 종류별 특징[126]

(1) 압력 방폭구조

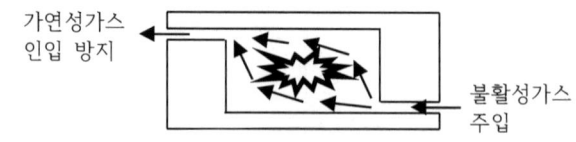

① 개념 : 점화원이 있는 용기 내부를 불연성기체로 가압하여
　외부로부터 폭발성 가스 침입 방지

② 표시방법 : Exp

③ 대상[127] : 변압기, 전동기, 개폐기, 조명기구, 계측기 등

④ 사용장소 : 1종, 2종 장소

(2) 유입 방폭구조

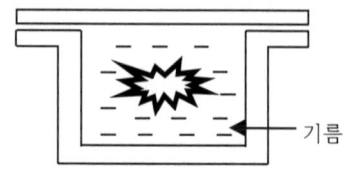

① 개념 : 점화원 발생 부분을 절연유에 넣어 폭발성가스와
　점화원과의 접촉 방지

---

126) 암기 압유안본내비몰충
　　- 방폭 전기기기의 종류 : 압력 방폭구조, 유입 방폭구조, 안전증
　　방폭구조, 본질안전 방폭구조, 내압 방폭구조, 비점화 방폭구조,
　　몰드 방폭구조, 충전 방폭구조

127) 암기 변전개조계
　　- 방폭구조 대상 : 변압기, 전동기, 개폐기, 조명기구, 계측기

② 표시방법 : Exo

③ 대상 : 변압기, 전동기, 개폐기, 조명기구, 계측기 등

④ 사용장소 : 1종, 2종 장소

(3) 안전증 방폭구조

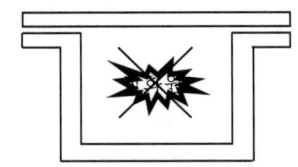

① 개념 : 기계적, 전기적 또는 온도상승에 대하여 안전성 인
증을 받은 방폭구조

② 표시방법 : Exe

③ 대상 : 안전증 변압기, 안전증 계측기 등

④ 사용장소 : 1종, 2종 장소

(4) 본질안전 방폭구조

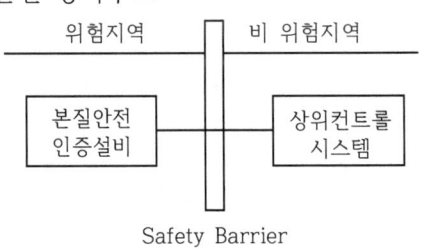

① 개념 : 안전지역에서 위험지역으로 공급되는 에너지가 안
전막(Safety Barrier)에 의해 MIE 이하로 통제되어 폭발
성가스가 점화될 우려가 없는 방폭구조

② 표시방법 및 사용장소

표시방법	Exia(2 중안전)	Exib(단일안전)
사용장소	0종, 1종, 2종 장소	1종, 2종 장소
안전율	1.0	1.5

표시방법	Exia(2 중안전)	Exib(단일안전)
	(임의 2개 고장시)	(정상시, 1개 고장가정)
안전부품	3개 사용	2개 사용

③ 대상 : 전화기, 신호기, 미소전력회로, 측정제어기구
④ 장단점

장점	단점
㉠ 0종 장소에 유일하게 적용 가능	㉠ 강전류 전력기기에 적용 곤란
㉡ 경제적, 소형(내압방폭구조 대비)	㉡ 약전류로 허용길이 제한
㉢ 유지보수 시 무정전 가능→ 시간↓, 경비↓	㉢ 설비 복잡(안전막 등)

⑤ 안전막(Safety Barrier) 종류[128]

구분	Zener Barrier 방식(ZB)	Transformer Isolated Barrier 방식(TIB)
원리	제너다이오드 저항 퓨즈 →전류레벨제한, 전압차단	변압기, 광전소자, 릴레이 이용→전기에너지 통제
가격	저렴	비싸다
구조	간단	복잡
장치	수동장치	능동장치
접지	접지 fault에 대한 제한적 응답	접지 fault에 대한 유동적 반응
Power 공급	한정적	수용범위 넓다
Fuse 단선 시	재사용 불가	교환 가능

---

128) 암기 원가구장접PF
   - 본질안전 방폭구조 안전막 설명 구분 : 원리, 가격, 구조, 장치, 접지, Power공급, Fuse단선시

⑥ 안전막 선택시 유의사항(고려사항)[129]

　⊙ Local 사용 전기기기 중 에너지 축적 장비는 인증기구 사용

　ⓒ Gas Group에 적합한 안전막 사용여부

　ⓒ 안전막의 극성에 유의

　② 안전막의 저항고려 - 방폭 전기기기 동작에 충분한
　　Power 공급 가능 여부

　ⓜ 허용케이블 길이를 초과하지 않을 것

　ⓑ 안전지역 전압이 안전막 작동 전압 초과하지 않을 것

⑦ 최소점화전류에 대한 폭발등급

최소점화전류비[130]	0.8 초과	0.45 이상 0.8 이하	0.45 미만
방폭기기 폭발등급	IIA	IIB	IIC
가스 폭발등급	A	B	C
위험성	小	中	大
물질	CH_4, C_3H_8	C_2H_4, HCN	H_2, C_2H_2

(5) 내압 방폭구조

① 개념: 용기 내부 폭발 시 압력에 견디며, 안전틈새를 통해
　외부 폭발성가스에 착화될 우려가 없는 방폭구조

---

129) [암기] LG극성저항허전
　- 본질안전 방폭구조 안전막 선택시 유의사항 : Local 사용 전기
　기기 중 에너지 축적 장비는 인증기구 사용, Gas Group에 적합
　한 안전막 사용여부, 안전막의 극성에 유의, 안전막의 저항고려 -
　방폭 전기기기 동작에 충분한 Power 공급 가능 여부, 허용케이블
　길이를 초과하지 않을 것, 안전지역 전압이 안전막 작동 전압 초
　과하지 않을 것

130) [암기] 사고이빠이
　- 최소점화전류비 기준 : 0.45 이상 0.8 이하

② 표시방법 : Exd

③ 대상 : 변압기, 전동기, 개폐기, 조명기구, 계측기 등

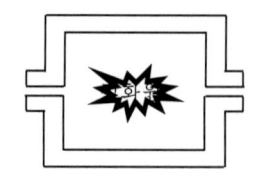

④ 사용장소 : 1종, 2종 장소

⑤ 내압 방폭구조의 구비조건[131)]

　⊙ 내압강도 유지 - 내부 폭발압력에 견딜 것

　ⓒ 화염일주 방지 - 폭발화염이 안전틈새의 냉각효과로 외부 폭발성가스에 착화 불가할 것

　ⓒ 발화온도 > 표면온도 - 전기기기 표면온도가 주위 폭발성가스의 발화점 이하일 것

⑥ 특징[132)]

　⊙ Passive System → 신뢰도↑

　ⓒ 가스 폭발등급 C 적용 시 구조복잡 → 제작곤란

　ⓒ 유지관리 용이

　ⓔ 대형회전기는 방폭기기 폭발등급 IIB, IIC 적용 곤란

⑦ 최대안전틈새에 대한 폭발등급

최대안전틈새[133)] (mm)	0.9 이상	0.5 초과 0.9 미만	0.5 이하
방폭기기 폭발등급	IIA	IIB	IIC
가스 폭발등급	A	B	C

131) 암기 내화발
　- 내압 방폭구조의 구비조건 : 내압강도 유지, 화염일주 방지, 발화온도 > 표면온도

132) 암기 PC유대
　- 내압 방폭구조의 특징 : Passive System, 가스 폭발등급 C 적용 시 구조복잡, 유지관리 용이, 대형회전기는 방폭기기 폭발등급 IIB, IIC 적용 곤란

최대안전틈새[133] (mm)	0.9 이상	0.5 초과 0.9 미만	0.5 이하
위험성	小	中	大
물질	CH_4, C_3H_8	C_2H_4, HCN	H_2, C_2H_2

(6) 비점화 방폭구조

① 개념 : non-sparking 방폭구조

② 표시방법 : Exn

③ 대상 : 변압기, 전동기, 개폐기, 조명기구, 계측기 등

④ 사용장소 : 2종 장소

(7) 몰드 방폭구조

① 개념 : 점화원 발생 부분을 콤파운드로 밀폐한 방폭구조

② 표시방법 : Exm

③ 대상 : 변압기, 전동기, 개폐기, 조명기구, 계측기 등

④ 사용장소 : 1종, 2종 장소

(8) 충전 방폭구조

① 개념 : 점화원 발생 부분을 충전물질로 충전한 방폭구조

② 표시방법 : Exq

③ 대상 : 계전기, 보호용 fuse

④ 사용장소 : 1종, 2종 장소

---

133) 암기 구미오초
   - 최대안전틈새 기준 : 0.9 미만 0.5 초과

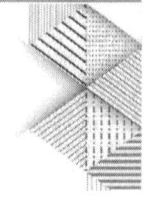

최소점화전류비(MIC)

1. 정의
① 개념

　　CH₄의 최소점화전류와 측정대상가스의 최소점화전류와의 비
② 공식

$$최소점화전류비 = \frac{측정대상가스\ 최소점화전류}{CH_4\ 최소점화전류}$$

2. 적용
① 폭발성가스 위험성 판단
② 방폭전기기기 적용 시 활용
③ 본질안전 방폭구조 적용 시 신뢰성 확보

3. 최소점화전류비 별 폭발등급 - 사고이빠이

최소점화 전류비	0.8 초과	0.45 이상 0.8 이하	0.45 미만
방폭기기 폭발등급	IIA	IIB	IIC
가스 폭발등급	A	B	C
위험성	小	中	大
물질	CH₄, C₃H₈	C₂H₄, HCN	H₂, C₂H₂

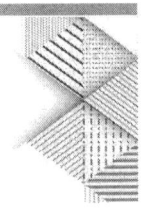

6 화염일주한계

1. 화염일주한계(최대안전틈새, 안전간극, MESG)의 개념
   ① 화염일주
      폭발성 가스용기 내 가스 폭발시 생성된 화염이 용기접합
      면의 좁은 틈을 통해 주변 위험 분위기를 점화시키는 현상
   ② 화염일주한계
      화염일주 방지 위해 접합면 틈새를 실험적으로 검증한 값

2. 측정방법

틈새 조절나사

25mm

점화봉

최대안전틈새

내용적
8L

   ① 내·외부 용기에 폭발성가스 채움
   ② 내부용기 점화봉에서 점화
   ③ 틈새조정나사로 틈새조정
   ④ 틈새 통해 외부용기 혼합가스에 점화될 때까지 반복

3. 화염일주한계 적용
   ① 폭발성가스 위험성 판단
   ② 방폭전기기기 적용 시 활용

③ 내압 방폭구조 적용 시 신뢰성 확보

4. 최대안전틈새에 대한 폭발등급 - 구미오초

최대안전틈새(mm)	0.9 이상	0.5 초과 0.9 미만	0.5 이하
방폭기기 폭발등급	IIA	IIB	IIC
가스 폭발등급	A	B	C
위험성	小	中	大
물질	CH_4, C_3H_8	C_2H_4, HCN	H_2, C_2H_2

※ 최대안전틈새↓ → 위험도↑, 폭발위험↑

7 방폭기기 규격별 표기방법

1. 국내 및 일본 표기방법(IEC 기준)

Ex   d   II   B   T₄

① Ex : 방폭기기

② d : 방폭구조 종류

압유안본내비몰충(poeiaibdnmq)

③ II & B : 기기분류 & 폭발등급

기기분류	폭발등급	
산업용 II	가스, 증기	A, B, C
	분진	11, 12, 13

④ T_4 : 온도등급

2. 미주지역 표기방법

Class Ⅰ Division 2 Group B

① Class : 위험물질 분류

　　㉠ Ⅰ : 가스, 증기

　　㉡ Ⅱ : 가연성분진

　　㉢ Ⅲ : 섬유, 털 부스러기

② Division : 위험지역

　　㉠ 1 : 정상상태시 위험장소

　　㉡ 2 : 이상상태시 위험장소

③ Group : 위험물질 종류

Class	Group-해당물질
Ⅰ	A - 아세틸렌, B - 수소, C - 에틸렌, D - 프로판
Ⅱ	E - 금속분진, F - 석탄가루, G - 밀가루

8 방폭 공구

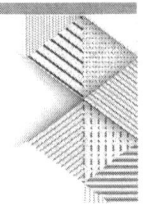

1. 개요

① 철강제 공구 위험성 : 폭발 위험장소 내 철강제 공구 작업
→ 충격 스파크 발생 → 점화원 작용

② 점화원 작용 MIE 기준

MIE → CH_4 기준 : 0.25 mJ

　　→ H_2 기준 : 0.02 mJ

　　→ 정전기 : 25 mJ

③ 대책 : 충격 스파크 미발생 재료 사용 → 방폭 공구

2. 방폭 공구의 재료
   ① 베릴륨 동합금(Be-Cu)
   ② 알루미늄 동합금(Al-Cu)
      → 강도↑, 경도↑ → 충격, 마찰 시 불꽃 X

3. 충격, 마찰 피해야 할 가연성가스 종류
   발화온도가 낮은 가연성가스로써. → 이황화탄소, 아세틸렌,
   에테르, 아세트알데히드

4. 방폭 공구의 종류
   ① 해머   ② 스패너
   ③ 드라이버   ④ 펜치 등 12종

방폭설비 정체구조
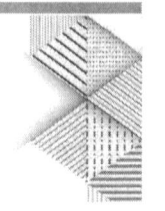

1. 개념
   ① 자물쇠식 죄임구조
   ② 역할 - 방폭전기기기 구성 나사류 임의 해체 시 위험성↑
      → 정체구조 → 해체불가 → 위험성↓

2. 설치대상
   ① 방폭성능 보전 필요 나사
   ② 외부에서 늦출 수 있는 나사

③ 예외

　　㉠ 책임자 외 다른 사람 나사 늦출 우려 없는 곳

　　㉡ 일부 나사 적용하여 목적 달성 시 다른 나사 생략

3. 구조

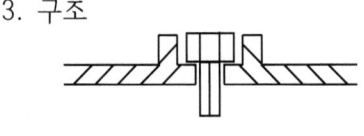 나사 주위 볼트캡을 용접하
여 고정하는 구조

10 최소 발화에너지

1. 최소 발화에너지(MIE, Minimum Ignition Energy, 최소점화에너지) 개념

① 점화원 작용 시 발화하기 위한 최소에너지

② 발화 필요한 한계에너지

③ MIE↓ → 발화용이 → 화재, 폭발 위험성↑

2. 공식

$$E = \frac{1}{2}CV^2$$

E : 최소발화에너지(J)
C : 콘덴서 용량(F)
V : 전압(V)

3. 측정방법

① 충전

　　㉠ 폭발용기에 피측정가스 채움

　　㉡ 축전기를 천천히 충전 → 전압 상승

② 전압측정 : 전극간 불꽃 발생시 전압 측정

③ MIE 산정

  ㉠ $E = \dfrac{1}{2} CV^2$ 에 전압 대입

  ㉡ 최소발화에너지 산정

4. 영향인자

  ① 소염거리

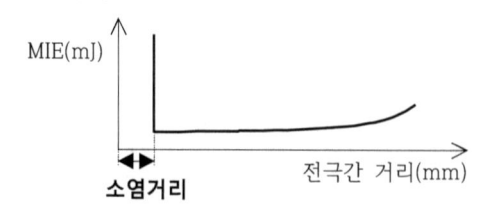

  ㉠ 관계식

  $$MIE = d^2 \left(\dfrac{\mu}{V} \right) \varDelta T$$

    d : 소염거리 μ : 미연소가스의 열전도도

    V : 연소속도 $\varDelta T$: 화염온도와 미연소가스온도 차

  ㉡ 관계

    ⓐ 전극간 거리↓ → MIE↓ → 소염거리 도달 시 →
      MIE 무한대로 ↑

    ⓑ 소염거리 이하에서는 아무리 큰 방전에너지 부여하
      여도 인화 X

    ⓒ MIE ∝ 소염거리, 화염온도와 미연소가스온도 차

    ⓓ MIE ∝ (1/연소속도)

  ② 조성

    ㉠ Cst 부근 → 연소속도 최대

    ㉡ Cst 멀어질수록 → 연소속도↓

  ③ ~ ⑧ : 산불난PT화점

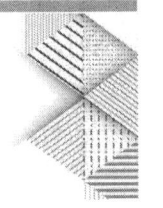

11 소염거리

1. 소염거리(Quenching Distance)개념

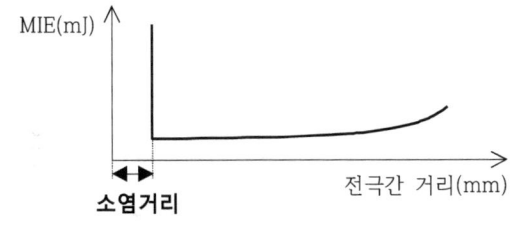

① 화염전파 가능한 두 평판 사이의 최소한계 거리
② 소염거리 원리
　 전극간격↓ → 전극 통한 방열↑ → 화염전파력↓
③ 소염거리 적용
　 화염전파방지기(Flame Arrester) 설계 시

2. 소염거리 vs 소염직경 vs 안전간극

구 분	그림 표현	설　명
소염거리		전극간 거리
소염직경		㉠ 전파 가능한 관 최소지름 ㉡ 소염직경=소염거리 × 1.2
안전간극		전극간 틈 사이거리

3. MIE와 소염거리와의 관계
　　① 관계식

$$MIE = d^2\left(\frac{\mu}{V}\right)\varDelta T$$

　　　　d : 소염거리　　　μ : 미연소가스의 열전도도
　　　　V : 연소속도　　　$\varDelta T$: 화염온도와 미연소가스온도 차
　　② 관계
　　　　㉠ 전극간 거리↓ → MIE↓ → 소염거리 도달 시 → MIE
　　　　　　무한대로 ↑
　　　　㉡ 소염거리 이하에서는 아무리 큰 방전에너지 부여하여
　　　　　　도 인화 X
　　　　㉢ MIE ∝ 소염거리, 화염온도와 미연소가스온도 차
　　　　㉣ MIE ∝ (1/연소속도)

12 정전기 발생 메커니즘

1. 정전기 정의
　　① 대전 : 두 종류의 다른물질이 서로 접촉시 한물질은 (+)전하
　　　　다른물질은 (-)전하가 되어 전기이중층을 형성하는 현상
　　② 정전기
　　　　㉠ 전하의 공간적 이동이 적어 자계효과가 전계효과에 비
　　　　　　하여 무시할 정도로 작은 전기
　　　　㉡ 발생된 전하중 소멸되지 않고 물체에 축적된 전하
　　③ 방전 : 대전물체에 축적되어 있는 정전기 에너지에 의해 대전
　　　　물체 근방에 있는 물질로 전이되는 현상(빛, 열, 소리 수반)

2. 정전기 발생 메커니즘[134]

　① 접촉 : 두물체 접촉 시 → 자유전자 이동

　　(낮은 일함수 물체의 전자 → 높은 일함수 물체로 이동)

　② 전기이중층 형성 :┌전자를 잃은 물체 표면 : (+) 대전
　　　　　　　　　　　└전자를 얻은 물체 표면 : (-) 대전

　③ 전위차 발생

　　㉠ $V = \Phi A - \Phi B$

　　　V : 전위차, ΦA : A 물체 일함수, ΦB : B 물체 일함수

　　㉡ $Q = CV$

　　　Q : 전체 대전 전하량(C), C : 정전용량(F), V : 전위차(V)

　④ 전하 축적

　　㉠ 발생된 전하중 소멸되지 않고 물체에 축전된 전하 →
　　　방전 → 정전기

　　㉡ 정전에너지 $W(J) = \dfrac{1}{2}Q \times V = \dfrac{1}{2}C \times V^2$

3. 정전기 발생 영향인자[135]

　① 물질의 특성 : 대전 서열↑(멀수록) → 정전기 발생량↑

　② 물질의 표면상태 : 녹, 거칠수록, 기름오염↑ → 정전기
　　발생량↑

　③ 물질의 이력

　　┌처음 접촉·분리 시 최대
　　└접촉·분리 반복될수록 → 정전기 발생량↑

---

134) 암기 접전전전
　　- 정전기 발생 메커니즘 : 접촉, 전기이중층 형성, 전위차 발생,
　　전하 축적

135) 암기 특표이접분불상
　　- 정전기 발생 영향인자 : 특성, 표면상태, 물질의 이력, 접촉면적
　　및 압력, 분리속도, 불순물, 상대습도,

④ 접촉면적 및 압력 : 접촉면적 및 압력↑ → 정전기 발생량↑

⑤ 분리속도 : 분리속도↑ → 정전기 발생량↑

⑥ 유체 중 불순물 : 유체 중 기포, 녹 등 불순물↑ → 정전기 발생량↑

⑦ 상대습도 : 습도↓ → 정전기 발생량↑(습도 70%↑ → 정전기 발생율 현저히 감소)

4. 정전기 발생형태(대전현상)[136]

① 유도대전 : 대전물체의 부근에 절연된 도체가 있을 때 정전유도를 받아 전하의 분포가 불균일하게 되며 대전된 것이 등가로 되는 현상

② 비말대전 : 공기 중에 분출한 액체류가 미세하게 비산되어 분리하고, 크고 작은 방울로 될 때 새로운 표면을 형성함으로써 발생하는 대전현상

③ 마찰대전 : 서로 마찰한 2개의 물체의 접촉, 분리에 의해 발생하는 대전현상

④ 박리대전 : 밀착하고 있는 물체를 분리할 경우 발생하는 대전현상

⑤ 충돌대전 : 분체류에 의한 입자끼리 또는 입자와 고체와의 충돌에 의해서 빠르게 접촉, 분리가 일어나기 때문에 발생하는 대전현상

⑥ 분출대전 : 분체류, 액체류, 기체류가 단면적이 작은 개구부에서 분출할 때 마찰이 일어나서 발생하는 대전현상

---

136) 암기 유비마박충분적침유부동
    - 정전기 발생형태(대전현상) 종류 : 유도대전, 비말대전, 마찰대전, 박리대전, 충돌대전, 분출대전, 적하대전, 침강대전, 유동대전, 부상대전, 동결대전

⑦ 적하대전 : 고체표면에 부착해 있는 액체류가 성장하고 이
   것이 자중으로 액적, 물방울로 되어 떨어질 때 전하분리가
   일어나서 발생하는 대전현상
⑧ 침강대전 : 액체의 유동에 따라 액체 중에 분산된 기포 등
   용해성의 물질의 유동이 정지함에 따라 비중차에 의해 탱
   크 내에서 침강할 때 발생하는 대전현상
⑨ 유동대전 : 도전율이 낮은 액체류를 배관 등으로 수송할
   때 발생하는 대전현상
⑩ 부상대전 : 액체의 유동에 따라 액체 중에 분산된 기포 등
   용해성의 물질이 유동이 정지함에 따라 비중차에 의해 탱
   크 내에서 부상할 때 일어나는 대전현상
⑪ 동결대전 : 극성기를 갖는 물 등이 동결하여 파괴할 때 일
   어나는 대전현상

13 정전기 방전현상

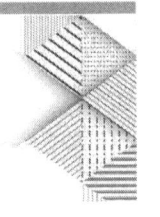

1. 정의 : 대전물체에 축적되어 있는 정전기 에너지에 의해 대전
   물체 근방에 있는 물질로 전이되는 현상(빛, 열, 소리 수반)

2. 방전현상의 종류[137]
   ① 코로나 방전(Corona 방전)

---

137) 암기 코스연불
   - 방전현상의 종류 : 코로나 방전, 스트리머 방전, 연면 방전, 불
   꽃 방전

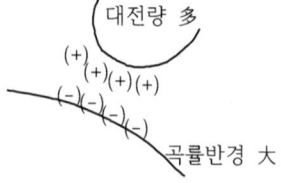

㉠ 대전물체와 예리한 돌기부분 사이에서 발생

㉡ 발광↓, 소리↓

㉢ 방전에너지↓ → 정전기 재해 및 장해 원인 확률↓

② 스트리머 방전(Streamer 방전, Brush 방전)

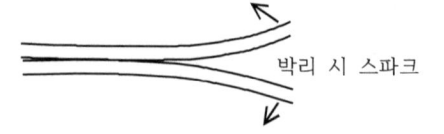

㉠ 대전량이 큰 부도체와 곡률반경이 큰 도체 사이에서 발생

㉡ 발광↑, 소리↑

㉢ 방전에너지↑ → 정전기 재해 및 장해 원인 확률↑

③ 연면 방전

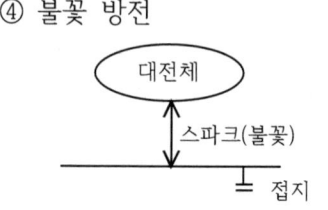

㉠ 대전량이 큰 얇은 층상의 부도체 표면 가까이에 접지
체가 있을 때 표면을 따라 진행하는 수지상의 발광

㉡ 방전에너지↑ → 정전기 재해 및 장해 원인 확률↑

④ 불꽃 방전

ⓐ 대전물체와 접지된 도체 사이에서 발생

ⓑ 발광↑, 소리↑

ⓒ 방전에너지↑ → 정전기 재해 및 장해 원인 확률↑

⑤ 에너지 강도의 크기 : 코 < 스 < 연 < 불

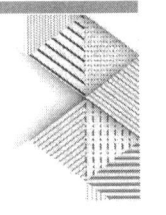

14 정전기 방지대책

1. 화학공장에서 정전기 방지대책[138]

(1) 발생방지 대책[139]

① 물질의 특성 : 대전 서열↓(가까울수록) → 정전기 발생량↓

② 물질의 표면상태 : 녹, 거칠수록, 기름오염↓ → 정전기 발생량↓

③ 접촉면적 및 압력 : 접촉면적 및 압력↓ → 정전기 발생량↓

④ 분리속도 : 분리속도↓ → 정전기 발생량↓

⑤ 유체 중 불순물 : 유체 중 기포, 녹 등 불순물↓ → 정전기 발생량↓

(2) 도체의 대전방지 대책[140]

---

138) 암기 발도부인
- 화학공장에서 정전기 방지대책 : 발생방지 대책, 도체의 대전방지 대책, 부도체의 대전방지 대책, 인체의 대전방지 대책

139) 암기 특표접분불
- 정전기 발생방지 대책 : 특성, 표면상태, 접촉면적 및 압력, 분리속도, 유체 중 불순물

140) 암기 접본유정

① 접지

　㉠ 도체와 대지를 전기적으로 접속하여 등전위화

　㉡ 도전체(배관, 반응기, 탑 등) 접지

　㉢ 정기적으로 측정 : 접지저항 10^6 Ω 이하 유지

② 본딩

　㉠ 서로절연된 도체와 도체 사이를 전기적으로 접속하여 등전위화

　㉡ Flange Coupling 처럼 절연상태가 되기 쉬운 곳

　㉢ 정기적으로 측정 : 접지저항 10^6 Ω 이하 유지

　　→ 안전율 고려 접지저항 10^3 Ω 이하 유지

③ 유속제한

　㉠ 정전기 대전량 ∝ 유속1.75

　㉡ 인화성 액체 주입시 유속 : 1 m/s 이하

　㉢ 침액관(Dipping Pipe) 이용하여 탱크 하부부터 채움

④ 정치시간

　접지상태에서 정전기 발생 종료 후 다시 발생 개시될 때까지의 시간

(3) 부도체의 대전방지 대책[141]

① 가습

　㉠ 상대습도 60%↑ → 정전기 발생 방지

　㉡ 가습 방법 : 물분무법, 증기분무법, 증발법

② 대전방지제

　㉠ 부도체인 섬유, 수지표면에 흡습성, 이온성 부여

　- 도체의 대전방지 대책 : 접지, 본딩, 유속제한, 정치시간

141) 암기 가대제

　- 부도체의 대전방지 대책 : 가습, 대전방지제, 제전기

　　　　→ 도전성 부여 → 대전방지

　　　ⓒ 수용액, 알코올, 극성용매는 도전성 사용, 도전성 용기 사용

　③ 제전기

　　　㉠ 종류 : 전압인가식, 자기방전식, 방사선식

　　　ⓒ 원리 : 제전기에서 발생한 이온 중 대전물체 전하와 반대극성이온이 대전물체로 이동 → 대전물체와 결합 → 중화 → 정전기 제거

(4) 인체의 대전방지 대책[142]

　① 도전성 바닥 및 신발

　　　㉠ 도전성 바닥 : 접지저항 108 Ω 이하

　　　ⓒ 도전성 신발 : 접지저항 106 Ω 이하

　② 대전방지 또는 도전성 의류

　③ 대전방지 또는 도전성 장갑

　④ 개인용 접지 장치 : 손목띠, 신발 접지기, 도전성 덧신

2. 정전기의 위험성(재해 및 장해)[143]

　① 화재 및 폭발재해 : 폭발범위 내 가연성혼합기 존재 → 정전기 방전(MIE↑, 최소발화온도↑) → 화재 및 폭발 발생

　② 전격재해[144]

　　　㉠ 신체적 손상 : 근육수축, 사망의 직접적인 원인 X

---

142) 암기 바신의장개
- 인체의 대전방지 대책 : 도전성 바닥 및 신발, 대전방지 또는 도전성 의류, 장갑, 개인용 접지 장치

143) 암기 화재폭발전격생산
- 정전기의 위험성 : 화재 및 폭발재해, 전격재해, 생산장해

144) 암기 신2능
- 정전기 위험성 중 전격재해 위험 : 신체적 손상, 2차 재해 발생, 능률저하

ⓒ 2차 재해 발생 : 추락, 전도, 기계접촉 등

ⓒ 능률저하 : 공포감, 불쾌감

③ 생산장해145)

㉠ 역학현상 : 제품의 오염 발생

㉡ 방전현상146)

ⓐ 방전에너지 : 전자부품 손상, 파괴

ⓑ 전자파 : 계장 장치 통신장해, 오동작

ⓒ 발광 : 사진필름 감광

3. 정전기 재해방지 5가지 원칙147)

원칙	원칙의 예시
도체의 대전방지	접본유정
부도체의 대전방지	가대제
인체의 대전방지	바신의장개
생산환경의 정비	- 폭발성 분위기 생성방지 - 생산환경의 Clean 화 - 정전기의 차폐 - 온도, 습도 관리
가동조건의 설비	- 설비의 대형화 회피 - 가동조건의 고속화, 급변회피 - 점검, 보수 이행

---

145) 암기 역방
- 정전기 위험성 중 생산장해 종류 : 역학현상, 방전현상

146) 암기 방전발
- 정전기 위험성 중 방전현상에 의한 생산장해 : 방전에너지, 전자파, 발광

147) 암기 도부인생가
- 정전기 재해방지 5가지 원칙 : 도체의 대전방지, 부도체의 대전방지, 인체의 대전방지, 생산환경의 정비, 가동조건의 설비

 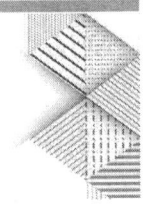

15 제전기

1. 개요
① 정의 : 물체에 대전된 정전기를 이온을 이용하여 중화시켜
정전기 제거 장치
② 이온생성방법 종류[148]
　㉠ 전압인가식 제전기
　㉡ 자기방전식 제전기
　㉢ 방사선식 제전기

2. 제전 메카니즘[149]
① 이온 생성 : 제전기에 의해 이온 생성
② 이온 이동 : 제전기에서 발생한 이온 중 대전물체 전하와
반대극성 이온이 대전물체로 이동
③ 중화 : 생성이온과 대전물체 전하와 결합 → 중화 → 정전
기 제거

3. 제전기 종류
(1) 제전기 종류별 제전원리 및 특징
　① 전압인가식 제전기

---

148) **암기** 전자방
　　- 제전기 이온생성방법 종류 : 전압인가식 제전기, 자기방전식 제
　　전기, 방사선식 제전기

149) **암기** 생이중
　　- 제전기 제전 메카니즘 : 이온 생성, 이온 이동, 중화

    ⊙ 제전 원리 : 제전전극에 7,000 V 정도의 고전압 인가
    → 침상전극에서 코로나 방전 발생 → 이온 생성 →
    이온 이동 → 중화

    © 특징

        ⓐ 제전능력 : 매우 높다

        ⓑ 제전속도 : 가장 빠르다

        ⓒ 위험성 : 고전압 → 위험성↑, 취급 어렵다

② 자기방전식 제전기

    ⊙ 제전 원리 : 제전 대상물체의 정전에너지 이용 → 이
    온생성 → 이온이동 → 중화

    © 특징

        ⓐ 제전 능력 : 높다

        ⓑ 제전 속도 : 빠르다

        ⓒ 구조 간단

        ⓓ 대전물체의 대전전위가 작으면 제전불가

③ 방사선식 제전기

    ⊙ 제전 원리 : 방사성 동위원소의 방사선(α선, β선) 전리
    작용 이용 → 이온 생성 → 이온 이동 → 중화

    © 특징

        ⓐ 제전 능력 : 낮다

        ⓑ 제전 속도 : 길다

        ⓒ 위험성 : 방사선 노출에 대한 위험성 존재

(2) 제전기 종류 비교

구 분	전압인가식	자기방전식	방사선식
원리	고전압인가→ 코로나방전→ 이온생성	제전대상물체 정전에너지이용 →이온생성	방사선 전리작용 이용→이온생성

구 분	전압인가식	자기방전식	방사선식
제전 능력	大	中	小
제전 속도	가장 빠르다	중간	느리다
착화원 우려	고전압→ 착화원우려↑	착화원우려↓	착화원우려↓
위험성	고전압→ 위험성↑	위험성↓	방사선→ 위험성↑
용도	이동하는 대전물체 대전	이동하는 대전물체 대전	고정된 설비 제전

16 접지, 본딩

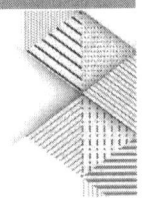

1. 개요

① 정전기 발생원인 : 마찰, 전하분리

② 정전기 위험성

　　㉠ 화재, 폭발 재해

　　㉡ 전격재해

　　㉢ 생산장해

2. 접지

① 개념 : 금속도체 대지에 전기적 접속 → 등전위 → 정전기 발생 방지

② 접지 기준[150)]

구분	기준
기능 점검	㉠ 지상접지 저항치 ㉡ 접속부 접속상태
대상설비	㉠ 가연성가스 제조설비 : 단독접지 ㉡ 배관 : 본딩용 접속선 접지
접속선	㉠ 단선 X ㉡ 단면적 5.5mm² ↑
저항치	㉠ 총합 100 Ω ↓ ㉡ 피뢰설비 설치시, 총합 10 Ω ↓

3. 본딩

① 개념 : 2개 이상의 금속도체 → 전기적 접속 → 등전위
→ 정전기 발생 방지

② 특징

㉠ 본딩 자체만으로 정전기 발생 불가

㉡ 따라서 접지와 반드시 병행 실시

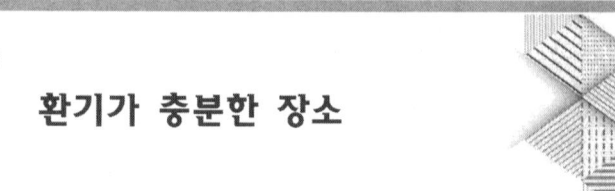 

17 환기가 충분한 장소

1. 환기가 충분한 장소(사업장 방폭구조 관련 고시)[151)]

---

150) [암기] 기대접저
　- 접지 기준 : 기능 점검, 대상설비, 접속선, 저항치
151) [암기] 옥15건밀
　- 환기가 충분한 장소 : 옥외, 환기량이 LEL의 15% 초과하지 않

① 옥외
② 환기량이 LEL의 15% 초과하지 않는 장소
③ 건축물 기준
    ㉠ 공기 흐름 구조 건축물
    ㉡ 지붕 한면의 벽만 있는 건축물
④ 밀폐장소 + 환기설비
    ㉠ 자연환기방식
    ㉡ 강제환기방식 + 고장시 경보

2. 환기등급

환기등급	내용
㉠ 1종 환기	급기기 + 배기기
㉡ 2종 환기	급기기 + 배기구
㉢ 3종 환기	급기구 + 배기기
㉣ 4종 환기	자연환기

 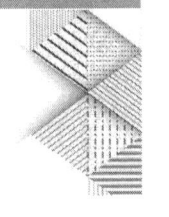

18 비방폭지역 기준

1. 배관
① 충분한 환기 장소
    ㉠ 개구부 없는 상태
    ㉡ 폭발성물질 간헐적 사용

는 장소, 건축물 기준, 밀폐장소 + 환기설비

        © 적절한 유지관리된 배관 주위
    ② 불충분한 환기 장소
        ⑦ Valve, Pitting, Flange 등 누설 우려 부속품 無
        © 용접 이음 배관 주위

2. 수납용기
    폭발성물질이 완전 밀봉된 수납용기 속에 저장된 경우

3. 보일러, 가열로 등
    ① 연료주입 배관상의 밸브, 펌프 주변의 전기기기가 적합한
        방폭구조인 경우
    ② 연료주입 배관상의 밸브, 펌프 주변에 전기기기가 없는 경우

19 환기

1. 환기 목적

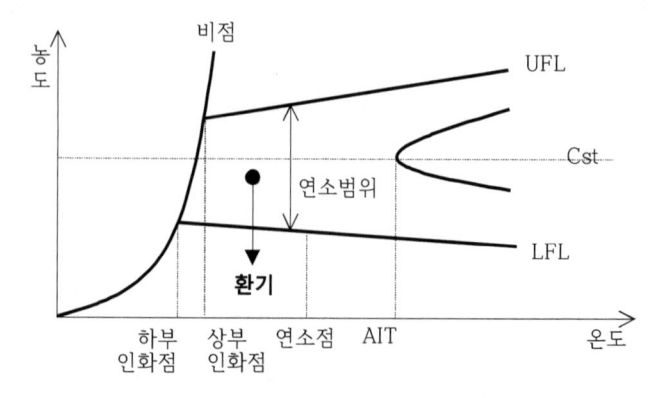

폭발범위 내 가연성혼합기 형성 → 환기 실시 → LFL 미만 유지 → 화재·폭발 발생 방지

2. 환기설비 종류 및 특징[152]

(1) 전체환기

① 자연환기

㉠ 공기밀도 차이에 의한 대류현상, 바람 이용

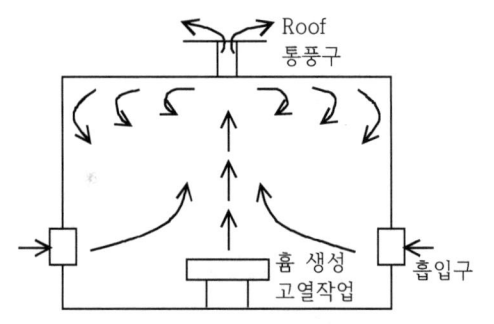

㉡ 내·외부 조건에 따라 환기량 변화 심함

㉢ 소규모 공간에 적용

② 강제환기

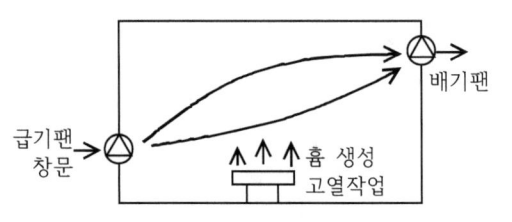

㉠ 송풍기 등 기계적인 힘 이용

㉡ 내·외부 조건에 관계없이 일정한 환기량 유지

---

152) 암기 전자강국
   - 환기설비 종류 및 특징 : 전체환기, 자연환기, 강제환기, 국소배기

ⓒ 환기등급

환기등급	내용
㉠ 1종 환기	급기기 + 배기기
㉡ 2종 환기	급기기 + 배기구
㉢ 3종 환기	급기구 + 배기기
㉣ 4종 환기	자연환기

(2) 국소배기

　　㉠ 발생원에서 오염물질 포집, 제거

　　㉡ 필요환기량↓ → 경제적

　　㉢ 분진, 독성물질, 방사선물질에 적용

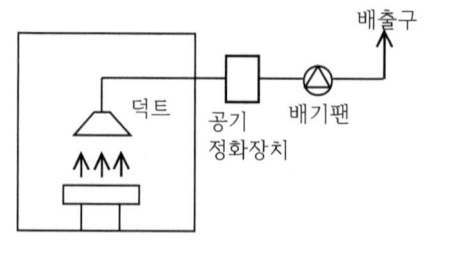

3. 환기설비 설치기준(통풍구 설치기준)

　① 자연환기(자연통풍구)

　　㉠ 통풍구 위치

　　　ⓐ 가스 비중 > 공기 비중 : 바닥부

　　　ⓑ 가스 비중 < 공기 비중 : 천장부

　　㉡ 통풍구 면적 : 바닥, 천장 면적의 3% 이상(최대 $0.24m^2$)

　② 강제환기(기계통풍장치)

　　㉠ 흡입구 위치

　　　ⓐ 가스 비중 > 공기 비중 : 바닥부

　　　ⓑ 가스 비중 < 공기 비중 : 천장부

    ⓒ 배기가스 방출구

        ⓐ 가스 비중 > 공기 비중 : 지면에서 5m 이상 높이 설치

        ⓑ 가스 비중 < 공기 비중 : 지면에서 3m 이상 높이 설치

    ⓒ 통풍능력 : 바닥면적 $1m^2$ 마다 $0.5m^3/min$ 이상

  ③ 국소배기

    ㉠ 발생원 전체 포위 가능토록 후드 크기 선정

    ㉡ 발생원 마다 후드 설치

20 전기방폭 대상물질[153)

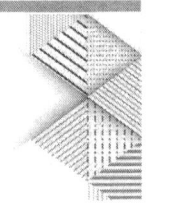

1. 산업안전보건법[154)

  ① 인화성액체 : 대기압 하 인화점 65℃ 이하

  ② 가연성가스 : LFL 10% 이하, 폭발범위 20% 이상

  ③ 분진

발화도	폭연성분진	가연성분진	
		전도성	비전도성
I1 (>270℃)	마그네슘, 알루미늄, 알루미늄 브론즈	아연, 코크스, 카본블랙	페놀수지, 폴리에틸렌, 고무

---

153) 암기 산전소고액
  - 전기방폭 대상물질 구분기준: 산업안전보건법, 전기설비기술기준
  에 관한 규칙, 소방법, 고압가스안전관리법, 액화석유가스 안전 및
  사업관리법

154) 암기 인가분
  - 산업안전보건법 상 전기방폭 대상물질 : 인화성액체, 가연성가
  스, 분진

발화도	폭연성분진	가연성분진	
		전도성	비전도성
I2 (200℃<T≤270℃)	알루미늄 (수지)	철, 석탄	코코아, 리그닌, 쌀겨
I3 (150℃<T≤200℃)	-	-	유황

2. 전기설비기술기준에 관한 규칙[155]

　　① 인화성, 가연성 물질 : 별도 정의 無

　　② 분진 : 산업안전보건법에 준하는 폭연성, 가연성분진

　　③ 위험물

　　　　㉠ 셀룰로이드, 성냥 등 타기 쉬운 물질

　　　　㉡ 먼지, 화약류가 있는 장소 제외

3. 소방법[156]

　　① 인화점 70℃ 이하 인화성 액체 : 특수인화물류, 제1석유류, 제2석유류

　　② 그외 인화성 액체 : 위험물로 규정하여, 전기설비기술기준에 관한 규칙에 따름

4. 고압가스안전관리법, 액화석유가스 안전 및 사업관리법

　　고압가스, 액화석유가스 취급 장소 내 전기설비

---

155) 암기 인가분위
　　- 전기설비기술기준에 관한 규칙 상 전기방폭 대상물질 : 인화성 물질, 가연성 물질, 분진, 위험물
156) 암기 인그
　　- 소방법 상 전기방폭 대상물질 : 인화성 액체, 그외 인화성 액체

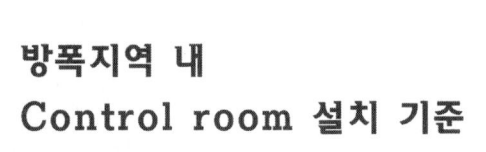
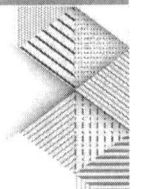

21 방폭지역 내 Control room 설치 기준

1. Control Room 개념
현장 공정설비를 실시간 감지 및 원격 조정할 수 있는 장치 집약 장소

2. 설치기준(안전시설)[157]
① 안전장소
　㉠ 비 폭발위험장소에 설치 - 원칙적으로 비 폭발위험장소 내 설치
　㉡ 폭발안전구획 설정 - 불가피하게 폭발위험장소 내 설치시, 폭발안전구획 설정 필요

② 양압설비
　㉠ 양압 25 Pa(게이지압력) 이상 유지
　　양압설비 → 25 Pa(게이지압력) 이상 유지 → 유해·위험성가스 유입 차단
　㉡ 환기등급

환기등급	내용
㉠ 1종 환기	급기기 + 배기기
㉡ 2종 환기	급기기 + 배기구
㉢ 3종 환기	급기구 + 배기기
㉣ 4종 환기	자연환기

---

157) 암기 안양안구U
　- 방폭지역 내 Control room 설치기준 : 안전장소, 양압설비, 안전거리 유지, 구조기준, UVCE로부터의 보호대책

③ 안전거리 유지 : 제어실 외벽은 외부 화재로부터 복사열량 12.6 KW/m^2 이하가 되도록, 안전거리 유지

④ 구조기준

　㉠ 온도조절설비 : 온도조절설비 → 외부 화재로부터 제어실 내부온도 상승속도 10℃/30분 이하로 조절

　㉡ 긴급대피로

　　ⓐ 화재원과 마주보지 않도록 설계

　　ⓑ 복사열량 2 kW/m^2 이하가 되도록 설계

⑤ UVCE로부터의 보호대책

　㉠ 누출원과의 안전거리 유지 : 누출원과의 안전거리 30 m 유지 필요(인화성가스 누출량 15ton 이상 시)

　㉡ 제어실 지붕 : 30 ms 동안에 100 kPa 폭발압력 견딜 수 있는 구조 설계

　㉢ 제어실 벽 : 20 ms 동안에 700 kPa 폭발압력 견딜 수 있는 구조 설계

22 이너젠 가스(Inergen Gas)

1. 이너젠 가스(Inergen Gas) 개요

① 소화기능

② 환경 영향성 無

③ 인간에 대한 안전성

　→ 동시 만족하는 청정소화약제

2. 이너젠 가스

　① 명칭 : Inert gas(불활성가스) + Nitrogen(질소) → 복합명칭

　② 약제성분 : N_2 52%, Ar 40%, CO_2 8%

　③ 특징[158)]

　　　㉠ 시야 가림 현상 無　　㉡ 금속부식 영향 無

　　　㉢ 유독가스 생성 無　　㉣ 압축기체로 저장

3. 소화 원리

　① 적용 대상

　　　㉠ 일반화재(A급), ㉡ 유류화재(B급), ㉢ 전기화재(C급)

　② 소화 원리

　　　㉠ 질식효과

　　　Inergen gas 주입 → O_2 농도 15%↓ → MOC↓ → 소화

　　　㉡ 성분별 역할

구 분	N_2	Ar	O_2	CO_2
Inergen gas 성분	52%	40%	0%	8%
자연공기 성분	78%	1%	21%	0.03%
방출후 실내 성분	70%	14%	12~14%	3~4%

　　　ⓐ N_2 52% : O_2 농도 12~14%↓ → 화재 진압

　　　ⓑ Ar 40% : 방호구역 내 혼합기체 비중 → 공기와
　　　비슷하게 유지(1.08) → Inergen gas 누설 최소화

　　　ⓒ CO_2 8% : 방호구역 내 CO_2 shdeh 3~4% → 인간
　　　호흡 촉진 → 저산소 상태에서도 편안한 호흡 가능

---

158) 암기 시금유압
　　- 이너젠 가스 특징 : 시야 가림 현상 無, 금속부식 영향 無, 유독
　　가스 생성 無, 압축기체로 저장

4. 설치장소
   ① 가스설비 위험 우려 공간
   ② 물에 의한 손상 우려 공간
   ③ 컴퓨터실, 미술관, 박물관 등

제3장

기초역학

1 물리량 정리

1. 물리량 정리

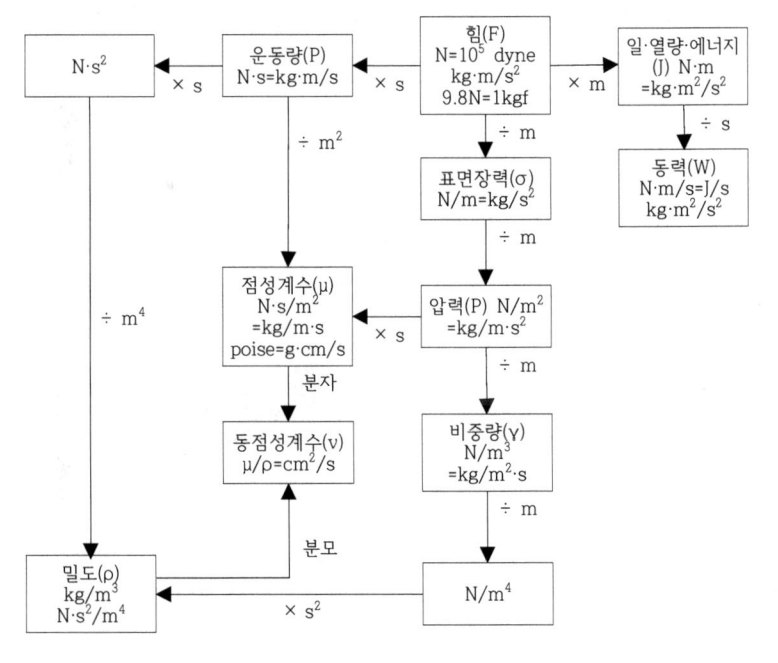

- 힘(F)
  N=10^5 dyne
  kg·m/s^2
  9.8N=1kgf

- (× m) → 일·열량·에너지
  (J) N·m
  =kg·m^2/s^2

- (÷ s) → 동력(W)
  N·m/s=J/s
  kg·m^2/s^2

- (× s) ← 운동량(P)
  N·s=kg·m/s

- N·s^2 (× s)

- (÷ m^2)

- (÷ m) → 표면장력(σ)
  N/m=kg/s^2

- 점성계수(μ)
  N·s/m^2
  =kg/m·s
  poise=g·cm/s

- (÷ m) → 압력(P) N/m^2
  =kg/m·s^2 (× s)

- 분자

- 동점성계수(ν)
  μ/ρ=cm^2/s

- (÷ m) → 비중량(γ)
  N/m^3
  =kg/m^2·s

- (÷ m^4)

- (÷ m) → N/m^4

- 분모

- 밀도(ρ)
  kg/m^3
  N·s^2/m^4 (× s^2)

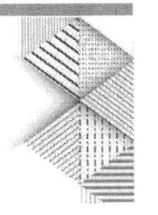

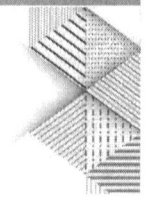

SI 단위

1. 기본단위

기호	물리량	단위
m	길이	미터
kg	질량	킬로그램
s	시간	세컨드
A	전류	암페어
K	열역학적 온도	켈빈
mol	물질량	몰
cd	광도	칸델라

2. 유도단위

기호	물리량
m/s	속도
m/s2	가속도
m2	면적
m3	체적
m3/s	유량
kg·m	일
kcal	열량

3. 보조단위

기호	물리량
rad	평면각
sr	입체각

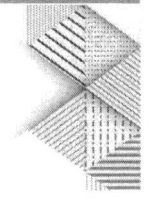

정압력, 동압력

1. 개념도

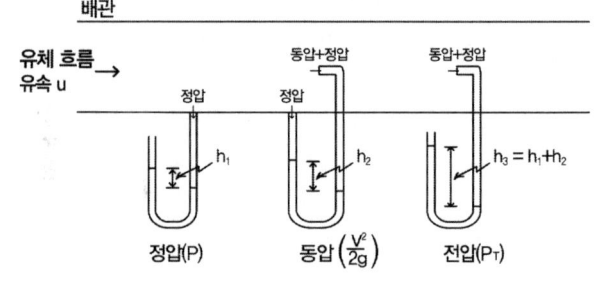

2. 정압
① 정지한 상태에서 유체에 작용하는 압력
② 유체 흐름에 영향 받지 않은 압력

3. 동압
① 유체의 운동에너지로 생긴 압력
② 동압 = 전압 - 정압, $P_d = P_T - P$

③ 동압 공식 : $P_d = \dfrac{\gamma v^2}{2g}$

P_d : 동압(kg/m^2)　　　γ : 비중량(kg/m^3)

v : 속도(m/s)　　　g : 중력가속도(m/s^2)

4 Nusselt Number

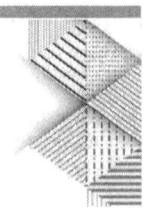

1. 정의

　① 대류열전달과 전도열전달의 비

　② 공식[159] : $Nu = \dfrac{대류 열 이동 속도}{전도 열 이동 속도} = \dfrac{hl}{k}$

　　　N : Nusselt수(무차원)　　　h : 열전달계수(W/m²·K)

　　　l : 거리(m)　　　　　　　k : 열전도도(W/m²·K/m)

2. 특징

　① 전도열 이동속도↓ → Nu↑

　② 대류열 이동속도↑ → Nu↑

　③ Nu = Stanton수 × Prandtl수 × Reynolds수

　④ 강제 대류열전달 계산에 활용

5 Prandtl Number

1. 정의

　① 운동량 확산속도와 온도 확산속도의 비

　② 점성에 의한 운동량 전달율과 열전도에 의한 열확산율의 비

---

159) 암기 뉴대전
　　- 뉴셀수 : 대류열이동속도/전도열이동속도

③ 공식160) : $Pr = \dfrac{운동량\,확산속도}{온도\,확산속도}$

$$= \dfrac{점성에\,의한\,운동량\,전달율}{열전도에\,의한\,열확산율} = \dfrac{\nu}{\alpha} = \dfrac{C_p\mu}{k}$$

ν : 동점성률 α : 온도 전도도

C_p : 정압비열 μ : 점성률

k : 열전도도

2. 특징

① Pr > 1 : 대부분 액체

② Pr ≒ 1 : 기체

③ Pr = 0.01 ~ 0.04 : 액상금속

④ Pr = Nu/(Stanton수 × Reynolds수)

⑥ Reynolds Number

1. 레이놀즈 수란?

< 층류 >   < 난류 >

---

160) **암기** 프운온
- 프란틀수 : 운동량확산속도/온도확산속도

① 층류와 난류 구분의 척도가 되는 무차원수
② 관성력과 점성력의 비

③ 공식[161] : $Re = \dfrac{d\rho u}{\mu} = \dfrac{du}{\nu}$

Re : 레이놀즈 수(무차원)　　d : 직경(m)

ρ : 밀도(kg/m^3)　　　　　u : 유속(m/s)

μ : 점성계수(kg/m·s)　　ν : 동점성계수(m^2/s)

2. 층류 및 난류 구분

① 층류유동 : Re < 2,100 → 뉴톤의 점성법칙 성립
② 난류유동 : Re > 4,000 → 뉴톤의 점성법칙 성립 ×
③ 천이유동 : 2,100 < Re < 4,000

　　　→ 층류로부터 난류로 천이하는 유동

3. 층류 vs 난류 확산화염

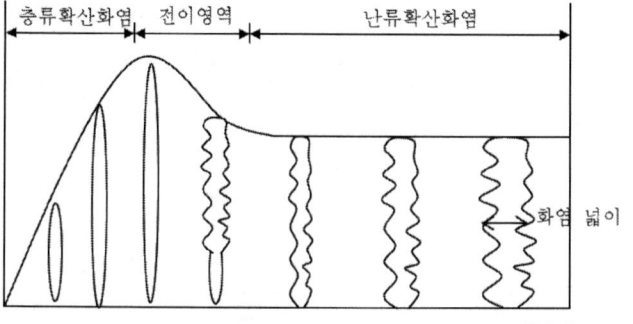

① 층류확산 화염 : 화염모양 매끄럽고, 화염길이 증가
② 난류확산 화염 : 화염모양 만곡있고, 화염길이 증가 X

　　　분출속도↑ → 화염넓이↑

---

161) **암기** 레관점
　　- 레이놀즈수 : 관성력/점성력

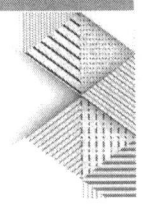

7 압력

1. 대기압
① 국소대기압

지구의 위도에 따라 변하는 대기압

② 표준대기압

㉠ 위도 45° 해수면에서 작용하는 공기의 힘

㉡ 1 atm = 760 mmHg = 10.332 mmH$_2$O = 101.325 kPa

2. 절대압 및 게이지압

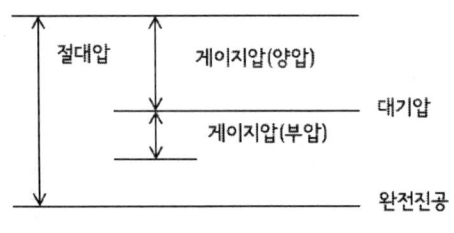

① 절대압 : 완전진공을 기준으로한 압력

② 게이지압 : 대기압 기준으로 압력계로 측정한 압력

③ 절대압과 게이지압 관계

절대압 = 대기압(1atm) + 게이지압

8 탄화수소

1. 탄화수소(Hydrocarbon)란?
   ① 탄소와 수소로만 구성되어 있는 화합물
   ② 석유, 천연가스 주성분

2. 탄화수소 종류[162]
(1) 지방족 탄화수소[163]
   ① 포화 탄화수소
      ㉠ 알칸(파라핀계)
         ⓐ 일반식 : C_nH_{2n+2}
         ⓑ 탄소수↑ → 분자간 인력↑ → 녹는점, 끓는점↑
         ⓒ 구조 및 결합 : 사슬모양, 단일결합
      ㉡ 시클로알칸(시클로파라핀계)
         ⓐ 일반식 : C_nH_{2n}
         ⓑ 구조 및 결합 : 고리모양, 단일결합
   ② 불포화 탄화수소
      ㉠ 알켄
         ⓐ 일반식 : C_nH_{2n}

---

162) **암기** 지방
   - 탄화수소 종류 : 지방족 탄화수소, 방향족 탄화수소
163) **암기** 포칸시불켄킨
   - 지방족 탄화수소 종류 : 포화 탄화수소, 알칸, 시클로알칸, 불포
   화 탄화수소, 알켄, 알킨

ⓑ 결합 : 이중결합 1개 존재

ⓒ 반응 : 이중결합 중 하나 끊어져 첨가반응 잘함

ⓛ 알킨

ⓐ 일반식 : C_nH2_{n-2}

ⓑ 결합 : 삼중결합 1개 존재

ⓒ 반응 : 삼중결합 중 하나 또는 두개 끊어져 첨가반응 잘함

(2) 방향족 탄화수소

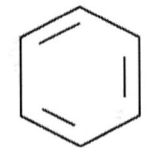

① 탄소-탄소 결합이 불포화 결합

② 고리 모양 화합물

③ 분자 내 벤젠(C_6H_6) 고리 포함

9 삼중점

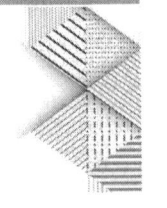

1. 삼중점(Triple Point)이란?

① 특정 온도, 압력에서 고체상, 액체상, 기체상의 3상이 모두 평형을 이루어 공존하는 상태

② 물의 삼중점 : 0.009℃, 4.58 mmHg

③ 임계점

㉠ 물의 임계 온도 : 374℃

㉡ 물의 임계 압력 : 218 atm

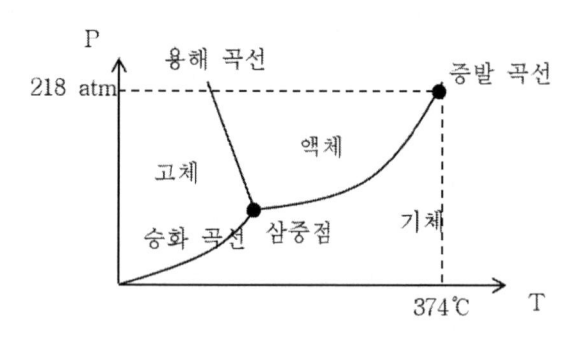

< 물의 상 평형도 >

2. 3상태 변화

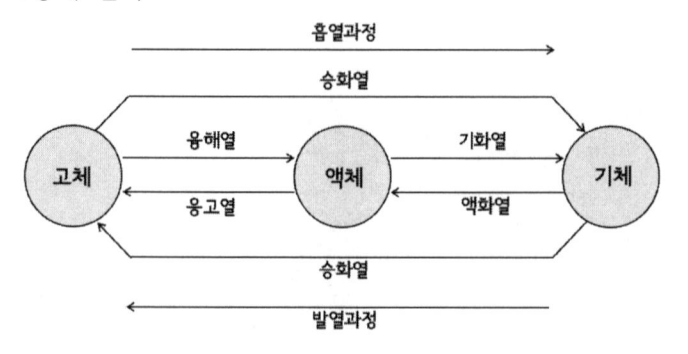

10 초임계 유체

1. 정의
① 고온, 고압의 임계점 넘어 기체, 액체 구별이 없어진 임계
   상태 유체
② 일반적인 기체, 액체와는 다른 고유한 성질 갖는 유체

2. 특징
① 점성↓, 확산력↑, 용해력↑
② 특정성분 추출능력↑
③ 기체, 액체 중간정도 물성

3. 적용 분야[164]
① 식품 분야 : 커피에서 카페인 추출
② 화장품 분야 : 화장품 원료인 식물원료 추출
③ 정화시설 분야 : CO_2 이용하여 물 정화
④ 반도체 공장 : 반도체 세정 작업
⑤ 기타 : 의약품, 화학공정 사용

11 현열, 잠열

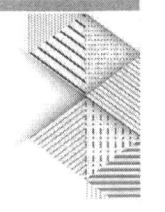

1. 현열(Sensible Heat)
① 정의 : 물질 상태변화 없이 온도 변화시키는 데 소요되는 열량
② 공식 : $Q = CM\varDelta T$

　　　Q : 열량(kcal)　　　C : 비열(kcal/kg·℃)
　　　M : 질량(kg)　　　$\varDelta T$: 온도차(℃)

2. 잠열(Latent Heat)
① 정의 : 물질 온도변화 없이 상태변화시키는 데 소요되는 열량
② 공식 : $Q = \gamma M$　　　γ : 잠열(kcal/kg)

---

164) **암기** 식화정반기
　　- 초임계 유체 적용 분야 : 식품 분야, 화장품 분야, 정화시설 분야, 반도체 공장, 기타 분야

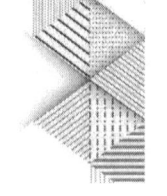

12 물질의 상태변화도

1. 물질의 상태변화도

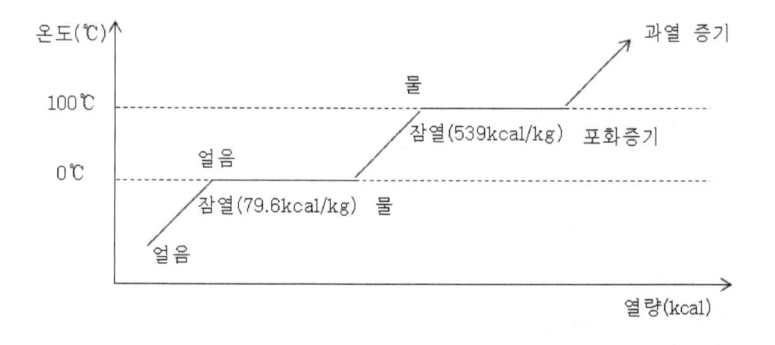

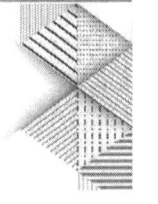

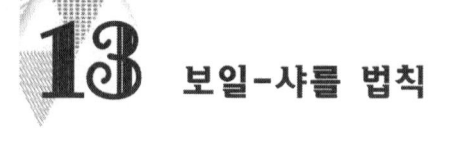

13 보일-샤를 법칙

1. 보일의 법칙

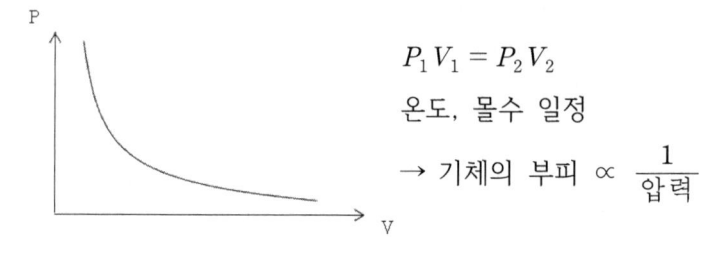

$$P_1 V_1 = P_2 V_2$$

온도, 몰수 일정

→ 기체의 부피 ∝ $\dfrac{1}{압력}$

2. 샤를의 법칙

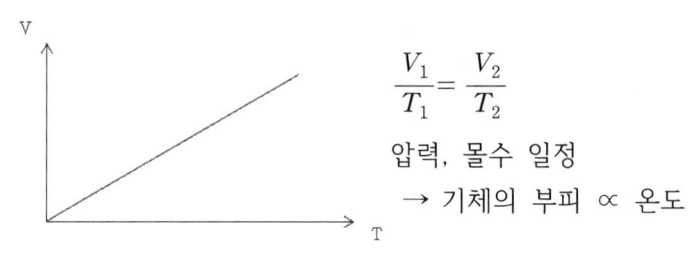

$$\frac{V_1}{T_1} = \frac{V_2}{T_2}$$

압력, 몰수 일정

→ 기체의 부피 ∝ 온도

3. 보일-샤를의 법칙

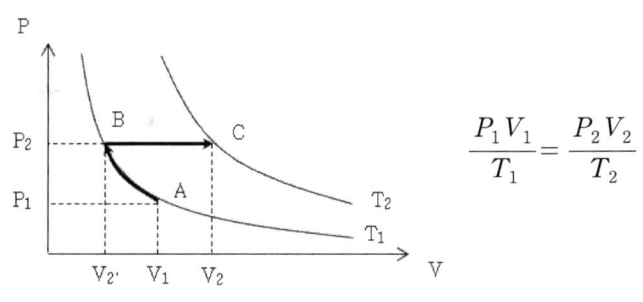

$$\frac{P_1 V_1}{T_1} = \frac{P_2 V_2}{T_2}$$

① 보일의 법칙과 샤를의 법칙을 조합한 법칙으로, 온도, 압력, 부피가 동시에 변할 때 관계를 나타냄

② 보일의 법칙 : A → B

　샤를의 법칙 : B → C

　보일-샤를의 법칙 : A → C

4. 이상기체 상태방정식 도출

① 보일-샤를의 법칙 :

　온도, 압력, 부피 변화에 따라 기체 상태 변함

② 아보가드로 법칙

　표준상태(0℃, 1atm) 1mol의 기체 부피 = 22.4L

③ 보일-샤를의 법칙과 이상기체 상태방정식 관계

$$\frac{PV}{T}, \quad PV = nRT$$

$$\rightarrow R = \frac{PV}{nT} = \frac{1atm \times 22.4L}{1mol \times 273K} = 0.082 \ (atm \, L \, / \, mol \, K)$$

5. 아보가드로 법칙

① 온도, 압력 일정한 모든 기체의 부피에는 같은 분자수

② 표준상태(0℃, 1atm) 1mol의

→ 기체 부피 = 22.4L → 분자수 = 6.02 × 10^{23}개

③ $n = \dfrac{W}{M}$

n : 물질 mol 수 W : 물질 질량 M : 물질 분자량

14 헨리의 법칙

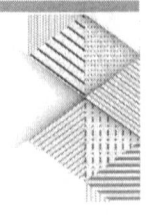

1. 기체의 용해도

① 기체 용해도 ∝ 압력

$$\propto \frac{1}{온도}$$

② 혼합기체 용해도 ∝ 각 성분 분압

2. 헨리의 법칙

① 관계식 : $P = HC = EX$

P : 기체 분압 H : 비례상수 C : 액체상의 농도

E : 헨리상수 X : 몰분율

② 적용 범위

　　㉠ 용해도가 작은 기체에만 적용 예) H_2, O_2, N_2, CO_2

　　㉡ 용해도가 큰 기체는 미적용

　　　- 사유 : 용해도↑ 기체는 물 속에서 해리반응하므로
　　　적용 X　예) HCl, NH_3, H_2S

15 열역학 법칙

1. 개요

　　열 + 역학적 관계 → 열현상　┐
　　　　　　　　　　　→ 에너지 흐름　┘→ 규정

2. 열역학 법칙의 종류

　① 열역학 제 0 법칙 : $C_1 M_1 \varDelta T_1 = C_2 M_2 \varDelta T_2$

　　㉠ 열 평형의 법칙

　　㉡ A = B, B = C 열적 평형상태 → A = C 도 열적 평형
　　상태이다.

　② 열역학 제 1 법칙 : $E = Q - W$

　　　E : 내부에너지　Q : 계에 흡수되는 열　W : 계가 한일

　　㉠ 에너지보존의 법칙

　　㉡ 계가 열을 흡수하거나, 계가 외부로부터 일을 받으면
　　내부에너지 증가

　③ 열역학 제 2 법칙 : $\varDelta S \geq 0$　　S : 엔트로피

　　㉠ 에너지 방향성 법칙

ⓛ 고립계에서 총 엔트로피(무질서도)의 변화는 항상 증가
　　　하거나 일정하다.

④ 열역학 제 3 법칙 : $\lim\limits_{T \to 0} \varDelta S \ (T \neq 0)$

　　㉠ 절대영도에서의 엔트로피에 관한 법칙
　　ⓛ 네른스트의 열정리
　　　$T \to 0$의 극한에서 $\varDelta S \to 0$ 이다.

16 열 전달

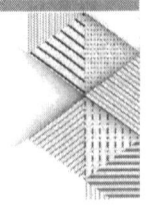

1. 개요

열 전달(Heat Transfer)은 분자운동과 관계하는 전도, 대류,
복사의 3가지 방식으로 일어남

2. 열 전달 3방식

① 전도 : $q = k\dfrac{\varDelta T}{L}$

　　q : 열전달율(W/m²)　　k : 열전도계수(W/m·K)
　　T : 온도(K)　　　　　L : 길이(m)

② 대류 : $q = h\varDelta T$

　　q : 열전달율(W/m²)　h : 대류열전달계수(W/m²·K)

③ 복사 : $q = \epsilon\sigma T^4$

　　ϵ : 방사율(0 < ε < 1)
　　σ : 스테판볼츠만 상수(5.67 × 10⁻⁸ W/m² • T⁴)

3. 전도 vs 대류 vs 복사

구분	전도	대류	복사
에너지 전달	고체→고체 액체→고체 기체→고체	액체→액체 기채→기체	공간
열전달 매체	有	有	無
물질이동	無	有	無

17 위험물의 위험분석을 위해 필요한 물리·화학적 특징

1. 비점(끓는점)
   ① 액체의 증기압과 대기압이 같아 지는 온도
   ② 비점↓ → 가연성 증기량↑ → 인화, 폭발 위험성↑

2. 융점(녹는점)
   ① 고체 → 액체가 되는 온도
   ② 융점↓ → 가연성고체(유지, 파라핀) 쉽게 용해 → 가연성 액체되어 연소구역 확대 → 위험성↑

3. 점성
   ① 유체 유동시 유체 자체내의 저항
   ② 점도↓ → 유체저항↓ → 흐름성↑ → 화재확대↑

4. 액체의 비중

　① 4℃, 1atm 물의 비중을 기준

　② 가연성액체 비중 < 물의 비중 → 주수소화 시 → 화재확대
　　　→ 위험성↑

5. 수용성

　① 수용성액체 : 주수 → 희석 → 증기압↓, 인화점↑ → 위험성↓

　② 수용성 & 가연성 액체에 물 첨가 → 도전성↑ → 정전기
　　대전 방지

6. 전기전도도

　전기전도도↓ 가연성액체 → 정전기 발생↑ → 화재·폭발 위험성↑

7. 연소열

　① 가연성가스 연소열은 LFL 값에 의해 결정
　　(Burgess-Wheeler 법칙)

　　㉠ $LFL(\%) \times \varDelta H(kcal/mol) \fallingdotseq 1,050$

　　㉡ 연소열↑ → LFL↓ → 폭발범위↑ → 위험도(H)↑
　　　　　　　　→ 원인계 미반응부분 활성화 → 연쇄반응

　② 연소열↑ 금속(Na, K, Mg)

　　연소열↑ 금속 → 물과 반응 → 주수소화 불가
　　　　　　　　→ CO_2와 반응 → CO_2 질식소화 불가

8. 증기밀도, 가스비중

　① 가스비중↓(LNG) → 상부로 확산 → 위험성↓
　　　　　　　　　　→ 가스누출검지기 설치위치 천장부

　② 가스비중↑(LPG) → 하부로 확산, 축적 → 위험성↑
　　　　　　　　　　→ 가스누출검지기 설치위치 바닥부

9. 탄화수소의 탄소수

　　탄소수↑ → AIT↓

　　　　　→ 발열량↑

　　　　　→ *LFL*↓

　　　　　→ 분자간 인력↑ → 녹는점↑, 끓는점↑

18 증기밀도

1. 정의

　① 증기밀도(Vapor Density) : 일정한 체적에서 차지하는 증기 질량

　② 증기비중 : 증기질량과 같은 부피를 가진 표준물질의 질량과의 비율

　　→ 화학공정에서 증기밀도, 증기비중은 가스누출 시 대책 수립과 관련 있기 때문에 공학적인 이해와 관리가 필요

2. 증기밀도 공식 :　$증기밀도 = \dfrac{증기\ 분자량\,g}{22.4L}$

3. 증기비중 공식 :

$$증기\ 비중 = \dfrac{증기\ 밀도}{0℃\ 1atm\ 공기\ 밀도}$$

$$= \dfrac{증기\ 분자량\,g/22.4L}{28.84\,g/22.4L} = \dfrac{증기\ 분자량\,g}{28.84\,g}$$

　→ 공기 중 N_2 79%, O_2 21% 기준

4. 적용

① 증기비중 < 1 : 공기보다 가벼움 → 폭발위험성↑
② 증기비중에 따라 가스누출검지기 설치 위치 결정
　　㉠ 증기비중 < 1 : 누출 시 대기확산 → 천장부 설치
　　㉡ 증기비중 > 1 : 누출 시 체류, 누적 → 바닥부 설치
③ 증기비중 < 1 가스 예 : H_2, CH_4, C_2H_2

5. 액체, 고체의 비중 공식(참고)

$$액체, 고체 비중 = \frac{물질의\ 밀도}{4℃\ 1atm\ 물의\ 밀도} = \frac{물질\ 질량\,kg/1L}{1\,kg/1L}$$

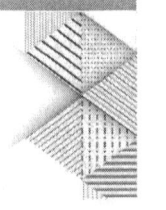

19 증기압

1. 정의

① 증기압(Vapor Pressure) : 액체, 고체에서 증발하는 압력
② 포화증기압 : 증기가 액체, 고체와 동적평형상태에 있을 때 압력

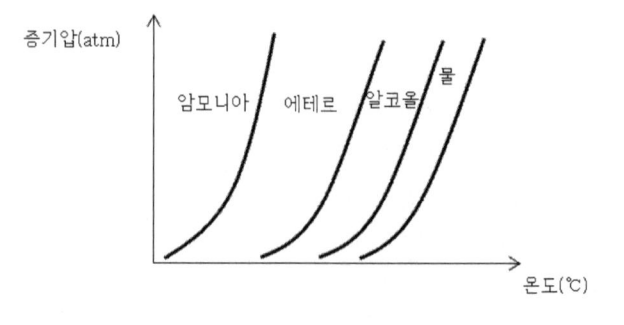

2. 영향인자

　　① 물질의 종류

　　　　증기압 큰 순서 : 암모니아 > 에테르 > 알코올 > 물

　　② 온도 : 온도↑ → 분자운동 활발↑ → 증기압↑

　　③ 분자간 인력 : 탄화수소 탄소수↓ → 분자간 인력↓ → 증기압↑

　　④ 비점

　　　　㉠ 비점↓ → 저온에서 증발 → 증기압↑

　　　　㉡ 비점 → 증기압 = 대기압

　　　　　　　→ 산 정상 대기압↓ → 저온에서 끊음

　　⑤ LFL : LFL↓ → 증기압↑ → 폭발위험성↑

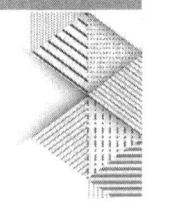

20 화학평형의 이동

1. 화학평형이란?

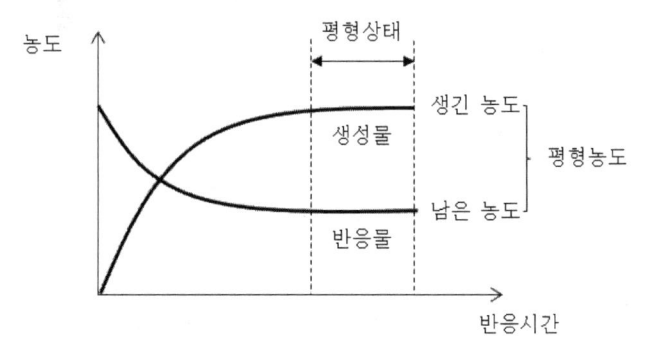

　　① 가역반응에서 정반응의 속도와 역반응의 속도가 평형인 상태

　　② 정반응 속도 = 역반응 속도

2. 화학평형의 이동

(1) 화학평형 이동의 개념

　　① 평형상태의 계 + 외부 작용 → 화학평형 이동 발생

　　② 화학평형 이동은 르샤틀리에의 원리로 설명 가능함

(2) 화학평형 이동의 영향인자

　　① 반응물 및 생성물 첨가

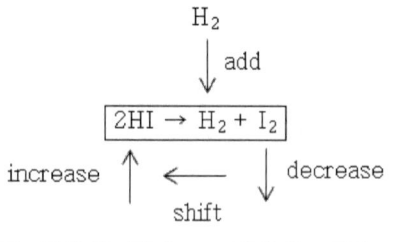

　　　㉠ 반응물 첨가 → 정반응 진행

　　　㉡ 생성물 첨가 → 역반응 진행(상기 그림)

　　　㉢ 즉, 몰수(농도) 많은 쪽 → 적은 쪽으로 이동

　　② 압력의 영향

　　　㉠ 몰수가 변화하는 기체 반응계가 평형상태에 있을 때 적용

　　　㉡ 압력↑ → 몰수 감소되는 방향으로 반응 진행

　　　㉢ 반응예: $N_2 + 3H_2 \leftrightarrow 2NH_3$ 평형상태에서 압력 증가
　　　　시, 정반응 진행

　　③ 온도의 영향

　　　㉠ 반응예: $N_2 + 3H_2 \leftrightarrow 2NH_3 + 92$ kJ < 발열반응 >

　　　㉡ 계 온도↑ → 열 흡수하는 방향으로 반응 진행 → 역
　　　　반응 진행

　　　㉢ 계 온도↓ → 발열하는 방향으로 반응 진행 → 정반응 진행

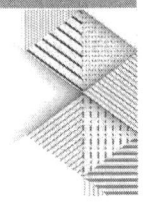

21 반응속도

1. 반응속도 정의
   ① 화학 반응속도
      단위시간 당 반응물 농도감소량 또는 생성물 농도증가량
   ② 연소속도
      ㉠ 액체, 고체 : 단위시간당 소비되는 물질의 질량
      ㉡ 기체 : 미연소 가연성혼합기에 대한 화염의 직각 이동속도

2. 아레니우스의 반응속도식
   ① 공식 : $V = C e^{\left(-\frac{E}{RT}\right)}$
      V : 반응속도 C : 빈도계수 T : 절대온도 E : 활성화에너지
   ② 빈도계수(C)
      빈도계수↑ → 반응물질 농도↑ → 유효충돌횟수↑ → 반응속도↑
   ③ $e^{\left(-\frac{E}{RT}\right)}$
      ㉠ 의미 : 유효충돌을 일으킨 활성화에너지 이상의 에너지를 갖는 분자의 비율
      ㉡ 활성화에너지 : $E = \frac{1}{2}mV^2 = kT$

         ⓐ E : 물질 질량(m)과 분자속도(V)의 함수
         ⓑ E : 온도에 절대의존(k : 볼츠만상수)
         ⓒ 정촉매 사용 : 활성화에너지↓ → 반응속도↑
         ⓓ 부촉매 사용 : 활성화에너지↑ → 반응속도↓

3. 반응속도 영향인자 : 산불난PT화점

4. 연소속도 측정방법
   ① 개요 : 층류 연소속도 측정방법
   ② 측정법
      ㉠ 슬롯노즐 버너법 : 화염면 각도 측정 → 속도산정
      ㉡ 분젠 버너법 : 화염면 면적 + 체적유량 → 속도측정
      ㉢ 평면화염 버너법 : 유속과 연소속도 평행시 → 속도측정
      ㉣ 비눗방울 중심 점화법 : 화염구 성장속도 분석 → 속도
        산정

22 최고 이론 이산화탄소농도

1. 최고 이론 이산화탄소농도(Ultimate CO_2) 개요

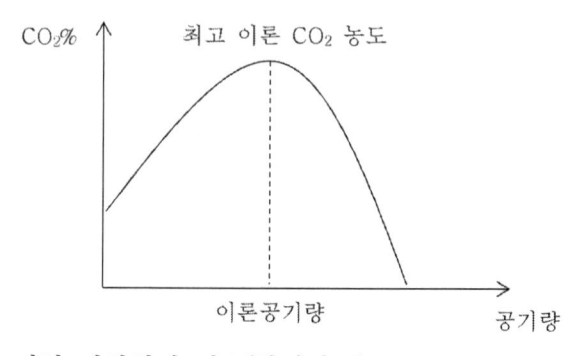

가장 이상적인 연소(완전연소)
   → 이론공기량 연소 시 = 최고 이론 CO_2 농도

2. 공식

① 배기가스 조성 시

$$(CO_2)_{max}\% = \frac{CO_2}{\text{실제 건가스} - \text{과잉공기}} \times 100 = \frac{21CO_2}{21 - O_2}$$

② 불완전연소에 의해 CO 존재 시

$$(CO_2)_{max}\% = \frac{21(CO_2 + CO)}{21 - (O_2 + 0.395CO)}$$

23 단열압축

1. 개요

① 개념

단열상태 하 기체 압축 시 → 압력↑ → 온도↑, 부피↓

② 위험성

단열압축 시 → 온도↑ → 점화원 작용 → 화재·폭발 위험성↑

2. 공식 : $T_2 = T_1 \times \left(\dfrac{P_2}{P_1}\right)^{\left(\frac{r-1}{r}\right)}$

T_2 : 최종 절대온도 T_1 : 초기 절대온도

P_2 : 최종 절대압력 P_1 : 초기 절대압력

r (비열비) : $\dfrac{C_p}{C_v} = \dfrac{\text{정압비열}}{\text{정적비열}}$

3. 적용

① 점화원 작용 : 단열압축 → 기계적 점화원 작용

② 발화온도 관리 : 압축비($\frac{P_2}{P_1}$) ↑(15 이상) → 온도↑

　　→ 대부분 물질 발화점 이상 → 물질별 압축비에 따른 발
　　화온도 데이터베이스 관리 필요

③ 압축비↑ 대책 : 다단압축, 중간냉각기 설치 → 발화온도
　　의 80% 초과 방지 → 발화 방지

④ 단열압축 위험설비

　　㉠ 압축기 : 흡입된 가연성가스가 단열압축되어 발화

　　㉡ 압축기 냉각기 : 고장 시 단열압축되어 발화

　　　→ 방지대책 : RBI 관리통한 안전도 상승

⑤ 박막폭굉 : 고압의 산소·공기 배관에 윤활유 박막상태 부착
　　→ 단열압축 → 온도↑→ 점화원 작용

⑥ 폭굉 : 연소파 → 압축파 → 충격파 → 단열압축 → 폭굉파

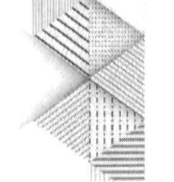

24 파스칼의 원리

1. 파스칼의 원리란?

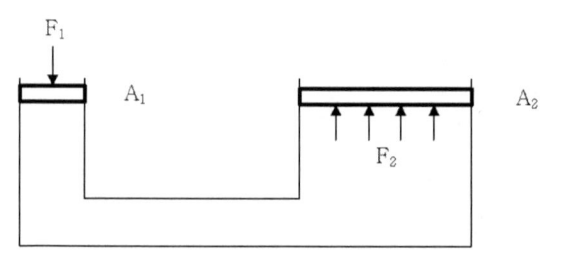

① 공식 : $P_1 = P_2$ → $\dfrac{F_1}{A_1} = \dfrac{F_2}{A_2}$ → $F_2 = F_1 \dfrac{A_2}{A_1}$

P_1 : 왼쪽 피스톤 압력 P_2 : 오른쪽 피스톤 압력

F : 각 피스톤의 힘(F_1 : 누르는 힘, F_2 : 올라오는 힘)

A : 각 피스톤 면적($A_1 < A_2$)

② 원리

　㉠ 두 피스톤 위치 동일, 유체 동일 → $P_1 = P_2$

　㉡ 밀폐용기 내 유체에 가한 힘은 모든 지점에 같은 크기
　　의 압력이 전달됨.

　㉢ $A_1 < A_2$ → $F_1 < F_2$

　㉣ 줄어드는 유체량(왼쪽) = 늘어나는 유체량(오른쪽)
　　→ 누르는 거리 > 올라오는 거리

2. 파스칼 원리의 활용

　① 유압식 브레이크

　② 유압식 피스톤

　③ 자동차 리프트 장치(자키)

25 카르노 사이클

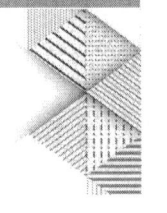

1. 카르노 사이클이란?

　① 정의 : 열기관(Heat Engine)에 대한 이상적인 열역학적
　　순환과정

　② 열기관의 효율(열효율)

　　㉠ 고열원에서 흡수한 에너지와 외부에 한 일의 비

$$\text{ⓛ 열효율}(\eta) = \frac{W}{Q_H} = \frac{Q_H - Q_C}{Q_H}$$

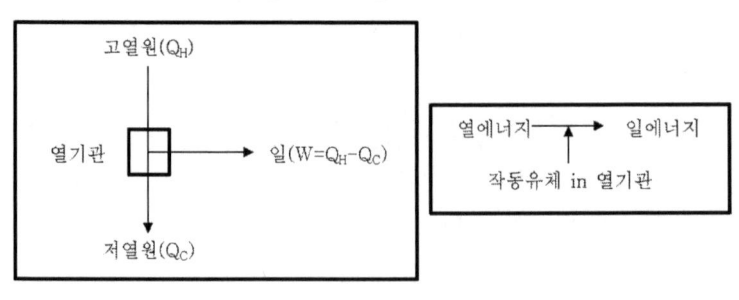

2. P-V 선도[165]

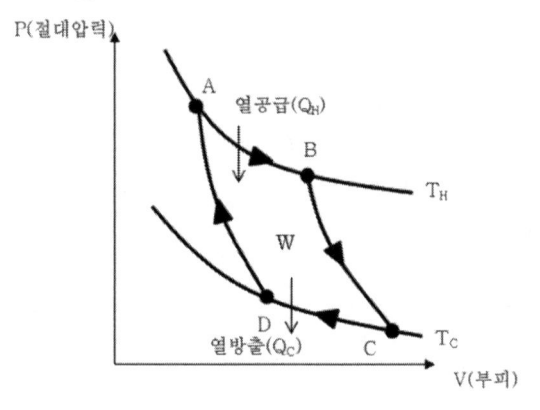

① 등온팽창(A→B)

  작동유체 열, 엔트로피 흡수 → 외부에 일 행함

② 단열팽창(B→C)

  열 출입 無 → 내부에너지 사용 → 일 지속 행함

③ 등온압축(C→D)

  작동유체 열, 엔트로피 방출 → 계는 외부로부터 일 받음

---

165) 암기 등단등단
   - 카르노 사이클 동작 과정 : 등온팽창(A→B), 단열팽창(B→C), 등온압축(C→D), 단열압축(D→A)

④ 단열압축(D→A)

　　열 출입 無 → 내부에너지 증가 → 온도 복원(T_C→T_H)

3. T-S 선도

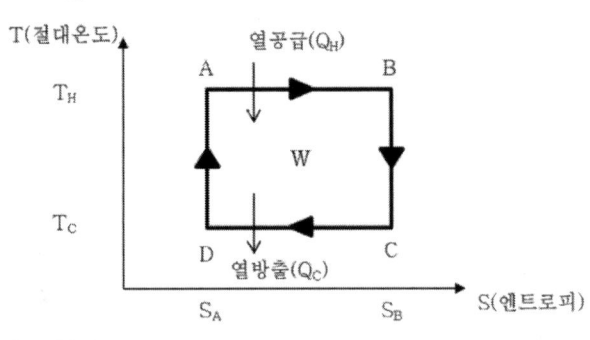

① 열(Q)

　　㉠ 고열원 → 열기관 전달열　$Q_H = T_H(S_B - S_A)$

　　㉡ 열기관 → 저열원 방출열　$Q_C = T_C(S_B - S_A)$

　　㉢ 열효율(η) $= \dfrac{W}{Q_H} = \dfrac{Q_H - Q_C}{Q_H} = \dfrac{T_H - T_C}{T_H}$

　　→ 열효율은 열기관이 낼 수 있는 이론상 최대효율

　　→ 실제 열기관은 마찰열 등 손실 존재

② 일(W)

$$W = \oint Pd\,V = \oint Td\,S = (T_H - T_C)(S_B - S_A)$$

　　W : 열기관이 A→B→C→D 순환 시 외부에 한 일(W)

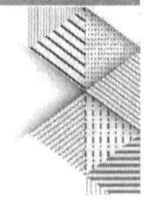

26 랭킨사이클

1. 랭킨사이클이란?

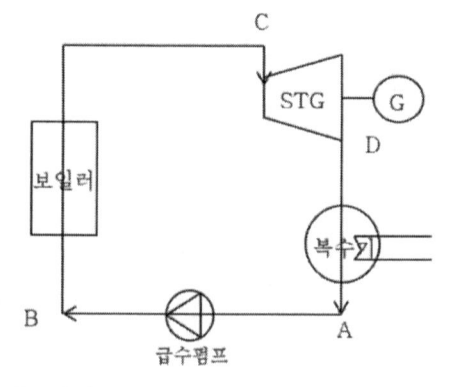

① 정의 : 증기를 작동유체로 사용하는 화력발전소의 열역학적
사이클
② 구성[166]

　㉠ 급수펌프 : 보일러 급수 → 고압 상태로 보일러로 급수

　㉡ 보일러

　　ⓐ 에너지원 : 석탄(무연탄, 유연탄), LNG 등

　　ⓑ 역할 : 물 가열 → 증기

　㉢ 터빈 : 증기의 열에너지 → 기계에너지 → 전기에너지

　㉣ 복수기 : 터빈의 습증기 상태의 물 → 응축수

---

166) 암기 급보터복
- 랭킨사이클 구성 : 급수펌프, 보일러, 터빈, 복수기

2. T-S 선도[167]

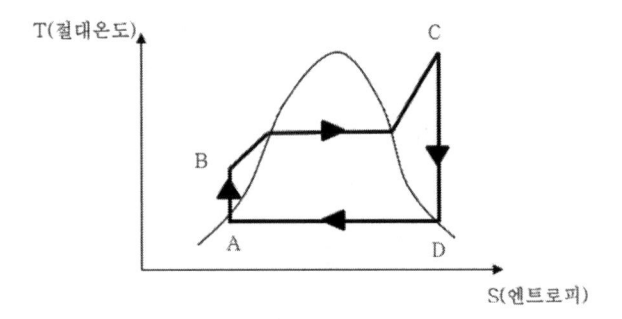

① 단열압축(A→B)

  급수펌프가 보일러 급수(물)를 승압

② 정압가열(B→C)

  ㉠ 급수된 물이 보일러에서 열을 흡수하여 증기로 가열됨

  ㉡ 물 → 포화액 → 포화증기 → 과열증기

③ 단열팽창(C→D)

  ㉠ 증기가 터빈을 통해 전기를 생산하고 포화증기로 팽창됨

  ㉡ 과열증기 → 포화증기

④ 정압방열(D→A)

  ㉠ 복수기가 포화증기를 응축하여 회수함

  ㉡ 포화증기 → 습증기 → 응축수(물)

---

167) 암기 단정단정
    - 랭킨 사이클 동작 과정 : 단열압축(A→B), 정압가열(B→C), 단열
    팽창(C→D), 정압방열(D→A)

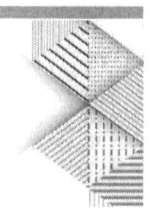

27 브레이톤 사이클

1. 브레이톤 사이클이란?

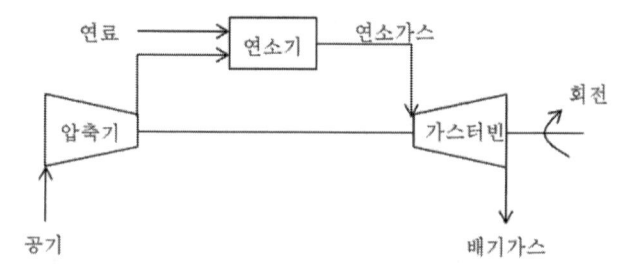

① 정의 : 가스터빈의 열역학적 사이클
② 구성
    ㉠ 압축기 : 공기 승압
    ㉡ 연소기 : 연료(도시가스) + 공기 → 배기가스
    ㉢ 가스터빈 : 열에너지 → 기계에너지 → 전기에너지 →
    배기가스 배출

2. T-S 선도

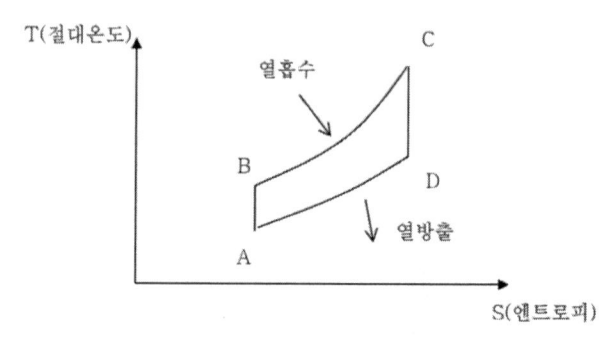

① 단열압축(A→B) : 압축기로 공기 승압

② 정압가열(B→C) : 연소기에서 공기 가열

③ 단열팽창(C→D) : 가스터빈에서 전력생산 → 연소가스 팽창

④ 정압배기(D→A) : 배기가스 배출

28 스털링 엔진

1. 개념

피스톤, 실린더 공간 내 밀봉된 작동가스 → 외부 가열, 냉각 → 체적변화 → 기계적 에너지 얻는 외연 기관

2. 스털링 사이클

① 발전 메카니즘

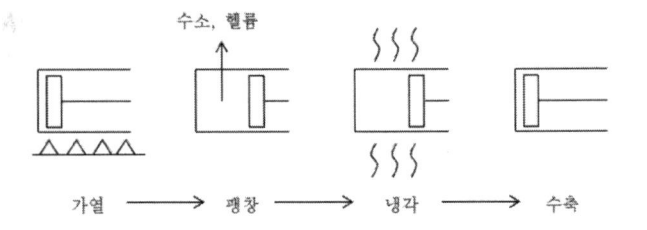

수소, 헬륨

가열 ——→ 팽창 ——→ 냉각 ——→ 수축

② 스털링 사이클[168]

㉠ 등적 가열(①→②) : 다양한 연료로 외연기관 가열

㉡ 등온 팽창(②→③) : 가열 → 온도↑ → 부피↑ → 팽창

---

168) 암기 가팽냉수

　- 스털링 사이클 동작 과정 : 등적 가열(①→②), 등온 팽창(②→③), 등적 냉각(③→④), 등온 수축(④→①)

(샤를의 법칙)

ⓒ 등적 냉각(③→④) : 냉각 → 온도↓

ⓓ 등온 수축(④→①) : 온도↓ → 부피↓ → 수축

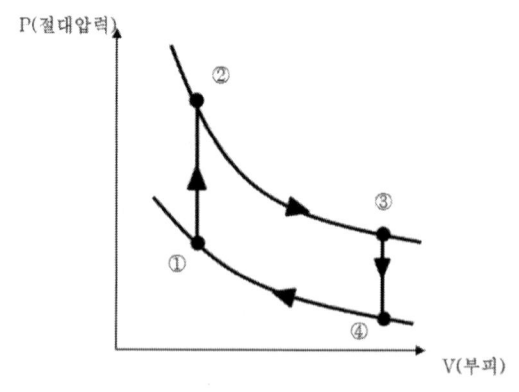

3. 장단점

장 점	단 점
① 폭발음 無 → 배기소음↓ ② 친환경적 엔진 ③ 고효율 엔진 ④ 열원 다양 ⑤ 진동↓	① 크기대비 출력비↓ ② 고압축 → 작동가스 누설↑ 　　→ 고성능 Seal 요구 ③ 고온 소재 요구

4. 열원의 다양성

　① 기체 연료 : 메탄, 프로판, 바이오가스, 천연가스

　② 액체 연료 : 가솔린, 등유, 경유, 폐유

　③ 고체 연료 : 석탄, 고형 산업폐기물

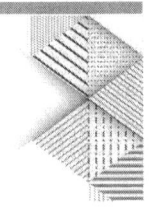

29 스털링 냉동 사이클

1. 개념
   ① 극저온 영역에서 우수성 탁월
   ② 헬륨(He)의 저비점 활용
   ③ 작동 원리
      피스톤, 실린더 공간 내 밀봉된 작동가스 → 외부 가열,
      냉각 → 체적변화 → 기계적 에너지 얻는 외연 기관

2. 스털링 냉동 사이클 종류
   ① 이중 피스톤형
      Hot 피스톤과 Cold 피스톤 분리된 구조
   ② 디스플레이서형
      고온부와 냉온부 사이에 냉매를 왕래시키는 Displacer 구조

3. 스털링 냉동 사이클[169]
   ① 등온 팽창(①→②) : 열흡수 → 온도↑ → 부피↑ → 팽창
      (V/T=일정, 샤를의 법칙)
   ② 등적 가열(②→③) : 다양한 연료로 외연기관 가열
   ③ 등온 수축(③→④) : 온도↓ → 부피↓ → 수축
   ④ 등적 냉각(④→①) : 냉각 → 온도↓

---

[169] **암기** 팽가수냉
   - 스털링 냉동 사이클 동작 과정 : 등온 팽창(①→②), 등적 가열
   (②→③), 등온 수축(③→④), 등적 냉각(④→①)

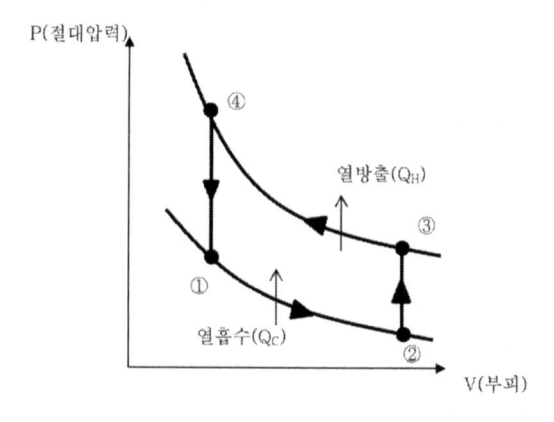

4. 장단점 및 열원의 다양성 : 스털링 엔진과 동일

３０ 가스용 스털링엔진 다기능 보일러

1. 개념
콘덴싱 보일러 + 스털링 엔진→ 열 + 전기 생산

2. 가스용 스털링엔진 다기능 보일러

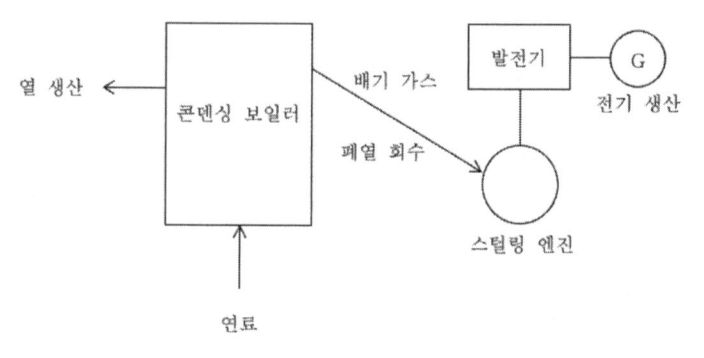

① 구성
   ㉠ 콘덴싱 보일러 : 열 생산
   ㉡ 스털링 엔진 : 동력 생산
   ㉢ 발전기 : 전기 생산(1kW 급)
② 작동 원리
   ㉠ 연료 → 도시가스, LPG
   ㉡ 콘덴싱 보일러 → 열 생산 → 온수, 난방
   ㉢ 배기가스 → 폐열 이용 → 스털링 엔진 가동
   ㉣ 기계적 에너지 → 발전기 → 전기 에너지

3. 장단점
   스털링 엔진과 동일

제4장

연소기기
가스용품

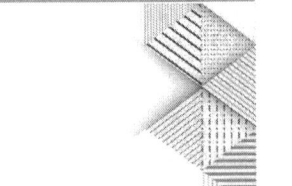

1 연소기의 구성요소

1. 연소기

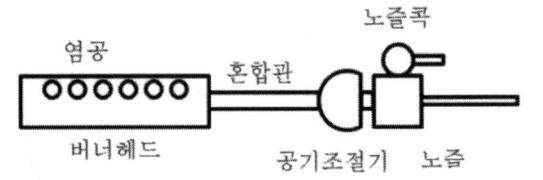

① 버너 헤드 : 혼합가스 배분

② 염공 : 공기 중 분출

③ 혼합관 : 가스 + 1차공기

④ 공기 조절기 : 공기량 조절

⑤ 노즐 : 가스분사

2. 부속기기[170)

① 점화장치

㉠ 히터식 : 스위치 연동

㉡ 스파크식 : 압전효과

㉢ 연속스파크식 : 교류전원 이용

② 안전장치[171)

---

170) 암기 점안제컨열
   - 연소기 부속기기 종류 : 점화장치, 안전장치, 제어장치, 컨트롤 시스템, 열교환기

171) 암기 산불공연과과이동팽Air
   - 연소기 안전장치 종류 : 산소결핍 방지장치, 불안전연소 방지장치, 공연소 방지장치, 연소 안전장치, 과압 방지장치, 과열 방지장치, 이상비등 방지장치, 동결 방지장치, 팽창탱크, Air Vent

㉠ 산소결핍 방지장치 : 산소농도 18%↓ → 밸브 자동차단
　　　　→ 산소결핍 방지
　　㉡ 불안전연소 방지장치 : 불완전연소 → CO 가스 발생
　　　　→ 질식사 방지 목적
　　㉢ 공연소 방지장치 : 물 없이 연소되는 것 방지
　　㉣ 연소 안전장치
　　　　ⓐ 열전대식 : 열전대 기전력 이용
　　　　ⓑ 프레임 로드식 : 불꽃의 도전성에 의한 정류성 이용
　　　　ⓒ 광전관식 : 빛 이용
　　㉤ 과압 방지장치 : 배관, 열교환기 내압↑ → 과압 해소
　　㉥ 과열 방지장치
　　　　ⓐ 퓨즈메탈식 : 과열시 퓨즈 용융 → 전기회로 차단
　　　　ⓑ 바이메탈식 : 온도↑ → 바이메탈 접점 가동
　　　　ⓒ 열팽창식 : 온도↑ → 알코올계 액팽창 → 접점 가동
　　㉦ 이상비등 방지장치 : 비등 시 → 열감지 → 가스회로 차단
　　㉧ 동결 방지장치 : 배관 내 온도 3℃↓ → 동파 방지
　　㉨ 팽창탱크 : 물 온도↑ → 부피팽창부분 흡수
　　㉩ Air Vent : 배관 내 공기 자동 분리 배출 → 배관 과열,
　　　　부식 방지
③ 제어장치
　　㉠ 압력스위치 : 물, 가스 압력
　　㉡ 수위제어장치 : 보일러 수위
　　㉢ 온도제어장치
　　　　ⓐ 액체 팽창식 : 알코올계 팽창 → 증기압력 변화 이용
　　　　ⓑ 고체 팽창식 : 금속반도체 전기저항 이용
④ 컨트롤 시스템 : 원격조작 → 버너 제어
⑤ 열교환기 : 연소열 냉각

2 연소(소화) 안전장치

1. 개요

① 개념 : 버너 불꽃 Off → 연료 밸브 차단 → 가스 누출
방지 → 화재, 폭발 방지

② 종류[172]

　㉠ 열전대식　㉡ 프레임 로드식　㉢ 광전관식

2. 소화 안전장치 종류

(1) 열전대식(Thermocouple)

① 원리 : 제백효과 - 두 종류 금속 열기전력 이용

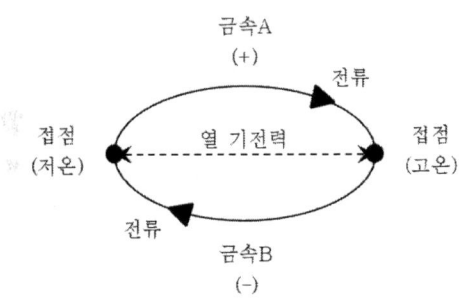

② 메카니즘

　㉠ 전류 형성 : 열전대 가열 → 열기전력 발생 → 전자석
전류 보냄

　㉡ 밸브 Open : 자석힘 생성 → 밸브 플랜저 당김 → 가스

---

172) **암기** 열프광
　　- 연소(소화) 안전장치 종류 : 열전대식, 프레임 로드식, 광전관식

밸브 Open

ⓒ 밸브 Close : 버너 불꽃 Off → 열기전력 소멸 → 밸브 Close

③ 장단점

장점	단점
㉠ 구성품 간단 ⓒ 전원 불필요	㉠ 점화시간↑ ⓒ 밸브 차단시간↑ → 　생가스 누출 우려 有

(2) 프레임 로드식(Flame Rod)

① 원리 : 불꽃 + 전극막대 → 이온화작용 → 전류 이용

② 메카니즘[173]

㉠ 전류 형성 : 불꽃 + 전극막대 → 이온화작용 → 전류 형성

ⓒ 밸브 Open : 전류 검지 → 증폭 → 전기회로 연결 → 밸브 Open

ⓒ 밸브 Close : 버너 불꽃 Off → 전기회로 차단 → 밸브 Close

③ 장단점

장점	단점
밸브 개폐 신속 작동 → 생가스 누출 방지	㉠ 교류전원 필요 ⓒ 제어장치 복잡

(3) 광전관식(Flame Eye)

① 원리 : 광전지, 광전관 빛 이용

---

173) 암기 전밸밸
- 연소(소화) 안전장치 프레임 로드식 메카니즘 : 전류 형성, 밸브 Open, 밸브 Close

② 메카니즘[174]

　　㉠ 자외선 검출 : 광전지, 광전관 빛 이용 → 연소염의 자
　　　외선 검출

　　㉡ 밸브 Close : 자외선 → 전기적인 신호 변환 → 밸브
　　　Close

③ 장단점

장점	단점
대용량 보일러에 적합	㉠ 광전관 오염시 작동불능 ㉡ 광전관 주기적인 청소 필요 ㉢ 장치 복잡

3　과열 방지장치

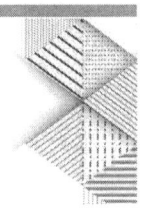

1. 개요

① 개념
　　열교환기, 연소실표면 온도↑ → 전원 차단 → 연소기 과
　　열 소손 방지

② 종류[175]

　　㉠ 퓨즈메탈식　㉡ 바이메탈식　㉢ 열팽창식

---

174) 암기 자밸
　　- 연소(소화) 안전장치 광전관식 메카니즘 : 자외선 검출, 밸브
　　Close

175) 암기 퓨바열
　　- 과열 방지장치 종류 : 퓨즈메탈식, 바이메탈식, 열팽창식

2. 과열 방지장치 종류
   ① 퓨즈메탈식 : 과열 → 온도↑ → 퓨즈 용융 → 전기회로
      차단 → 밸브 차단
   ② 바이메탈식 : 열교환기 표면온도↑ → 바이메탈 접점 가동
   ③ 열팽창식 : 과열 → 온도↑ → 알코올계 액팽창 → 금속제
      다이어프램 전달 → 접점 가동

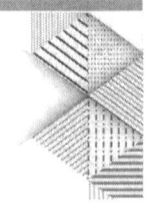

4 기타 연소기기 안전장치

1. 공연소 방지장치(헛불 방지장치)
   ① 역할
      ㉠ 물 없이 연소 시 → 보일러 손상 → 화재 발생
      ㉡ 공연소 시 → 가스 차단
   ② 종류
      ㉠ 플로트식 : Floating Ball이 수위검지
      ㉡ 전극식 : 만수용, 저수위용 전극이 수위검지

2. 과압 방지장치(난방수 안전밸브)
   배관, 열교환기 내압↑ → 팽창탱크 흡수 조절
   → 안전밸브 작동 → 난방수 배출

3. 동결 방지장치
   ① 역할 : 배관 내 온도 3℃↓ → 동결 방지장치 작동 → 동
      파방지

② 종류
　㉠ 순환펌프 방식 : 기준온도↓ → 순환펌프 작동 → 배
　　관 내 물 순환
　㉡ 전기히터 방식 : 기준온도↓ → 전기히터 작동

4. 팽창탱크
　① 역할 : 물 온도↑ → 부피 팽창부분 흡수
　② 종류
　㉠ 시스턴 탱크 : 일정 수위↑ → Over flow
　㉡ 팽창탱크 : 다이어프램 방식

5. Air Vent(공기빼기장치)
　배관 내 공기 자동분리 배출 → 배관 과열, 부식 방지

 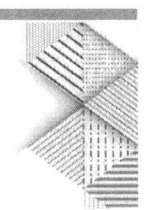

5 연소기 종류

1. 개요
　① 연소기 정의 : 연료 + 공기 → 보일러, 가스렌지 → 연소
　　가스 발생 → 열 이용
　② 종류
　㉠ 공기공급 방식에 따른 분류
　㉡ 급배기 방식에 따른 분류

2. 공기공급 방식에 따른 분류[176]
　① 전1차 공기식

㉠ 방식 : 1차공기 연소

　　　㉡ 용도 : 공업용

　　　㉢ 특징 : 분젠식보다 연소속도↑, 특수버너 필요

　　② 적화식

　　　㉠ 방식 : 2차공기 연소

　　　㉡ 용도 : 순간온수기, 파일럿버너

　　　㉢ 특징 : 역화현상 X, 저압력 가스 사용 가능

　　③ 분젠식

　　　㉠ 방식 : 1차공기 60%, 2차공기 40%

　　　㉡ 용도 : 온수기, 가스렌지

　　　㉢ 특징 : 뎀퍼조절 필요, 리프팅·소음 발생

　　④ 세미분젠식

　　　㉠ 방식 : 1차공기 40%, 2차공기 60%

　　　㉡ 용도 : 샤워기

　　　㉢ 특징 : 역화현상 X, 고온 사용 가능

3. 급배기 방식에 따른 분류[177]

　　① 개방형

　　　㉠ 방식

　　　　ⓐ 연소공기 : 실내

　　　　ⓑ 폐가스 방출 : 실내

　　　㉡ 용도 : 가스렌지, 주방 연소기

---

176) **암기** 전적분세
　　- 공기공급 방식에 따른 연소기 분류 : 전1차 공기식, 적화식, 분젠식, 세미분젠식
177) **암기** 개반밀
　　- 급배기 방식에 따른 연소기 분류 : 개방형, 반밀폐형, 밀폐형

   © 특징 : 환풍기, 환기구 설치
  ② 반밀폐형
   ⊙ 방식
    ⓐ 연소공기 : 실내
    ⓑ 폐가스 방출 : 실외
   © 용도 : 대형순환온수기, 대형보일러
   © 특징 : 배기통 부식우려, 전용 보일러실
  ③ 밀폐형
   ⊙ 방식
    ⓐ 연소공기 : 실외
    ⓑ 폐가스 방출 : 실외
   © 용도 : 대형순환온수기, 스토브

4. 비교, 분석
 ① 공기공급 방식에 따른 분류

구분		전 1 차 공기식	적화식	분젠식	세미 분젠식
필요 공기	1 차공기	100%	0%	60%	40%
	2 차공기	0%	100%	40%	60%
불꽃 온도		950℃	900℃	1,300℃	1,000℃
불꽃 색		담적색	청색	청록색	세라믹 표면에서 연소
불꽃 길이		길다	중간	짧다	

 ② 급배기 방식에 따른 분류

구분	개방형	반밀폐형	밀폐형
연소공기	실내	실내	실외
폐가스방출	실내	실외	실외

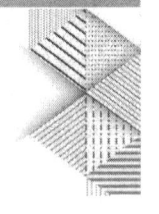

6 연소기 사고 형태

1. 개요

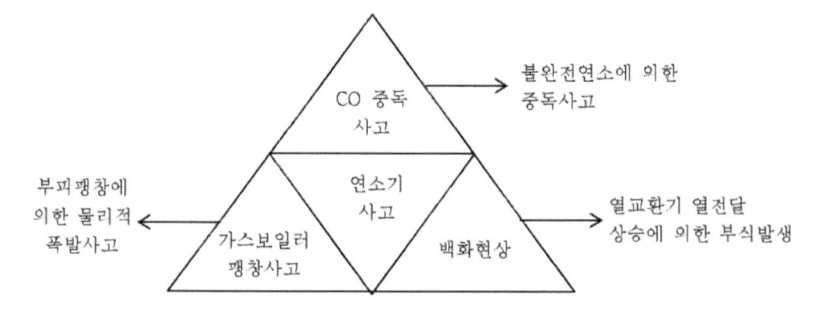

2. CO 중독사고
① 발생 메카니즘
- ㉠ CO 발생 : 불완전연소 → CO 발생 → CO 헤모글로빈 결합력 O_2 결합력의 250배
- ㉡ 체내 유입 : CO + 헤모글로빈 → HbCO 혈액 생성 → 혈색소 운반능력 저하
- ㉢ 중독 : HbCO 혈액 해리작용 → 산소부족 → 중독사고 발생

② 원인
- ㉠ 응축수에 의한 부식 → 불완전 연소
- ㉡ 배기 상태 불량 → 불완전 연소
- ㉢ 외기 풍압 → 배기가스 실내 유입
- ㉣ 연소기실 협소 → 산소부족 → 불완전 연소

③ CO 농도별 생리적 반응
　㉠ 800ppm
　　ⓐ 45분 내 현기증, 메스꺼움
　　ⓑ 2시간 내 사망
　㉡ 3,200ppm
　　ⓐ 5분 내 현기증, 메스꺼움
　　ⓑ 30분 내 사망
　㉢ 12,800ppm
　　2분 내 사망
④ 방지대책
　㉠ 연소기 전용실 설치
　㉡ 시공 규정 준수
　㉢ 올바른 사용법 숙지
　㉣ 연소기 기술력 향상
　㉤ 홍보, 정기점검
⑤ 가스보일러 필요 환기횟수 : $N = 122 \times \dfrac{W}{V}$

　　N : 환기횟수　W : 가스 소비량　V : 실내 용적

3. 가스보일러 팽창사고
① 원인
　㉠ 내부온도 상승에 의한 액팽창
　㉡ 열교환기 과열
　㉢ 팽창방지 탱크 고장
　㉣ 내부 압력상승 폭발
② 방지대책
　㉠ 배관 관경↑

    © 열교환기와 팽창탱크 이격 설치

    © 보일러 압력↑ → 연료, 전원 자동차단

4. 백화현상

  ① 개념 : 열교환기 열전달↑ → 표면 회분 생성 → 하얗게 부식 발생

  ② 원인

    ㉠ 열교환기 열효율↑

    ㉡ 열교환기 전열면적↑ } → 배기가스 온도↓

    ㉢ 자연통풍식 열교환기

  ③ 메카니즘

    ㉠ 열전달↑

      ⓐ 열교환기 열효율↑, 전열면적↑ }

      ⓑ 급수온도 이상 저하   } → 열전달↑

    ㉡ 배기가스 온도↓

      열전달↑ → 연소 배기가스 온도↓ → 열교환기 표면 회분 생성

    ㉢ 백화현상 : 부식 + 하얗게 부식 발생 → 효율저하 → 불완전연소 → CO 발생 → 중독사고 초래

  ④ 방지대책

    ㉠ 적정한 열효율 조정

    ㉡ 열교환기 주기적 청소

    ㉢ 노점온도 이상 배기가스 온도 조절

웨버지수, 연소속도지수, 호환성판정

1. 개요
① 웨버지수(WI) + 연소속도지수(CP) → 가스 호환성판정
② 호환성의 개념 : 연소기 연료 치환시 이상현상(역소리불황블불) 없이 대처 가능한 것

2. 웨버지수 및 연소속도지수
(1) 웨버지수(WI: Wobbe Index)
① 정의 : 연소기에 대한 입열에너지 크기 나타냄
② 공식 : $WI = \dfrac{H}{\sqrt{d}}$

　　d : 가스 비중　　H : 가스 총발열량($kcal/m^3$)

(2) 연소속도 지수(CP : Combustion Potential)
① 정의 : 미연소 가연성혼합기에 대한 화염의 직각 이동속도
② 공식 : $CP = K\dfrac{H_2 + 0.6(CO + C_mH_n) + 0.3CH_4}{\sqrt{d}}$

　→ 수소의 연소속도 기준 → 각 가스 연소속도 규정화하여 이론적 계산
③ 연소속도 영향인자 : 산불난PT화점

3. 호환성 판정
① X축, Y축
　㉠ X축 : CP를 30 ~ 100까지 표시

       ⓒ Y축 : WI를 1,000 나눠 1 ~ 13까지 표시

② CP 범위

       ㉠ A : 연소속도 늦음(약 40 cm/s)

       ⓒ B : 연소속도 중간(약 55 cm/s)

       ⓒ C : 연소속도 빠름(약 80 cm/s)

③ 동일 그룹 예

     13A 그룹 : 도시가스(LNG) = LPG + Air

     → 동일 그룹 내 가스끼리 호환 가능

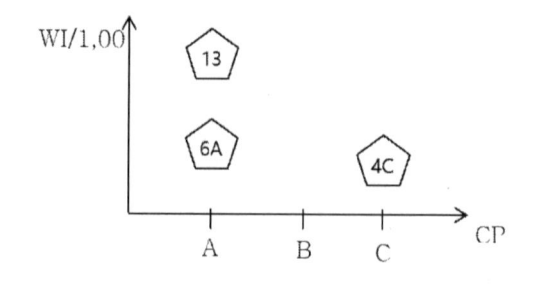

화염특성도, 호환성곡선, 화염전파속도

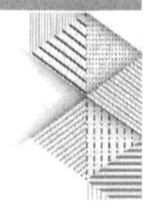

1. 화염특성도(분젠식 버너 연소특성도 or 이상현상)

(1) 개요

   ① 완전연소 조건 → 산소, 온도, 시간

   ② 3가지 조건 불충족 → 이상현상 발생

(2) 연소특성도

   ① 목적 : 역화, 리프팅, 황염에 대한 1차공기와 입열량 관계

도시 → 양호한 연소구역(안정된 화염구역) 확인

② 연소특성도 설명[178]

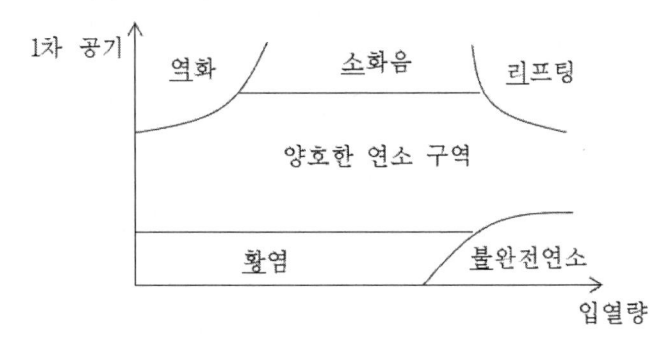

㉠ 입열량 낮은 상태

ⓐ 1차 공기↑ → 역화

ⓑ 1차 공기↓ → 황염

㉡ 입열량 높은 상태

ⓐ 1차 공기↑ → 리프팅

ⓑ 1차 공기↓ → 불완전연소

㉢ 입열량 중간 상태 : 1차 공기↑ → 소화음

(3) 결론

적절한 댐퍼 조절 → 양호한 연소 구역 내 연소

2. 호환성 곡선(연료변경, 열량조정방식)

① 목적

㉠ 연소기 연료 변경

㉡ 열량조절

㉢ 연소 안전성 파악

---

178) 암기 역소리황불
    - 연소특성도 구성요소 : 역화, 소화음, 리프팅, 황염, 불완전연소

② 호환성 곡선도 설명[179)]

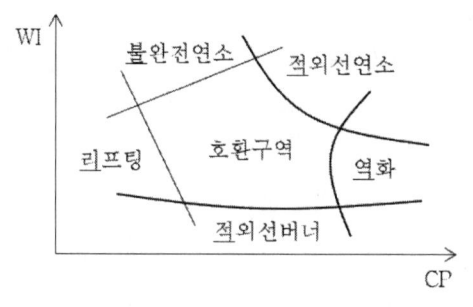

　㉠ 오각형 모양 부분 → 가스 호환성 구역 → 구역 내 가
　스 동일한 연소기 사용 가능
　㉡ 호환구역 왼쪽 리프팅, 오른쪽 역화 발생 구역
　㉢ 호환구역 위쪽 불완전 연소구역

3. 화염전파속도
　① 정의 : 화염의 수평 이동 속도(연소속도 : 수직 이동속도)
　② 영향인자 : 산불난PT화점
　③ 화염전파속도와 연소속도 상관관계
　　화염전파속도 = 연소속도 + 미연소분 이동속도

<hr />

179) [암기] 불적역적리
　- 호환성 곡선 구성요소 : 불완전연소, 적외선연소, 역화, 적외선
　버너, 리프팅

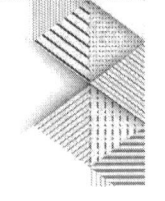

9 연소온도

1. 개요
① 연소온도는 가연물질 종류, 상태에 따라 다름
② 연소온도
　㉠ 이론 연소온도(t')
　㉡ 실제 연소온도(t)

2. 이론, 실제 연소온도
① 이론 연소온도(t')
　㉠ 개념 : 손실없이 이론 발생열 전부 → 연소생성물 가열
　　시 온도
　㉡ 공식 : $t' = \dfrac{H_L + Q}{GC}$

H_L : 진발열량(kcal/kg)　　　Q : 공기 현열(kcal/kg)

G : 연료량(kg)　　　C : 평균정압비열(kcal/kg·℃)

② 실제 연소온도(t)
　㉠ 개념 : 방산열 등 열손실 존재 → 실제 발생열 → 연
　　소생성물 가열 시 온도
　㉡ 공식 : $t = \dfrac{\eta H_L + Q - Q'}{GC}$

η : 연소효율(%)　　　Q' : 열손실(kcal/kg)

3. 연소온도 영향인자[180]
① 진발열량 : 진발열량↑ → 연료 중 C, H 성분↑ → 연소

가스량↑ → 이론연소온도↓

② 공기비(m)

　㉠ 공식 : $m = \left(\dfrac{A}{A^0}\right) \times 100\,(\%)$

　　　A : 실제공기량　　A^0 : 이론공기량

　㉡ 공기비↑ → 산화염 형성↑ → 연소가스량↑ → 이론
　　연소온도↓

③ 산소농도 : 공기 중 산소농도↑ → 공기비↓ → 연소가스
　량↓ → 이론연소온도↑

④ 열전달

　㉠ 열전달의 원리

　　ⓐ 전도 : $q = k\left(\dfrac{\varDelta T}{L}\right)$

　　ⓑ 대류 : $q = h\,\varDelta T$

　　ⓒ 복사 : $q = \epsilon\sigma T^4$

　　　q : 열전달율(W/m^2)

　　　k : 열전도계수(W/m·K)

　　　T : 온도(K)

　　　L : 길이(m)

　　　h : 대류열전달계수(W/m^2·K)

　　　ϵ : 방사율(0 < ε < 1)

　　　σ : 스테판볼츠만 상수(5.67×10^{-8} W/m^2·T^4)

　㉡ 외부로의 열전달↑ → 열손실↑ → 이론연소온도↓

---

180) **암기** 진공산열
　　- 연소온도 영향인자 : 진발열량, 공기비, 산소농도, 열전달

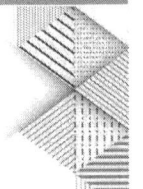

10 단열화염온도

1. 개념
   ① 연소시 외부 열손실없이 얻은 불꽃온도
   ② 연소에 의하여 얻어지는 최고온도
   ③ 이론화염온도로써 탄화수소는 약 2,000℃
      → 실제 화염온도는 100 ~ 200℃ 낮음

2. 단열불꽃온도 측정, 계산법
   ① Thermocouple 이용
   ② Optical Pyrometer 이용
   ③ 발열량, 생성물 열용량 기초로한 계산법

3. 단열화염온도 영향인자 : 진공산열

11 연소 이상현상

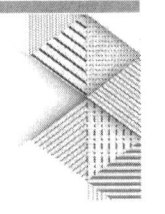

1. 개요
   ① 완전연소 조건 → 산소, 온도, 시간
   ② 3가지 조건 불충족 → 이상현상 발생

2. 연소 이상현상 종류[181]

(1) 역화(Flash Back)

　① 현상

　　㉠ 연소속도 > 분출속도

　　㉡ 혼합관 속 연소

　② 원인

　　㉠ 먼지, 이물질

　　㉡ 부식 발생 → 구경 小, 염공 大

　　㉢ cock 불충분한 개방

　　㉣ 버너 과열, 버너위 직접연소

(2) 소화음 : 가스 연소기기 소음대책(하기) 참고

(3) 리프팅(Lifting)

　① 현상

　　㉠ 연소속도 < 분출속도

　　㉡ 공중 연소

　② 원인

　　㉠ 먼지, 이물질

　　㉡ 구경 大, 가스압력 高

　　㉢ damer 과도한 개방

　　㉣ 산소 부족

(4) 불완전연소

　① 현상 : 완전연소 3요소(산소, 온도, 시간) 중 1개라도 만족 못할 시 발생

---

181) 암기 역소리불황블불
　　- 연소 이상현장 종류 : 역화, 소화음, 리프팅, 불완전연소, 황염, 블로우 오프, 불 옮김 불량

② 원인
　　㉠ 응축수에 의한 부식 → 불완전 연소
　　㉡ 배기 상태 불량 → 불완전 연소
　　㉢ 연소기실 협소 → 산소부족 → 불완전 연소

(5) 황염(Yellow Tip)
　① 현상
　　㉠ 염 선단 적황색
　　㉡ 불꽃길이↑ → CO, 그을음 발생
　② 원인
　　㉠ 1차 공기 多
　　㉡ 가스량 多
　　㉢ 가스조성 변경

(6) 블로우 오프(Blow Off)
　① 현상 : 기류에 의한 불꽃 꺼짐
　② 원인 : 공기흐름 급격한 변화

(7) 불 옮김 불량
　① 현상 : 염공 전체로 불 옮겨지지 않는 현상
　② 원인
　　㉠ 1차 공기 多
　　㉡ 가스압력↑
　　㉢ 염공간격 너무 멀어져서

 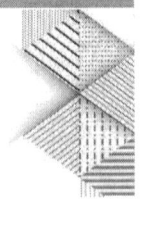

12 가스 연소기기 소음대책

1. 개요
① 연소기 설계 오류
② 연소속도와 분출속도 불균형 → 연소소음 발생

2. 연소소음 종류[182]

종류	발생원인	대책
연소음	불꽃 흔들림 와류	1차 공기량↓ 완전연소
공명음	버너 발생 소음 → 연소실 내 공명	연소실 적당한 설계
공기 흡입음	damper 불안정 배관 내 심한 기복	damper 점검 혼합관 점검
폭발음	가스, 혼합기체 연소실 내 체류 → 점화시 폭발	환기 및 통풍, 가스누출검지 경보기, 불활성화 설비
노즐 분출음	노즐 깊이 얕은 경우 가스압↑	적당한 가스압

---

182) 암기 연공공폭노
    - 연소소음 종류 : 연소음, 공명음, 공기흡임음, 폭발음, 노즐분출음

13 분말소화설비

1. 개요

① 가스화재 초기소화 소화기

  ㉠ 분말 소화기 : 소화능력↑, 방사거리↑

  ㉡ CO_2 소화기 : 소화능력↓, 방사거리↓

② 분말소화기 소화약제 종류[183]

소화약제	표시색
중탄산나트륨	백색
중탄산칼륨	자색
인산암모늄	담홍색

2. 화재의 분류 및 제어

① 화재의 분류 : NFPA10, ISO 7165

② 화재의 제어

  ┌ 물리적 방법 ┬제거소화 → 가연물 제거

  │   ├질식소화 → 산소농도를 MOC 이하로 유지

  │   └냉각소화 → 발화온도 이하로 냉각

  └ 화학적 방법 : 억제소화 → 연쇄반응 차단

---

183) 알기 중백중자인담
   - 분말소화기 소화약제 종류 및 표시색 : 중탄산나트륨(백색), 중탄산칼륨(자색), 인산암모늄(담홍색)

3. 분말소화기 구조
   ① 가압식 분말소화기
      ㉠ 약제 충전용기
      ㉡ CO_2 충전용기
      ㉢ 작동기구
   ② 축압식 분말소화기
      ㉠ 용기 내 소화약제 + 압축가스
      ㉡ 압력계 부착

4. 유지관리
   ① 가압식 분말소화기
      ㉠ 안전핀, 노즐 이상유무
      ㉡ 약제 유동 여부
   ② 축압식 분말소화기
      ㉠ 안전핀, 노즐 이상유무
      ㉡ 압력게이지 정상상태 위치 여부
         ⓐ 녹색부분 위치 : 정상
         ⓑ 적색부분 위치 : 과충전 상태
         ⓒ 황색부분 위치 : 불충분 상태

5. 소화기 비치기준
   ① CNG 자동차 충전시설 : 20-B, C급 이상 소화기 비치
   ② 가스 운반자동차 고정 탱크
      ㉠ 가연성가스
         ⓐ BC용 B-10 이상
         ⓑ ABC용 B-12 이상

ⓒ 산소
    ⓐ BC용 B-8 이상
    ⓑ ABC용 B-10 이상
    → 자동차 좌우에 각각 1개 이상 비치
③ 가스 충전용기 운반 자동차 : 압축가스, 액화가스 용량에
   따라 소화기 능력단위, 비치개수 결정
④ 소형 저장탱크 설치시설 : ABC용 B-12 이상 2개 설치

14 연소실 열발생률(열부하)

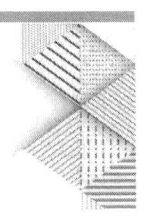

1. 개념

① 연소실 단위용적당, 단위시간당 발생열량
② 연소실 열부하라고도 함

2. 연소실 열발생률 공식

① 이론적인 연소실 열발생률 : $Q = \dfrac{GH}{V}$

Q : 연소실 열발생률(kcal/m^2·h) H : 진발열량(kcal/kg)
G : 단위시간당 연료사용량(kg/h) V : 연소실 체적(m^3)

② 실제 연소실 열발생률 : $Q = \dfrac{G(\eta H + Q_1 + Q_2 - Q_3)}{V}$

η : 연소효율 Q_1 : 연료 현열(kcal/kg)
Q_2 : 공기 현열(kcal/kg) Q_3 : 방열손실(kcal/kg)

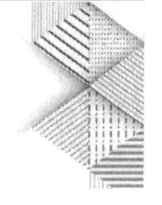

15 연료 발열량

1. 개요
① 개념
- ㉠ 완전연소 시 발생하는 열량
- ㉡ 연소 시점, 종점 온도 25℃ 될 때의 발생열량

② 종류
- ㉠ 고위 발열량(High Heating Value, 총발열량)
- ㉡ 저위 발열량(Low Heating Value, 진발열량)

2. 발열량 측정법

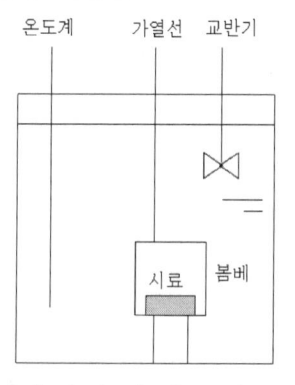

단열된 봄베 내 시료 연소 전후 온도차 측정하여 발열량 계산

$$Q = (CM + D) \Delta T$$

C : 물 비열(kcal/kg·℃) M : 물 질량(kg)

D : 봄베 열용량(kcal/℃) ΔT : 물 온도차(℃)

3. 고위 발열량과 저위 발열량 관계

(1) 개념

　　① 고위 발열량

　　　　㉠ 수소, 수분에 의한 수증기의 응축잠열 포함

　　　　㉡ 봄베열량계 측정시 발열량

　　② 저위 발열량

　　　　㉠ 수소, 수분에 의한 수증기의 응축잠열 미포함

　　　　㉡ 실제 연소시 발열량

　　　　　실제 연소시 수증기는 배기가스와 같이 배출

　　　　　→ 즉 응축 상변화 없으므로 응축잠열 無

(2) 공식

　　① 액체, 고체 연료 : $H_h = H_l + 600(9H + W)$

　　　　H_h : 고위 발열량(kcal/kg)　　　　H_l : 저위 발열량(kcal/kg)

　　　　$9H$: 수소 연소 시 생성되는 H_2O　　W : 연료 중 H_2O

　　　　600 : 수증기 1kg의 응축잠열(kcal/kg)

　　② 기체 연료 : $H_h = H_l + 480$(연소시 생성 수분량)

　　　　480 : 수증기 $1m^3$의 응축잠열($kcal/m^3$)

　　　　연소시 생성 수분량 : 기체연료에 따라 상이

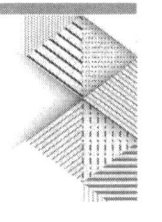

16 석탄 공업분석 방법

1. 석탄의 특징

　　① 탄화도

　　　　㉠ 개념 : 석탄 성분의 변화 진행정도

ⓛ 탄화도 큰 순서[184] : 흑연 > 무연탄 > 역청탄 > 갈탄 > 이탄

ⓒ 탄화도↑[185] → 발열량↑, 착화점↑, 연료비↑

→ 수분함량↓, 회분함량↓, 연소속도↓

② 연료비

㉠ 개념 : 탄화도 표현 지수

ⓛ 연료비$(Fuel\,Ratio) = \dfrac{고정탄소\,(Fixed\,Carbon)}{휘발분\,(Volatile\,Matter)}$

ⓒ 탄화도↑ → 휘발분↓, 고정탄소↑ → 연료비↑

2. 석탄의 공업분석법

(1) 석탄 분석방법

① 공업분석(Proximate Analysis)

㉠ 분석시료 : 항습기준시료(ADB : Air Dry Basis)

ⓛ 분석항목[186]

ⓐ 고유수분 : 항습기준시료 107℃ 가열시 감소량(wt%)

ⓑ 회분 : 항습기준시료 800℃ 연소 후 잔량(wt%)

ⓒ 휘발분 : 항습기준시료 900℃, 7분간 가열 후 감소량에서 수분제외량(wt%)

ⓓ 고정탄소 : 100 - (고유수분 + 회분 + 휘발분) (wt%)

ⓒ 사용처 : 성상파악, 보일러 효율 계산 등

---

184) 암기 흑무역갈이
- 석탄의 탄화도 큰 순서 : 흑연 > 무연탄 > 역청탄 > 갈탄 > 이탄

185) 암기 발착연수회연
- 탄화도 증가 시 변화특성 : 발열량↑, 착화점↑, 연료비↑, 수분함량↓, 회분함량↓, 연소속도↓

186) 암기 고회휘고
- 석탄 분석항목 : 고유수분, 회분, 휘발분, 고정탄소

② 원소분석(Ultimate Analysis)
　　㉠ 분석시료 : 건식기준시료(DB : Dry Basis)
　　㉡ 분석항목 : C, H, N, S, O, Ash(회분)
　　　ⓐ C : 완전연소시 생성되는 CO_2 가스 흡수하여 계산(wt%)
　　　ⓑ H : 완전연소시 생성되는 수증기 흡수하여 계산(wt%)
　　　ⓒ N : N_2로 변화 후 측정(wt%)
　　　ⓓ S : 연소성 황 측정(wt%)
　　　ⓔ O : 100 - (C + H + N + S + Ash) (wt%)
　　㉢ 사용처 : 연소계산, 물질정산 등
(2) 석탄 시료 종류

① 도착기준시료(ARB : As Received Basis)
　　㉠ 총수분(표면, 고유수분)을 함유한 시료
　　㉡ 실제 연소시 시료
② 항습기준시료(ADB : Air Dry Basis)
　　㉠ 상온(20℃, 상대습도 75%)에서 표면수분 자연건조시킨
　　　시료
　　㉡ 석탄 공업분석시 사용되는 시료

③ 건식기준시료(DB : Dry Basis)
　㉠ 건조기에서 약 107℃로 가열하여 총수분을 제거시킨
　　시료
　㉡ 석탄 원소분석시 사용되는 시료

17 API도

1. API도
　① 개념 : 국제 석유비중 표시방법 중 하나
　　㉠ API도(미국석유협회, American Petroleum Institute)
　　㉡ Baume도(유럽)
　② 공식
　　㉠ $API도 = \dfrac{141.5}{석유비중} - 131.5$

　　㉡ $Baume도 = \dfrac{140}{석유비중} - 130$

　　여기서, $석유비중 = \dfrac{60°F 기름 밀도}{60°F 물 밀도}$
　③ 특징 : 온도↑ → 비중↓, 점도↓ → 인화점↓

2. 점도측정법
　① 절대점도 : $\mu = \dfrac{질량}{길이 \times 시간}$
　　μ : 절대점도(poise=g/cm·s)
　　길이 : cm　　시간 : sec　　질량 : g

② 동점도 : $\nu = \dfrac{\mu}{\rho}$

　ν : 동점도(stokes=cm^2/s)　　μ : 절대점도(poise=g/cm·s)

　ρ : 밀도(g/cm^3)

18 콘덴싱 보일러

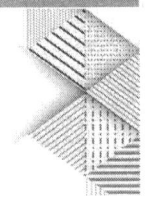

1. 콘덴싱 보일러 일반적인 개요

① 고효율 → 에너지 절약

② 저 NOx, 저CO_2 → 친환경

2. 원리 및 메카니즘

① 원리 : 수증기 응축잠열 이용 → 보일러 효율↑

② 메카니즘

　㉠ 연소 : 가스 연소 → 열 및 수증기 방출

　　(CH_4 + $2O_2$ → CO_2 + $2H_2O$ + 8500 kcal/m^3)

　㉡ 1차 열교환 : 배기가스 현열 → 열 교환

　㉢ 2차 열교환 : 수증기 응축 → 응축잠열 발생 → 냉수
　　가열 → 배기가스 온도 60℃ 수준 감소 → 대기 배출

3. 구조

① 열교환기 2개 : 1차, 2차 열교환기

② 연소방식 : 상향식, 하향식

③ 응축수의 산성화↑ → 처리장치 필요

④ 배기통 상향 설치

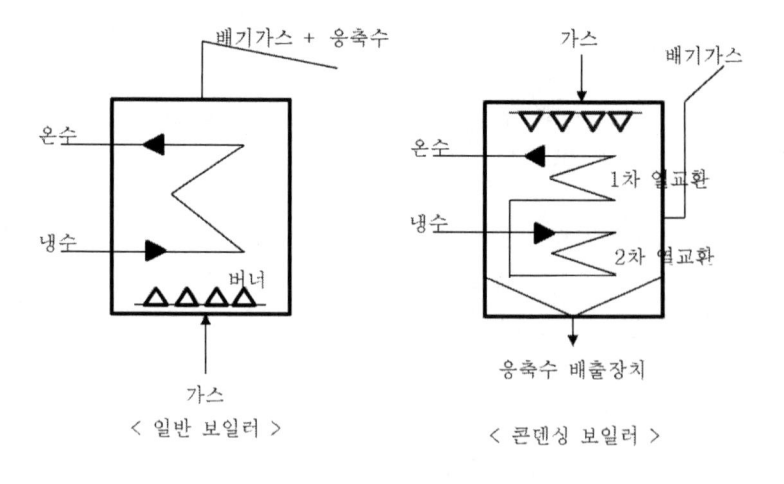

< 일반 보일러 >   < 콘덴싱 보일러 >

4. 일반 보일러 vs 콘덴실 보일러

구 분	일반 보일러	콘덴싱 보일러
열 이용	현열	현열 + 응축잠열
재질	STS, 동	내식성 재질 (STS + Al 합금)
배기통	하향구배	상향구배
응축수	수증기 형태 외부 배출	응축 → 중화처리장치 필요
배기가스 온도	200℃ 전후	60℃ 전후
효율	저효율	고효율 (일반 대비 15%↑)
가격	싸다	비싸다

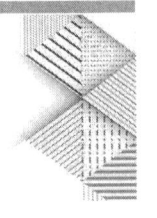

19 열매체 보일러

1. 개요
① 물 이용 보일러 → 고온(300℃↑), 고압(50atm) → 보일러 고가, 위험↑
② 열매체 보일러 → 고온, 저압 → 보일러 저가, 위험↓

2. 열매체
① 개념 : 수증기, 물 이외 유체 사용 → 열교환 설비 통해 물질 간접적 가열, 냉각
② 열매체 종류

구분	액상 시스템	기액상 시스템
개념	열매체 상변화 無	열매체 상변화 有
열매체 종류	㉠ 클리콜 수용액 ㉡ 정제된 광유	㉠ 알킬화 방향족 화합물 ㉡ 디페닐계 혼합물

③ 열매체 요건
㉠ 인화점↑, 자연발화점↑
㉡ 비열↑, 잠열↑
㉢ 온도범위↑(넓을 것)
㉣ 점도↓
㉤ 화학적으로 안정, 부식성↓
④ 열매체 선정시 고려사항
㉠ 열화 여부 → 수명과 관계

ⓒ 인화성 여부 → 화재, 폭발 위험 고려

ⓒ 최대 사용가능 온도 → 분해 고려

3. 열매체 보일러 구조 및 작동원리
   ① 작동원리(기액상 시스템)
      ㉠ 연소 : 연소실 내 연료 + 연소공기 공급 → 연소열 발생
      ㉡ Evaporation : 연소실 열 → 열매체유 전달 → 열매체유 온도↑, 증발
      ㉢ Condensation : 증기 → 열교환기실 내 응축 → 응축 잠열 발생 → 물로 열전달
   ② 구조

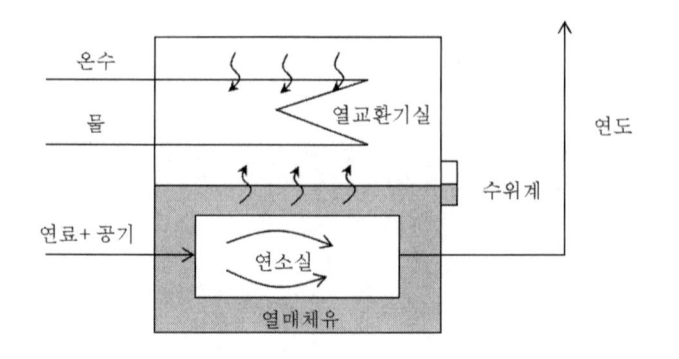

4. 열매체 보일러 특징
   ① 저압에서도 300℃ 이상 고온 안전하게 얻을 수 있음
   ② 동절기에 동결방지, 수처리 조치 불필요
   ③ 보일러 튜브 부식 우려↓
   ④ 균일한 온도분포 유지 가능

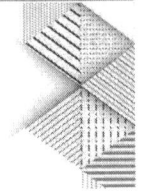

20 진공식 보일러

1. 개요

보일러 내부압력 진공 유지 → 면허소지 안전운전관리자 선임
불필요 → 100℃↓ 증기발생 → 응축잠열 이용

2. 구조 및 작동원리

① 구조

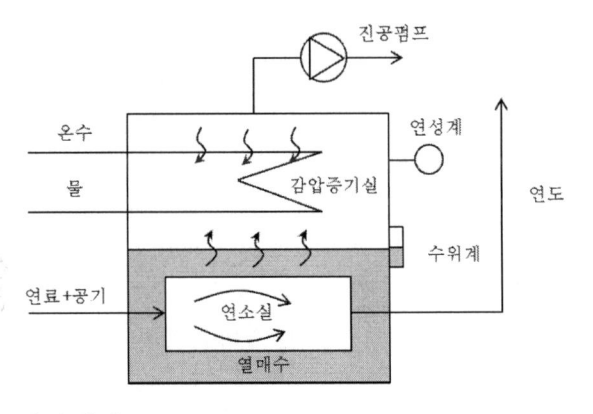

② 작동원리

㉠ 진공압 형성 : 진공펌프 이용 → 감압증기실 내 진공
유지(-760mmHg)

㉡ Evaporation : 연소실 열 → 열매수 전달 → 열매수
100℃ 미만에서 증발(대기압 미만 시 물 비점↓)

㉢ Condensation : 증기 → 감압증기실 내 응축 → 응축
잠열 발생 → 물로 열전달

3. 장단점

장점	단점
① 면허소지 안전운전관리자 미선임 ② 열매수 응축잠열 이용 → 고효율 ③ 보충수 불필요	① 진공유지 필요 ② 저용량 보일러에 적합

21 무압식 보일러(대기 개방형 보일러)

1. 개요

① 최근동향 : 면허소지 안전운전관리자 선임 없이 안전운전 가능한 보일러 필요성 대두

② 구조

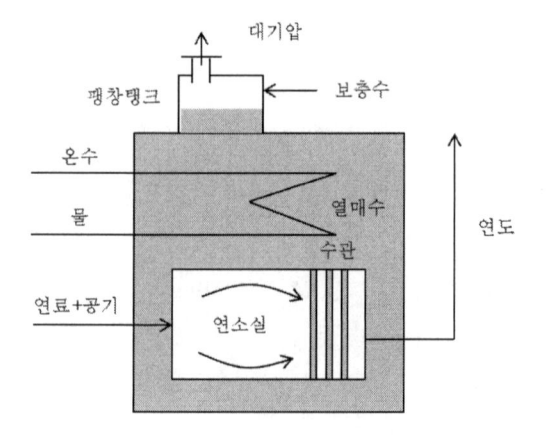

③ 면허소지 안전운전관리자 미선임 보일러 종류

  ㉠ 진공식 보일러 : 진공 운전

  ㉡ 무압식 보일러 : 대기압 운전

2. 작동원리

① 대기압 형성 : 보일러 상부 팽창탱크 → 대기압 개방 → 보일러 내 대기압 유지

② 열교환 Ⅰ : 연소실 열 → 수관 통해 열매수와 열교환

③ 열교환 Ⅱ : 열매수 열 → 열교환기 통해 물과 열교환 → 온수 발생

3. 특징

장점	단점
① 면허소지 안전운전관리자 미선임 ② 무압 → 운전 안전성↑	① 개방형→열매수 증발→보충수 필요 ② 열매수 현열만 이용 → 저효율 ③ 저용량 보일러에 적합

22 가스 연소기기 설계시 필요 기술 (염공부하 설계시 고려사항)

1. 염공부하 정의

가스가 완전연소 할 수 있는 염공의 단위면적당, 단위시간당 Input (kcal/mm^2·h)

2. 염공부하 설계시 고려사항[187)]
    ① 가스 소비량 : 연소기기 크기, 규모
    ② 공기 소요량 : 완전연소 시 필요 공기량
    ③ 연소방법 : <u>전적분세</u>
    ④ 연소속도 : 연소속도, 분출속도
    ⑤ 웨버 지수
    ⑥ Draft : 배기가스 높이

3. 결론
    ① 1차 공기율에 따라 염공부하 변화
    ② 가스 및 버너종류 결정 → 1차 공기율에 따라 염공부하 결정
    ③ 일반적인 염공부하
        ㉠ LNG 6 전후
        ㉡ LPG 7 전후
        ㉢ 도시가스 10 전후

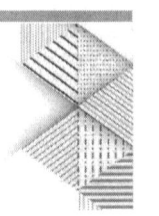

23 휴대용 부탄가스레인지 가스소비량 측정법

1. 개요
    ① 야외활동시 주로 사용하는 연소기
    ② 부탄용기 장착 → 사용 편리 → 사용자 급증

---

187) 암기 가공연연웨D
    - 염공부하 설계시 고려사항 : 가스 소비량, 공기 소요량, 연소방법, 연소속도, 웨버 지수, Draft

2. 가스소비량 측정법

　① 부탄캔 무게 직접 측정

　② 부탄캔 장착후 30분 연소 → 3회 반복

　③ 계산식 : $W = \dfrac{1}{3} \displaystyle\sum_{i=1}^{3} (W_{i-1} - W_{i-2})$

　　　W : 가스소비량(g/h)

　　　W_1 : 시험전 용기 무게(g)　　W_2 : 시험후 용기 무게(g)

　④ 연소시간 30분 이유

　　기화열↓ 성분 먼저 기화 → 연소시간 짧을 시 → 초기가스
　　소비량과 잔량 소비량 차이 큼

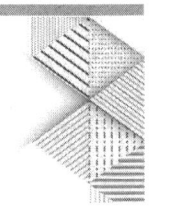

24 연소효율, 열효율

1. 연소효율

　　연소효율 $= \dfrac{\text{실제 발생 열량}}{\text{연료 보유 열량}} \times 100(\%)$

　① 영향인자 : 연료 보유열량↓, 실제 발생 열량↑ → 연소효
　　율↑(Max. 100%)

　② 연소손실 : 불완전연소에 의한 연소손실 = 연료 보유 열
　　량 - 실제 발생 열량

　③ 발열량 : 고위발열량 vs 저위발열량

2. 열효율 : 열효율 $= \dfrac{Output}{Input} \times 100(\%)$

① Input : 연소기기 공급 열량 $Input = Q \times H$

   Q : 가스 유량(kg/h) H : 가스 발열량(kcal/kg)

② Output : 목적물 가열 유효열량(kcal/h)

③ 열효율 측정법

   ㉠ 가스레인지 측정법

      ⓐ 열효율 $= \dfrac{\text{냄비 속 물 온도 상승 열량}}{\text{공급 가스 열량}} \times 100(\%)$

      ⓑ 열효율 : 50% 전후

   ㉡ 가스보일러 측정법

      ⓐ 열효율 $= \dfrac{\text{보일러 난방수 온도 상승 열량}}{\text{공급 가스 열량}} \times 100(\%)$

      ⓑ 열효율 : 90% 전후

   ㉢ 가스난방기 측정법

      ⓐ 열효율

         $= \dfrac{\text{공급 가스 열량} + \text{공기 열량} - \text{배기가스 열량}}{\text{공급 가스 열량}} \times 100(\%)$

      ⓑ 열효율 : 70% 전후

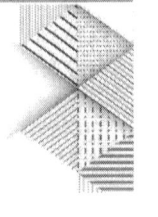

25 열정산(보일러 효율)

1. 개요

① 보일러 공급 열량, 방출된 열량 산정 → 보일러 효율 계산

② 입·출열법(Input·Output), 열 손실법(Heat Loss)

2. 시험 조건
   ① 시험부하 : 정격부하
   ② 단위 : 1kg 기준, 1시간 기준

3. 열정산 종류별 산정인자
   ① 입·출열법

총 입열	총 출열
㉠ 연료 사용량 ㉡ 연료 발열량 ㉢ 연료 현열 ㉣ 공기 공급량 ㉤ 공기 현열	생산 증기열 - 투입 급수열 ※ 고려하지 않은 출열 ㉠ 배기가스 배출열 ㉡ 불완전연소 손실열 ㉢ 방산 손실열 ㉣ 기타열(총 손실열의 0.5%)

   ② 열 손실법

총 입열	총 손실열
㉠ 연료 사용량 ㉡ 연료 발열량 ㉢ 연료 현열 ㉣ 공기 공급량 ㉤ 공기 현열	㉠ 배기가스 배출열 ㉡ 불완전연소 손실열 ㉢ 방산 손실열 ㉣ 기타열(총 손실열의 0.5%)

4. 계산법

① 입·출열법 : 효율 $= \dfrac{\text{총 출열}}{\text{총 입열}} \times 100(\%)$

② 열 손실법 : 효율 $= \dfrac{\text{총 입열} - \text{총 손실열}}{\text{총 입열}} \times 100(\%)$

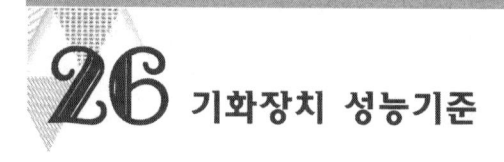

26 기화장치 성능기준

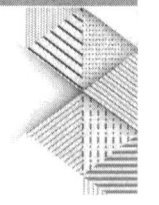

1. 개요

① 기화장치 개념 : 액화가스를 증기, 온수, 공기 등 열매체로 가열 → 기화

② 종류 : ㉠ 다관식 ㉡ 코일식 ㉢ 캐비닛식

2. 성능기준[188]

① 온수 가열방식 : 온수 온도 80℃↓

② 증기 가열방식 : 증기 온도 120℃↓

③ 가연성가스용 접지 저항치 : 10Ω↓

④ 온도, 압력계 : 계량법에 의한 검사합격품

⑤ 액유출 방지장치 : 자동 제어장치 연결

⑥ 자동 온도제어 장치 : 열매체 온도범위 내 조절

⑦ 내압시험

㉠ 물 사용 시 : 상용압력 1.5배 이상

㉡ 질소, 공기 사용 시 : 상용압력 1.25배 이상

⑧ 용접부 : 2개소 이상 비파괴검사(RT, UT, MT, PT)

⑨ 기밀시험 : 상용압력 이상

⑩ 안전장치 : 내압시험 압력의 80%↓ 작동

---

188) [암기] 온증가온액자내용기안
- 기화장치 성능기준 항목 : 온수 가열방식, 증기 가열방식, 가연성가스용 접지 저항치, 온도·압력계, 액유출 방지장치, 자동 온도제어 장치, 내압시험, 용접부, 기밀시험, 안전장치

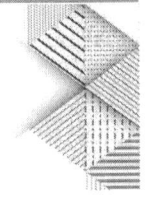

27 버너 턴다운비

1. 버너 턴다운비(Turn Down Ratio, 부하조절비) 개요
   버너 부하조절비로써, 버너의 연소 가능 범위로 해석 가능

2. 턴다운비 설명
   ① 개념 : 버너가 정상적으로 연소할 수 있는 부하 범위
   ② 비교 예

구 분	턴다운비 5 : 1	턴다운비 20 : 1
연소 가능 범위	20% ~ 100% 부하	5% ~ 100% 부하
연소제어	상대적으로 어렵다	상대적으로 쉽다
정격용량 운전시 효율	상대적으로 높다	상대적으로 낮다

3. 결론
   버너 턴다운비↑ → 연소제어 쉬움
                   → 적용범위 넓음
                   → 정격용량 운전시 효율↓
   따라서 각 설비의 특성 고려하여 버너 선택 중요

28 저NOx 기술

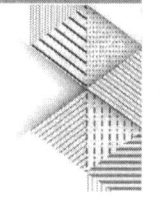

1. 개요

① 질소산화물의 위험성

　㉠ 호흡기 질환 유발

　㉡ 온실가스(CO_2 보다 310배 온실가스 효과↑)

　㉢ 토양 영양분 과도한 공급 → 세균 이상증식 초래

② 질소산화물(NOx) 종류

　㉠ Fuel NOx : 연료 중 질소화합물에 기인

　㉡ Thermal NOx : 연소공기 중 질소에 기인

　　→ LNG, LPG는 질소화합물 없으므로 Thermal NOx
　　중요

2. Thermal NOx 생성 메카니즘

① 반응식 :

$$N_2 + O_2 \rightarrow 2NO(1300℃ \text{ 이상})$$

$$2NO + O_2 \rightarrow 2NO_2(1300℃ \text{ 이상})$$

② 영향인자

　㉠ 공기비↑ → NOx 생성↑

　㉡ 연소온도↑ → NOx 생성↑

　㉢ 연소가스 체류시간↑ → NOx 생성↑

3. 방지대책
(1) 연소개선 기술
　　① 과잉공기율 감소 운전
　　　　㉠ 2단연소(OFA: Over Fire Injection) : 연소공기 2단계
　　　　　　분리 공급
　　　　㉡ OSC 연소 : 공기비 상이한 복수 버너 이용
　　② 저 NOx 버너 : 버너 구조, 버너 팁 형상 개량 → 연료,
　　　　공기 혼합 특성 조절
　　③ 배기가스 재순환(FGR : Flue Gas Recirculation)
　　　　배기가스 재순환 → 노내온도↓ → 산소농도 희석 →
　　　　NOx↓
(2) 배연탈질 기술
　　① 건식법
　　　　환원성 가스(암모니아) 주입 → NOx 환원 → N_2 + H_2O
　　　　분리
　　② 선택적 촉매환원법(SCR)
　　　　배기가스(350℃ 전후) + 환원제(암모니아, 요소) → 촉매
　　　　층 접촉 → NOx 환원 → N_2 + H_2O 분리
　　③ 선택적 비촉매환원법(SNCR)
　　　　배기가스(1,000℃ 전후) + 환원제(암모니아, 요소) →
　　　　NOx 환원 → N_2 + H_2O 분리

제5장

고압가스

고압가스 분류

1. 저장상태에 따른 분류[189]
   ① 압축가스
      ㉠ 35℃에서 충전압력 1MPa↑ 가스
      ㉡ 저장량 : $Q = (10P+1)V$
         Q : 탱크, 용기 저장량(m^3) V : 내용적(m^3)
         P : 35℃에서 충전압력(MPa)
      ㉢ 가스 예 : O_2, H_2, N_2, Ar, CH_4
   ② 액화가스
      ㉠ 35℃에서 충전압력 0.2MPa↑ 가스
      ㉡ 저장량
         ⓐ 탱크 : $Q = 0.9Vd$
            Q : 탱크 저장량(kg) V : 내용적(L) d : 비중(kg/L)
         ⓑ 용기, 차량 고정 탱크 : $Q = \dfrac{V}{C}$ C : 충전상수
      ㉢ 가스 예 : LPG, NH_3, CO_2, LO_2, LN_2
   ③ 용해가스
      ㉠ 용기에 다공성 물질 충전 → 용제(아세톤, DMF) 침윤
        후 → 용해
      ㉡ 가스 예 : C_2H_2

---

189) **암기** 압액용
    - 고압가스 저장상태에 따른 분류 : 압축가스, 액화가스 용해가스

2. 연소성에 따른 분류[190]

　　① 가연성가스

　　　　㉠ 공기중에 연소할 수 있는 가스

　　　　㉡ LFL 10% 이하 : C_2H_2, H_2, CH_4, C_2H_6, C_3H_8

　　　　㉢ 폭발범위 20% 이상 : C_2H_2, H_2, CO

　　② 조연성가스

　　　　㉠ 자신은 연소 X, 연소 돕는 가스

　　　　㉡ 가스 예 : O_2, O_3, Cl

　　③ 불연성가스

　　　　㉠ 연소하지 않는 가스

　　　　㉡ 가스 예 : CO_2, N_2, He, Ar

3. 독성에 따른 분류[191]

　　① 독성가스

　　　　㉠ 공기중에 일정량 이상 존재시 인체에 유해한 영향 미치는 가스

　　　　㉡ 허용농도 LC50 5,000 ppm 이하

　　　　㉢ 가스 예 : Cl_2, CO, NH_3, $COCl_2$(포스겐), C_2H_4O

　　② 비독성가스

　　　　㉠ 인체에 해가 없는 가스

　　　　㉡ 가스 예 : O_2, N_2, Ar

---

190) 암기 가조불
　　- 고압가스 연소성에 따른 분류 : 가연성가스, 조연성가스, 불연성가스

191) 암기 독비
　　- 고압가스 독성에 따른 분류 : 독성가스, 비독성가스

2 고압가스 시설 제조 허가 및 신고 대상

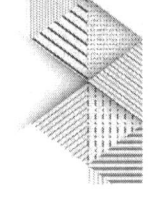

1. 개요

① 허가 및 신고대상은 처리능력으로 결정

② 처리능력 : 처리설비에서 압축, 액화 등의 방법으로 1일 처리할 수 있는 가스량

2. 허가 및 신고시설의 분류[192]

① 특정제조 시설[193]

허가대상	저장능력	처리능력
㉠ 석유정제사업자	100 톤 ↑	-
㉡ 석유화학공업자	100 톤 ↑	1 만 m^3 ↑
㉢ 비료생산업자	100 톤 ↑	10 만 m^3 ↑
㉣ 철강공업자	-	10 만 m^3 ↑

※ 신고대상 : 無

② 일반제조 시설 : 특정제조 시설 허가대상 외의 고압가스 제조

---

192) 암기 특일충냉냉
- 고압가스 시설 제조 허가 및 신고 대상 : 특정제조 시설, 일반제조 시설, 충전 시설, 냉동제조 시설, 냉동기제조 시설

193) 암기 석석비철
- 고압가스 특정제조 시설 허가대상 종류 : 석유정제사업자, 석유화학공업자, 비료생산업자, 철강공업자

③ 충전 시설(용기, 차량 고정탱크)

허가대상	신고대상
㉠ 가연성, 독성가스 충전 (LPG 제외) ㉡ 가연성·독성 외 →저장능력 3톤↑ →처리능력 $10m^3$↑	가연성·독성 외 →저장능력 3톤↓ →처리능력 $10m^3$↓

④ 냉동제조 시설

허가대상	신고대상
㉠ 가연성, 독성 냉동능력 20톤↑ ㉡ 가연성, 독성 외 산업용 50톤↑ ㉢ 가연성, 독성 외 건축물 100톤↑	㉠ 가연성, 독성 냉동능력 3~20톤 ㉡ 가연성, 독성 외 산업용 20~50톤 ㉢ 가연성, 독성 외 건축물 20~100톤

⑤ 냉동기제조 시설

냉동능력 3톤 이상 냉동기 제조

3 고압가스 제조시 품질검사 대상 가스

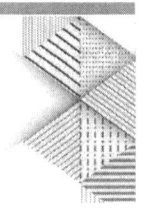

1. 개요

① 품질검사 대상 가스[194] : 산소, 수소, 아세틸렌 가스

② 위험성 : 이물질 포함 시 → 다른 가스와 반응 → 사고위험↑

---

194) [암기] 산수아
   - 고압가스 제조시 품질검사 대상 가스 종류 : 산소, 수소, 아세틸렌

2. 대상가스 종류 및 검사방법 합격기준

대상 가스	검사방법	시약	합격 기준
산소	오르쟈트법	동, 암모니아	순도 99.5%↑ + 35℃에서 충전압력 12MPa↑
수소	오르쟈트법	피롤가롤, 하이드로썰 파이드	순도 98.5%↑ + 35℃에서 충전압력 12MPa↑
아세 틸렌	오르쟈트법, 뷰렛법	발연황산, 브롬	순도 98%↑ + 정상압력, 충전량 3kg↑

4 고압가스 장점

1. 공학적 개요

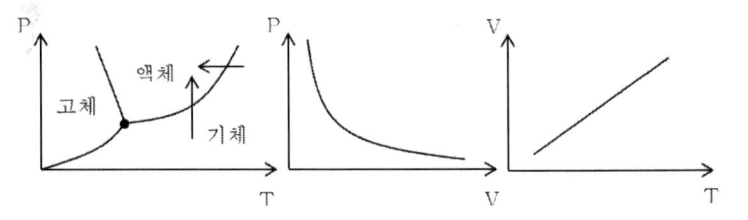

① 상변화 : 가스 온도↓, 가스 압력↑ → 상변화 → 액화 →
   부피↓
② 보일의 법칙 : 기체 압력↑ → 부피↓
③ 샤를의 법칙 : 기체 온도↓ → 부피↓

2. 고압가스 장점(기체 → 고압, 액화 시 장점)
　① 압축가스

장점	단점
㉠ 체적↓ → 수송, 저장 유리 ㉡ 관리비↓ ㉢ 압력↑ → 온도↑ → 반응 속도↑ ㉣ 액체에 대한 가스 용해도↑ ㉤ 압축가스 팽창력 → 동력 이용	㉠ 고압 → 누출 우려↑ ㉡ 고압 → 파열 우려↑ ㉢ 반응속도↑ → 반응폭주 위험 ㉣ 설비 재료비↑

　② 액화가스

장점	단점
㉠ 체적↓ → 수송, 저장 유리 ㉡ 관리비↓ ㉢ 증발잠열 이용 → 냉매 이용 ㉣ 누출 부위 육안 확인 가능 (하얀 서리)	㉠ 누출 시 피해↑ ㉡ 온도↑ → 기화 내압↑ → 파열 우려↑ ㉢ 기화장치 등 부속설비 필요

 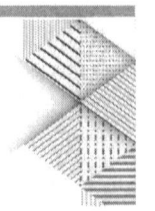

5 고압가스 제조행위

1. 제조행위 정의
　① 가스 압력 및 상태 변화 행위
　② 용기 충전 행위

2. 제조행위 설명[195]

---

195) 암기 아닌승감상용

① 고압가스 아닌 물질을 고압가스로 변화
    ㉠ 공기 → 압축기로 승압
    ㉡ 반응기 내 가스압력 승압
② 승압
    ㉠ 압축기 이용 고압가스 승압
    ㉡ 펌프 이용 고압가스 승압
③ 감압
    감압 밸브 사용 → 압력↓ → 고압가스
④ 상태 변화
    ㉠ 응축기 → 응축 액화 → 고압가스
    ㉡ 기화기 → 기화 → 고압가스
⑤ 용기 충전
    ㉠ 용량 큰 용기 → 작은 용기
    ㉡ 저장탱크 → 펌프, 압축기 → 용기

6 금속수소화물

1. 금속수소화물(Toxic Metal Hydrides, 반도체용 특수 고압가스) 개요
  ① 개념
    ㉠ 반도체 공정 많이 사용
    ㉡ 극 독성, 가연성

- 고압가스 제조행위 종류 : 고압가스 아닌 물질을 고압가스로 변화, 승압, 감압, 상태 변화, 용기 충전

② 종류[196]

　　㉠ 알진　㉡ 디보레인　㉢ 사수소화 게르마늄　㉣ 셀렌화
　　수소　㉤ 포스핀

2. 가스종류별 특징

가스종류	용도	특성	제독방법
알진	반도체용 도핑원료	광자외선에 분해반응	연소, 습식, 건식
디보레인	도핑가스제	산화성물질	연소, 습식
사수소화 게르마늄	반도체용 특수가스	공기중 발화	건식
셀렌화 수소	세리움화합물 원료	연소·폭발성 有	습식, 건식
포스핀	반도체용 도핑가스	광자외선에 분해반응	연소, 습식, 건식

※ 5개 가스 모두 액화가스임

3. 저장 및 이동 방법

① 고압 실린더에 저장, 이동

② 디보레인 : 알곤, 질소로 희석후 가압포장

③ 나머지 가스 : 액화

4. 안전밸브 설치

① 다이아프램 밸브 : 실린더에 장착

② RFO 밸브(Restrictive Flow Orifice Valve) : 밸브 후단
　이상 시 → 실린더로부터 유량 제한

---

196) 암기 알디사셀포
　　- 금속수소화물 가스 종류 : 알진, 디보레인, 사수소화 게르마늄,
　　셀렌화 수소, 포스핀

③ 안전밸브
    ㉠ 사수소화 게르마늄 : 선택적 설치
    ㉡ 나머지 가스 : 설치 금지

7 독성가스 보호구

1. 독성가스 보호구 종류, 수량[197]

종류	보유수량
① 공기호흡기, 송기식 마스크	작업원 10인당 3개
② 격리식 방독마스크	전 종업원 수
③ 보호장갑, 보호장화(고무, 비닐)	전 종업원 수
④ 보호복(고무, 비닐)	전 종업원 수

2. 보호구 보관, 장착 훈련
    ① 보관 장소
        ㉠ 누출우려 가까운 장소
        ㉡ 관리 용이 장소
        ㉢ 독성가스 접하지 않고 반출가능 장소
    ② 보관 방법
        ㉠ 항상 청결한 상태 유지
        ㉡ 보호구 기능 양호 상태 유지

---

197) 암기 공격보보
    - 독성가스 보호구 종류 : 공기호흡기·송기식 마스크, 격리식 방
    독마스크, 보호장갑·보호장화, 보호복

ⓒ 소모품 정기적 또는 사용후 점검 → 교환, 보충
　③ 장착 훈련
　　전직원 1회/분기 훈련, 교육 실시
　④ 기록 보관
　　점검, 변동사항, 장착훈련 기록·보존

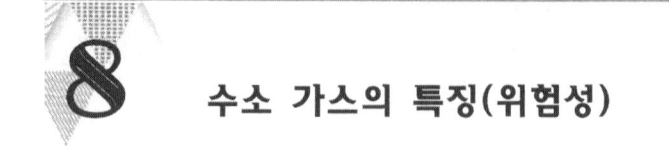
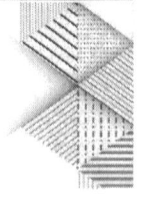

8 수소 가스의 특징(위험성)

1. 수소 가스의 특징
　① 활용
　　㉠ 암모니아, 메탄올 제조
　　㉡ C1 화학의 원료
　　㉢ 연료전지의 연료
　　㉣ 수소첨가 반응, 수소화 분해 및 정제 반응
　② 반응성↑, 발열량↑
　③ 비중↓ → 누출 시 빠른 확산 → 감지기 설치위치 천장부
　④ 폭발범위↑ → 폭발위험성↑(위험도↑)
　⑤ 점화에너지↓ : 0.02 mJ → 정전기 대책, 방폭전기기기
　⑥ 수소침식 초래
　⑦ 질식우려↑
　⑧ 저온위험 → 액화수소 온도 -253℃ → 동상, 저온취성,
　　용기내 폭발(단열)

9 시안화수소 저장 시 가스누설 검사

1. 시안화수소 특성
   ① 구분 : 독성가스, 가연성가스
   ② 허용농도 : 10ppm
   ③ 위험성 : 중독, 화재 및 폭발
   ④ 방지대책 : 누출방지 최우선

2. 누출검사
   ① 충전 용기 : 충전 후 24시간 정치
   ② 누출검사 : 질산구리벤젠 시험지로 실시(1회/일)
   ③ 용기 표시 : 충전 년월일 표시
   ④ 이충전
      ㉠ 충전 후 60일 경과 전 → 다른 용기에 이충전
      ㉡ 순도 98%↑, 착색 X → 이충전 시기 연장 가능

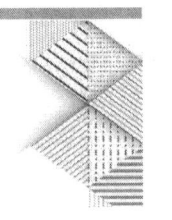

10 유해가스 종류

1. 유해가스 개념
   ① 인체에 유해한 영향 미치는 가스
   ② 상온, 상압 하 기체상태로 존재

2. 유해가스 종류[198]
   ① 질식성 가스
      ㉠ 가스 자체 독성 無
      ㉡ 공기 중 존재 → 산소 농도↓ → 산소결핍 유발
   ② 자극성 가스
      ㉠ 상부기도 자극가스
         ⓐ 상부기도 : 기도, 후두, 성대, 목구멍
         ⓑ 가스 예 : F_2, NH_3, SO_2(아황산가스)
      ㉡ 하부기도 자극가스
         ⓐ 하부기도 : 기관, 기관지, 세기관지, 폐포
         ⓑ 가스 예 : $COCl$(포스겐), 니켈카르보닐($Ni(CO)_4$)
   ③ 전신에 작용하는 가스
      호흡기 이외 신체부위 장애 초래 가스

11 고압가스 제조시 압축금지 가스

1. 압축금지 대상가스
   ① 산소와 격렬히 반응 → 폭발 가능 가스
   ② 압축 → 분해폭발 가능 가스

2. 압축금지 가스 종류[199]

---

198) **암기** 질자전
   - 유해가스 종류 : 질식성 가스, 자극성 가스, 전신에 작용하는 가스
199) **암기** 가산수
   - 압축금지 가스 종류 : 가연성가스, 산소, 수소·아세틸렌·에틸렌

① 가연성가스
　　㉠ 산소 용량 4% 이상인 것
　　㉡ 수소, 아세틸렌, 에틸렌 제외
② 산소
　　㉠ 가연성가스 용량 4% 이상인 것(수소, 아세틸렌, 에틸렌 제외)
　　㉡ 수소, 아세틸렌, 에틸렌 용량 합계 2% 이상인 것
③ 수소, 아세틸렌, 에틸렌
　　산소 용량 2% 이상인 것

12 저밀도 폴리에틸렌(LDPE) 제조시 중합반응기 이상분해반응

1. 저밀도 폴리에틸렌(LDPE) 개념
　① 제조(고압법) : 에틸렌 + 산소(또는 과산화물) + 200 MPa + 250℃ → 중합 → LDPE
　② LDPE 밀도 : $0.92 \ g/cm^3$ 전후

2. 이상분해 반응 메카니즘[200)]
　① 온도 급상승
　　㉠ 반응기 내 교반기 날개 결함
　　㉡ 촉매인 과산화물 불순물 이상반응

---

200) **암기** 온압폭
　　- 저밀도 폴리에틸렌(LDPE) 제조시 중합반응기 이상분해 반응 메카니즘 : 온도 급상승, 압력 급상승, 폭발

② 압력 급상승 : 온도(1,400℃)↑ → 에틸렌 → 수소 + 유리탄소 → 분자수↑ → 압력↑

③ 폭발 : 압력↑ → 안전밸브 작동 → 용량부족 → 반응기 파열 → 폭발사고 발생

3. 방지대책

　공원내내불냉반 + 안전밸브 충분한 용량

13 특정제조시설 내부반응설비 시설기준, 안전장치

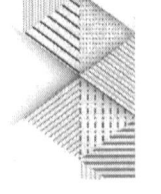

1. 특정제조시설 개요

허가대상	저장능력	처리능력
㉠ 석유정제사업자	100 톤↑	-
㉡ 석유화학공업자	100 톤↑	1 만 m^3↑
㉢ 비료생산업자	100 톤↑	10 만 m^3↑
㉣ 철강공업자	-	10 만 m^3↑

※ 신고대상 : 無

2. 특수반응설비 : 저암석에메

3. 내부반응 감시설비 시설기준 : 계경예산기록

4. 안전장치 : 공원내내불냉반 + ① 가스누출검지경보장치 ② 벤트스택 ③ 플레어스택

14 가스 3법 안전관리 체계

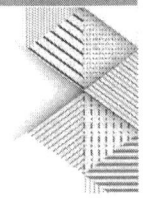

1. 가스 3법 안전관리 체계
   ① 목적 : 가스시설 효율적 운영 및 안전관리
   ② 성능기준
      ㉠ 고압가스 안전관리법
      ㉡ 액화석유가스의 안전관리 및 사업법
      ㉢ 도시가스 사업법
   ③ 상세기준
      ㉠ KGS Code
      ㉡ Kosha Guide 등

2. 구성

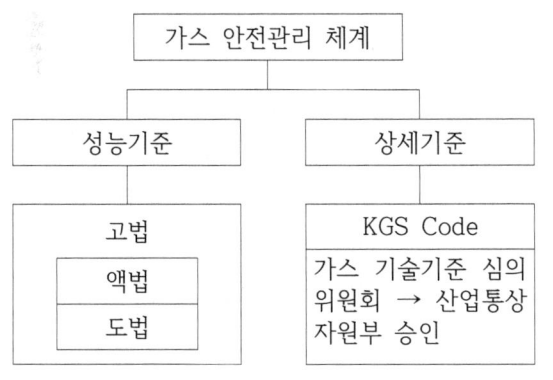

3. 가스 3법 관리 범위

　① 고압가스 안전관리법

　　㉠ 고압가스 제조, 저장, 판매, 운반, 사용

　　㉡ 고압가스 용기, 냉동기, 특정설비 제조 및 검사

　② 액화석유가스의 안전관리 및 사업법

　　㉠ 액화석유가스 수출입, 충전, 저장, 판매, 사용

　　㉡ 가스용품 안전관리

　③ 도시가스 사업법

　　㉠ 도시가스 사업 조정, 육성

　　㉡ 가스 공급 및 사용시설 설치, 유지, 안전관리

제6장

LPG 설비

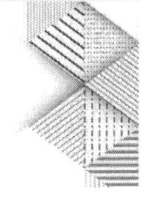

1 LPG vs LNG

1. LPG와 LNG 정의

(1) LPG

① 정의 : 원유 정제 → 기체상 탄화수소 → 상온, 0.7 MPa
압축·액화 가스

② 주성분 및 반응식

㉠ 주성분 : ⓐ C_3H_8 ⓑ C_4H_{10}

㉡ 반응식

ⓐ $C_3H_8 + 5O_2 \rightarrow 3CO_2 + 4H_2O$

ⓑ $C_4H_{10} + 6.5O_2 \rightarrow 4CO_2 + 5H_2O$

(2) LNG

① 정의 : 천연가스 → 상압, -162℃ 냉각·액화 가스

② 주성분 및 반응식

㉠ 주성분 : CH_4

㉡ 반응식 : $CH_4 + 2O_2 \rightarrow CO_2 + 2H_2O$

2. 특성비교

① 연소시 산소량

LPG	LNG
C_3H_8 : 5 mol O_2 필요 C_4H_{10} : 6.5 mol O_2 필요	CH_4 : 2 mol O_2 필요

② 공기비중

LPG	LNG
C_3H_8 : 44/29=1.52 　　→ 공기보다 무겁다 C_4H_{10} : 58/29=2 　　→ 공기보다 무겁다	CH_4 : 16/29=0.55 　　→ 공기보다 가볍다 　　→ 누설시 대기중 확산 　　→ 폭발위험↓ (감지기 천장 30cm 이내)

③ 연소범위

LPG	LNG
C_3H_8 : 2.1 ~ 9.5 C_4H_{10} : 1.8 ~ 8.4 　　→ LFL↓ → 위험↑	CH_4 : 5 ~ 15 　　→ LFL↑ → 위험↓

④ 위험도(H)

LPG	LNG
$H(C_3H_8) = \dfrac{9.5-2.1}{2.1} = 3.5$	$H = \dfrac{15-5}{5} = 2$

⑤ 연소온도

LPG	LNG
2,150 ℃	2,050 ℃

⑥ 발화온도

LPG	LNG
C_3H_8 : 450 ℃ C_4H_{10} : 300 ℃	600 ℃ (발화온도가 높아 누설되어도 쉽게 착화 X)

⑦ UVCE 발생률

LPG	LNG
누설시 → 순간증발 → 증기운형성 용이 → UVCE 발생률↑	누설시 → 열전달이 증발제한 → 증기운형성 어렵다 → UVCE 발생률↓

3. 장단점

① 장점

LPG	LNG
㉠ 고발열량 ㉡ 증기압↑ 　→ 가압장치 불필요 ㉢ 수송가능 → 입지 제약↓ ㉣ 공급압력 조절 가능	㉠ 연속공급 가능 ㉡ 완전연소 가능 ㉢ 누설시 체류위험↓ ㉣ 비교적 저가

② 단점

LPG	LNG
㉠ 저장설비 필요 ㉡ 연소용 공기 다량 필요 ㉢ 누설시 체류위험↑ ㉣ 비교적 고가	㉠ 저발열량 ㉡ 배관공급으로 인한 　사용제한 ㉢ 공급압력 변동 심함 ㉣ 초기설비 투자비↑

2 LPG 공급계통도

1. 개념

　LPG 공급처 → 외국으로부터 수입 → 국내 원유 정제시 생성되는 LPG 정제

2. 공급계통도

　① 지하암반에 저장 후 탱크로리 이동시 지상 볼탱크로 이동

　② 충전소 이동시 탱크로리 사용

③ 용기는 판매사업자를 거쳐 최종소비자에게 공급됨

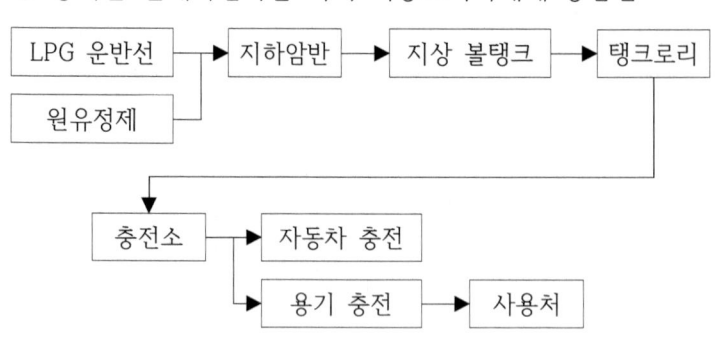

3. 결론

① LPG 유통구조 매우 복잡

② 최종 소비자까지 운반 중 위험 노출↑

③ 유통구조 축소 및 효율화 → 산업 경쟁력 확보 노력 필요

 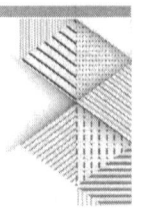

액화석유 안전 및 사업관리법 허가 및 신고시설 종류

1. 액화석유 안전 및 사업관리법에 의한 허가 및 신고시설 종류[201]

허가, 신고시설 종류	설명
① LPG 충전사업	용기, 자동차 고정탱크 충전 사업

---

201) 암기 충저집판사용
   - 액화석유 안전 및 사업관리법에 의한 허가 및 신고시설 종류 :
     LPG 충전사업, LPG 저장시설, LPG 집단공급시설, LPG 판매사
     업, LPG 사용시설, LPG 용품제조

허가, 신고시설 종류	설명
② LPG 저장시설	5톤 이상 저장시설 사용자
③ LPG 집단공급시설	70가구 이상 공급시
④ LPG 판매사업	용기 저장소 → 소비자 공급 사업
⑤ LPG 사용시설	저장능력 0.25톤 ~ 5톤 저장설비 사용자 (1종 보호시설, 지하실)
⑥ LPG 용품제조	연소기, 가스버너 등 용품제조 사업자

4 LPG 사용시설

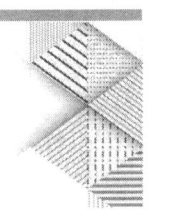

1. LPG 사용시설 개념
   ① 1종 보호시설
   ② LPG 지하실 사용
   ③ 저장능력 0.25톤 ~ 5톤 저장설비

2. 사용시설 구성요소[202)
   ① 저장시설
      ㉠ 저장탱크
         ⓐ 소형 저장탱크 : 3톤↓
         ⓑ 저장탱크 : 3톤↑
      ㉡ 용기 : 20kg, 50kg(사이펀 용기 → 기화기 설치)

---

202) 암기 저기압가가연가
   - LPG 사용시설 구성요소 : 저장시설, 기화기, 압력 조정기, 가스 배관, 가스 계량기, 연소기, 가스누출 자동차단 장치

② 기화기
　　㉠ 기능 : 자연기화방식에 의한 공급량 부족 시, 강제기화
　　　　방식으로 기화
　　㉡ 장점
　　　　ⓐ 한냉지에서도 필요한 양 기화 가능
　　　　ⓑ 가스 조성 일정 → 균일한 발열량
　　　　ⓒ 공급압력 변동↓
　　　　ⓓ 기화량 제한↓
　　㉢ 종류
　　　　ⓐ 전열온수식
　　　　ⓑ 대기식
③ 압력 조정기
　　㉠ 기능 : LPG 용기압력 6.5 kg/cm2 → 사용자 압력으
　　　　로 감압
　　㉡ 종류
　　　　ⓐ 단단 감압식 : 고압 → 저압
　　　　ⓑ 다단 감압식 : 고압 → 중압 → 저압
　　　　ⓒ 자동절체식 ┌ 분리형 : 고압 → 중압 → 저압
　　　　　　　　　　 └ 일체형 : 고압 → 저압
④ 가스배관
　　㉠ 연료가스 배관용 탄소강관(SPPG) : 중저압 사용
　　㉡ 압력배관용 탄소강관(SPPS) : 350℃↓, 고압 사용
　　㉢ 부속품 : 밸브, 스트레이너, 연결부속
　　㉣ 호스 : 3m이내 호스밴드 고정
　　㉤ 가스용 금속 플랙시블 : 가스보일러, 연소기 직접 연결
⑤ 가스 계량기
　　㉠ Scale : 최고 가스 소비유량 1.2배↑ 선정

      ⓛ 이격거리 : 화기로부터 2m 이상 이격

      ⓒ 설치 높이 : 1.6 ~ 2m

      ⓔ 종류 : 건식, 습식, 면적식

   ⑥ 연소기

      ㉠ 공기공급 방식에 따른 분류 : <u>전적분세</u>

      ⓛ 급배기 방식에 따른 분류 : <u>개반밀</u>

   ⑦ 가스누출 자동차단 장치

      ㉠ 구성 : 검지부, 차단부, 경보부

      ⓛ 설치대상 : 영업장 면적 100㎡ 이상 식품접객업소

      ⓒ 검지부 설치 개소

         ⓐ 가벼운 가스 : 연소기 반경 8m이내 검지부 1개↑

         ⓑ 무거운 가스 : 연소기 반경 4m이내 검지부 1개↑

      ⓔ 검지부 설치 높이

         ⓐ 가벼운 가스 : 천장 30cm 이내 설치

         ⓑ 무거운 가스 : 바닥 30cm 이내 설치

5 LPG 기화방식

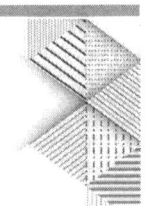

1. 개요

   ① 용기 내 LPG(액화석유가스) → 기화 → 사용

   ② 기화 방식

      ㉠ 자연 기화식 : 대기 현열

      ⓛ 강제 기화식 : 증기, 온수, 공기 등 열매체

2. 자연 기화식

　① 원리 : 용기 내 LPG + 대기 중 현열 → 열흡수 → 기화
　② 특징

　　㉠ 소비량↓ 이용 　㉡ 가스 조성 변화↑ 　㉢ 발열량 변화↑

3. 강제 기화식

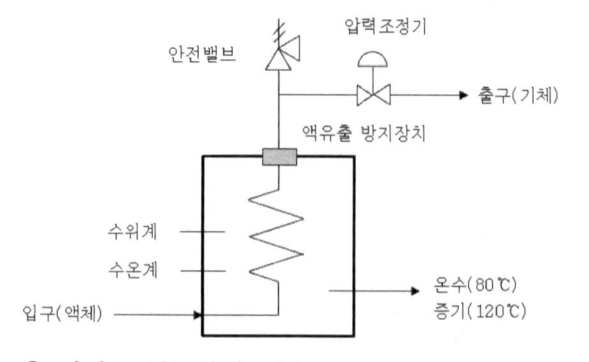

　① 원리 : 열교환기 내 LPG + 증기, 온수, 공기 등 열매체 →
　　열흡수 → 기화
　② 안전장치

　　㉠ 안전밸브 : 급격한 기화에 의한 부피팽창 → 안전밸브
　　　→ 압력 해소
　　㉡ 압력 조정기 : 사용처 압력에 맞게 압력 조정 후 공급
　　㉢ 액유출 방지장치 : 액면 수위 조절(자동제어) → 기화
　　　기 내 열매체 유출 방지
　　㉣ 수위계, 온도계 : 열매체 수위 및 온도 측정 → LPG 공
　　　급 차단 밸브 연동
　③ 특징

　　㉠ 소비량↑ 이용 　　㉡ 동절기 공급 가능
　　㉢ 가스 조성 변화↓ 　㉣ 발열량 변화↓

 **LPG 충전소 안전상 고려사항**

1. 배치기준

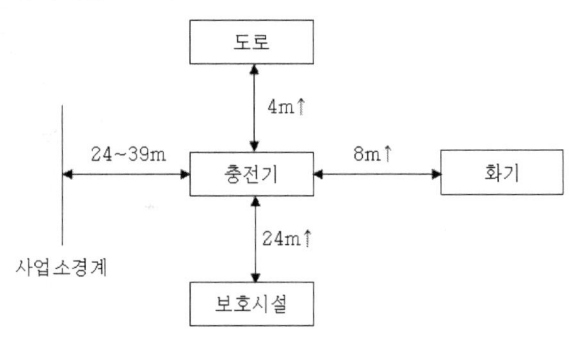

① 사업소 경계 로부터의 안전거리 : 24m ~ 39m

② 도로 로부터의 안전거리 : 4m↑

③ 화기시설 로부터의 안전거리 : 8m↑

④ 보호시설 로부터의 안전거리 : 24m↑

2. 지반조사

　① 1차 지반조사

　　㉠ 10m 이내, 2개소 Boring

　　㉡ 습윤, 연약, 급경사, 부등침하 → 조치강구

　② 조치강구 : 성토, 지반개량, 옹벽설치

　③ 2차 지반조사 : 표준관입시험, 평탄재하시험, 베인시험 →

　　기초공사 착공

3. 사고예방 설비기준

　계경예산기록, 이방안보통지과정소낙불감긴계예환

4. 피해저감 설비기준

봉차불억배안, 이방안보통지과정소낙불감긴계예환

5. 부대설비

예비전력설비, 통신설비, 운영 시설물, 로딩암

LPG 충전소 문제점, 해결방안

1. 개요

① 최근동향 : LPG 자동차 사용률↑ → 신규 LPG 충전소 설치↑ → 기존 충전소 사회문제 부각

② LPG 충전소 위험성

LPG 충전소 사고 발생 → 인명, 재산 피해↑

2. 문제점별 해결방안203)

① 위탁경영에 따른 문제

㉠ 자사 직원 교체

㉡ 행정관청에 고발조치

② 충전용기 보수설비 미사용

㉠ 관련규정 개정

㉡ 미검사 용기, 도색불량 용기 → 충전금지

---

203) 암기 위충저장
   - LPG 충전소 문제점 : 위탁경영에 따른 문제, 충전용기 보수설비 미사용, 저장능력 부족에 의한 안전관리상 문제, 장소협소로 인한 안전거리 미확보

③ 저장능력 부족에 의한 안전관리상 문제

　　㉠ 저장량 확보 : 연사용량 2%

　　㉡ 충전시 안전관리자 입회

④ 장소협소로 인한 안전거리 미확보

　　㉠ 주변부지 매입하여 확장, 이전

　　㉡ 지하설치 → 안전거리 확보

8 LPG 이송방법

1. LPG 이송의 개념

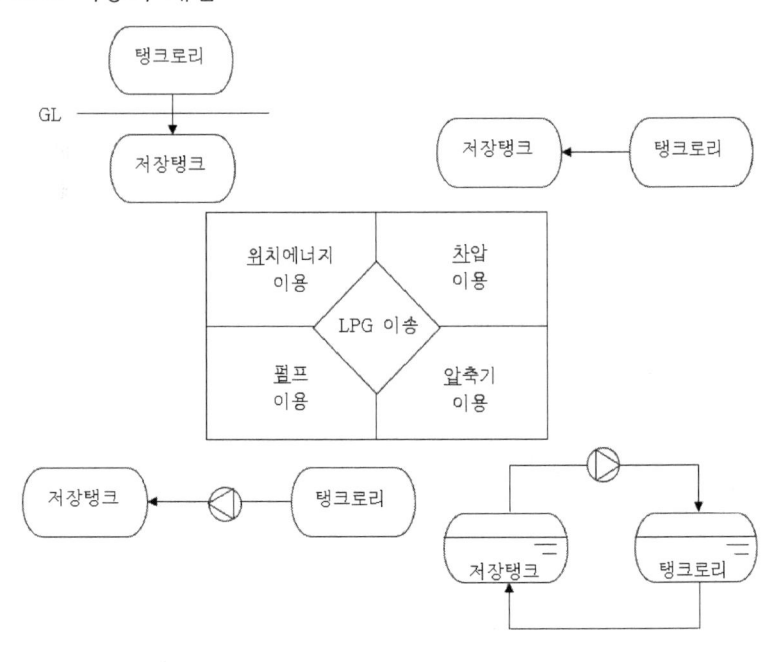

2. LPG 이송방법

(1) 위치에너지에 의한 방법

　① 원리 : 중력 이용(탱크로리 지상 → 저장탱크 지하)

　② 특징

　　㉠ 무동력 → 장시간 소요

　　㉡ 지하 저장탱크만 가능

　　㉢ 잔가스 회수 불가

(2) 차압에 의한 방법

　① 원리 : 압력차 이용(탱크로리 압력↑ → 저장탱크 압력↓)

　② 특징

　　㉠ 무동력 → 장시간 소요

　　㉡ 탱크로리 압력 > 저장탱크 압력 시만 가능

　　㉢ 잔가스 회수 불가

(3) 펌프에 의한 방법

　① 원리 : 펌프 동력 이용

　② 특징

장점	단점
㉠ 재액화 현상 無 ㉡ 드레인 작업 無	㉠ 충전시간 길다 ㉡ 잔가스 회수 불가 ㉢ 베이퍼록 현상 발생 가능

(4) 압축기에 의한 방법

　① 원리 : 압축기 동력 이용 - 저장탱크 기상부 → 압축기
　　→ 탱크로리 기상부 → 액상 LPG 이송

　② 특징

장점	단점
㉠ 충전시간 짧다 ㉡ 잔가스 회수 가능 ㉢ 베이퍼록 현상 無	㉠ 재액화 현상 발생 가능(저온) ㉡ 드레인 작업 有 　(압축오일 혼입시)

4. 잔가스 회수 방법
  ① 원리 : 사방밸브(4 way valve) 조작 → 기상 LPG 흐름방
     향 변경 → 압축기 가동 → 회수
  ② 소요 시간 : 30분 이내

5. 충전작업 중단해야 하는 경우
  ① 과충전되는 경우
  ② 주변 화재 발생 시
  ③ 탱크로리와 저장탱크 연결 호스 누출 시

 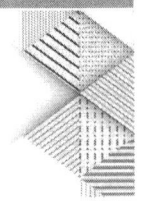

LPG 용기 공급방식

1. 개요
   연소기 사용압력에 맞게 압력조정 → LPG 공급

2. 종류
(1) 단단 감압식

  ① 고압 → 저압
  ② 특징
     ㉠ 장점 : 장치간단, 조작간단
     ㉡ 단점 : 최종압력 변동↑

(2) 다단 감압식

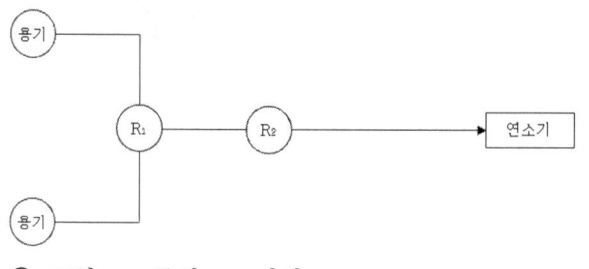

① 고압 → 중압 → 저압
② 특징
　　㉠ 장점 : 최종압력 일정
　　㉡ 단점 : 장치복잡, 재액화 우려 有

(3) 자동절체식
　① 분리형

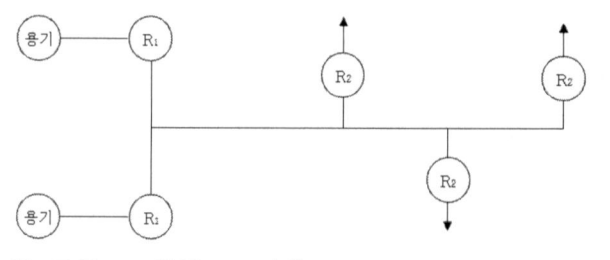

　　㉠ 고압 → 중압 → 저압
　　㉡ 중규모 공급관 이용
　② 일체형

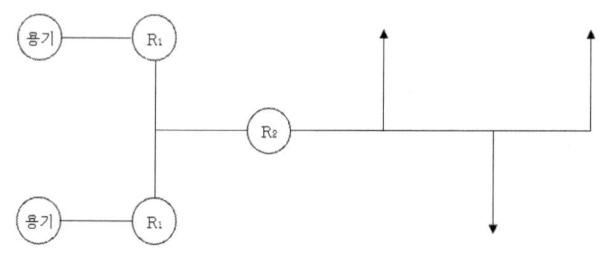

㉠ 고압 → 저압
　　㉡ 소규모 공급관 이용

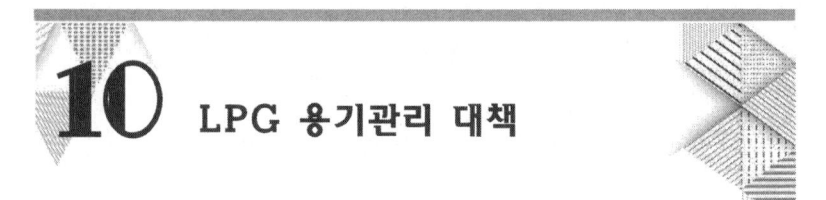

10 LPG 용기관리 대책

1. LPG 용기관리 문제점
　　① LPG 용기 소유 주체 복잡
　　　충전소, 판매소, 소비자 등 용기 소유 주체 복잡
　　② LPG 용기 개수 파악 곤란
　　　소유 주체 뿐만 아니라 유통 중인 용기 개수 파악 힘듦

2. 효율적인 관리방안
　　① 브랜드화
　　　㉠ 충전소, 판매소 마다 특정 마크 도색
　　　㉡ 타 충전소 유통 금지
　　② RFID LPG 용기 이력관리제 : 하기참조

3. 무선 주파수 인식 기술(RFID)
　　무선 주파수 인식 기술(RFID) 참조

11 LPG 유통구조 문제점, 개선방안

1. 개요
   ① 최근동향
      도시가스 공급 확대 ─┐→ LPG 판매실적↓
      LPG 업계 과다경쟁 ─┘
   ② 해결방안 : LPG 유통구조 개선 → 가격경쟁력 확보

2. 문제점 및 개선방안
(1) 공급자 측면
   ① 문제점
      ㉠ 업소 난립 → 과다경쟁
      ㉡ 고시 가격제 → 기업이윤 한계
      ㉢ 도시가스와 형평성 상실
      ㉣ 책임 공급의식 결여
      ㉤ 수송효율 저하
      ㉥ 지나친 행정 규제
   ② 개선방안
      ㉠ 과다경쟁 해소 대책
         ⓐ 업소 신규허가 억제
         ⓑ 계열화, 직영화 → 과다경쟁 해소
      ㉡ 정책적인 이윤 보장
      ㉢ 도시가스와의 차별화 정책 수립 필요
      ㉣ 지역별 책임공급제 실시

　　　　◎ LPG 판매점, 충전소 통합을 통한 배송센터 도입
　　　　ⓑ 자율안전관리제도 정착

　(2) 사용자 측면
　　① 문제점
　　　　㉠ 사용불편
　　　　㉡ 정량화 시비
　　　　㉢ 배달기피와 불친절
　　　　㉣ 가스사고에 대한 불안감
　　② 개선방안
　　　　㉠ 배관 설치 의무화
　　　　㉡ 체적판매제 실시
　　　　㉢ 계획 배달제, 휴일 배달제 실시
　　　　㉣ 실질적인 점검, 홍보활동 강화

　3. 배송센터
　　① 기존 시스템
　　　　㉠ 유통구조 : 에너지 수입사 → 충전소 → 판매점 → 소
　　　　　비자
　　　　㉡ 문제점 : 다단계 소비구조 → 비용 상승
　　② 배송센터 시스템
　　　　㉠ 유통구조 : 에너지 수입사 → 충전소, 판매점 통합 →
　　　　　소비자
　　　　㉡ 장점
　　　　　ⓐ 유통구조 축소 → 비용 절감
　　　　　ⓑ 건전한 경쟁환경 조성
　　　　　ⓒ LPG 브랜드 형성
　　　　　ⓓ 적극적인 신규소요 개발

12 액 분사식 LPG 자동차

1. 기존 LPG 엔진(LPGi 엔진 : Liquefied Petroleum Gas Injection)
   ① 원리 : 액상 LPG → 기화 → 공기 혼합 → 엔진 공급
   ② 문제점
      ㉠ 동절기 시 액상 LPG 기화 문제 발생 → 시동불량
      ㉡ 연비 성능↓
      ㉢ 엔진 출력↓
      ㉣ 역화 현상 발생
      ㉤ 타르 발생

2. 액 분사식 LPG 엔진(LPLi 엔진 = LPi 엔진)
   ① 원리 : 액상 LPG → 직접 분사 → 엔진 공급
   ② 특징
      ㉠ 동절기 시 시동불량 문제 無
      ㉡ 연비 성능↑
      ㉢ 엔진 출력↑
      ㉣ 역화 현상 無
      ㉤ 타르 발생 無
   ③ 단점
      ㉠ 엔진 시스템 소프트웨어 복잡
      ㉡ 제어 소프트웨어 개발 필요

3. LPLi 엔진(LPi 엔진) vs LPGi 엔진

구분	LPLi 엔진 (= LPi 엔진)	LPGi 엔진
① 연료분사 시스템	액상 LPG	기상 LPG
② 연료 공급장치	구조 복잡	구조 간단
③ 분사압력	고압 → 안전장치 필요	저압
④ 펌프	상시 작동 → 소음 → 내구성 불리	저온 시에만 작동 → 소음↓ → 내구성 유리
⑤ 적용차종	현대·기아차, 삼성차	대우차

13 LPG 품질검사

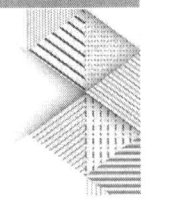

1. 검사 대상 및 시기
　① 대상
　　㉠ 석유정제 사업자
　　㉡ 석유수출입 사업자
　　㉢ 석유제품 판매자
　　㉣ 생산공장, 수입기지
　② 시기
　　㉠ 생산단계 : 정기적인 자체검사
　　㉡ 유통단계 : 불시 수시검사(연중)

2. 검사 항목
　　① 조성 : C_3, C_4 탄화수소 등
　　② 증기압 : 40℃ 기준
　　③ 잔류물질 : 0.05 mL↓
　　④ 황분 : 200 ppm↓
　　⑤ 동판 부식 : 1개소↓
　　⑥ 밀도 : 550 kg/m^3 전후
　　⑦ 수분 : 존재 여부

3. 향후 과제
　　① 품질검사 기준 고시
　　② 충전소 등급제 확대 시행
　　③ 품질저하 신고체계 활성화
　　④ 품질검사 공무원간 정보공유 채널 확대

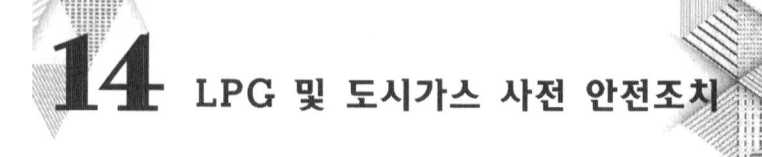

14 LPG 및 도시가스 사전 안전조치

1. 사전 안전조치 목적
　사용 전 실시 → 설비 이상 유무 확인 → 연소기 가동 → 안전 확보

2. 사전 안전조치 기준
　　① 누출 유무 점검
　　　가스배관 연결부 → 검지기, 비눗물 이용

② 환기장치 점검
　　㉠ 가스누출검지기와 연동 상태 점검
　　㉡ 전원 연결 상태 점검
　　㉢ 예비전원 연결 상태 점검
③ 가스누출 검지경보기 점검
　　㉠ LPG : 바닥에서 30cm 이내 설치 여부
　　㉡ LNG : 천장에서 30cm 이내 설치 여부
④ 사용 후 조치
　　㉠ 밸브 차단 조치
　　㉡ 누출 유무 재확인

 LPG 자동차용 퀵커플러

1. LPG 자동차용 퀵커플러(Quick coupler) 개념

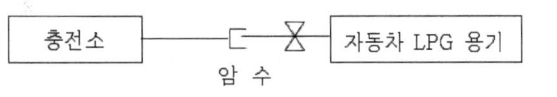

| 충전소 | 자동차 LPG 용기 |

암　수

LPG 충전 시, 충전호스와 LPG 용기 주입구 결속 안전장치

2. 구조
① 구성
　　㉠ 암 퀵커플러 : 본체 + 노즐
　　㉡ 수 퀵커플러 : 본체 + 노즐 + 밸브
② 결속 구조 : 확실히 결속 → 누출 없는 구조
③ 자동, 신속 폐쇄 : 퀵커플러 분리 시 → 자동으로 신속히

폐쇄

④ 유효면적 : 암, 수 퀵 커플러 모두 액체 흐름에 지장 없는 유
효면적 보유

3. 성능기준
① 스프링 기준 : 스프링 하중 및 전단응력 기준범위 내 설계
② 내압 시험 : 연결 상태에서 수압, 유압 이용 가압 → 이상
팽창, 누출 없어야 함
③ 기밀 시험 : 연결 상태에서 공기, 불활성가스 이용 가압
→ 누출 없어야 함
④ 밸브시트 패킹 : 암, 수 각각에 대하여 공기, 불활성가스
이용 가압 → 밸브시트 패킹 누출 없어야 함

16 차단기능형 LPG 용기밸브

1. 도입배경
① LPG 용기에 의한 고의사고
방지
② 대규모 시위현장 LPG 용기
사용 방지
③ 용기 교체 중 부주의에 의한
사고 방지
④ 고령자 오조작에 의한 사고 방지

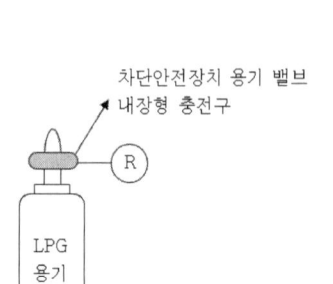

차단안전장치 용기 밸브
내장형 충전구

2. 구조
　① 내장 구조
　　㉠ 차단안전장치 용기밸브 충전구 내장 구조
　　㉡ 기존밸브 보다 충전구 14mm 길다
　② 유로 차단 구조 : 조정기 분리 시 밸브 개폐여부와 상관없이 유로가 차단되는 구조

3. 장단점

장점	단점
① 고의사고 방지 ② 용기 교체시 누설방지 ③ 사용자 부주의 사고방지	① 고가 ② 충전시간 길다 ③ 호스 절단, 분리 시 무용지물

17 푸드 트럭 가스시설

1. 최근 동향
　① 관련 기준 개정
　　음식 판매용도의 푸드 트럭내 LPG 시설에 대한 기준 개정 → 가스사고 예방 가능
　② LPG 특정시설 완성검사
　　푸드 트럭 LPG 가스 사용자 → 한국가스안전공사로부터 LPG 특정시설 완성검사 합격 후 사용 가능

2. 설치 기준

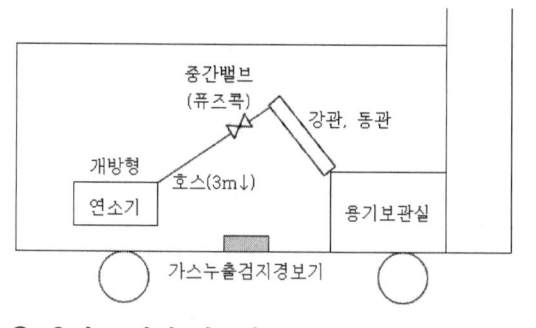

① 용기 보관실 의무화 : LPG 용기 보관 대수에 따라 크기 결정
② 강관, 동관 시공 : 용기 보관실에서부터 중간밸브까지 시공
③ 중간밸브 : 중간밸브는 퓨즈콕으로 시공
④ 호스길이 : 3m 이내로 시공
⑤ 가스누출검지경보기 설치 의무 : 가스 검지 → 경보 → 즉각 대응
⑥ 연소기 : 개방형으로 시공

18 LPG 소형 저장용기 안전관리 문제점 및 대책

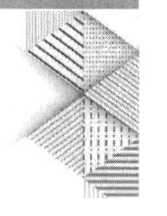

1. 개요
캠핑 문화 발전 → LPG 소형(3kg, 5kg) 저장용기 사용량↑

2. 문제점
① 개인 자동차 용기 운반시 법규 위반
② 주기적 안전점검 미이행(1회/반기)

③ 불법 용기 충전

④ LPG 실내 보관시 사고 위험↑

3. 대책

　① 사용자 중심 안전대책 도입

　　㉠ 5kg 이하 LPG 용기 레저용 유통 허가

　　㉡ 사용자 직접 구매시 공급의무 대상 제외

　　㉢ 이동식 프로판 연소기 제조, 판매 허용

　② 안전 강화

　　㉠ 레저용 LPG 용기에 원터치 방식 커플링 v/v, 차단형 v/v 의무화

　　㉡ 용기 외면에 '실외용', '실내 보관 금지' 등 주의사항 표시 의무화

19 이동형 부탄 용기 사고

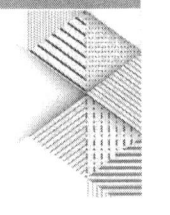

1. 이동형 부탄 용기

　① 특징

　　㉠ 접합용기　㉡ 1L 이하　㉢ 재충전 금지　㉣ 1회용

　② 최근 동향

　　야외활동, 음식점 등 사용량↑ → 폭발 사고↑

2. 사고 발생 유형

　① 화기 주변 사용 → 용기 부피팽창 → 폭발

② 구멍 뚫지 않고 폐기 → 소각 시 폭발

③ 장착 불량 → 사용시 폭발

④ 과대 불판 사용 → 용기 과열 → 폭발

3. 안전장치

　① 원리 : 용기 내압 상승 → 폭발 방지장치 작동 → 압력
　　해소 → 폭발방지

　② 종류 : 스프링식 안전밸브, CRV, RVR 등

20 LPG 저장탱크 안전대책

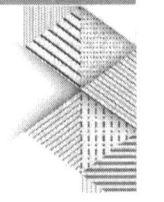

1. 개요

　① 개념 : 저장하고자 하는 물질의 증기압이 높은 경우에 사
　　용하는 탱크(압력탱크)

　② 종류

　　㉠ 원통형 저장탱크

　　㉡ 구형 저장탱크

　　㉢ 타원형 저장탱크

　③ 저장물질

　　LPG, 에틸렌, 암모니아 등 압력이 높은 가스 저장

2. LPG 저장탱크의 안전대책(안전상 고려사항)

　이방안보통지과정소낙불감긴계예환 + 봉차불억배안

21 LPG 화재시 상황별204) 조치 및 진압대책

1. 개별 사용장소 화재

① 가스 공급 차단

가스누설검지기 → 경보, 자동긴급차단밸브 작동

② 체류 주의

LPG 비중 > 공기 비중 → 낮은 장소 체류 주의

③ 점화원 제거

누설되어도 점화원 없을시 → 화재 발생 방지

④ 환기

가스누설검지기 → 환기설비 작동 → LFL의 25% 미만
유지

⑤ 용기 냉각

용기 안전밸브 작동 시 → 용기본체 주수 → 냉각

2. 다량 취급장소 화재

① 안전변 작동시

㉠ 신속한 설비 사용 중지

㉡ 화기제거

㉢ 출입금지

㉣ 환기, 통풍

---

204) [암기] 개다충
    - LPG 화재 상황별 구분 : 개별 사용장소 화재, 다량 취급장소 화
    재, 충전소 화재

② 밸브 글랜드부 누설시
　　㉠ 신속한 밸브 close
　　㉡ 화기제거
　　㉢ 출입금지
　　㉣ 살수, 냉각

3. 충전소 화재
　① 탱크 본체 누설시
　　㉠ 화기제거
　　㉡ 출입금지
　　㉢ 가스 이송, 배출
　　㉣ 살수, 냉각
　② 배관 누설시
　　㉠ 가스누설검지기 → 경보, 자동긴급차단밸브 작동
　　㉡ 환기, 통풍

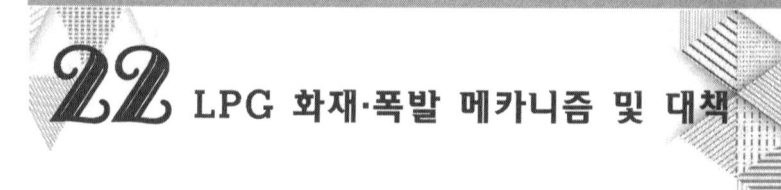

22 LPG 화재·폭발 메카니즘 및 대책

1. 개요
LNG vs LPG

2. LPG 화재 메카니즘
증풀제플 메카니즘

3. LPG 폭발 메카니즘
   ① 누출 : 증발하여 LPG 가스 저부로 이동(공기보다 무겁다)
   ② 혼합 : 공기와 혼합하여 가연성혼합기 형성
   ③ 폭발 : 점화원(MIE↑, 최소발화온도↑)에 의해 점화 → 폭발

4. 가스화재 대책(소방대책)
   ① 가연물 관리 : 배배접탱이내취안유
   ② 산소 관리 : M불
   ③ 점화원 관리 : 기전열정자

5. 가스폭발 대책
   ① 물리적 폭발 : 온압용부
   ② 화학적 폭발
      ㉠ 예방대책 : 가불점
      ㉡ 폭발방호 대책 : 봉차불억배안

제7장

도시가스

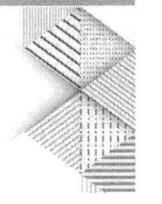

1 LNG 저장탱크 종류

1. 설치위치에 따른 종류(LNG, LPG 공통)[205)]

구 분	지상식	지중식	지하식
설치위치	지반기초 위	지중 흙	지하 암반
구성	내조 + PSC	내조 + PSC	LRC System
규모	10만 kl	10만 kl	제한없음
입열	바닥, 벽 → 입열↑	바닥 → 입열 중간	입열 거의 없음
안전성	LNG 누출위험 有	LNG 누출위험 有	LNG 누출위험↓
보안성	테러, 지진, 해일 취약	테러, 지진, 해일 취약	매우 양호
환경친화	불리	양호	매우 양호

2. 방호형식에 따른 종류[206)]

구 분	단일방호식	2중방호식	완전방호식
구성	내조	내조 + 외조	내조 + 초저온 외조
내·외조 사이공간	-	1 ~ 2m	사이공간 없음.

---

205) 암기 상중하
- LNG 저장탱크 설치위치에 따른 종류 : 지상식, 지중식, 지하식

206) 암기 단2완
- LNG 저장탱크 방호형식에 따른 종류 : 단일방호식, 2중방호식,
완전방호식

구 분	단일방호식	2중방호식	완전방호식
기능	LNG 저장	㉠ LNG 저장 ㉡ 누설시 증발가스 대기중 방출	㉠ LNG 저장 ㉡ 누설시 증발가스 탱크내부로 환입

2 LNG 맴브레인 저장탱크

1. 개요

　① 초극저온 가스(-162℃) → 저장탱크 신축 발생 → 강도↓

　② 멤브레인, PSC 시공 → 신축흡수, 기밀유지

2. 멤브레인 저장탱크 구조 및 특징

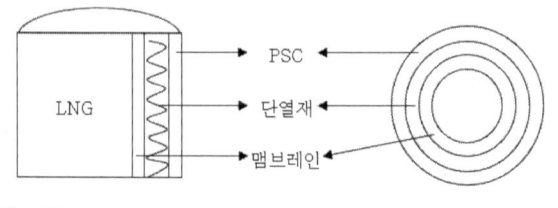

　① 내조

　　㉠ 멤브레인 설치

　　㉡ 두께, 재질 : 1.2mm↑ STS Plate(주름식, 판형)

　② 보냉공간

　　㉠ 단열재 설치

　　㉡ 두께 : 30cm↑

③ 외조
　　⊙ PSC(Prestressed Concrete) 설치
　　ⓒ 재질 : 강현 콘크리트 + 강철 케이블

3. 멤브레인 및 PSC 특징
　① 멤브레인
　　⊙ 설치 위치 : 저장탱크 내부접촉 부위에 설치
　　ⓒ 역할 : 온도변화 → 수축, 팽창 → 신축흡수 → 탱크 기밀유지
　② PSC
　　⊙ 일반 콘크리트 특성
　　　압축강도↑, 인장강도↓
　　ⓒ PSC 특성
　　　ⓐ 강현 콘크리트 → 압축강도↑
　　　ⓑ 강철 케이블 → 인장강도↑

３ 멤브레인 용접부 암모니아 검사

1. 목적
　탱크 기밀시험 실시 전, 멤브레인 용접부 기밀성 시험 → 용접결함 조사, 보수

2. 암모니아 검사 공정
　① 건조 단계

⑦ 보냉공간 진공 : 대기압↓ 퍼지(진공펌프 사용)
　　　ⓒ 내조 건조 : 질소 공급 → 단열공간 내 수분 제거
　　　ⓒ 소기 및 건조 : 건조 위해 반복
　　② 암모니아 시험 단계
　　　⑦ 내조 내부 습도 30%↓ 시 → 질소 + 암모니아 혼합가
　　　　스 주입 → 10 mbar 유지
　　　ⓒ 내부 멤브레인 용접부에 검지도료 도포
　　　ⓒ 용접결함부 황색 → 청색, 보라색 변색
　　③ PT 단계
　　　암모니아 시험 종료 후 → PT 시험 실시 → 결함 없을
　　　시 검사 합격

4 LNG 저장탱크 시운전

1. 개요
　저장탱크 모든 시험 종료 → 내부 청소 → 시운전 실시

2. 시운전 절차[207]
　① 불활성화
　　⑦ 가연성혼합기 폭발범위 내 형성 방지(질소가스)
　　ⓒ 산소 농도 : 탱크 체적의 2% 이내

---

207) **암기** 불건소냉냉펌충
　　- LNG 저장탱크 시운전 절차 : 불활성화, 건조, 소기·건조, 냉각,
　　냉각운전, 펌프 운전시험, 충전

② 건조
    ㉠ 냉각 시 얼음, 수화물 형성 방지
    ㉡ 질소가스 주입 → 내부 수분 제거
③ 소기·건조
    ㉠ 질소가스 주입 → 보냉공간 내 암모니아 농도 0.05%↓,
       산소 농도 2%↓, 이슬점 12℃↓ 유지
    ㉡ 질소가스 압력 : 3kg/cm2G
④ 냉각
    질소가스 주입 → 탱크 냉각 → 초저온 조건(1.17 kg/cm^2,
    -159℃) 형성
⑤ 냉각운전
    ㉠ LNG → 탱크 내 이송(약 24 시간 진행)
    ㉡ 충전레벨 : 3~4m(펌프 운전시험 가능 레벨)
⑥ 펌프 운전시험
    LNG 충전 전 펌프 작동상태 확인
⑦ 충전
    ㉠ 탱크 하부, 혼합라인 이용 충전
    ㉡ BOG 압축기 조정 → 탱크 내압 제어

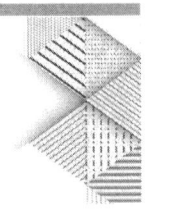

LNG 저장탱크 구비조건 및 단열대책

1. LNG 개요
    ① 정의 : 천연가스 → 상압, -162℃ 냉각·액화 가스
    ② 주성분 및 반응식

㉠ 주성분 : CH_4

　　　㉡ 반응식 : $CH_4 + 2O_2 \rightarrow CO_2 + 2H_2O$

　③ 문제점

　　　㉠ 극저온 액화가스 폭발

　　　㉡ 부압형성

　　　㉢ Roll over

　　　　→ 발생 가능 → 적합한 화재·폭발 대책 수립 필요

2. LNG 저장탱크 구비조건[208]

　① 보냉성

　　　㉠ 초극저온 내구력 보유

　　　　초극저온 가스 → 저장탱크 신축 발생 → 강도↓

　　　㉡ 열 유입 방지

　　　　입열 → LNG 온도↑ → 기화 → 압력↑ → 폭발

　② 기밀성

　　　㉠ 습기, 공기 침입 방지

　　　㉡ BOG 유출 방지

　③ 내압

　　　BOG 발생 → 내압↑ → 내압 견딜 수 있는 충분한 구조

　④ 액 하중

　　　저장되는 액화가스 중량에 충분한 안전율 고려

3. LNG 저장탱크 단열대책

(1) 단열 기준

　① 적절한 성능의 단열재 시공

---

208) 암기 보기내액
　　- LNG 저장탱크 구비조건 : 보냉성, 기밀성, 내압, 액 하중

단열재 성능 부족 → 입열↑ → LNG 온도↑ → 기화 → 압력↑ → 폭발

② 외부 화재에 대한 열전달 제한

(2) 단열법

① 상압, 진공식 단열법[209]

종류		설명
상압 단열법		㉠ 단열공간 단열재(분말, 섬유) 충진 ㉡ 多 사용
진공식 단열법	고진공	㉠ 10-3 ~ 10-4 Torr↓ ㉡ 보온병
	분말진공	㉠ 단열공간 미세분말 충진→압력↓→분말지름↑→진공단열효과↑ ㉡ 공업용, 대형 저장탱크
	다층진공	㉠ 단열공간 알루미늄 박판 + 그라스울 다수 ㉡ 초저온용, 5~10 Torr

② 바닥, 천장, 벽체 단열법

종류	설명
바닥 단열법	㉠ 철재, 콘크리트 탱크 : 폼 그라스 + 펄라이트 콘크리트 ㉡ 맴브레인 탱크 : 경질 PVC 우레탄 폼
천장 단열법	㉠ 돔 형식 탱크 : 펄라이트 ㉡ 펄라이트 흘러내림, 수축팽창 대비 : 글라스 울 시공
벽체 단열법	㉠ 펄라이트 + 스티프너 + 유리솜 브라켓 ㉡ 펄라이트 밀도 : 50 kg/m² ↑

---

209) 암기 고분다
- LNG 저장탱크 진공식단열법 종류 : 고진공, 분말진공, 다층진공

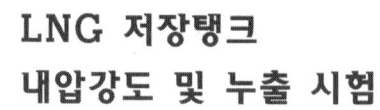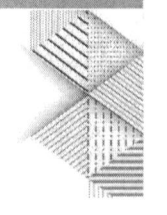

6 LNG 저장탱크 내압강도 및 누출 시험

1. 개요

내압강도 시험 → 내압강도 확인

누출 시험 → 기밀유지 확인

2. 내압강도 시험

(1) 종류

구 분	지상식	지중·지하식
① 충수시험	의무적 실시	미실시
② 기압시험	선택적 실시	의무적 실시

※ 충수 및 기압 시험 모두 설계시방서에 따라 실시

(2) 종류별 시험방법 및 합격기준

① 충수시험

㉠ 시험방법 : 설계 액두압 수위 × 1.25배 이상 높이까지 water filling

㉡ 합격기준 : 변형 등 이상 없어야 함

② 기압시험

㉠ 시험방법

ⓐ 지상식 : 최고사용압력 × 1.25배↑ 가압

ⓑ 지중·지하식 : 최고사용압력 × 1.5배↑ 가압

㉡ 합격기준 : 변형, 누출 없어야 함

3. 누출 시험

(1) 종류

구 분	지상식	지중·지하식
① 기밀시험	병행 또는 선택적 실시	
② 진공누출시험		

※ 기밀 및 진공누출 시험 모두 설계시방서에 따라 실시

(2) 종류별 시험방법 및 합격기준

① 기밀시험

　　㉠ 시험방법

　　　　ⓐ 지상식 : 최고사용압력 × 1.25배↑ 가압

　　　　ⓑ 지중·지하식 : 최고사용압력 × 1.5배↑ 가압

　　㉡ 합격기준 : 용접부 비눗물 도포 → 누설 없어야 함

② 진공누출시험

　　㉠ 시험방법 : - 400 mmHg↓ 진공 걸어줌

　　㉡ 합격기준 : 용접부 비눗물 도포 → 누설 없어야 함

7 LNG 저장탱크 보호설비

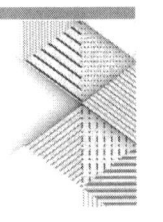

1. LNG 저장탱크 위험성

① 극저온 액화가스 폭발 : 입열 → LNG 온도↑ → 기화 →
압력↑ → 파열 → 극저온 액화가스 폭발

② 부압 형성

　㉠ 저장물질의 급격한 배출시

ⓒ 갑작스런 탱크 냉각시

　　　　→ 내부 압력 < 외부 압력 → 부압(진공) 형성

　　③ Roll Over 발생

　　　LNG 저장탱크 내 밀도층 반전현상 발생 → 급격한 BOG(Boiled Off Gas) 발생 → 탱크내압↑ → 탱크손상 및 하역설비 파손

2. 보호설비 종류(안전대책)

　　① 화재·폭발 방지 설비 : <u>이방안보통지과정소낙불검긴계예환</u>

　　② 내부반응 감시설비 : <u>계경예산기록</u>

　　③ 부압방지 설비 : <u>압경진균냉송</u>

　　④ Roll Over 방지대책 : <u>LJ입단</u>

　　⑤ 단열 대책 : ⊙ 단열기준　ⓒ 단열법

LNG 저장탱크 가열시스템

1. 개념

LNG 저장탱크 하부 온도↓ → Ice Lens 형성 → 성장 → 탱크와 설비간 unbalance 발생

　　① 아이스렌즈(Ice Lens) 형성 메카니즘

　　　⊙ 아이스렌즈 형성 : LNG 저장탱크 하부 온도↓ → 서리 발생 → 지반 내 아이스렌즈 형성

　　　ⓒ 탱크-설비 unbalance : 아이스렌즈 성장 → 팽창력↑ → 탱크와 설비간 unbalance → 탱크, 설비 손상 및

화재·폭발 발생

2. Ice Lens 형성 방지대책(가열시스템 설치 및 운전 기준)
　① 가열시스템 역할 : 기준 온도↓ 시 → 가열시스템 작동 →
　　아이스렌즈 형성 방지
　② 열원
　　㉠ 전기, 열매체
　　㉡ 연속, 불연속 온도 제어
　　㉢ 자동 On/Off 시스템에 의해 작동(특히 전기 열원)
　　㉣ 온도 제어 범위 : 5 ~ 10℃
　③ 온도 센서

　　㉠ 많은 센서 분산 설치
　　㉡ 필요시 벽체용 센서 설치
　　㉢ ┌ 경보(저온, 고온용) 장치 연동
　　　　└ 가열시스템 제어장치 연동
　④ 온도 제어
　　㉠ 상시 제어
　　㉡ 저온, 고온 기준 설정 → 범위 내 운전
　　㉢ 탱크 누출 → 급격한 온도 강하 → 감시시스템 역할
　　　가능

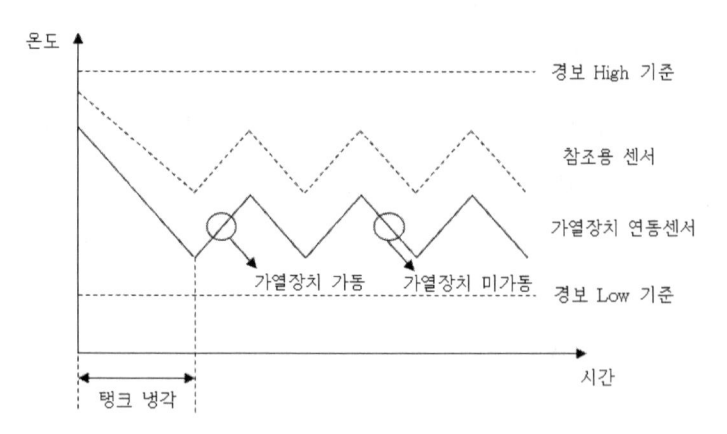

⑤ 비정상 상황 인지
　㉠ 정상 사이클의 변화
　㉡ 동력 소비량의 급격한 증가

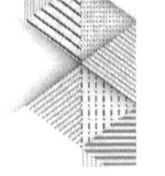

⑨ Boiled Off Gas

1. BOG 개요
　① 개념 : LNG 저장 온도 -162℃ → 입열 → 내부 온도↑
　　　→ 기화 → BOG 발생 → 탱크 파열, 폭발
　② 문제점 : LNG 탱크 하역작업시 → BOG 발생량 3.5배 증가
　　　→ 압력 상승 속도 > 압력 배출 속도 → 탱크 파열

2. 발생원인
　① 입열
　　㉠ 펌프, 배관, 트랩, 하역설비로부터의 입열

ⓒ 입열 → 내부 온도↑ → 기화 → BOG 발생↑
② 압력 저하
    탱크 운전 압력↓ → 기화 → BOG 발생↑
③ Roll over 발생시
    상층 밀도 > 하층 밀도 시, 상·하층 반전 → 급격한 혼합
    → BOG 발생↑

3. 방지대책[210]
    ① 단열강화
        ㉠ 보냉재 보강 시공, 탱크 외벽 설치
        ㉡ 열유입에 의한 BOG 발생율 0.1%/day 이하 설계
    ② 압력 저하 방지
        하역운전 시 BOG 압축기 가동대수 정상운전시의 2배 이상
    ③ Cooling Down
        LNG 충전 전 → 탱크 내벽 충분한 Cooling Down 후 →
        충전 실시
    ④ 액면 높게 유지
        평소 운전 시 액면 높게 유지
    ⑤ Roll over 방지
        ㉠ LNG 조성범위 제한
            ⓐ LNG 밀도에 따라 하역
            ⓑ 밀도차 10 kg/m3 초과시 하역 금지
        ㉡ Jet 노즐 사용
            인입 LNG 와 잔류 LNG 혼합 → 밀도층 형성 방지

---

210) 암기 단압Cool액Roll
    - BOG 방지대책 : 단열강화, 압력 저하 방지, Cooling Down, 액
    면 높게 유지, Roll over 방지

ⓒ 탱크 상·하층 입구 분리
　　　　ⓐ 중질 LNG : 상부 주입 ⌐
　　　　ⓑ 경질 LNG : 하부 주입 ⌐ → 자연교반

4. 처리방법
　　① Cascade 방식 : 냉각 → 재액화
　　② Compressor : 승압 후 사용처로 공급
　　③ Flare stack : 소각처리
　　④ Vent stack : 안전밸브 배출 → 희석 후 배출

10 Roll Over

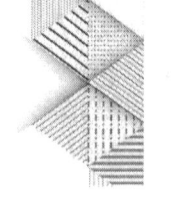

1. Roll Over(LNG 탱크 하역작업) 개념
　　LNG 저장탱크 내 밀도층 반전현상 발생 → 급격한
　　BOG(Boiled Off Gas) 발생 → 탱크내압↑ → 탱크손상 및
　　하역설비 파손

2. 메카니즘[211]

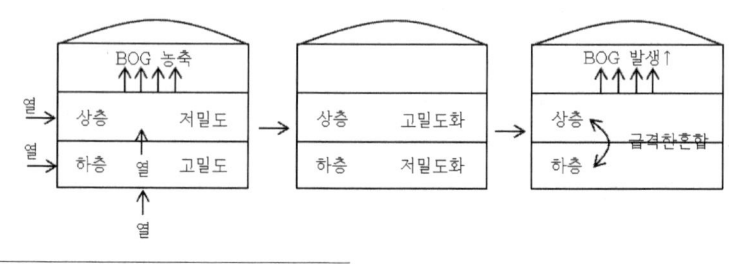

211) 암기 밀입액밀
　　　- Roll Over 메카니즘 : 밀도층 형성, 입열, 액밀도 증감, 밀도층
　　　　반전

① 밀도층 형성

　　㉠ 중질 및 경질 LNG 동일 탱크 저장

　　㉡ 교반 설비 無

② 입열

　　㉠ 상층 : 측벽, 하층으로부터 입열 → BOG 발생, 농축

　　㉡ 하층 : 상층액 가압조건 하 → 측벽, 바닥으로부터 입열

③ 액밀도 증감

　　㉠ 상층 : 액밀도↑ → 고밀도화

　　㉡ 하층 : 액밀도↓ & 열에너지 축적 → 저밀도화

④ 밀도층 반전

　　상층 밀도 > 하층 밀도 시, 상·하층 반전 → 급격한 혼합
　　→ BOG 급격히 발생 → LNG 탱크 내압↑ → 탱크 손상
　　및 하역설비 파손

3. 대책212)

① LNG 조성범위 제한

　　㉠ LNG 밀도에 따라 하역

　　㉡ 밀도차 10 kg/m3 초과시 하역 금지

② Jet 노즐 사용

　　인입 LNG 와 잔류 LNG 혼합 → 밀도층 형성 방지

③ 탱크 상·하층 입구 분리

　　중질 LNG : 상부 주입

　　경질 LNG : 하부 주입

　　→ 자연교반

---

212) 암기 LJ입단
　　- Roll Over 대책 : LNG 조성범위 제한, Jet 노즐 사용, 탱크 상·
　　하층 입구 분리, 단열 강화

④ 단열 강화
　　㉠ 보냉재 보강 시공, 탱크 외벽 설치
　　㉡ 열유입에 의한 BOG 발생율 0.1%/day 이하 설계

 **LNG 기화특성 중 온도에 따른 비중변화 및 백운상태**

1. LNG 백운상태
　① LNG 정의 : 천연가스 → 상압, -162℃ 냉각·액화 가스
　② 백운상태 발생 원리
　　㉠ LNG 누출 시 상변화

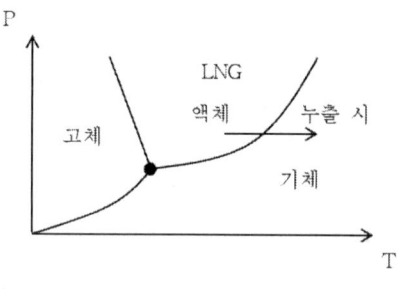

　　　액상 LNG 누출 → 주위 현열로부터 입열 → 기상
　　　LNG로 상변화 시 증발잠열 흡열 → 기상 LNG
　　㉡ 백운상태 발생 메카니즘
　　　증발잠열 흡열 시 → 주위 공기 냉각 → 공기 중 수분
　　　빙점↓ 하얗게 서리 발생 → 누설상태 육안 확인 가능

2. 온도에 따른 비중변화

　① 비중변화 : 액상 LNG 누출 → 주위 현열로부터 입열 →
　　$T\uparrow$ → $\rho\downarrow$ → 증기비중$\downarrow$

　　[참고] 이상기체 상태식 : $PV = nRT$, $\rho = \dfrac{M}{V}$　∴$\rho\downarrow = \dfrac{PM}{nRT\uparrow}$

　　증기비중$\downarrow$: $\dfrac{\text{증기밀도}\downarrow}{0\,℃,\,1atm\ \text{공기의 밀도}}$

　② UVCE 발생 : 누확大폭F

12 수화물(Hydrate) LNG 탈수 공정

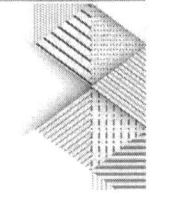

1. 수화물(Hydrate) 정의
　LNG 중 미량 수분 존재 → LNG 기화 시 증발잠열 발생 →
　얼음(수화물) 생성 → 설비 Trouble 발생

2. 수화물에 의한 영향[213]
　① 배관 부식 촉진
　② 펌프 파손
　③ 가스 계량기 파손
　④ 스트레이너, 관 막힘 현상 발생
　⑤ 열교환기 등 작은 통로 막힘

---

213) 암기 배프가스열정
　　- 수화물(Hydrate)에 의한 LNG 설비 영향 : 배관 부식 촉진, 펌
　　프 파손, 가스 계량기 파손, 스트레이너·관 막힘 현상 발생, 열교
　　환기 등 작은 통로 막힘, 정압기 고장 발생(동결 등)

⑥ 정압기 고장 발생(동결 등)

3. 방지대책(탈수 방법)[214]

① 수분 제한 : 15℃, 1atm에서 LNG 10m3 당 수분량 100g
전후로 제한

② 단순 팽창 냉동법 : 줄-톰슨 효과 이용 → 천연가스 내
수분 → 얼음상태로 분리, 제거

③ 흡착법 : 트리에틸렌글리콜(액체), Molecular sieve(고체)
이용 → 천연가스 내 수분 흡수, 흡착

13 LNG 화재시 상황별 조치 및 진압대책

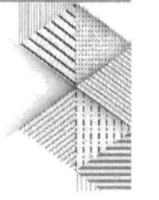

1. LNG 화재시 상황별 조치 및 진압대책[215]

① 대구경, 고압 관 화재시

㉠ 소화 곤란 : 화염 높이 8m 이상 → 소화 곤란

㉡ 가연물 제거 : 주위 가연물 제거 → 연소 저지

② 소구경, 저압 관 화재시

㉠ 소화 : ⓐ 고압 봉상방수, 분무방수 ⓑ 분말소화약제

㉡ 배관 막음 조치 : 고무공, 나무말뚝, 점토 등 이용

---

214) 암기 수단흡
- LNG 설비 수화물(Hydrate)에 의한 영향 방지대책 : 수분 제한,
단순 팽창 냉동법, 흡착법

215) 암기 대소2가
- LNG 화재시 상황별 구분 : 대구경·고압 관 화재시, 소구경·저압
관 화재시, 2차 화재 방지, 가스중독 방지

③ 2차 화재 방지
　㉠ 가스분출 방지
　　소화 전후 가스공급 밸브 패쇄 → 가스분출 방지 →
　　2차 화재 방지
　㉡ 주위 가연물 제거
　　주위 가연물 제거 → 2차 화재 방지
④ 가스중독 방지
　소화 후 → CO 등 고농도 유해가스 유동 우려 有 → 환기, 통풍

14 LNG 화재·폭발 메카니즘 및 대책

1. LNG 화재·폭발 메카니즘

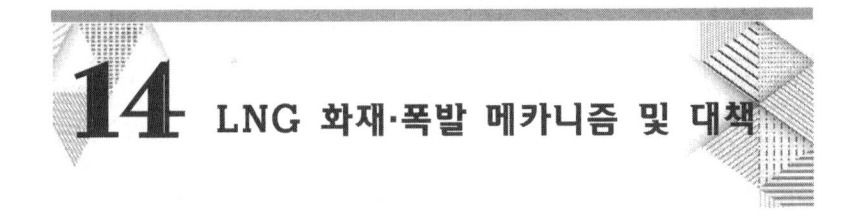

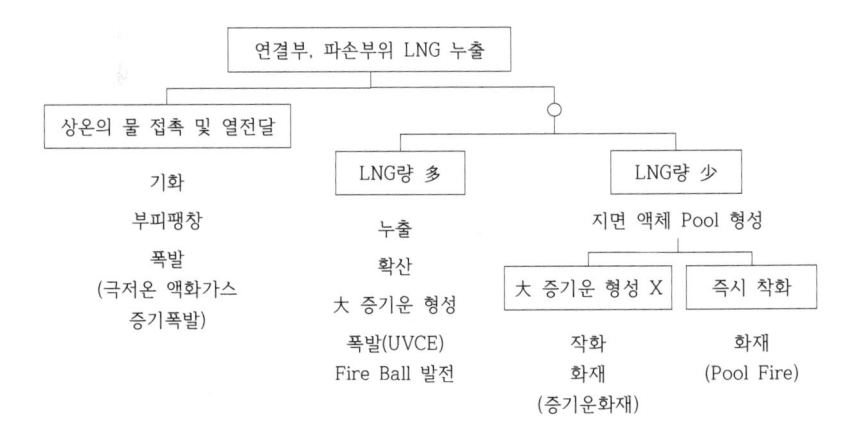

2. 가스화재 대책(소방대책)

  ① 가연물 관리 : 배배접탱이내취안유

  ② 산소 관리 : M 불

  ③ 점화원 관리 : 기전열정자

3. 가스폭발 대책

  ① 물리적 폭발 : 온압용부

  ② 화학적 폭발

    ㉠ 예방대책 : 가불점

    ㉡ 폭발방호 대책 : 봉차불억배안

15 LNG 기화장치(Vaporizer)[216]

1. 해수식

  ① 원리

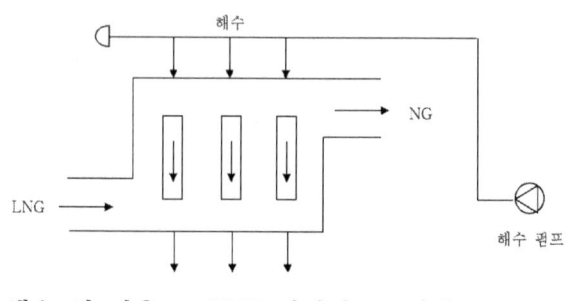

해수 열 이용 → LNG 열전달 → 기화

---

216)  해수중
     - LNG 기화장치 종류 : 해수식, 수중 버너식, 중간 열매체식

② 장단점

장점	단점
㉠ 보수, 점검 용이 ㉡ 운전비↓ ㉢ 설비 안전성↑ ㉣ LNG 수입기지에 　　적합	㉠ 해수중 미생물 번식 성장 　　→ 해수 흐름 방해 　　→ Tube 부식 우려↑ 　　→ 대책 : 염소 주입 ㉡ 동절기 → 해수온도↓ 　　→ 열전달↓ → 수요처 증가시 　　→ 수중 버너식 기화기 운전 필요

2. 수중 버너식

① 원리

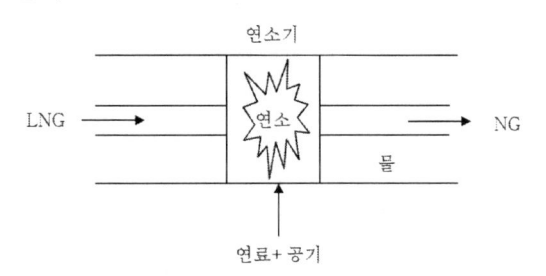

수중 연소열 이용 → 물 열전달 → LNG 열전달 → 기화

② 장단점

장점	단점
㉠ 초기 설치비↓ ㉡ 빠른 기동 가능 ㉢ 부하변동 유연성↑ ㉣ Peak Shaving 목적에 적합	연료 사용 → 운전비↑

3. 중간 열매체식
① 원리

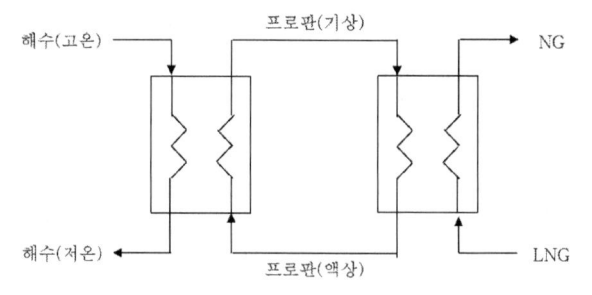

해수 열 이용 → 중간 열매체(프로판) 열전달 → LNG 열
전달 → 기화

② 장단점

장점	단점
해수, 프로판 동결 우려 無	㉠ 해수중 미생물 번식 성장 　→ 해수 흐름 방해 　→ Tube 부식 우려↑ 　→ 대책 : 염소 주입 ㉡ 가열식 대비 면적 2 배↑ 필요 ㉢ 보수, 점검 곤란

4. 가스별 기화방식 비교

LNG	CO_2, C_3H_8	LO_2, LN_2
① 해수식 ② 수중 버너식 ③ 중간 열매체식	① 온수식 ② 대기식	대기식

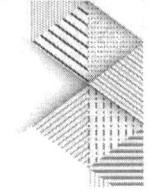

16 LNG 냉열 이용분야

1. 개요
① 개념 : LNG -162℃ 초저온 액화가스 → 기화시 증발잠열 흡열 → 냉열이용 가능
② LNG 보유 냉열
200 kcal/kg(증발잠열 120 kcal/kg + 현열 80 kcal/kg)

2. 냉열 이용 분야[217)]
① 냉열 발전
㉠ 원리(랭킨사이클)
ⓐ 증발과정 : 해수 열원 이용
ⓑ 응축과정 : LNG 냉열 이용
→ 전기 발생
㉡ 종류
ⓐ LNG 직접팽창 사이클
ⓑ 랭킨사이클(증기터빈)
ⓒ 브레이톤 사이클(가스터빈)
② LO_2, LN_2 제조
㉠ 원리 : LNG 냉열 → 저온압축 액화
㉡ 특징 : 시설비 10%↓, 소요동력 50%↓

---

217) 암기 발L냉액산기
- LNG 냉열 이용 분야 : 냉열 발전, LO_2·LN_2 제조, 냉동 창고, 액화탄산가스, 산업폐기물 처리, 기타

③ 냉동 창고
　　㉠ 원리 : 프레온 냉매 → LNG 냉열 이용 → 냉각
　　㉡ 특징 : 소비전력 40%↓
④ 액화탄산가스, 드라이아이스
　　㉠ 원리 : 탄산가스 → LNG 냉열 이용 → 압축·냉각
　　㉡ 특징 : 압축기 동력 절감 가능
⑤ 산업폐기물 처리
　　산업폐기물 → LNG 냉열 이용 → 취화점↓ 냉각 → 파쇄
⑥ 기타
　　㉠ 해수 담수화　㉡ 배연 탈황

3. 냉열 이용시 고려사항
　① 이용량 : 계절적, 시간적, 수요변동에 대한 이용량
　② 온도, 압력 : LNG 공급 조건 고려 → 이용 온도, 압력 결정
　③ 입지 조건 : LNG 인수기지 인프라, 용수 수급
　④ 시장성 : 시장성, 경제성
　⑤ 안전성 : 가연성, 초저온성에 따른 안전성

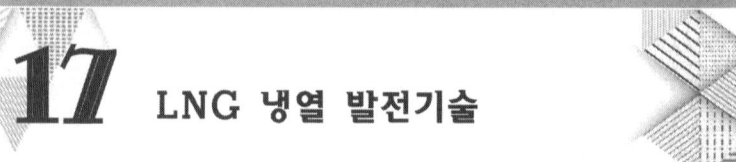

17 LNG 냉열 발전기술

1. 개요
　① 개념 : LNG -162℃ 초저온 액화가스 → 기화시 증발잠열
　　흡열 → 냉열이용 가능
　② LNG 보유 냉열

200 kcal/kg(증발잠열 120 kcal/kg + 현열 80 kcal/kg)

2. LNG 냉열발전 종류

(1) LNG 직접팽창 사이클

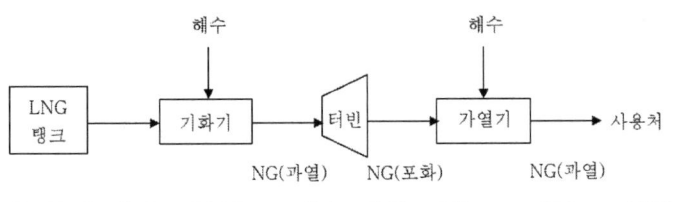

① 증발 과정 : LNG → 해수 열원 이용 → 기화 → NG(과열)
② 전력 생산 : NG(과열) → 터빈 → 전력 생산 → 팽창 → NG(포화)
③ 가스 공급 : NG(포화) → 해수 열원 이용 → 온도 조정 → NG(과열) → 도시가스 공급

(2) 랭킨사이클(증기터빈)

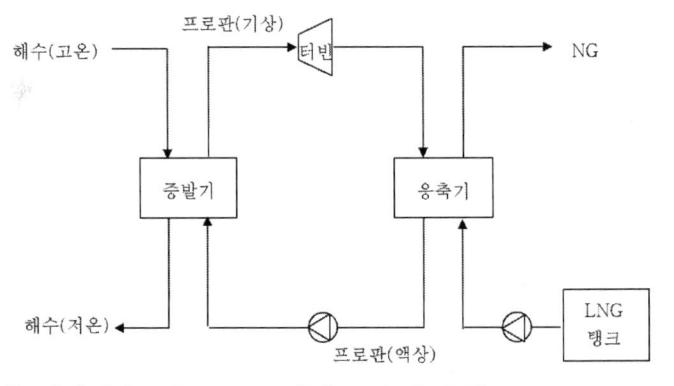

① 단열압축 : Pump로 액체 프로판 승압
② 정압가열 : 증발기에서 해수 열원 이용 → 액체 프로판 기화
③ 단열팽창 : 터빈에서 전력생산 → 기체 프로판 팽창
④ 정압방열 : 응축기에서 LNG 냉열 이용
　　　　　　　　→ 기체 프로판 응축 → LNG 기화

(3) 브레이톤 사이클(가스터빈)

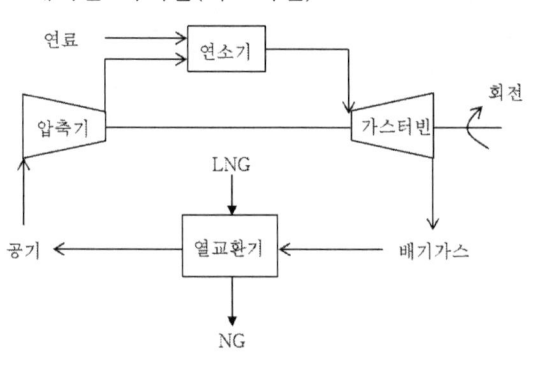

① 단열압축 : 압축기로 공기 승압
② 정압가열 : 연소기에서 연료 + 공기 → 연소
③ 단열팽창 : 가스터빈에서 전력생산 → 연소가스 팽창
④ 정압배기 : 열교환기에서 LNG 냉열 이용
                         → 배기가스 냉각 → LNG 기화

3. LNG 냉열발전 특징
① 무공해, Clean 에너지
② 별도 연료 불필요
    단, 브레이톤 사이클 발전은 연소기 연료 필요
③ 발전출력 조정 가능
    LNG 유량↓ → LNG 냉열↓ → 발전출력↓
④ 해수온도 영향
    해수 온도↑ → LNG 기화↑ → 냉열 이용↑ → 발전출력↑
⑤ LNG 직접팽창 사이클 단점
    도시가스 공급 압력↑ → 발전 이용 압력차↓ → 냉열발전 불가

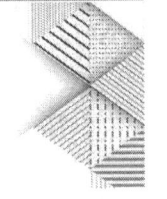

18 가스홀더

1. 가스홀더(Holder) 분류[218]

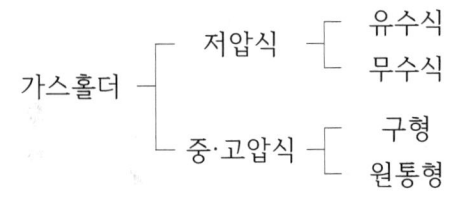

2. 종류별 특징
(1) 유수식

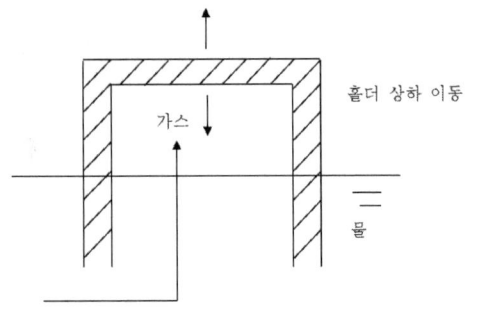

① 원리 : 물탱크 내 가스홀더 상하로 움직이며 홀더 내 물 상부에 가스 저장
② 특징
　　㉠ 다량의 물 필요 → 부지면적↑
　　　　　　　　　　　→ 기초 공사비↑

---

218) [암기] 유무구원통
　　- 가스홀더 분류 : 유수식, 무수식, 구형, 원통형

ⓛ 물의 동결방지조치 필요

　　ⓒ 가스 내 습기 존재

　　ⓔ 가스 압력변동 심함.

　　ⓜ 유지관리 곤란

(2) 무수식

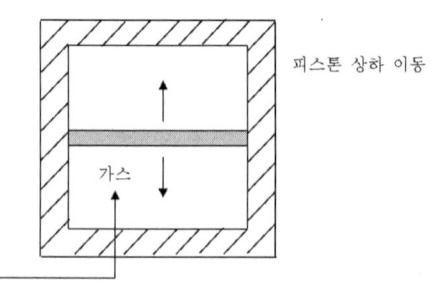

　피스톤 상하 이동

　가스

① 원리 : 피스톤 상하로 움직이며 피스톤 하부에 가스 저장

② 특징

　　㉠ 부지면적↓, 기초 공사비↓

　　ⓛ 가스 건조 상태 유지

　　ⓒ 가스 압력 일정하게 유지 가능

　　ⓔ 대용량에 적합

(3) 구형 및 원통형

가스

LPG

철근콘크리트 기초

① 구분

중·고압 가스홀더 → 구형, 원통형 → 도시가스용은 구형
② 특징
　　㉠ 부지면적↓, 기초 공사비↓
　　㉡ 가스 건조 상태 유지
　　㉢ 기체상태로 고압 저장
　　㉣ 가스 공급 시 가스홀더 자체 압력 이용 가능
　　㉤ 가동용량은 20~30%

3. 가스홀더의 기능
　① 가스 압력 균일 → 가스 저장
　② 시간적 변동에 대한 안전성 확보
　③ 일시적 공급중단 대한 공급량 확보
　④ 공급가스 성분, 열량, 연소성 균일화
　⑤ Peak 시 배관 수송량 경감

19 LNG LRC 저장탱크

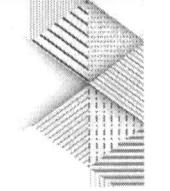

1. 정의
LNG의 안정된 저장공간 확보를 위한 지하 공동 구축시스템

2. 구성 설비[219]

---

219) **암기** RIC
- LNG LRC 저장탱크 구성 설비 : Rock(암반), Ice Ring(빙벽), Containment system(내조 시스템)

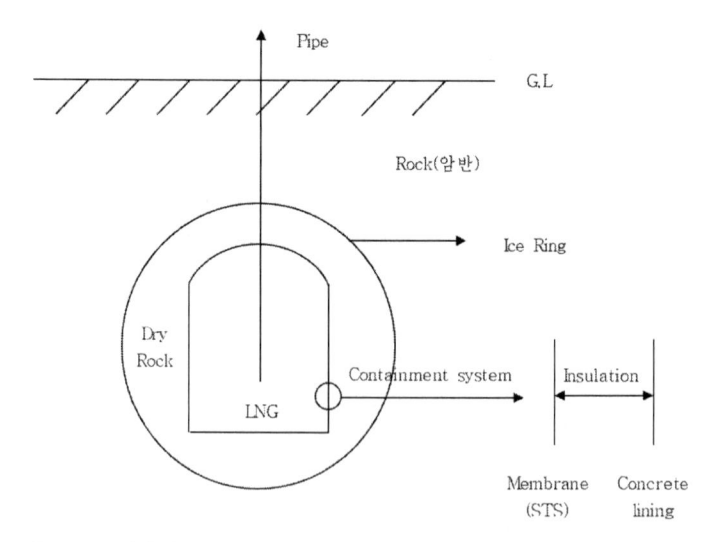

① Rock(암반)

지하 암반 굴착 → Ice Ring, Containment system 구축

② Ice Ring(빙벽)

㉠ Containment system 주변에 일정한 두께의 빙벽 형성

㉡ 기능 : 2차 기밀

③ Containment system(내조 시스템)

㉠ 기능

ⓐ 저장탱크 기밀 확보(1차 기밀)

ⓑ 암반의 열응력 쇼크 방지

㉡ 구성 요소

ⓐ 내부 : 주름진 스테인리스강 멤브레인 시공 → 기밀
성 유지

ⓑ 보냉재 : 폴리우레탄 폼

ⓒ 외부 : 콘크리트 라이닝 시공

ⓓ 배수시스템 : 수압 제거용 배수시스템

3. 장점

① 열 유입↓

지하암반 설치 → 외부 열 유입↓ → 기화율↓ → 장시간 저장

② 기밀성↑

㉠ 1차 기밀 : Containment system

㉡ 2차 기밀 : Ice Ring

20 도시가스 제조 공정 분류

1. 가스화 방식에 따른 분류[220)

① 열분해 공정

고분자 탄화수소(원유, 중유, 나프타) → 850℃, 고압 하 가열 → 열분해 → 고열량 가스 제조

② 접촉분해 공정

탄화수소 + 증기 + 촉매 → 600℃ 하 반응 → CH_4, C_2H_6 등 저급 탄화수소 변환

③ 부분연소 공정

탄화수소 일부 연소 → 연소열 발생 → 잔존 탄화수소 변성

④ 수소화 분해 공정

탄화수소 → 고온, 고압 하 열분해 → 접촉분해 → 고열량 가스 제조

---

220) 암기 열접부수대
    - 도시가스 제조 공정 가스화 방식에 따른 분류 : 열분해 공정, 접촉분해 공정, 부분연소 공정, 수소화 분해 공정, 대체 천연가스 공정

⑤ 대체 천연가스 공정

　하기 참조

2. 연료 공급방식에 따른 분류221)
　① 회분식
　② 연속식
　③ 반회분식

21 대체(합성) 천연가스 공정

1. 대체(합성) 천연가스 공정(SNG : Substitute 또는 Systhetic Natural Gas) 개요

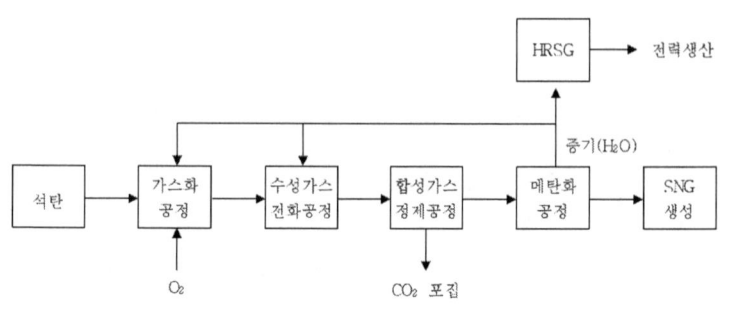

석탄, 원유, 납사, LPG 등 탄화수소 원료 → 천연가스 조성, 발열량, 연소성 거의 일치한 가스(메탄화)

---

221) 암기 회연반
　- 도시가스 제조 공정 연료 공급방식에 따른 분류 : 회분식, 연속식, 반회분식

2. 제조 공정[222)

　① 가스화 공정

　　석탄 + O_2 + 증기(H_2O) → 합성가스($CO + H_2$)

　② 수성가스 전화공정

　　CO + 증기(H_2O) → $CO2 + H_2$

　③ 합성가스 정제공정

　　수성가스 + 황 이용 → CO_2 제거 → 정제가스

　④ 메탄화 공정

　　$CO + 3H_2 → CH_4 + H_2O$

　⑤ SNG 생성

　　탈습 → SNG 생성

3. 결론

　① SNG = LNG 동일 특성

　② 안전성↑, 경제성↑

　③ LNG 수입 의존 → 대체에너지

　④ 품질기준, 안전성 평가 등 지속적 개발 및 연구 요구

22 촉매열화

1. 개요

---

222) [암기] 가수합메S

　- SNG 제조 공정 : 가스화 공정, 수성가스 전화공정, 합성가스 정
　제공정, 메탄화 공정, SNG 생성

① 촉매의 역할

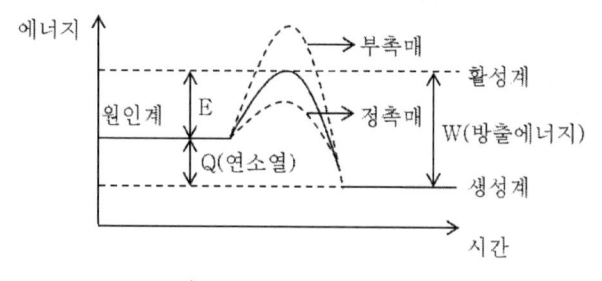

　　㉠ 정촉매 : E↓ → 반응속도↑
　　㉡ 부촉매 : E↑ → 반응속도↓
② 촉매 열화
　　촉매 열화 발생 → 분해 → 촉매 기능 상실

2. 촉매의 구비조건[223]
　　① 가격 저렴할 것
　　② 수명 길 것
　　③ 유황 등 피독물질에 강할 것
　　④ 열, 마모, 석출카본에 대해 강할 것
　　⑤ 활성 높을 것
3. 촉매열화의 원인별 대책[224]
　　① 불순물의 표면 피복
　　　㉠ 원인 : 철분, 스케일 촉매 표면 부착 → 촉매 활성화
　　　　저하

---

223) 암기 가수유열활성
　　- 촉매의 구비조건 : 가격 저렴할 것, 수명 길 것, 유황 등 피독물질에 강할 것, 열·마모·석출카본에 대해 강할 것, 활성 높을 것

224) 암기 불활고저스
　　- 촉매열화의 원인 : 불순물의 표면 피복, 황분에 의한 피복, 고온에 의한 응김, 저온에 의한 납사 분해, 스팀 부족에 의한 카본 생성

ⓒ 대책 : 부식에 의한 철분, 스케일 생성 방지
　② 황분에 의한 피복
　　㉠ 원인 : 촉매 표면에 황 흡착 → 촉매 작용 저하
　　ⓒ 대책 : 탈황 공정 적용 → 유황성분 제거
　③ 고온에 의한 응김
　　㉠ 원인 : 고온에서 반응 발생 → 활성 표면 감소 → 촉
　　　　매 활성화 저하
　　ⓒ 대책 : 반응온도 제어 → 고온 방지
　④ 저온에 의한 납사 분해
　　㉠ 원인 : 저온에서 납사 프라이머 생성, 부착 → 촉매 활
　　　　성화 저하
　　ⓒ 대책 : 반응온도 제어 → 저온 방지
　⑤ 스팀 부족에 의한 카본 생성
　　㉠ 원인 : 스팀↓ → 카본 형성 → 촉매 피복 → 열화
　　ⓒ 대책 : 스팀 공급 이중화

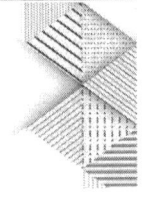

23 탈황 공정(열분해 제조방식)

1. 황의 문제점
　도시가스 제조 공정 내 원료 중 유황 → 열분해 → 황화합물
　생성(H_2S) → 촉매 피독 → 활성 저하

2. 탈황법 종류별 특징
(1) 건식 탈황법

① 방법 : 흡착제인 산화철 사용 → H_2S 제거
② 반응
　　㉠ 탈황반응
　　　$Fe_2O_3 + 3H_2O + 3H_2S \rightarrow Fe_2S_3 + 6H_2O$
　　㉡ 재생반응
　　　$Fe_2S_3 + 3H_2O + 1.5O_2 \rightarrow Fe_2O_3 + 3H_2O + 3S(Sulfur)$
③ 특징

장점	단점
㉠ 설계, 운전, 보수 용이 ㉡ 분진, 나프탈렌 등 　미량 함유율 제거 가능 ㉢ 소요 부지면적↓	㉠ 고농도 H2S 제거 부적합 ㉡ 탈황제 교환, 재생 비용↑

(2) 습식 탈황법
① 방법 : 알칼리성 액체흡수액 사용 → H_2S 제거
② 반응
　　㉠ 흡수반응
　　　$Na_2CO_3(탄산나트륨) + H_2S \rightarrow NaSH + NaHCO_3$
　　㉡ 재생반응
　　　ⓐ 평행법
　　　　$NaSH + NaHCO_3 \rightarrow Na_2CO_3(탄산나트륨) + H_2S$
　　　ⓑ 산화법
　　　　$NaSH + NaHCO_3 + 0.5O_2 \rightarrow Na_2CO_3 + H_2O + S$
③ 특징

장점	단점
㉠ 연속 자동화 가능 ㉡ 소요 부지면적↓	㉠ 보수, 점검항목 多 ㉡ 밀폐 시스템화 적합(환경문제)

24 도시가스 공급계획에 관한 인자

1. 개요

도시가스 공급계획 인자[225] → 공급계통

→ 수요예측

→ 동시사용률

→ 공급계획

→ 배관망 선정시 검토사항

2. 공급계획에 관한 인자

① 공급계통

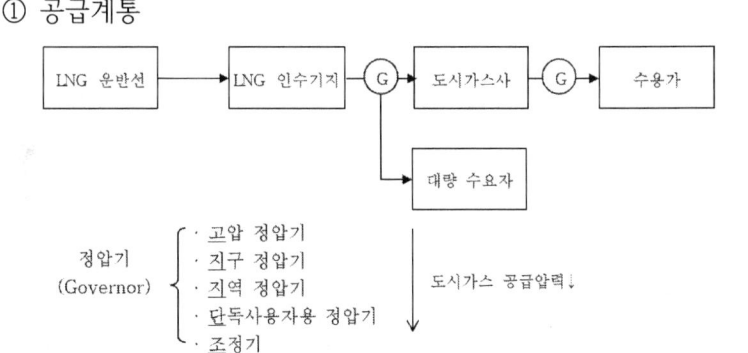

② 수요예측

㉠ 전년도 가스판매량 으로부터 추정

㉡ 1가구당 피크시 평균소비량 으로부터 추정

---

225) 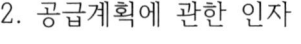 공수동공배
- 도시가스 공급계획 시 검토 인자 : 공급계통, 수요예측, 동시사용률, 공급계획, 배관망 선정시 검토사항

ⓒ 가스설비 소비량에서 동시사용률 이용하여 추정

③ 도시사용률 : $Y = \dfrac{Q}{\sum q}$

　　Q : 피크치 최대 가스소비량(m^3/h)

　　q : 전체 가스수용가 소비량 합계(m^3/h)

④ 공급계획

　㉠ 가스홀더 설치계획

　㉡ 압송기 설치계획

　㉢ 배관 설치계획

　㉣ 정압기 설치계획

⑤ 배관망 선정시 검토사항

　㉠ 경제성

　㉡ 수요 개발

　㉢ 유지 관리

　㉣ 도로계획 및 타공사 계획

　㉤ 공사 환경

25 도시가스 공급방식

1. 구분

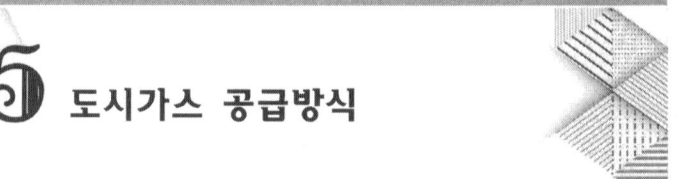

2. 방법

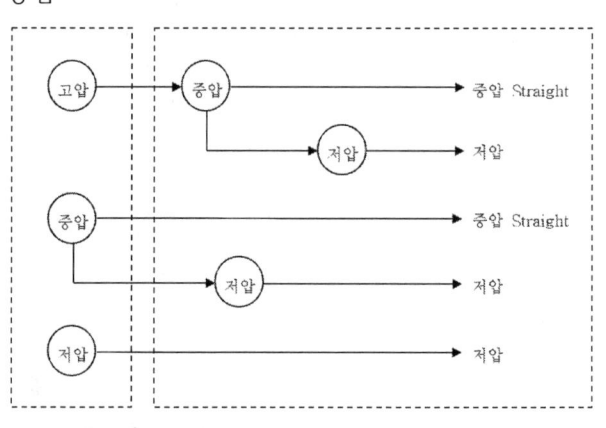

① 도관 수송압력
　　㉠ 한국가스공사 → 시도별 관할 도시가스사 가스 공급시 압력
　　㉡ 수송압력 구분
　　　　ⓐ 고압, 중압 : 배관관로 환산망 구분 지역 공급시
　　　　ⓑ 저압 : LPG-Air mixing gas 공급시
② 수용가 공급압력
　　㉠ 시도별 관할 도시가스사 → 사용자 가스 공급시 압력
　　㉡ 중압 공급시 수용가에서 정압기, 조정기로 압력 조정

26 도시가스 공급관리

1. 개념
　가스 수요량 예측 → 가스 공급설비 효율적 운용 → 수용가 일정압력 공급

2. 공급관리 방안[226]
　① 제조량 관리 : 수용가 사용량 예측 → 공급물량 관리
　② 저장량 관리
　　㉠ 최대 부하 대응력 강화
　　　ⓐ 라인 이중화 : Normal 공급, Max. 공급
　　　ⓑ 저장설비 이중화 : Emergency Back-up
　　㉡ 가스홀더 일정량, 일정압력 유지 → 부하 급변동 대응
　③ 송출 압력 및 유량 관리
　　㉠ 가스 배관 설계시 → 수용가 공급 압력 및 유량 다각
　　　도 검토 → 설계 반영
　　㉡ 송출압력↑ → 관경 작아도 많은 량 송출 가능하나 →
　　　안전관리상 불리
　④ 공급압력 관리 : 수용가 측 상황판단 → 공급압력 결정
　⑤ 공급라인 조작시 면밀한 검토
　　공급라인 조작 시 → 신중, 수용가 측과 협의

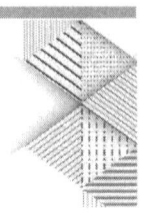

27 고미제(가스 흡입 방지제)

1. 도입 배경
　① 청소년 가스 흡입 → 환각상태 → 사회문제유발
　② 부탄가스 + 쓴맛 + 구토 유발 물질 첨가 → 가스 흡입행
　　위 차단

---

226) [암기] 제저송공공
　　- 도시가스 공급관리 방안 : 제조량 관리, 저장량 관리, 송출 압력
　　　및 유량 관리, 공급압력 관리, 공급라인 조작시 면밀한 검토

2. 첨가물의 특성

　① 특징 : 매우 쓴맛 → 구토 유발

　② 물질명 : Denatonium Benzoate(데나토늄 벤조에이트)

　③ 독성 : 무독성

　④ 흡입시 조치사항 : 산소가 포함된 100% 습기 다량 마심

　⑤ 피부 오염시 : 피부, 눈 오염시 다량 물로 씻음

3. 데나토늄 벤조에이트 다른 분야 활용

　① 손톱 물어뜯기 방지제

　② 소형 장난감, 게임기 칩 등 유아 삼킴 방지

 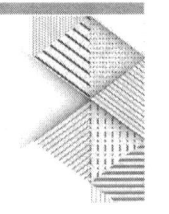

28 열량 조정법

1. 개념

　공급가스 종류 상이 → 양호한 연소상태 내 사용 가능한 가
　스 공급

2. 열량 조정법

　① 증열법

　　제조 가스 열량 < 공급가스 열량 → 고 발열량 가스로 증열

　② 희석법

　　제조 가스 열량 > 공급가스 열량 → 저 발열량 가스로 희석

3. 제어 방식

① 유량비율 제어방식

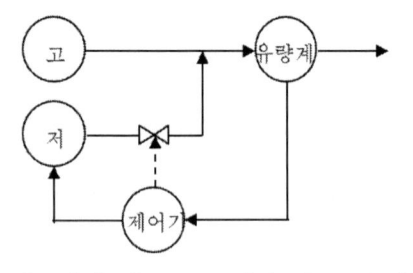

　　㉠ 제어 변수 : 고열량 가스 유량 변동
　　㉡ 제어 주체 : 저열량 가스 → 유량 Back-up

② 케스케이드 제어방식

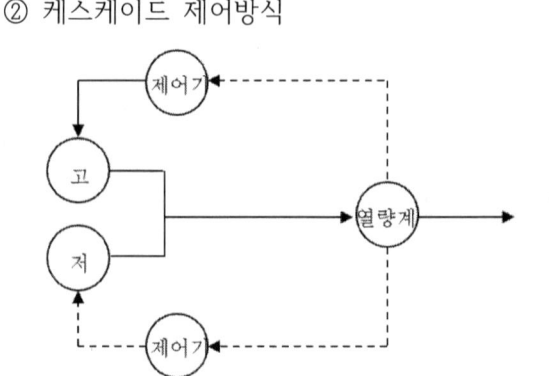

　㉠ 제어 변수 : 가스 열량
　㉡ 제어 주체 : 유량비
　　ⓐ 가스 열량↓ 경우
　　　고열량 가스 유량↑, 저열량 가스 유량↓ → 가스
　　　열량↑
　　ⓑ 가스 열량↑ 경우
　　　고열량 가스 유량↓, 저열량 가스 유량↑ → 가스
　　　열량↓

③ 서머라이저 방식

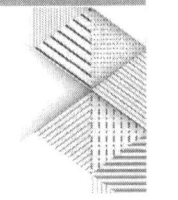

유량계
열량계

  ⑦ 제어 변수 : 가스 유량, 열량
  ⓒ 제어 주체 ; 공기량 제어 → 열량 조정

29 천연가스 액화 기술

1. 천연가스 액화 기술(GTL : Gas to Liquid) 개념
   천연가스 → 합성가스 → 가공 → 액상 경질유 제조

2. GTL 공정[227]

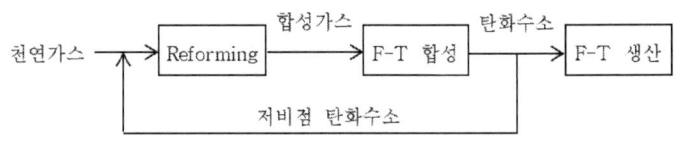

   ① Reforming
      천연가스 + O_2 + 증기(H_2O) → 합성가스(CO + H_2)

---

227) **암기** RFF
   - 천연가스 액화 기술(GTL : Gas to Liquid) 공정 : Reforming,
   F-T 합성, F-T 생산

② F-T 합성 : 합성가스 + 코발트, 철 촉매 → 체인 성장반
응 → 탄화수소 생성 → CO_2 제거
③ F-T 생산
㉠ 경질유 : 휘발유, 납사, 경유, 등유
㉡ 중질유 : 저비점 탄화수소 → 회수 후 재 Reforming

3. 특징
① 취급 용이 : NG → LNG 액화시 → 부피 1/600 감소 →
장거리 수송, 다량 저장 가능
② 환경 친화적 : 오염 물질 無 → 환경 친화적
③ Stranded 가스전 활용성 우수 : FLNG 내 GTL 기술 적용
→ Stranded 가스전 활용성 우수
④ 초기 투자비↑ : GTL 공정 초기 투자비↑(특히
Reforming 공정 전체 50% 차지)

4. Stranded 가스전
① 정의 : 가스전 발견하였으나 물리적, 기술적, 경제적 사유
로 개발 어려운 가스
② 종류
㉠ 한계 가스전 : 중소규모 → 경제성↓
㉡ 고립 가스전 : 생산 인프라로부터 거리↑
③ 특징
㉠ FLNG 선 이용 → 경제성↑
㉡ 황 함유율↓ → 탈황 비용↓

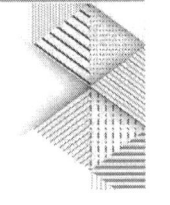

30 천연가스 액화 공정

1. 개요
NG → LNG 액화 시 → 부피 1/600 감소 → 장거리 수송, 다량 저장 가능

2. 천연가스 액화 공정[228]
① 팽창법

가압 → 급격한 자유팽창(교축과정) → 온도↓ → 액화

② 다단 냉동법
에틸렌 → 프로판 액화 → 프로판 냉매 이용 → 천연가스 액화

③ 혼합 냉매법
탄화수소 + 질소 → 응축기 → 팽창밸브 → 초저온 혼합 냉매 → 천연가스 액화

---

228) 암기 팽다혼
   - 천연가스 액화 공정 종류 : 팽창법, 다단 냉동법, 혼합 냉매법

31 천연가스 열량제 도입배경

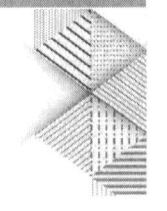

1. 개요

   표준 열량제 → 열량 범위제로 개선

2. 표준 열량제

   ① 열량 기준 : 10,400 kcal/Nm^3

   ② 문제점

   　　㉠ 수입 LNG 열량 < 10,400 kcal/Nm^3

   　　㉡ 증열 비용 발생 : LPG, 납사 혼입

   ③ 요금 부가 단위 : 원/Nm^3

3. 열량 범위제

   ① 도입 배경 : 수입 LNG 열량 하향 추세

   ② 열량 기준

   　　㉠ 2012년 ~ 2014년 : 10,000 ~ 10,600 kcal/Nm^3

   　　㉡ 2015년부터 : 9,800 ~ 10,600 kcal/Nm^3

   ③ 요금 부가 단위 : 원/MJ

4. 도입 장점

   ① 증열 비용 절감 : LPG, 납사 이용 → 증열 비용 감소

   ② 소비자 요금 부담 감소 : 저열량 체적 사용량 부담 → 열량 사용량 변경으로 인한 요금 감소

5. 열량제 도입위한 과제
   ① 가스공사 LNG 수입기지 열량 분석기 설치
   ② 열량 기준 산정안 고시
   ③ PDA 시스템 교체

32 부취제

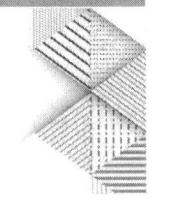

1. 개념
   ① 부취제 취기 → 가스누설 조기 인지 → 신속 조치 → 가스사고 예방
   ② 혼합비율 1/1,000 시 감지 가능 물질

2. 부취제 구비조건[229]
   ① 식별성
      ㉠ 여러가지 냄새 섞여도 구별 가능할 것
      ㉡ 저농도(1/1,000)에서도 특유한 냄새 가질 것
   ② 안전성
      ㉠ 무해성
      ㉡ 무독성
   ③ 안정성
      ㉠ 부식 반응 초래 안할 것
      ㉡ 완전연소할 것

---

229) 암기 식안안가
   - 부취제 구비조건 : 식별성, 안전성, 안정성, 가격·수급

ⓒ 연소 후 유해하거나 냄새나지 않을 것

　　　ⓔ 어는점↓, 증발 용이, 인화점↑

　　　ⓜ 토양 반응성 및 흡착성 없으며 토양 투과성 좋을 것

　④ 가격, 수급

　　　㉠ 가격 저렴할 것

　　　㉡ 수급 용이할 것

3. 부취제 종류별 성질

구분	THT	TBM	DMS
화학식	$\begin{array}{ccc} CH_2 & - & CH_2 \\ \mid & & \mid \\ CH_2 & & CH_2 \\ & \diagdown S \diagup & \end{array}$	$\begin{array}{c} CH_3 \\ \mid \\ CH_3 - C - CH_3 \\ \mid \\ SH \end{array}$	$CH_3 - S - CH_3$
냄새	석탄가스	양파 썩은내	마늘
취기	중	강	약
화학적 안정성	안정	내산화성	안정
토양 투과성	보통	좋음	좋음
부식성	수분, 산소 존재시 → 부식	배관 부식	수분, 산소 존재시 → 부식

4. 부취제 주입방법

(1) 주입시 주의사항

　① 일정 농도 유지

　② 누설 되지 않도록 관리

　③ 흡입, 흡착 설비 보유

(2) 주입 방법[230]

　① 액체 주입식

　　㉠ 펌프주입 방식

　　　ⓐ 다이어프램 펌프 이용 → 직접주입

　　　ⓑ 대규모 시설에 적합

　　㉡ 적하주입 방식

　　　ⓐ 중력 이용 → 가스에 적하

　　　ⓑ 소규모 시설에 적합

　　㉢ 바이패스 미터 연결방식 : 주배관 오리피스 차압 → 가스미터 연동 → 부취제 주입

　② 액체 증발식

　　㉠ 바이패스 증발방식 : 부취제 용기 내 가스 주입 → 부취제 증발 → 유량 연동 → 부취제 포화가스 주입

　　㉡ 위크 증발방식 : 부취제 통 내 아스베스토스 심지 담굼 → 가스 접촉 → 부취제 증발 → 가스 + 부취제 혼합

5. 부취제 제거 방법

　① 활성탄 이용 : 흡착제거

　② 화학적 산화 처리 : 차아염소산 나트륨(NaOCl) 용액 이용

　③ 연소법 : 고농도 부취제 일 경우

6. 부취농도 측정 방법[231]

---

230) 암기 펌적바바위
　- 부취제 주입방법 : 펌프주입 방식, 적하주입 방식, 바이패스 미터 연결방식, 바이패스 증발방식, 위크 증발방식

231) 암기 주오냄무
　- 부취농도 측정 방법 : 주사기법, 오더미터법, 냄새주머니법, 무취실법

① 사람에 의한 방법
- ㉠ 주사기법
- ㉡ 오더미터법
- ㉢ 냄새주머니법
② 가스분석기에 의한 방법
무취실법

7. 부취제 문제점
① 부취제 황(S) 성분 → 아황산가스(SO_2) 생성 → 대기오염 유발
② 황 성분 없는 부취제 개발 필요

33 정압기[232)

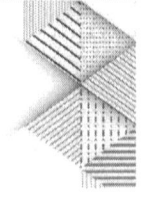

1. 정압기 개요
① 목적 : 가스 공급압력 감압 → 사용자 이용 효율 극대화
② 기능[233] - ㉠ 감압기능 ㉡ 정압기능 ㉢ 폐쇄기능

2. 정압기 구성 설비

---

232) [암기] 고지지단조
- 도시가스 공급에 따른 정압기 구분 : 고압 정압기, 지구 정압기, 지역 정압기, 단독사용자용 정압기, 조정기
233) [암기] 감정폐
- 도시가스 정압기 기능 : 감압기능, 정압기능, 폐쇄기능

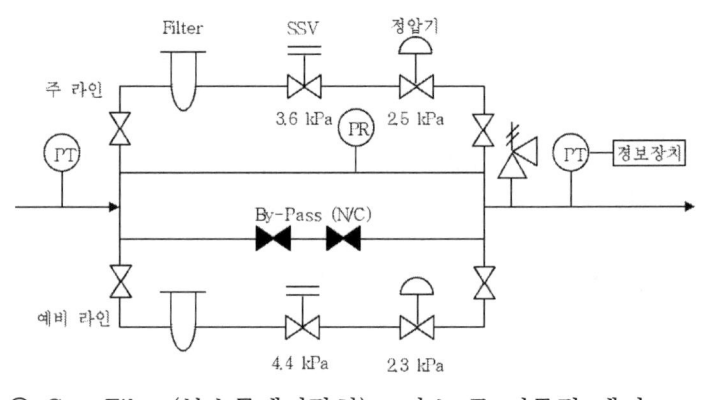

① Gas Filter(불순물제거장치) : 가스 중 이물질 제거
② SSV(Slam Shut Off Valve) : 2차측 압력 상승시 차단
③ 안전밸브 : 2차측 기준 압력 초과시 가스 방출
④ PR(Pressure Recorder, 압력기록장치) : 1회/주 압력 기록 및 점검
⑤ 압력경보장치 : 2차측 기준 압력 초과시 경보

3. 정압기(실) 설치기준[234]

　① 환기설비

　　㉠ 자연환기

　　　ⓐ 통풍구 위치 : 도시가스 비중↓ → 천장부

　　　ⓑ 통풍구 면적 : 천장 면적의 3% 이상(최대 0.24m²)

　　㉡ 강제환기

　　　ⓐ 흡입구 위치 : 도시가스 비중↓ → 천장부

　　　ⓑ 배기가스 방출구 : 지면에서 3m 이상 높이 설치

　　　ⓒ 통풍능력 : 바닥면적 1m2 마다 0.5m3/min 이상

234) 암기 환입이방안가지조S
　　- 정압기(실) 설치기준 : 환기설비, 입·출구 기밀시험, 이상압력 경보장치, 방폭전기기기, 안전밸브 방출관, 가스누출감지경보기 검지부, 지지대·고정행거, 조명, SSV 설치기준

② 입·출구 기밀시험

　　㉠ 입구 : FP(Full Pressure, 최고충전압력) × 1.1배

　　㉡ 출구 : FP × 1.1배 또는 8.4 kPa 중 큰 것

③ 이상압력 경보장치

　　㉠ 1.2 kPa↓ 시 경보

　　㉡ 3.2kPa↑ 시 경보

④ 방폭전기기기 : 0종, 1종, 2종 구분

⑤ 안전밸브 방출관 : GL + 5m

⑥ 가스누출감지경보기 검지부

　　㉠ 설치 위치 : 천장 30cm 이내

　　㉡ 경보 농도 : 폭발하한계의 25% 이하

⑦ 지지대, 고정행거 : 내진성능

⑧ 조명 : 150 Lux↑

⑨ SSV 설치기준 : ~~S흐작설S설~~

4. 정압기 종류

(1) 직동식

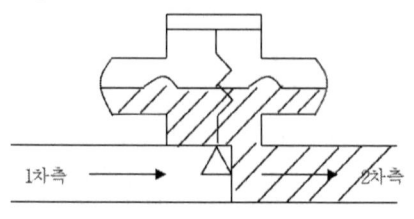

① 작동 원리 : 수요량↑ → 2차측 압력↓ → 다이어프램 밀어올림 → 메인밸브 개방

② 특징

장점	단점
㉠ 동특성 좋음 　→ 응답속도↑, 안전성↑ ㉡ 구조 간단 → 경제적 ㉢ 유지관리 용이	㉠ 스프링, 다이어프램 고유 특성 → 2차측 압력 일정 유지 곤란 ㉡ 소용량에 적합

(2) Pilot 식

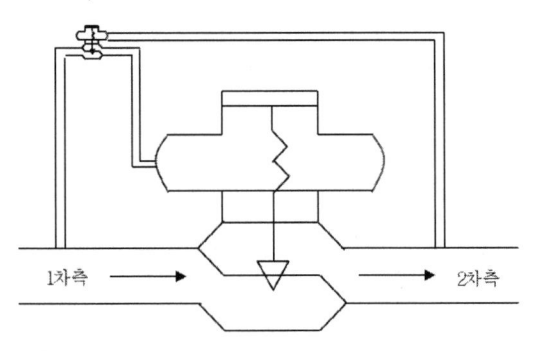

① 작동 원리 : 수요량↑ → 2차측 압력↓ → Pilot 정압기
   개도율↑ → 1차측 압력 메인 정압기 구동부 전달 → 메
   인밸브 개방
② 종류[235]
   ㉠ 로딩형 : 피셔식
   ㉡ 언로딩형
      ⓐ AFV(Axial Flow Valve)
      ⓑ 레이놀드식
③ 특징

구분	장점	단점
피셔식	㉠ 정, 동특성 양호 ㉡ 사용범위 넓음	레이놀드식 대비 단점 無
AFV	㉠ 정, 동특성 양호 ㉡ 구조 간단	레이놀드식 대비 단점 無
레이놀드식	정특성 양호	동특성 나쁨 → 응답속도 ↓, 안전성↓

---

235) 암기 피A레
    - Pilot식 정압기 종류 : 피셔식, AFV, 레이놀드식

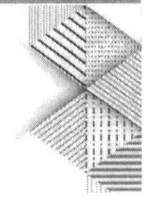

34 정압기 특성

1. 개요

정압기 설계 및 선정 시 → 평가 기준[236] → 정특성, 동특성,
유량특성, 사용 최대차압, 작동 최소차압 → 5가지 특성 有

2. 정특성

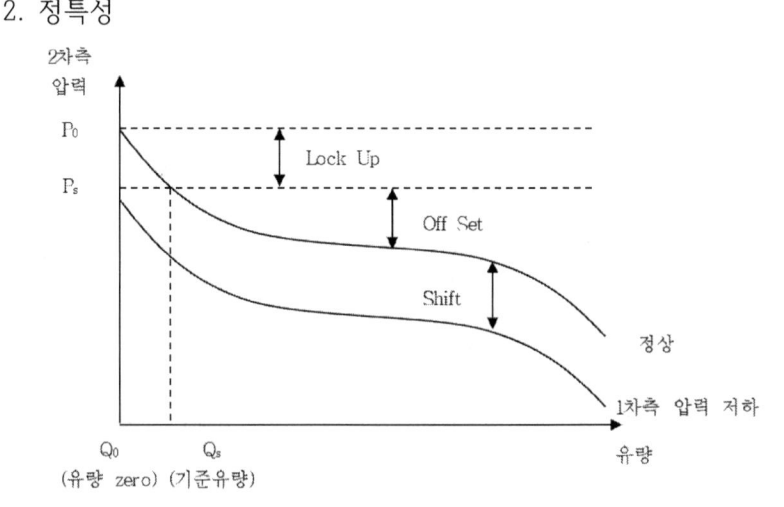

① 정의 : 정상상태에서 유량과 2차측 압력과의 관계
② 정특성 영향인자
　　㉠ Lock Up : P0(유량 zero시 압력)과 PS(기준유량 시
　　　압력) 차이

   © Off Set : 유량 변경 시 → 2차측 압력 감소분

   © Shift : 1차 압력 변화 시 → 정압곡선 이동분

  ③ 정특성과 영향인자 관계

   Lock Up↓, Off Set↓, Shift↓ → 정특성↑(좋다)

3. 동특성

  ① 정의 : 부하변동에 따른 2차측 압력의 응답속도, 안전성

  ② 동특성 좋은 경우 vs 나쁜 경우

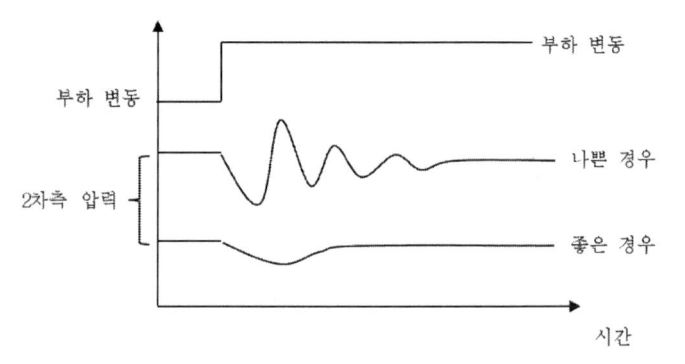

  ㉠ 좋은 경우

    ⓐ Hunting 폭↓, 횟수↓ → 안전성↑

    ⓑ 정상상태 회복 시간↓ → 응답속도↑

  ㉡ 나쁜 경우

    ⓐ Hunting 폭↑, 횟수↑ → 안전성↓

    ⓑ 정상상태 회복 시간↑ → 응답속도↓

4. 유량특성

(1) 정의 : 메인밸브 개도율과 유량과의 관계

(2) 종류

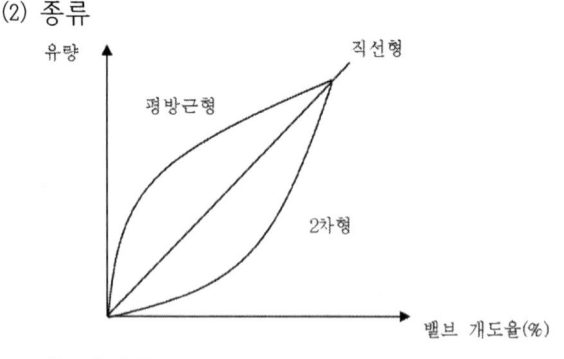

① 직선형

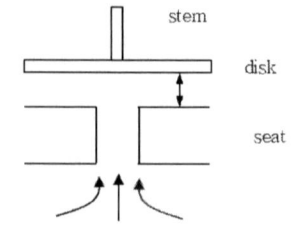

㉠ 메인밸브 개구부 모양 : 직사각형

㉡ 특징

ⓐ Q ∝ 개도율

ⓑ 유량 파악 편리

② 2차형

㉠ 메인밸브 개구부 모양 : 역삼각형

㉡ 특징

ⓐ Q ∝ 개도율^2

ⓑ 압력강하 큰 경우 사용

③ 평방근형

　　㉠ 메인밸브 개구부 모양 : 접시모양
　　㉡ 특징
　　　ⓐ $Q \propto$ 개도율$^{1/2}$
　　　ⓑ 신속한 개폐 필요시 사용

5. 사용 최대 차압
　① 정의 : 직동식 정압기에서 작동 범위 내의 최대 차압
　② 활용 : 1차측과 2차측의 압력차의 사용범위 선정 시 활용

6. 작동 최소 차압
　① 정의 : Pilot식 정압기에서 작동 범위 내의 최소 차압
　② 활용
　　㉠ 1차측과 2차측 차압↓ → Pilot 정압기 작동 불가
　　㉡ 직동식 정압기는 2차측 구동압력 사용 → 작동 최소
　　　차압 고려 불필요

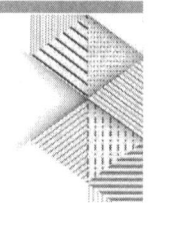

35 정압기 이상현상[237]

1. 2차측 압력 상승[238]

원인	대책
① 2차측 압력 조절관 파손	조절관 교체
② 메인밸브 이물질 존재 → 완전 패쇄 불량	필터 설치, 정비
③ 수분에 의한 동결	동결방지 조치
④ 메인밸브 시트 불량	분해정비
⑤ 바이패스 밸브류 누설	바이패스 밸브류 교체

2. 2차측 압력 저하[239]

원인	대책
① 예비 정압기 열림 부족	정압기 분해정비
② 수분에 의한 동결	동결방지 조치

---

237) 암기 22Hun소
- 정압기 이상현상 종류 : 2차측 압력 상승, 2차측 압력 저하, Hunting, 소음

238) 암기 조이수시바
- 정압기 이상현상 중 2차측 압력 상승 원인 : 조절관 파손, 이물질 존재, 수분에 의한 동결, 시트 불량, 바이패스 누설

239) 암기 예수주니능력필S
- 정압기 이상현상 중 2차측 압력 저하 원인 : 예비 정압기 열림 부족, 수분에 의한 동결, 주·예비 정압기 불균형, 니들밸브 과도 열림, 능력 부족, 필터 차압, Stem 작동 불량

원인	대책
③ 주, 예비 정압기 불균형	운전 설정압력 조정
④ 니들밸브 과도 열림	정압기 분해정비
⑤ 정압기 능력 부족	용량 증대
⑥ 필터 차압↑	필터 분해정비
⑦ Stem 작동불량	정압기 분해정비

3. Hunting
   ① 개념
      2차측 압력이 불규칙적으로 증감하는 일정하지 못한 상태
   ② 문제점
      ㉠ 연소 불량
      ㉡ 가스누출 원인
   ③ 원인 및 대책[240]

원인	대책
① Case Cap 열림	Case Cap 닫음
② Sensing Line 위치 부적절	위치 변경
③ 스프링, 다이아프램 설정 불량	교체
④ 정압기 부근 진동환경	진동원 제거
⑤ 배관 내 물 체류	물 제거
⑥ 이물질 존재	필터 설치, 정비
⑦ 정압기 용량 과다	정압기 교체

---

240) 암기 CapS스프링진물이용
   - 정압기 이상현상 중 Hunting 원인 : Cap 열림, Sensing Line
     위치 부적절, 스프링·다이아프램 설정 불량, 진동환경, 물 체류,
     이물질 존재, 용량 과다

4. 소음

소음 발생 방지대책241)은 다음과 같음

① 매몰형 정압기 설치

② 밀폐 조치

③ 흡음제 설치

④ 2차측 배관 지하매설

⑤ 저소음형 정압기 설치

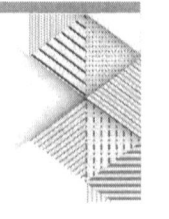

36 정압기 SSV 설치기준

1. SSV 역할 : 정압기 2차측 압력 이상상승 시 → 밸브 차단 → 압력 제어

2. 설치기준242)

① Sensing Line 인출 지점 : 정압기로부터 2차측 배관 관경(OD) × 5배↑ 떨어진 거리

② 흐름방향 : 흐름방향이 화살표와 일치

③ 작동 신뢰성 : 외부 진동, 충격에 오작동되지 않도록 설

---

241) 암기 매밀흡지저
    - 정압기 이상현상 중 소음 발생 방지대책 : 매몰형 정압기 설치, 밀폐 조치, 흡음제 설치, 2차측 배관 지하매설, 저소음형 정압기 설치

242) 암기 S흐작설S설
    - 정압기 SSV 설치기준 : Sensing Line 인출 지점, 흐름방방, 작동 신뢰성, 설정압력, SSV1과 SSV2 차압, 설정압력 작동시험

계, 설치
④ 설정압력

구분	상용압력 2.5 kPa 이하	상용압력 2.5 kPa 초과
SSV1 (주 라인)	3.6 kPa↓	상용압력의 1.2 배↓
SSV2 (예비 라인)	4.4 kPa↓	사용압력의 1.5 배↓

⑤ SSV1과 SSV2 차압
　㉠ 차압 설정 상황 : 정압기 헌팅현상으로 SSV1과 SSV2
　　모두 작동 시
　㉡ 차압 설정 기준
　　ⓐ 상용압력 2.5 kPa↓ : 0.5 kPa↑
　　ⓑ 상용압력 40 kPa↑ : 5 kPa↑
　　ⓒ 상용압력 200 kPa↑ : 5.5 kPa↑
⑥ 설정압력 작동시험
　㉠ 수주압력으로 실시
　㉡ 작동압력 2회 이상 확인

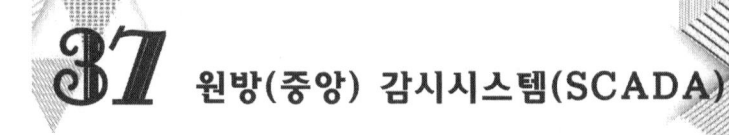

37 원방(중앙) 감시시스템(SCADA)

1. 원방 감시스템의 정의

① 개념

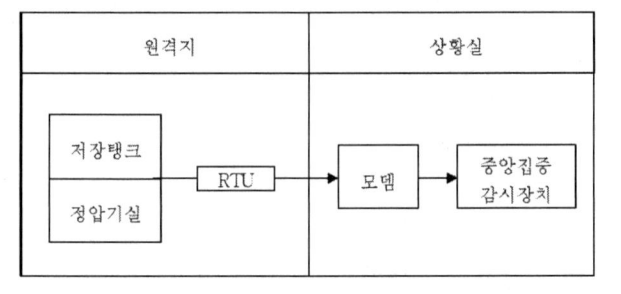

원격지	상황실

※ 원거리 분산 가스설비 → 종합적 감시 및 제어

② 기능[243]

㉠ 원격지 Data 수집

㉡ 원격지 상황 표시

㉢ 원격지 이상경보

㉣ 원격지 제어기능

2. SCADA 구성[244]

---

243) [암기] D상이제
    - 원방 감시시스템(SCADA) 기능 : Data 수집, 상황 표시, 이상경보, 제어기능

244) [암기] 주인현통R계
    - SCADA 구성요소 : 주 컴퓨터 장치, 인간·기계 연락 장치, 현시반, 통신 제어 장치, RTU, 계측 변화

① 중앙 장치(상황실)
   ㉠ 주 컴퓨터 장치
      ⓐ 시스템 중추 역할
      ⓑ 운영관리
   ㉡ 인간·기계 연락 장치 : 알람, 모니터링 제어 기능
   ㉢ 현시반 : 알람 및 각종 지표
   ㉣ 통신 제어 장치 : 현장 데이터 → 주 컴퓨터 전송
② 원격 소장치(원격지)
   ㉠ RTU : 정보 취득 → 현장 전달
   ㉡ 계측 변화 : 디지털 신호 → 아날로그 신호 변환

3. 문제점 및 개선방향
   ① 문제점
      ㉠ 통신 전용회선 노후화
      ㉡ 일반회선 사용에 따른 신뢰도 저하
      ㉢ 가스누출검지경보기 센서 감도 불량
      ㉣ RTU 일반용 IC 제품 사용온도 범위↓ → 하절기 기능
         저하
      ㉤ 전문적인 기술인력 부족
   ② 개선방향
      ㉠ 전용회선 연차적 교체 실시
      ㉡ 일반회선 대신 전용회선 사용
      ㉢ 가스누출검지경보기에 대한 규격화, 표준화
      ㉣ RTU 공업용 IC 제품 사용
      ㉤ 전문적인 기술인력 양성

38 Wet Gas(습성 가스) Dry Gas(건성 가스)

1. 개념

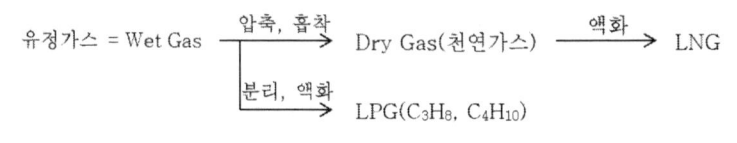

$$유정가스 = Wet\ Gas \xrightarrow{\text{압축, 흡착}} Dry\ Gas(천연가스) \xrightarrow{\text{액화}} LNG$$
$$\xrightarrow{\text{분리, 액화}} LPG(C_3H_8,\ C_4H_{10})$$

2. Wet Gas(습성 가스)

① 주성분 : C_3H_8, C_4H_{10} 등 무거운 탄화수소

② LPG 제조 : Wet Gas → 분리, 액화 → LPG

3. Dry Gas(건성 가스)

① 주성분 : 95% 이상 CH_4

② Dry Gas 제조 : Wet Gas → 압축, 흡착 → Dry Gas

③ LNG 제조 : Dry Gas → 액화 → LNG

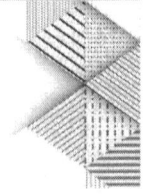

39 Gas Cycling

1. 정의

가스층 압력 유지 → 탄화수소 응축 방지

→ 가스정 생산성 유지

→ 탄화수소 회수율 향상

2. 공정 원리

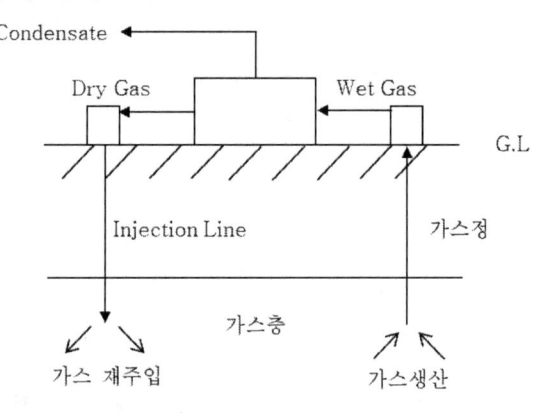

① 가스층 압력↓
　　㉠ 개발 이전 : 가스층 내 단일 가스상
　　㉡ 가스 생산 → 가스층 압력↓
② 콘덴세이트 제거
　　㉠ 저류층 콘덴세이트 제거
　　㉡ 함유 성분 : 납사, 중간유분(등유, 경유), 잔사유분
③ 가스 재주입
　　동일층 내 가스 재주입 → 가스층 압력 유지
④ 응축 방지
　　탄화수소 응축 방지 → 가스정 생산성 유지
　　　　　　　　　　　　→ 탄화수소 회수율 향상

40 도시가스 정제 및 저장 기술

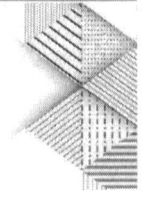

1. 개요

① 천연가스 주성분

　㉠ 주성분 : 메탄(약 90%)

　㉡ 부성분 : 수분, 고분자 탄화수소, 황화물, 탄산가스, 먼지 및 유분

② 정제의 필요성 : 부성분 미 정제시 → 발열량, 물리·화학적 특성 달라짐

2. 도시가스 정제기술(천연가스 불순물 처리)[245]

(1) 수분 제거

① 목적

　㉠ 부식 방지

　㉡ 연료가치 향상

　㉢ 수화물(Hydrate) 형성 방지

② 제거방법 : 수단흡

(2) 고분자 탄화수소 혼합물 제거

① 목적 : ㉠ 연료가치 향상 　㉡ 일정 발열량 유지

② 제거방법 : ㉠ 바이오 및 화학촉매법 　㉡ 분리막 기술

---

245) 암기 수고황탄면유
　　- 천연가스 불순물 종류 : 수분, 고분자 탄화수소 혼합물, 황화물, 탄산가스, 먼지, 유분

(3) 황화물 제거

　① 목적 : 대기오염 방지

　② 제거방법 : 스위트닝 공정 - 황화합물 → 황, 황산 분리

(4) 탄산가스 제거

　① 목적 : ㉠ 연료가치 향상　㉡ 일정 발열량 유지

　② 제거방법 : degassing(탈기법) → 헨리의 법칙

(5) 먼지, 유분 제거

　① 개념 : 천연가스 채취시 먼지, 유분 有 → 장치 마모 →
　　침전 → 펌프, 압축기 손상

　② 분리 기술

　　㉠ 먼지 분리기술 : 중정관

　　㉡ 유분 분리기술 : Oil separator(유분리기) 이용

3. 도시가스 저장기술

　① 설치위치에 따른 저장기술

　② 방호형식에 따른 저장기술

4. 천연가스 먼지 분리기술

　① 개요 : 천연가스 채취시 모래, 먼지 有 → 장치 마모 →
　　침전 → 펌프, 압축기 손상

　② 분리 기술

　　㉠ 중력 침강 : 중력 침강기

　　㉡ 정전기력 : 전기 집진기

　　㉢ 관성력 : 사이클론, 세정기, 여과 집진기

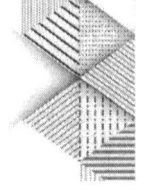

41 콘덴세이트(Condensate)

1. 개념

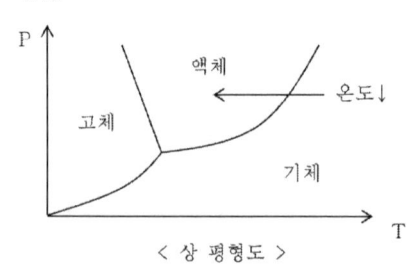

< 상 평형도 >

천연가스 채굴시 → 지하 고온 기체상태 탄화수소 → 지상 저온 응축 액체상태 변화

2. 발생 메커니즘

① Vapor phase : 지하 가스전 내 탄화수소 → 고온 기체상태 저장 → 채굴

② Liquid phase : 지상 → 온도↓ → 기상 탄화수소 → 액상 탄화수소로 상변화(콘덴세이트)

3. 특징

① 특경질 원유 : 대부분 휘발유분 + 약간 등유분, 경유분 함유

② 활용성↑ : 휘발유분 많은 탄화수소 → 활용성↑

③ 색깔 : 원래 기체상이라 무색에 가까우나 불순물↑ → 황색, 암흑색

4. 콘덴세이트 활용
　① 휘발유, 납사 생산 : 콘덴세이트 정제 → 원유보다 싼 가
　　격에 → 휘발유, 납사 생산
　② 플라스틱 원료 : 콘덴세이트 정제 → 원유보다 싼 가격에
　　→ 플라스틱, 합성 섬유원료 활용

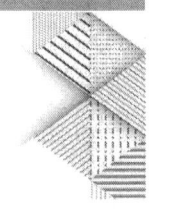

42 쿠션가스

1. 쿠션가스 기능

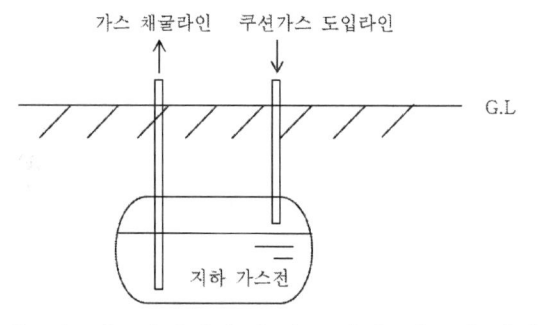

　① 저류층 적정압력 유지 : 지하 가스전 천연가스 채굴 → 쿠
　　션가스 주입 → 저류층 적정압력 유지
　② LNG 저장시설 활용 : 고갈 가스전 → LNG 가스 주입 +
　　쿠션가스 주입 → 고갈 가스전의 LNG 저장시설로의 재활용

2. 쿠션가스 주입 공정
　① 지하 천연가스 채굴
　　㉠ 지하 가스전 → 채굴 라인 → 지상 저장탱크

　　　　ⓒ 압력 및 속도 제어 중요
　　② 쿠션가스 주입
　　　　㉠ 질소, 탄산가스 탱크 → 주입 라인 → 지하 가스전 기상부
　　　　ⓒ 주입 후 압력 유지 중요

3. 안전장치
　　① 이상내압 상승 방지장치
　　② 감시설비 : 계경예산기록

4-3 LNG Value Chain

1. 정의

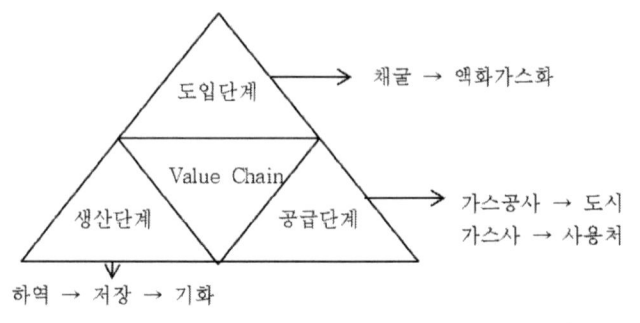

2. LNG Value Chain 3단계[246]
(1) 도입단계
　　① 천연가스 채취 및 정제 : 천연가스 채취 → 수분, 황화물,

---

246) 암기 도생공
　　- LNG Value Chain 3단계 : 도입단계, 생산단계, 공급단계

탄산가스, 먼지 및 유분 제거 → 발열량 균일

② 액화설비 : 정제 가스 → 팽창법, 다단냉동법, 혼합냉매법
　 → 액화 → 부피↓ → 이송 편리

③ 생산국 저장설비 : LNG 저장 → 자체 사용, 해외 판매

④ 선적설비 : 액화가스 → 선박 이용 → 운송

⑤ LNG 운송선 : 초저온 저장탱크 등 배에 설치되는 운송설비

(2) 생산단계

① 하역설비 : LNG 운송선 → 로딩암, 배관 → 수입국 저장소

② 저장설비 : LNG 저장설비(인천, 평택, 통영 등)

③ 재액화설비 : BOG 가스 → 압축기로 재액화 → 회수

④ 기화기 : 해수식, 연소식 등

(3) 공급단계

① 가스공사 : 가스공사 → NG → 고압관로 → 도시가스사

② 도시가스사 : 도시가스사 → NG → 중저압관로 → 사용처

③ 사용처 : 건물 냉난방, 발전소, 가정용 연료

3. LNG 공급 계통도

44 승압 방지장치

1. 개념
① 높은 건물 내 도시가스 배관 위험성 : 도시가스 비중↓ →
   건물 높이↑ → 상층부 압력↑ > 사용압력

   → 리프팅
   → Blow Off → 화재 및 폭발
   → 가스 누설

② 승압 방지장치 역할 : 2.5 kPa 초과 우려 시 → 감압밸브
   설치 → 2.5 kPa 이하 유지

2. 승압 방지장치 설치여부 판단 기준
① 압력 계산
   ㉠ $P = \gamma H(1-S)$

   P : 압력 상승분(mmH$_2$O) γ : 공기 비중량(1.293 g/L)
   H : 고저차(m) S : 가스비중(도시가스 : 0.65)

   ㉡ 31층 건물 계산(층당 3m 기준)

   P = 1.293 × 93m × (1-0.65) = 42 mmH$_2$O = 0.42 kPa

② 판단 기준
   ㉠ 건물 높이(H) 산정
   ㉡ 압력 상승분 계산
   ㉢ 1층 공급압력 추정
   ㉣ 압력 상승분 + 1층 공급압력 계산
   ㉤ 최고사용압력 2.5kPa↓ → 미설치
      최고사용압력 2.5kPa↑ → 승압 방지장치 설치

3. 설치 기준

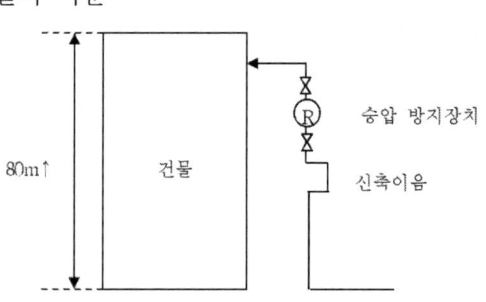

① 설치 대상 : 도시가스 사업법 기준에 따른 설치 대상
② 건물 높이 : 80m↑ 고층 공동주택
③ 차단밸브 : 감압밸브 전·후단 차단밸브 설치
④ 신축이음 : Loop, 벨로우즈, Joint 등 신축흡수 조치

45 입회 요청 8가지 경우

1. 개요

굴착공사자 → EOCS 통보 → 도시가스사 입회

2. 도시가스사 입회 시기[247]

① 시험 굴착시

배관 위치, 종류, 관경, 압력 확인

---

247) **암기** 시파가노고가가가
　　- 굴착공사현장 도시가스사 입회 시기 : 시험 굴착시, 파일 토류판
　　설치시, 가스 배관 수직·수평 위치 측량시, 노출배관 방호공사시,
　　고정 조치 완료시, 가스배관 되메우기 직전, 가스배관 되메우기시,
　　가스배관 되메우기 후

② 파일 토류판 설치시
　　㉠ 배관과의 거리 확인
　　㉡ 항타기와 배관의 위치
③ 가스 배관 수직·수평 위치 측량시
　　㉠ 최초 위치 확인
　　㉡ 변형 유무 확인
④ 노출배관 방호공사시
　　㉠ 방호설비 적정성 확인
　　㉡ 배관 손상유무
　　㉢ 가스 누설 유무
⑤ 고정 조치 완료시
　　㉠ 배관손상 유무
　　㉡ 고정 확인
⑥ 가스배관 되메우기 직전
　　㉠ 가스 누설 유무
　　㉡ 배관 손상유무
⑦ 가스배관 되메우기시
　　㉠ 시공 상태(모래, 보호판, 보호포, 심도)
　　㉡ 전기방식 시공상태
⑧ 가스배관 되메우기 후
　　㉠ 매설표시 상태 확인(라인마크, 표지판)
　　㉡ 지반침하 확인

46 도시가스 공급 계획시 검토사항

1. 설계 개요
① 기본설계
- ㉠ 공급 조건(압력, 관경, 공급방식) 검토
- ㉡ 관로 및 시공방식 검토

② 상세설계
Piping Plan, ISO Drawing, CAS 등 설계도면 작성

③ 발주 및 계약
- ㉠ 설계도면 기준 공사업체 선정
- ㉡ 사업계획서, 공사계획서, 안전관리계획서 작성

2. 공급 계획시 검토사항[248]
① 수요 예측
- ㉠ 전년도 판매량
- ㉡ 1가구당 피크시 평균 소비량
- ㉢ 동시 사용률 추정

② 공급 계획
- ㉠ 공급 압력 : 고압, 중압, 저압
- ㉡ 공급 설비 : 가스홀더, 정압기 등
- ㉢ 배관망 산정 : 환산 배관망, 비환산 배관망

---

248) 암기 수공배관설계
- 도시가스 공급 계획시 검토사항 : 수요 예측, 공급 계획, 배관망 해석, 관경 설계, 설계시 고려사항

③ 배관망 해석

　　㉠ 분기점에서 키르호프 1법칙 : 유량의 입·출입 합은 "0" 이다.

　　㉡ 환산망에서 키르호프 2법칙 : 압력손실 합은 "0" 이다.

④ 관경 설계

　　㉠ 저압 관경(Pole 공식) : $Q = K\sqrt{\dfrac{HD^5}{SL}}$

　　　　Q : 가스유량(m^3/h)　　K : 유량 계수(0.7055)

　　　　D : 관 내경(cm)　　H : 압력 손실(mmH_2O)

　　　　S : 가스 비중(도시가스 : 0.65)　　L : 배관 길이(m)

　　㉡ 중·고압 관경(Cox 공식) : $Q = K\sqrt{\dfrac{(P_1^2 - P_2^2)D^5}{SL}}$

　　　　P_1 : 시점 압력(kg/cm^2)　　P_2 : 종점 압력(kg/cm^2)

　　㉢ 높이 변화에 따른 압력 상승 : $P = \gamma H(1 - S)$

⑤ 설계시 고려사항

　　㉠ 목적성　㉡ 경제성　㉢ 운전성　㉣ 보수성　㉤ 안전성

3. 공급방식 종류

① 저압 공급방식

　　㉠ 공급압력 : 25 mmH_2O↓

　　㉡ 일반주택 공급 시 사용

② 중간압 공급방식

　　㉠ 공급압력 : 200 mmH_2O↓

　　㉡ 저압 공급방식 대비 작은 관경으로 공급

③ 중압 공급방식 : 중압관 → 수용가 직접 공급 방식

④ 전용 정압기 방식

　　㉠ 건물 내 전용 정압기 사용 → 중압가스 감압

　　㉡ 가스 소비량 많거나, 건물 부근에 저압 공급관 없는 경우

4. 배관 Pressure drop 영향인자

① 일정 유량 시 → A↓ → V↑

② 일정 배관경 시 → Q↑ → V↑

③ 조도계수(표면 거칠기)↑   → Pressure drop↑

④ 굴곡, Pitting류 개수↑

⑤ 유체 점성↑

⑥ 난류 흐름

5. 배관 설계시 차압손실 감소방안

① 관경 확대

    ㉠ Q = AV → 일정 유량시 → A↑ → V↓ → 차압손실↓

    ㉡ 효과↑, 비용↑

② 적정 유량 제어

    ㉠ Q = AV → 일정 배관경 시 → Q↓ → V↓ → 차압손실↓

    ㉡ 지역 정압기 신설 → 유량부하↓

③ 배관 연장 짧게 실시

    단일라인 부설시 → 연장 길이↓

④ 승압하여 공급

    PV = 일정(보일의 법칙) → P↑ → V↓

    → 같은 배관크기 기준 Pressure drop 발생↓

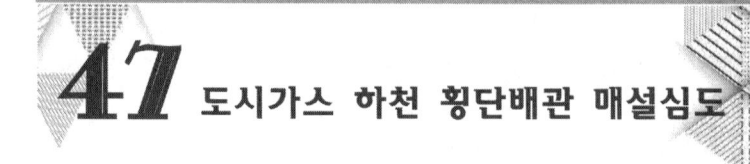

47 도시가스 하천 횡단배관 매설심도

1. 개요
① 기존
- ㉠ 기준 : 일본 광산보안법
- ㉡ 특징 : 지진에 대한 안전율↑
② 개정(2010년 7월)
- ㉠ 기준 : 국내 실정에 맞게 완화
- ㉡ 지질학적 특성 상이 → 기준 완화 → 토목공사 비용 절감

2. 하천 횡단배관 매설심도 완화 배경
① 기존 기준의 문제점
- ㉠ 국내 지질학적 특성 고려 없이 일본 기준 도입
- ㉡ 매설심도에 대한 신뢰도↓
- ㉢ 토목공사 비용↑
② 기존 기준 vs 개정 기준

기존 기준	개정 기준
일반하천, 소하천, 수로에 따라 1.2m ~ 4m↑ 일률적 적용	㉠ 하상폭 하천 20m↓ → 2.5m↑ ㉡ 기타 하천 → 안전성 평가 결과에 따라 차등 적용 (최소 1.2m↑)

3. 하천 횡단배관 매설심도 상세 기준

① 하상폭 20m↓ 하천

㉠ 관계식 : $L = 220 \times D\sqrt{P}$

L : 보호시설과의 이격거리(m)　　D : 관경(m)

P : 최대 사용압력(Mpa)

㉡ 매설심도 2.5m↑ 완화 조건

학교, 주택 등 보호시설과의 이격거리 만족시

→ 매설심도 4m↑ 에서 2.5m↑로 완화

② 기타 하천

㉠ 안전성 평가 실시

평가 분야	평가 항목
구조적 안전성	사고 발생빈도, 사고 피해영향
수리학적 분야	지질특성, 침식, 퇴적 여부

㉡ 매설심도 : 한국가스안전공사 평가 결과 → 매설심도 제시(최소 1.2m↑)

48 건축물 내 매립 배관 설치기준

1. 개요

① 건축물 도시가스 배관 → 외곽 설치 시 → 안전, 미관상 문제점 多

② 건축물 내 매립 배관 설치 → 안전사고 발생율↓, 외부 노출 X

2. 매립 배관 설치기준[249]

　① 검사

　　㉠ 배관 매립 전 : 중간검사 실시

　　㉡ 배관 매립 후 : 완성검사 실시

　② 배관 기준

　　㉠ 내식성↑ → 스테인리스강, 동관(보호판 필수) 사용

　　㉡ 신축성↑ → 가스용 Flexible pipe 사용

　　㉢ 기밀성↑, 내구성↑ → 이음매 없는 배관 사용

　③ 안전 표시

　　㉠ 흐름 방향 표시

　　㉡ 최고 사용압력 표시

　　㉢ 도시가스 배관 표시

　④ 이격 : 전기설비와 배관 15cm↑ 이격

　⑤ 천장, 벽, 바닥 관통 시

　　㉠ 관통 방향 : 수직

　　㉡ 관통 구멍 처리 : 몰탈 시멘트로 채울 것

　⑥ Pipe duct 내 설치 시

　　㉠ Duct 내 수관과 20cm↑ 이격

　　㉡ 환기구 설치

　　㉢ Duct 내 전기설비 설치 금지

---

249) [암기] 검배안이천duct
　　- 건축물 내 도시가스 매립 배관 설치기준 : 검사, 배관 기준, 안
　　전 표시, 이격, 천장·벽·바닥 관통 시, Pipe duct 내 설치 시

3. 매립 배관 장단점

장점	단점
① 안전사고 발생율↓	① 가스누설여부 직접 확인 불가
② 미관상 문제 해결	② 부식, 부실시공 우려↑
③ 범죄 예방	③ 특정시설 분류 → 수수료↑
④ 시공 단축	④ 분양가↑

4. 최근 안전조치 강화 개정안
   ① 점검구 설치 : 기존 50cm × 50cm → 신규 30cm × 30cm
   ② 다기능 계량기 설치
   ③ 가스누설 자동차단장치 설치

49 도시가스 배관 시공기준

1. 매설 개략도

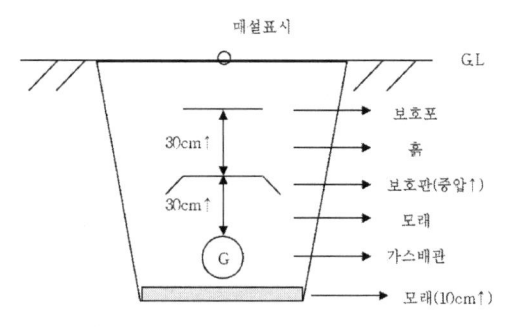

① 매설 순서
   모래 → 가스배관 → 모래 → 보호판 → 흙 → 보호포 →
   매설표시

② 모래, 흙
    ㉠ 모래 기능 : 배관 손상 방지
    ㉡ 모래, 흙 다짐 시 → 다짐기 사용 → 물 다짐 실시
③ 배관 색깔 : ㉠ 저압 : 황색 ㉡ 중·고압 : 적색

2. 배관 매설 깊이

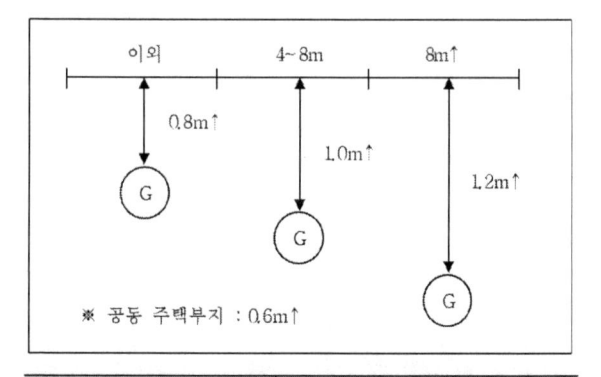

도로폭	매설 깊이
8m ↑	1.2m ↑
4~8m	1.0m ↑
그 외	0.8m ↑
공동 주택부지	0.6m ↑

3. 안전조치
① 보호판
    ㉠ 중·고압 시 실시
    ㉡ 재질 : 압연 강재
    ㉢ 이격거리 : 배관 상부 30 cm ↑ 이격
    ㉣ 길이 : 배관 지름 × 1.2배

② 보호포

  ㉠ 색깔 : ⓐ 저압 : 황색 ⓑ 중·고압 : 적색

  ㉡ 이격거리

    ⓐ 저압 : 배관 상부 60 cm↑ 이격

    ⓑ 중·고압 : 보호판 30 cm↑ 이격

    ⓒ 공동 주택부지 : 배관 상부 40 cm↑ 이격

  ㉢ 길이 : 배관 지름 + 10 cm↑

③ 매설표시

  ㉠ 라인마크

    ⓐ 50m 마다 1개 표시 ⓑ 분기, 굴곡 지점 표시

  ㉡ 표지판

    ⓐ 200m 마다 1개 설치

    ⓑ 산지, 농지, 철도부지 내 매설시 설치

50 도시가스 배관 가스 누출검사

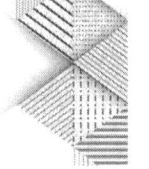

1. 개요

  ① 도시가스 누출 → 즉각 대응 실패시 → 대형사고 발전

  ② 지하 매설 가스 배관 누출 시 → 즉각 감지 곤란 → 안전 관리 매우 중요

2. 가스 누출검사 준비

  ① 유의사항

    ㉠ 검사원 2명 이상 편성

      © 배관 안전 점검원이 실시

      © 규정된 복장 착용, 점검장비 지참

  ② 준비물

      ㉠ 가스 배관도

      © 가스검지기(FID 고농도 가스검지기 등)

      © 매설배관 탐지기

      ② 보링바, 흡입관

3. 누출검사 종류[250]

(1) 보링에 의한 누출검사

  ① 누출검사

      ㉠ 가스검지기 0점 조정

      © 보링 실시 → 흡입관 및 검지기 설치 → 누출 유무 조사

  ② 농도 측정 : 누출 감지 장소 → 농도 3회 이상 측정 →
     최고치 농도 확인

(2) FID에 의한 누출검사

  ① 메카니즘

      ㉠ 수소불꽃 생성 : 수소 + 산소 → 수소불꽃 + 직류전압 부여

      © 가스 접촉 : 탄화수소 가스 + 수소불꽃 → 전기전도도↑

      © 경보 : 전기전도도↑ → 전류 발생 → 전류 증폭 →
        경보 (가스 농도↑ → 전류↑)

  ② 특징

      ㉠ 검지감도↑(1ppm 측정 가능)

---

250) 암기 보FO기
  - 도시가스 배관 가스 누출검사 종류 : 보링에 의한 누출검사,
  FID에 의한 누출검사, OMD에 의한 누출검사, 기타 방법에 의한
  누출검사

ⓛ 차량탑재, 휴대 가능

　　ⓒ 고순도 수소 사용

　　ⓔ 탄화수소(C_mH_n) 계열만 검지 가능

(3) OMD 에 의한 누출검사

　① 메카니즘

　　㉠ 가스 無 : 발광부 적외선 광원 전송 → 수광부 안정된
　　　출력신호표시

　　ⓛ 가스 有 : 발광부 적외선 광원 전송 → 메탄 적외선
　　　광원 일부 흡수 → 수광부 감소된 출력신호 표시

　　ⓒ 경보 : 출력신호 → 메탄 농도 표시 → 경보 → GPS
　　　연계 → 누출 위치 파악 가능

　② 특징

　　㉠ 검지감도↑(0.1 ppm 측정 가능)

　　ⓛ 환경 민감성↓

　　　건조, 고·저온(-29℃ ~ 43℃) 환경 → 정상 작동

　　ⓒ 메탄 검지능력↑, 에탄 및 프로판 검지능력↓

(4) 기타 방법에 의한 누출검사

　① 기밀시험 : 불활성가스 가압 → 압력 감소 여부 확인

　② 발포액, 비눗물 : 누출 예상부 → 발포액, 비눗물 도포 →
　　기포 발생 여부 확인

　③ 음향 방출 시험(AET) : 사용압력 보다 높은 압력 가압 →
　　누출부 음향신호 검출

　④ 취기 검사 : 누출부 부취제 냄새 확인

　⑤ 검지관법 및 시험지법 : 검지관, 시험지 화학적 변화 확인

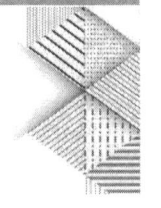

51 도시가스 시설 현대화

1. 개념

노후 및 위험시설 개선 ⎫
선진화된 기술 및 장비 도입 ⎭ → 도시가스 시설 안전성 향상

2. 도시가스 시설 현대화 방법[251]

① 배관망 전산화

㉠ 도면, 관련자료 전산망 입력

㉡ 자료 입·출력 가능

② 관리대상 시설 개선

㉠ 매설심도 미달 배관, 하수도 관통 배관 이설

㉡ 학교 부지 내, 고가도로 밑 정압기 이전

③ 노후 배관 교체

㉠ 자체 점검 → 기준 미달 배관

㉡ 외부기관 안전진단 결과 → 기준 미달 배관

④ 가스사고 발생빈도

㉠ 사고 발생 빈도多 시설 발굴 → 적극 투자 및 시설 개선

㉡ 안전장치 모니터링

⑤ 위험성 평가

---

251) 암기 배관노가위원안RR
   - 도시가스 시설 현대화 방법 : 배관망 전산화, 관리대상 시설 개선, 노후 배관 교체, 가스사고 발생빈도, 위험성 평가, 원격 감시제어 시스템, 안전장치 연구, 개발, RBI 기법 도입, RFID 기술 도입

⑥ 원격 감시제어 시스템
⑦ 안전장치 연구, 개발
⑧ RBI 기법 도입
⑨ RFID 기술 도입

3. 안전성 제고 위한 과학화 실시 대상
   ① 시공, 감리 실시 배관
   ② 배관 순찰 차량 보유 대수(1대/점검원 2인)
   ③ 굴착공사 노출배관
   ④ 주민 모니터링제

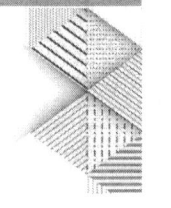

52 액화 천연가스 재액화기

1. 액화 천연가스 재액화기(LNG Recondenser) 개요
   ① BOG 발생 메카니즘 : LNG 저장 온도 -162℃ → 입열 →
   내부 온도↑ → 기화 → BOG 발생
   ② 처리방법
      ㉠ Cascade 방식 : 냉각 → 재액화
      ㉡ Compresser : 승압 후 사용처로 공급
      ㉢ Flare stack : 소각처리
      ㉣ Vent stack : 안전밸브 배출 → 희석 후 배출

2. 재액화 메카니즘
(1) 원리

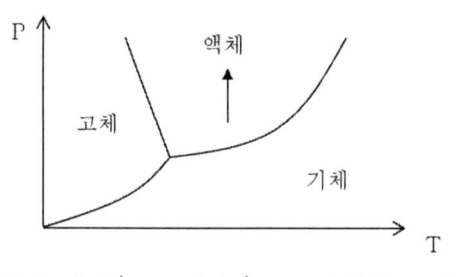

LNG 압력↑ → 비점↑ → -162℃ 보다 높은 온도에서도 액상

(2) 메카니즘[252]

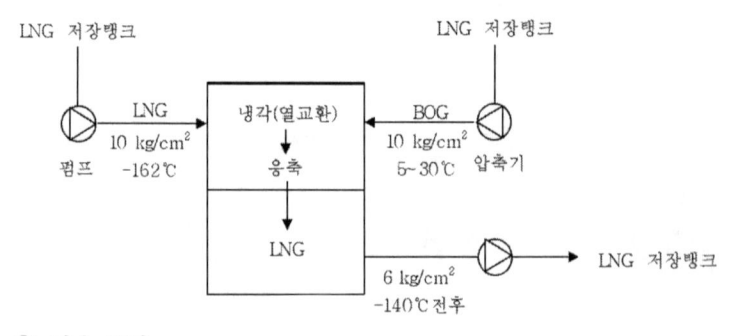

① 압축공정

　㉠ LNG 저장탱크 → BOG → Compressor에서 압축
　　(10 kg/cm², 5~30℃) → Recondenser

　㉡ LNG 저장탱크 → 1차 펌프에서 가압(10 kg/cm²,
　　-162℃) → Recondenser

② 냉각공정 : LNG(-162℃) + BOG(5~30℃) 혼합 → 냉각(열교환)

③ 재액화 공정 : 냉각(열교환) → BOG는 LNG(-140℃ 전후)
　로 응축 → 2차 펌프 → LNG 저장탱크

---

252) [암기] 압냉재
　　- 액화 천연가스 재액화 메카니즘 : 압축공정, 냉각공정, 재액화
　　공정

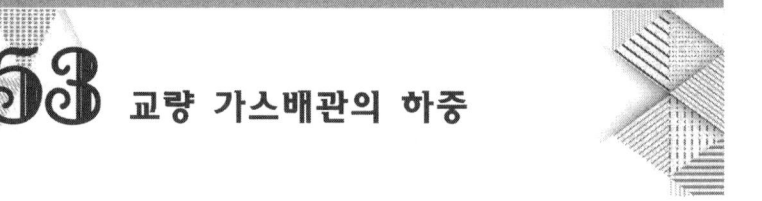

53 교량 가스배관의 하중

1. 개요
하중 → 주하중 / 부하중 → 원주방향응력 + 축방향응력 →
합성

2. 교량 설치 배관의 기술기준
① 목적 : 시공, 검사업무 표준화 및 효율성 확보
② 적용범위
　　㉠ 기존 교량 설치 배관
　　㉡ 신규 배관
　　㉢ 교량 설치 배관 길이 15m 초과

3. 하중 및 응력의 종류[253]

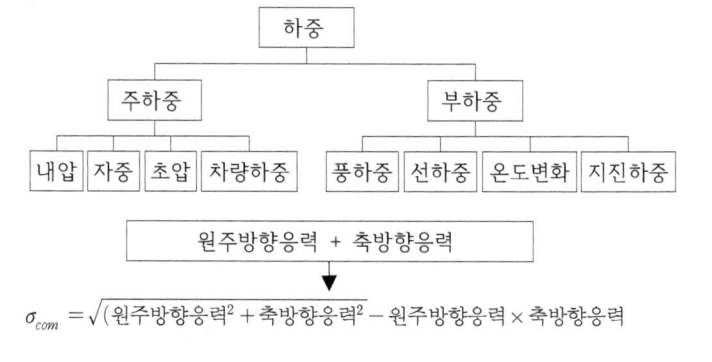

$$\sigma_{com} = \sqrt{(원주방향응력^2 + 축방향응력^2) - 원주방향응력 \times 축방향응력}$$

---

253) **암기** 내자초차풍선온지
　　 - 교량 설치 배관 하중의 종류 : 내압, 자중, 초압, 차량하중, 풍하
　　　중, 선하중, 온도변화, 지진하중

① 하중의 종류
　　㉠ 주하중 : 내압, 자중, 초압, 차량하중
　　㉡ 부하중 : 풍하중, 선하중, 온도변화, 지진하중
② 하중에 따른 발생 응력
　　㉠ 원주방향응력
　　　내압 + 초압 + 차량하중 + 온도변화
　　㉡ 축방향응력
　　　내압 + 자중 + 풍하중 + 선하중 + 온도변화 + 지진하중
　　㉢ 합성응력

$$\sigma_{com} = \sqrt{(원주방향응력^2 + 축방향응력^2}$$

$$- 원주방향응력 \times 축방향응력$$

54 배관 응력 해석

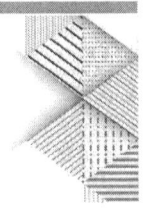

1. 개념
① 하중 → 응력으로 작용 → 배관 변형의 주원인
② 설계시 응력 해석 → 신축이음 적용 → 응력 해소

2. 하중 및 응력의 종류
상동
→ 여러 하중 중에서 온도변화에 의한 열 응력에 대해 설명

3. 배관 열 응력 해석
① 선팽창 계수

㉠ 정의 : 온도에 따라 변화하는 고체의 길이

　　㉡ 선팽창 계수↑ → 일정 온도 변화시 → 재료 길이 변화↑

　　㉢ 따라서 배관 재질 선택 중요

　② 열 응력

　　㉠ 계산식 : $\sigma = \alpha \varDelta TE$

　　　α : 선팽창 계수　$\varDelta T$: 온도변화　E : 영률

　　㉡ 영향인자

　　　$\alpha \uparrow$, $\varDelta T \uparrow$, $E \uparrow$ → 열 응력↑

4. 응력 대책(신축이음 대책)

　하기

55 신축이음(Expansion Joint)

1. 신축이음 선택시 고려사항[254]

　① 온도

　　㉠ 관내 유체온도

　　㉡ 관벽 외부온도

　② 관 길이

　　㉠ 일정 온도 상승시 → 관 길이↑ → 관 신축 길이↑

　　㉡ 관 지름은 관계 없음.

　③ 선팽창 계수

---

254) 암기 온길선
　　- 신축이음 선택시 고려사항 : 온도, 관 길이, 선팽창 계수

㉠ 선팽창 계수↑ → 일정 온도 변화시 → 재료 길이 변화↑
　　㉡ 일반적으로 강관 온도 10℃↑ → 10m당 10mm↑

2. 신축이음 종류
　① 슬리브형

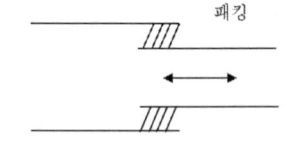

패킹

　　㉠ 미끄러짐에 의한 조절
　　㉡ 신축 흡수량↓
　② 벨로즈형

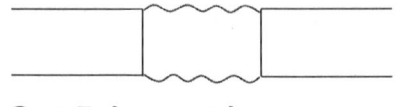

　　㉠ 주름관으로 조절
　　㉡ 저·중압 배관 이용
　③ 스위블형

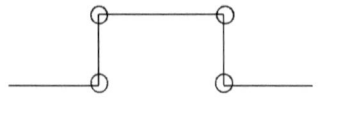

　　㉠ 나사풀림으로 조절
　　㉡ 저압 배관 이용
　　㉢ 누출 위험↑
　④ 루프형
　　㉠ 루프에 의한 조절
　　㉡ 가장 많이 사용
　　㉢ 시공비↑(배관 자재비, 용접비)
　⑤ Ball Joint

㉠ Ball 회전에 의한 조절

㉡ 신축 흡수량↑(루프형 대비)

㉢ Ball Joint 자체로는 고가이지만, 루프형 보다 신축 흡수량 많아 전체 공사비는 오히려 절약 가능하며, 배관 공간도 덜 차지함.

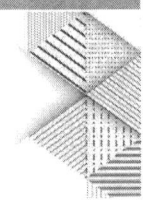

56 바이오 가스

1. 정의

$$\left.\begin{array}{l} \text{정화조 가스} \\ \text{매립지 가스} \end{array}\right\} \rightarrow CH_4 + CO_2 \text{ 구성} \rightarrow CH_4 \text{ 분리 및 정제}$$

① 정화조 가스 : 호기성 발효(O_2 有)

② 매립지 가스 : 혐기성 발효(O_2 無)

2. 생산 공정

(1) 정화조 가스

① 발효공정

유기성 폐기물 → 전처리 → 발효(호기성 발효, 산소 有)

② 생성공정

CH_4, CO_2 바이오 가스 생성

③ 정제공정

     ㉠ CO_2 제거 → 슬러지 형태로 배출

     ㉡ CH_4 분리 및 정제 → 가스 저장 → 사용처 공급

(2) 매립지 가스

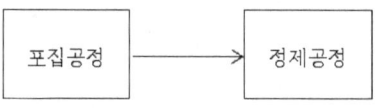

  ① 포집공정

     폐기물 매립지 → 파이프, 가스정 이용 → 바이오 가스 포집

  ② 정제공정

     ㉠ CO_2 제거 → 슬러지 형태로 배출

     ㉡ CH_4 분리 및 정제 → 가스 저장 → 사용처 공급

3. 효과

  ① 신재생 에너지원 활용

  ② 지구온난화 방지 효과

  ③ 자원 순환적 이용

  ④ 토양 조기 안정화

4. 사용처

  ① 연소기, 가스엔진, 열병합발전 등

  ② 대체 천연가스

  ③ 도시가스 등

5. 기술개발

  ① 가스 포집 기술

  ② CH_4 분리 및 정제 기술

  ③ 열량↑ 및 조성 균일 기술

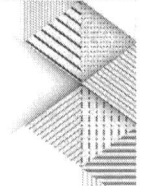

57 매립지 가스
(LFG : Land Fill Gas)

1. 개념
매립지 가스 → 포집 → CH_4 + CO_2 구성 → CH_4 분리 및 정제

2. 포집 공정
상동

3. 매립지 가스 특성
① 구성 성분 : CH_4 50%, CO_2 40%, 기타 10%
② 발열량↓ : 약 5,000 kcal/Nm^3(도시가스 1/2 수준)
③ 수율 : 1 ton 당 약 170 Nm^3 가스 발생
④ 포집 시기 : 매립 후 2~3년 최대 효과

58 FLNG(Floating LNG)

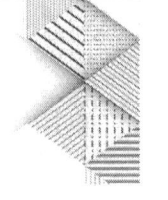

1. 정의
① 부유식 천연가스 생산, 액화, 저장, 하역 설비
② 바다의 LNG 공장 → 대우조선해양 세계 최초 개발

2. 기존 방식 vs FLNG

① 기존 방식(고정식 채굴설비)

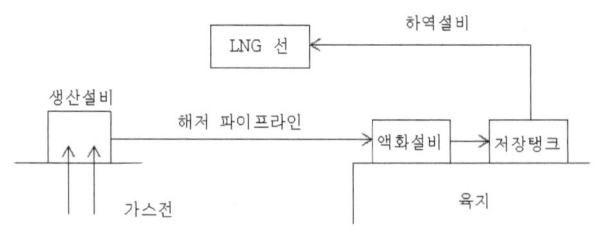

해상 생산 → 해저 파이프라인 통해 육지 이송 → 액화
→ 저장 → 하역 → LNG선

② FLNG

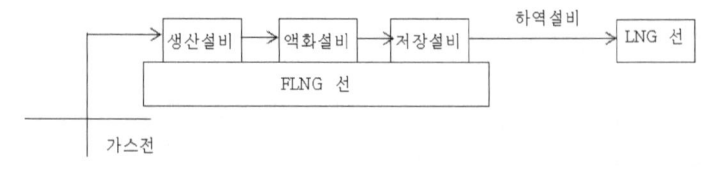

해상 생산 → FLNG선 내 액화 → 저장 → 하역 설비 보
유 → LNG선

3. FLNG 특징

① 육상 이송 불필요
　㉠ FLNG선 내 생산, 액화, 저장, 하역 설비 보유 → 육상
　　이송 불필요
　㉡ 기존 채굴설비 → 해저 장거리 파이프라인 이용 → 육
　　상 이송 필요
② 가스전 이동 생산 가능
　하나의 가스전 생산 완료시 → 다른 가스전 이동 생산 가능
③ 중소규모 Stranded 가스전 활용성↑
④ LNG 생산 비용 절감

4. 기타
   ① LNG 벙커링
      LNG 연료 사용 선박에 LNG 공급해주는 일련의 행위
   ② LNG 벙커링 선박
      LNG 벙커링 수행 선박
   ③ FLBT(Floating LNG Bunkering Terminal,해상 부유식
      LNG 벙커링 터미널)
      해상 부유식 LNG 저장 설비로써 LNG 벙커링 선박에
      LNG 공급 설비

59 LNG-FSU
(Floating Storage Unit)

1. 개념
   기존 LNG 운반선 + 저장 및 육상공급 기능 추가

2. 특징
   ① Dry docking 불필요
      ㉠ 기존 LNG 운반선은 5년 주기로 Dry docking 후
         Overhaul 및 품질검사 실시 필요
      ㉡ LNG-FSU는 Dry docking 불필요
   ② 장시간 운영 가능
      Dry docking 불필요 → 장시간 운영 가능
   ③ 연료비 및 운영비 절감
      Dry docking 불필요 → 육상 이동 불필요 → 연료비 절
      감 → Overhaul 불필요 → 운영비 절감

제 8 장

가스용기

1 고압가스 용기 종류

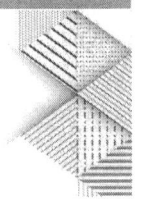

1. 개요

① 정의 : 고압가스 충전하기 위한것으로써 이동할 수 있는 것

② 종류[255)]

　㉠ 용접용기

　㉡ 이음매 없는 용기

　㉢ 초저온용기

　㉣ 접합용기

2. 용기 종류별 특징

구분	개념	저장가스	재료
용접용기	동판+경판 각각 성형, 용접	LPG, NH_3, Cl_2	C 0.33%↓ P 0.04%↓ S 0.05%↓
이음매 없는용기	동판+경판 일체형 ㉠ 만네스만식 ㉡ 에르하르트식 ㉢ 딥드로잉식	N_2, O_2, Ar, He	C 0.55%↓ P 0.04%↓ S 0.05%↓
초저온 용기	2중 구조 및 진공단열	$L-N_2$, $L-Ar$, $L-O_2$	㉠ 내조 : 저온취성 강한 오스트나이트계 강 ㉡ 외조 : 저탄소강, 스테인리스강

---

255) [암기] 용이초접
　- 고압가스 용기 종류 : 용접용기, 이음매 없는 용기, 초저온용기, 접합용기

구분	개념	저장가스	재료
접합용기	35℃, 0.8 MPa↓ 액화가스 충전	휴대용 부탄 가스, 스프레 이류	납

3. 용기 종류별 장단점

① 용접용기

장점	단점
㉠ 크기, 형상 자유롭게 제작 ㉡ 가격 저렴	㉠ 고압에 취약 ㉡ 용접부 결함발생 가능 ㉢ 이음매 없는 용기 대비 수명↓

② 이음매 없는 용기

장점	단점
㉠ 외관이 수려함. ㉡ 결함 발생률↓ → 수명↑ ㉢ 고압 견딜 수 있음.	㉠ 형상이 제한적 ㉡ 일정크기↑ → 제작 곤란 ㉢ 용접용기 대비 고가

 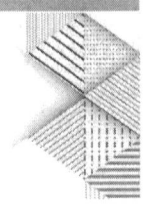

2 용기 재검사 주기

1. 개요

용기 일정시간 사용 후 → 재검사 실시 → 안전성↑

2. 용기 재검사 주기

내용적	용접용기			이음매 없는 용기	
	15년↓	15년~20년	20년↑		
500L↑	5년	2년	1년	5년	
500L↓	3년	2년	1년	신규검사 후 10년이하 5년	신규검사 후 10년초과 3년

3. 검사 항목
① 외관검사
㉠ 육안검사
㉡ 변형, 부식, 균열, 기초침하 상태 확인
② 재료검사 : 인장, 충격, 압괴
③ 내압시험

$$영구 \; 증가율 = \frac{영구 \; 증가량}{전 \; 증가량} \times 100 = 10\% \, 미만 \; \rightarrow \; 합격$$

④ 용접부검사 : 인장, 굽힘
⑤ 방사선 투과시험 : RT 대상 → 용접용기, 초저온용기
⑥ 단열성능시험
㉠ 1,000L↑ : 0.002 kcal/h·℃·L↓
㉡ 1,000L↓ : 0.0005 kcal/h·℃·L↓
⑦ 다공도시험
㉠ 1회/반기 실시
㉡ 다공도 75 ~ 92%

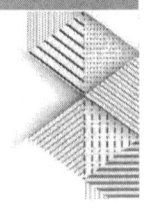

3 용해 아세틸렌 용기

1. 개요
① 아세틸렌의 위험성
- ㉠ 분해반응식 : $C_2H_2 \rightarrow 2C + H_2 +$ 발열(2,400 kcal/m^3)
- ㉡ 구리, 은 금속반응 → 폭발성 아세틸리드 형성 → 작은 충격 → 발화

② 대책 : 용기에 다공성 물질 충전 → 용제(아세톤, DMF) 침윤 후 → 아세틸렌 가압, 용해시켜 저장

2. 용기 구조

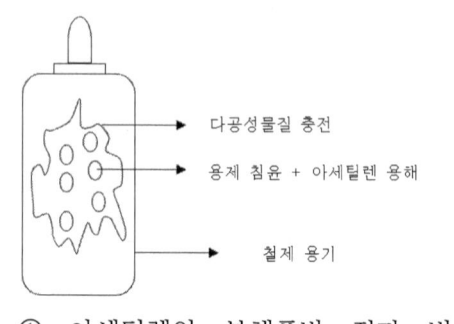

① 아세틸렌의 분해폭발 전파 방지 : 다공성물질 세공 (Porosity) → 액, 가스 분리 충전 → 분해폭발 전파 방지
② 열 흡수 : 다공성물질 고체표면 → 열 흡수 → 냉각
③ 표면적↑ : 넓은 표면적 유지 → 용제 + 아세틸렌 쉽게 접촉 → 용해
④ 용제 유출 방지 : 용기 내 용제 균일 유지 → 용제 유출 방지

3. 충전 순서
　① 용기에 다공성물질 충전
　　㉠ 고형형 : 규산칼슘
　　㉡ 목탄립 : ⓐ 목탄립　ⓑ 목탄립 + 석면 혼합물
　② 용제 충전 : 아세톤, DMF(디메틸포름아미드)
　③ 아세틸렌 가스 용해 : 2.5 MPa↓
　④ 24시간 정치 : 1.5 MPa↓
　⑤ 가스 사용

4 다공성 물질 종류, 다공도

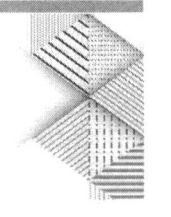

1. 다공성 물질
(1) 종류
　① 고형형
　　㉠ 종류 : 규산칼슘　　㉡ 다공도 우수 : 90%
　　㉢ 가벼움　　　　　　㉣ 장시간 사용 가능
　② 분립형
　　㉠ 종류 : ⓐ 목탄립　ⓑ 목탄립 + 석면 혼합물
　　㉡ 다공도 보통 : 75%
　　㉢ 무거움
　　㉣ 장시간 사용 불가능
(2) 특징
　① 아세틸렌의 분해폭발 전파 방지 : 다공성물질 세공 → 액,

가스 분리 충전 → 분해폭발 전파 방지

② 열 흡수 : 다공성물질 고체표면 → 열 흡수 → 냉각

③ 표면적↑ : 넓은 표면적 유지 → 아세틸렌 + 용제 쉽게
접촉 → 용해

④ 용제 유출 방지 : 용기 내 용제 균일 유지 → 용제 유출 방지

2. 다공도

① 정의 : 용기 내 다공성물질에 충전될 수 있는 용제의 부피(%)

② 계산식 : $Q(\text{다공도}) = \dfrac{V-E}{V} \times 100\,(\%)$

V : 다공성물질의 용적 E : 아세톤 침윤 잔용적

5 용기의 분체도장

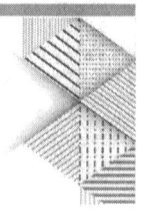

1. 개요

용기 본체 도장 → 부식방지 → 수명 연장

　　　　　　　　→ 미관 개선 → 색상으로 용기 구분

2. 분체도장 작업 방법[256]

① 정전 스프레이 도장법

㉠ 원리 : 정전력 이용 → 도료 부착 → 가열 용융 → 도막화

---

256) 암기 정유정

　　- 용기의 분체도장 작업 방법 : 정전 스프레이 도장법, 유동 침적
　　법, 정전 유동 침적법

ⓒ 장단점

장점	단점
㉠ 도막 두께 일정 ㉡ 피도물 크기 무관 ㉢ 회수, 재사용 가능	㉠ 도장 작업시간↑ ㉡ 정전 및 회수 장치 필요 ㉢ 복잡한 형상 도장 곤란

② 유동 침적법

㉠ 원리 : 다공판 통한 공기 주입 → 분체 유동화 → 예비 가열된 피도물 투입 → 분체 부착

ⓒ 장단점

장점	단점
㉠ 한번에 전면 도장 가능 ㉡ 복잡한 형상 도장 가능 ㉢ 작업 간단	㉠ 도막 두께 조절 곤란 ㉡ 피도물 두께 얇을 시 적용 불가 ㉢ 균일한 예열 곤란

③ 정전 유동 침적법

㉠ 원리 : 유동 침적법 + 예비가열 대신 정전기 이용

ⓒ 장단점

장점	단점
㉠ 자동화, 대량생산 가능 ㉡ 설비 간단	㉠ 평판 양면, 긴 피도물의 균일한 도장 곤란 ㉡ 대형 피도물 도장 곤란

3. 분체도장의 특징

① 고성능 도막 : 내식성, 내충격성, 내마모성, 내약품성

② 1회 도장 두께↑ : 120μm 전후

③ 도장 작업시간 절약 : 도장 공수 절감, 도장라인 단축

④ 균일한 도장 : 외관이 깨끗하고 수려함

⑤ 도료 손실↓

⑥ 도장 결함↓

⑦ 오염↓

⑧ 작업관리 및 청소 용이

4. 결론

용기 도장 전 에칭 프라이머, 쇼트 브라스팅 등으로 용기의
전처리를 실시하여 균일한 도장이 될 수 있도록 한다.

6 LPG 용기 재검사 판정기준

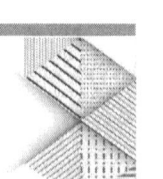

1. 개요

용기 일정시간 사용 후 → 재검사 실시 → 안전성↑

2. 결함 종류257)

① 점 부식

㉠ 점지름 0.6 cm↑

㉡ 인접한 부식점과의 거리 5 cm↓

② 선 부식 : 선상으로 형성된 부식으로 길이 1 cm↑

③ 일반 부식 :면적이 있는 부식

④ 우그러짐 : 두께 감소 없이 용기 내부로 변형된 것

⑤ 찍힌 흠 : 두께 감소 동반한 변형

---

257) [암기] 점선일우찍열
- LPG 용기 결함 종류 : 점 부식, 선 부식, 일반 부식, 우그러짐,
찍힌 흠, 열 영향

⑥ 열 영향

　　㉠ 도장의 그을음　㉡ 용기의 일그러짐　㉢ 용접 불꽃의
　　　흔적

3. 판정

　① 등급 선정 기준
　　결함의 일정 길이 및 깊이 초과 → 1~4 등급 선정
　② 등급 기준
　　㉠ 4등급 : 재검사 불합격
　　㉡ 2~3등급 : 내압시험, 영구팽창 측정시험 등 추가 Test 실시
　　㉢ 1등급 : 재검사 합격

초저온 용기의 단열성능 시험

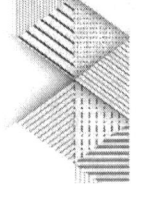

1. 개요
　액화질소, 액화산소, 액화아르곤 → 외부 침입열량 판정 →
　단열성능 적합 유무 확인

2. 시험방법
　① 시험용 가스 충전
　　㉠ 기화가스량 일정하게 유지
　　㉡ 초저온용기 내용적의 30% ~ 50% 되도록 충전
　② 시험용 가스 방출 : 가스 방출밸브 Open → 시험용 가스
　　대기중으로 방출
　③ 방출 기화량 측정 : 가스 방출밸브에서 방출된 기화량 →
　　중량계, 유량계 이용 → 측정

3. 침입열량 계산 : $Q = \dfrac{Wq}{H \varDelta TV}$

      Q : 침입열량(kcal/h·℃·L) H : 측정시간(hr)

      $\varDelta T$: 시험용가스 비점과 대기온도와의 온도차(℃)

      V : 초저온 용기 내용적(L) W : 기화량(kg)

      q : 시험용가스 기화잠열(kcal/kg)

4. 합격 기준
  ① 합격 기준
     ㉠ 1,000L↑ : 0.002 kcal/h·℃·L↓
     ㉡ 1,000L↓ : 0.0005 kcal/h·℃·L↓
  ② 재시험 방법
    불합격 시 단열재 교체 후 재시험 가능

8 재충전 금지 용기

1. 정의
최초 충전 후 1회 사용 → 사용년한 완료 후 파기 필요 용기

2. 충전가능 가스
  ① 종류 : 가연성가스, 독성가스, 헬륨가스 제외하고 충전 가능
  ② 충전가능 조건
     ㉠ 최고 충전 압력(MPa) × 내용적(L) = 100↓
     ㉡ 최고 충전 압력 22.5 MPa↓ and 내용적 25L↓
     ㉢ 최고 충전 압력 3.5MPa↑ 인 경우 → 내용적 5L↓

3. 충전기한 및 표시사항
　① 충전기한 : 제조 후 합격 각인 표시한 날로부터 3년 경과
　　후 충전 불가능
　② 표시사항 및 주의사항
　　㉠ "재충전 금지용기", "최초 충전기한 00년 00월"
　　㉡ "쓰러짐, 넘어짐 등의 무리한 취급 금지"
　　㉢ "용기온도를 40℃ 이상으로 하지 않을 것"
　　㉣ "불 속에 넣지 말 것"
　　㉤ "사용 후는 잔압이 없는 상태로 하고 산업폐기물로 처
　　　리할 것"

9 Saturation장치의 기능

1. 개념
　　LNG 자동차 저장용기 → 입열 시 → 기화 → 저장용기
　　압력↓ → LNG 공급 문제 발생

2. LNG 자동차 연료 공급압력 감소 메카니즘
　① 온도 하강 : LNG 사용 → 입열 시 기화 → 증발잠열 발
　　생 → 온도↓
　② 압력 하강
　　㉠ 온도↓ → 압력↓
　　㉡ 게이뤼삭의 법칙 : P/T = 일정
　③ 압력 하강시 문제점 : 압력 0.6 MPa↓ → 엔진 연료공급

원할하지 않음 → 공연비 이상 → 시동, 가속 불능

3. Saturation 장치

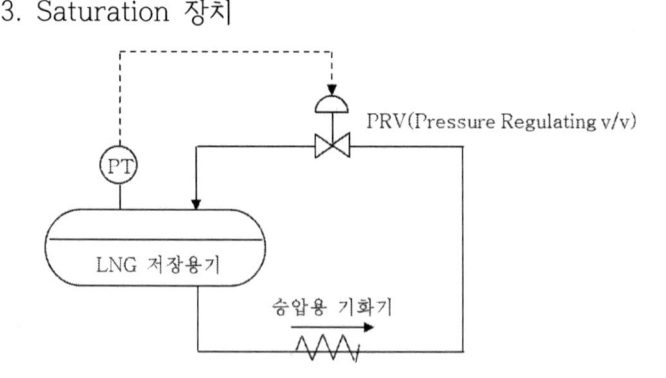

① 작동 메카니즘
　　㉠ 압력 감소 : LNG 저장용기 내 압력↓ → 압력 0.6
　　　MPa↓ 시 → 승압밸브 개방
　　㉡ 압력 상승 : 승압용 기화기 통과 시 → LNG에서 NG로 기화
　　　→ 부피↑ → 저장용기 내 가압 → 압력↑ → 온도↑
② 기능
　　㉠ 저장탱크 내 온도를 일정온도까지 올리는 역할
　　㉡ 저장탱크 내 압력을 일정압력까지 올리는 역할

10 압력용기 검사대상, 기하학적 검사범위

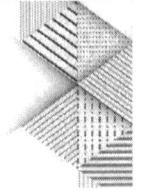

1. 개요
① 압력용기는 특정설비로 지정됨.
② 압력용기 제조공정 중 검사 합격한 경우에만 설치, 사용 가능

2. 압력용기 검사대상

　① 검사대상

　　㉠ 내용물이 액체인 경우

　　　35℃에서 0.2MPa 이상인 압력용기

　　㉡ 내용물이 기체인 경우

　　　35℃에서 1MPa 이상인 압력용기

　② 검사 제외대상[258]

　　㉠ 일체용 용기(용기 + 펌프, 압축기)

　　㉡ 자동차 에어백용 가스충전용기

　　㉢ 완충기에 속하는 용기

　　㉣ 용기 제조기술기준, 검사기준 적용 용기

　　㉤ 설계압력(kg/cm^2) × 내용적(m^3) = 0.04 이하 용기

　　㉥ 압력 관계없이 지름, 폭, 길이가 150mm 이하인 용기

3. 검사대상 압력용기의 기하학적 검사범위

　① 용접으로 배관 연결 : 첫번째 용접 이음매까지

　② 플랜지로 배관 연결 : 첫번째 플랜지 이음면까지

　③ 나사결합으로 배관 연결 : 첫번째 나사결합부까지

　④ 그 밖의 방법으로 배관 연결 : 그 첫번째 이음부까지

---

258) 암기 일자완기0415
　　- 압력용기 검사 제외대상 : 일체용 용기, 자동차 에어백용 가스충전용기, 완충기에 속하는 용기, 용기 제조기술기준·검사기준 적용용기, 설계압력(kg/cm^2) × 내용적(m^3) = 0.04 이하 용기, 압력 관계없이 지름·폭·길이가 150mm 이하인 용기

11 고압가스 용기 저장 기준

1. 용기 보관 장소
   ① 경계표지 설치 : 용기 보관 장소 밖에 경계 표지 설치
   ② 재료
      ㉠ 벽면 : 불연재료   ㉡ 지붕 : 가벼운 불연재료
   ③ 환기 : 가연성가스 체류하지 못하도록 적절한 환기, 통풍
   ④ 가스누출검지경보기 : 검지기 위치는 가스 비중 고려

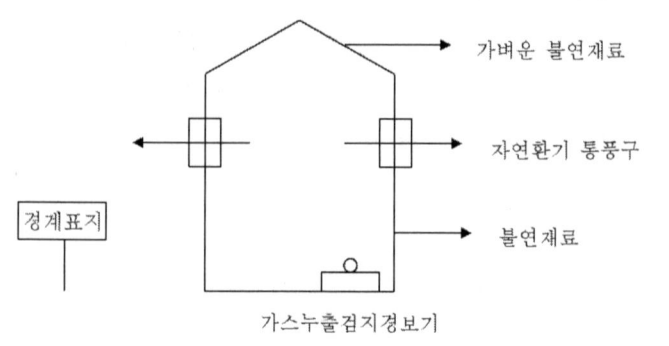

2. 용기 보관 기준

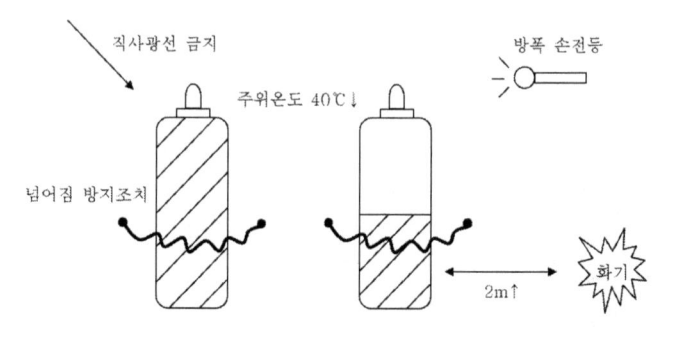

① 용기 구분
　　㉠ 가스별 용기 구분
　　㉡ 잔가스 용기 구분
② 화기 엄금 : 2m 이내 화기 엄금
③ 온도 : 보관장소 내 온도 40℃↓ 유지
④ 직사광선 : 직사광선 쏘임 금지
⑤ 넘어짐 방지 조치 : 줄, 쇠사슬 등으로 조치
⑥ 방폭 손전등 : 방폭구조 손전등 비치

3. 환기 기준
① 자연환기
　　㉠ 통풍구 위치
　　　ⓐ 가스 비중 > 공기 비중 : 바닥부
　　　ⓑ 가스 비중 < 공기 비중 : 천장부
　　㉡ 통풍구 면적 : 바닥, 천장 면적의 3% 이상(최대 0.24m^2)
② 강제환기
　　㉠ 흡입구 위치
　　　ⓐ 가스 비중 > 공기 비중 : 바닥부
　　　ⓑ 가스 비중 < 공기 비중 : 천장부
　　㉡ 배기가스 방출구
　　　ⓐ 가스 비중 > 공기 비중 : 지면에서 5m 이상 높이 설치
　　　ⓑ 가스 비중 < 공기 비중 : 지면에서 3m 이상 높이 설치
　　㉢ 통풍능력 : 바닥면적 1m^2 마다 0.5m^3/min 이상

제 9 장

저장탱크

1 저장탱크 종류

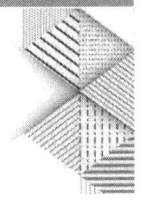

1. 개요
① 저장탱크 정의 : 가스 보관·사용할 수 있는 가스공급설비
② 종류 분류방법 : 설치위치, 방호형식, 온도, 단열법에 따른 분류

2. 저장탱크 분류[259)]
① 설치위치에 따른 종류(LNG)
② 방호형식에 따른 종류(LNG)
③ 온도에 따른 종류

종류		설명
상온		㉠ 상온 액화가스 저장 ㉡ 지상식, 지중식, 지하식 ㉢ LPG, 암모니아, 프레온
저온	초저온	㉠ -50℃↓ 액화가스 저장 ㉡ 단열재 피복, 냉동설비 냉각 ㉢ LNG, 액화산소, 액화질소, 액화아르곤
	저온	㉠ 초저온 저장탱크 외 저장탱크 ㉡ 단열재 피복, 냉동설비 냉각

---

259) [암기] 설방온단
　　 - 저장탱크 분류 방법 : 설치위치에 따른 종류, 방호형식에 따른 종류, 온도에 따른 종류, 단열법에 따른 종류

④ 단열법에 따른 종류

종류		설명
상압 단열법		㉠ 단열공간 단열재(분말, 섬유) 충진 ㉡ 多 사용
진공식 단열법	고진공	㉠ 10-3 ~ 10-4 Torr↓ ㉡ 보온병
	분말 진공	㉠ 단열공간 미세분말 충진 → 압력↓ 　→ 분말지름↑ → 진공단열효과↑ ㉡ 공업용, 대형 저장탱크
	다층 진공	㉠ 단열공간 알루미늄 박판 　+ 그라스울 다수 ㉡ 초저온용, 5~10 Torr

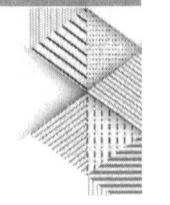

2 방류둑

※ 유동확산방지장치 = 방류둑 + 방호벽

1. 방류둑 역할 : 액화가스 누출 시,
   ① 액 확산 방지 → 유출 범위 최소화
   ② 증발표면적↓ → 증발확산량↓ → 가스유출 피해 최소화

2. 방류둑 설치대상 및 종류
   ① 설치대상
      ㉠ 가연성가스 : 500톤↑(액화석유가스 1,000톤↑)
      ㉡ 독성가스 : 5톤↑
      ㉢ 액화가스 : 1,000톤↑

② 냉동수액기 : 내용적 10,000리터↑
　② 종류
　　㉠ 흙 다이크
　　㉡ 아스 범식 다이크
　　㉢ 콘크리트 범식 다이크
　　㉣ 콘크리트 고·저식

3. 방류둑 용량 기준
　① KGS Code 기준
　　㉠ 탱크 1기 : 저장능력 상당용적 120%↑
　　㉡ 탱크 2기↑ : 최대저장능력 상당용적 + 기타 탱크 용
　　　　적 × 10%
　　㉢ 액화산소 저장탱크 : 저장능력 상당용적의 60%↑
　② 산업안전보건법 기준
　　[방유제 내부체적] - [가장 큰 탱크를 제외한 저장탱크의
　　방유제 높이 이하 부분의 체적] - [모든 저장탱크 기초부
　　분 체적] - [방유제 높이 이하부분의 배관, 지지대 등의
　　부속설비 체적]
　③ 위험물안전관리법 기준
　　㉠ 탱크 1기 : 탱크 용량의 110%↑
　　㉡ 탱크 2기↑ : 가장 큰 탱크 용량의 110% 이상

4. 방류둑 설치 기준[260]

---

260) 암기 부두내액출거내부관통
　　　- 방류둑 설치 기준 : 부속설비, 두께, 내구력 보유, 액압 견딜 것,
　　　출입구, 거리, 내부설비, 관통배관

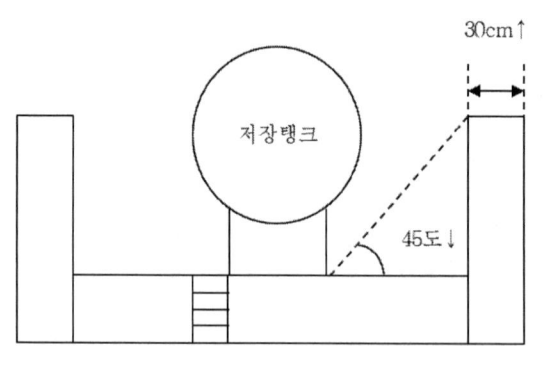

① 저장탱크 부속설비 : 방류둑 내·외면으로부터 10m 이내 저장탱크 부속설비 이외 설치 금지

② 방류둑 두께 : 30cm↑

③ 초극저온 내구력 보유 : 초극저온 가스 → 저장탱크 신축 발생 → 강도↓

④ 액압 견딜 것 : 누출되지 않고 액압에 충분히 견딜 수 있는 구조일 것

⑤ 출입구

　㉠ 둘레 50m 마다 1개 이상 설치

　㉡ 둘레 50m↓ 2개 이상 분산 설치

⑥ 방류둑과 저장탱크 사이거리 : 저장탱크 하단으로부터 방류둑 상부까지 각도 45도↓

⑦ 방유제 내부설비

　㉠ 안전성 확보 설비 외 설비 설치 금지

　㉡ 안전성 확보 설비

　　ⓐ 저장탱크를 위한 배관

　　ⓑ 조명설비

　　ⓒ 가스누출 감지 경보기

　　ⓓ 계기설비

⑧ 관통배관
　　㉠ 방유제는 부등침하 또는 진동으로 과도한 응력이 받지
　　　않게 조치
　　㉡ 관통배관 보호조치
　　　슬리브배관은 방유제에 완전밀착시키고, 관통배관과 슬
　　　리브배관 사이는 충전물 삽입하여 완전 밀폐

 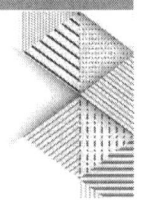

3 방호벽

1. 개요

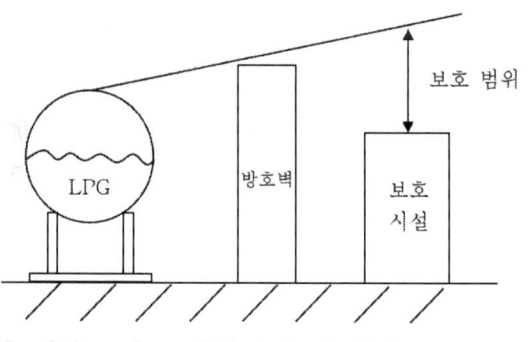

① 역할 : 가스 화재·폭발 시 설비 보호
② 설치 시 효과
　　㉠ 폭발압 저하
　　㉡ 과열 차단(화염상쇄)
　　㉢ 비산 방지

2. 설치장소
　① 고압가스
　　㉠ 저장시설 : 저장탱크와 사업소 내의 1, 2종 보호시설과
　　　의 사이
　　㉡ 판매시설 : 용기 보관실 벽
　　㉢ 특정고압가스 사용시설 : 액화가스 저장량 300kg↑ 용
　　　기보관실
　　㉣ 고압가스 충전시설 : 저장탱크-충전장, 조작밸브-충전장
　② 액화석유가스 시설
　　㉠ 저장탱크-가스충전소
　　㉡ 판매업소 용기보관실
　　㉢ 500kg↑ 용기집합시설-사용장소
　③ 천연가스 시설
　　㉠ 도시가스 정압기실
　　㉡ CNG 충전소-압축기 충전기
　　㉢ 배치기준 이하 거리 시

3. 방호벽 종류
　① 철근 콘크리트 : 콘크리트 내 철근 시공 → 방호 강도↑
　② 무근 콘크리트 : 콘크리트 내 철근 미시공 → 방호 강도↓
　③ 강판
　　㉠ 강판 → 기초 내부까지 묻어 시공
　　㉡ 강판 묻은 깊이↑, 강판 두께↑ → 방호 강도↑

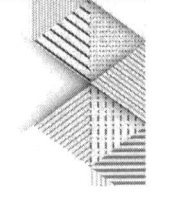

4 LPG 저장탱크

1. 개요
LPG 저장탱크는 지상식, 지중식, 지하식으로 구분한다.
(LNG, LPG 공통)

2. 종류별 특징
(1) 지상식 저장탱크[261]

① 탱크 유형 : 횡형, 입형

② 누설 점검 용이 : 지상 노출 → 마운드형, 지하매몰식 대비 누설 점검 용이

③ 부식 염려↓ : 지상 노출 → 마운드형, 지하매몰식 대비 부식 관리 가능

④ 안전거리 : 지하매몰식보다 안전거리 30% 이상 더 확보

⑤ 탱크 2개 이상 인접 설치 시 : 상호간 1m 이상 거리 유지 또는 $\dfrac{D_1 + D_2}{2}$ 값 중 큰 것 적용

(2) 지중식 저장탱크[262]

---

261) [암기] 탱누부안탱
   - 지상식 저장탱크 특징 : 탱크 유형, 누설 점검 용이, 부식 염려↓, 안전거리, 탱크 2개 이상 인접 설치 시

262) [암기] 설부안방흙가배
   - 지중식 저장탱크 특징 : 설치 방식, 부식 방지, 안전거리, 방출구, 흙 시공 각도, 가스누출검지 관, 배수공

① 설치 방식 : 저장탱크 지상 설치 후 → 모래 20cm↑ 채움 → 흙 1m↑ 쌓음

② 부식 방지 : 탱크 부식방지 위해 부식방지코팅 + 전기방식 적용

③ 안전거리 : 충전사업 시설기준에서 정한 거리의 70%↑

④ 방출구 : 흙 정상부에서 2m 돌출

⑤ 흙 시공 각도 : 지상으로부터 35~45도

⑥ 가스누출검지 관 : 둘레 20m 마다 설치

⑦ 배수공 : 흙담 내 지상부분에 적절한 구배의 배수공 시공

(3) 지하식 저장탱크[263)]

① 설치 방식 : 지하격납, 지하매몰, 지하동굴

② 부식 방지 : 탱크 부식방지 위해 부식방지코팅 + 전기방식 적용

③ 안전거리 : 탱크 상부와 지면과의 거리 60cm↑

④ 방출구 : 지면에서 5m 돌출

⑤ 민원 발생률↓ : 탱크 외부 노출 X → 민원 발생률↓

⑥ BLEVE 미발생 : 탱크 외부 노출 X → 외부 화재 등 영향 無

⑦ 토지 이용률↑ : 지하 매몰 → 지상 토지 사용 가능

---

263) 암기 설부안방민B토
- 지하식 저장탱크 특징 : 설치 방식, 부식 방지, 안전거리, 방출구, 민원 발생률↓, BLEVE 미발생, 토지 이용률↑

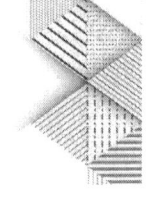

5 저장탱크 안전거리

1. 개요
① 정의

화재·폭발로부터 보호시설의 인적·물적 피해경감을 위한 거리
② 산정 영향인자

㉠ 폭발 과압의 정도↑

㉡ 복사열의 크기↑ ⎫→ 안전거리↑ 설계 → 피해최소화

㉢ 비산물 도달거리↑ ⎭

2. 안전거리 기준

저장능력	저장탱크 ↔ 사업소 경계	저장탱크 ↔ 1종 보호시설	저장탱크 ↔ 2종 보호시설
10 톤↓	24m↑	17m↑	12m↑
10 톤~20 톤	27m↑	21m↑	14m↑
20 톤~30 톤	30m↑	24m↑	16m↑
30 톤~40 톤	33m↑	27m↑	18m↑
40~200 톤	36m↑	30m↑	20m↑
200 톤↑	39m↑	30m↑	20m↑

※ 지하저장시설 : 상기 거리에 충전시설은 0.7, 저장시설은 0.5 곱한 수치

3. 저장능력 산정 공식 : $W[kg] = 0.9 d V$

d : 상용온도 액화석유가스 비중[kg/L] V : 저장탱크 내용적[L]

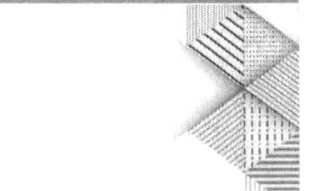

6 소형 저장탱크

1. 개요
① 정의

액화석유가스 저장·사용 설비로 3톤 미만의 저장탱크
② 최근 동향

벌크로리 가스공급 증대 → 0.5톤 ~ 3톤 소형 저장탱크 보급률↑

2. 소형 저장탱크 설치기준[264]
① 이격거리 : 탱크외면과 토지경계와의 이격거리 0.5m↑
② 설치 장소 및 환경
　　㉠ 옥외　　　　　　㉡ 수평하게
　　㉢ 통풍 양호　　　　㉣ 습기 無
　　㉤ 기초침하, 산사태, 홍수 우려 無
③ 안전거리

충전질량 (톤)	가스충전구 ↔ 토지경계선	탱크간 거리	가스충전구 ↔ 건축물개구부
1톤↓	0.5m↑	0.3m↑	0.5m↑
1~2톤	3.0m↑	0.5m↑	3.0m↑
2톤↑	5.5m↑	0.5m↑	3.5m↑

---

264) **암기** 이장안구살대
　　- 액화석유가스 소형 저장탱크 설치기준 : 이격거리, 장소 및 환경, 안전거리, 구조, 살수설비, 대수 및 용량

④ 구조 : 철근콘크리트 기초 위 앵커볼트로 견고히 고정

⑤ 살수설비 : 옥내, 가연성설비 주위 설치 시 살수설비 설치 필요

⑥ 대수 및 용량 : 동일 장소 설치 시 6기 이내, 5톤 미만

3. 문제점

① 안전 규정 미비 : 0.5톤 저장 탱크 가장 많이 사용되나, 안전 규정 미비

② 안전관리자 필요 : 저장량↑ → 안전관리자 필요

4. 특징

① 경제적인 측면

㉠ 물류비 감소

㉡ 인원 효율적 관리

㉢ 물류관리 합리화

② 안전적인 측면

㉠ 용기 집하시설 대비 이음매↓ → 누출 위험↓

㉡ 충전횟수↓ → 안전사고↓

㉢ 오배달 사고율↓

7 부압 방지조치

1. 탱크 부압의 개념

① 저장물질의 급격한 배출시

② 갑작스런 탱크 냉각시

→ 내부 압력 < 외부 압력 → 부압(진공) 형성

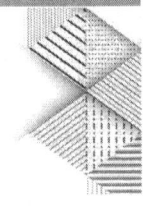

2. 부압 발생원인 및 억제대책

발생원인	억제대책
① 저장물질의 급격한 배출	㉠ 최대 출하속도 제한 ㉡ 압력 경보설비 설치
② 갑작스런 탱크 냉각 원리 : P/T=C, 게이뤼삭의 법칙	냉동제어 설비 설치
③ Breather valve 용량부족, 막힘	㉠ 충분한 용량의 통기밸브 설치 ㉡ 불순물 제거설비 설치

3. 부압 방지장치(안전장치)[265]

① 압력계

　㉠ 연성계 설치

　㉡ 압력계 설치 : 최고 사용압력 1.5배 지침 보유

② 압력 경보설비 : 설정 부압 도달 시 → 경보 → 즉각 대응

③ 진공 안전밸브(Breather valve) : 설정 부압 도달 시 → 진공디스크 개방 → 공기유입 → 진공 해소

④ 균압관 : 탱크와 탱크 사이 균압관 설치 → 균일한 압력 조성

⑤ 압력연동 냉동제어 설비 : 갑작스런 탱크 냉각 → 온도↓ → 압력↓ → 냉동제어 설비 작동 → 온도↑(온도차 보정) → 압력↑ → 부압 형성방지

⑥ 압력연동 송액설비 : 저장물질 급격한 배출 → 압력↓ → 송액설비 속도 제어 → 압력↑ → 부압 형성방지

---

265) 암기 압경진균냉송
　- 저장탱크 부압 방지장치 : 압력계, 압력 경보설비, 진공 안전밸브, 균압관, 압력연동 냉동제어 설비, 압력연동 송액설비

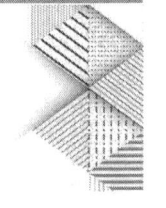

8 저장탱크 침하 측정

1. 개요

① 문제점 : 저장탱크 침하발생 → 수평 불균형 → 가스설비 파손 → 대형사고

② 대책 : 침하상태 주기적 측정 및 기록·관리

2. 측정 방법

① 측정 주기 : 1회/년 이상

② 측정 방법

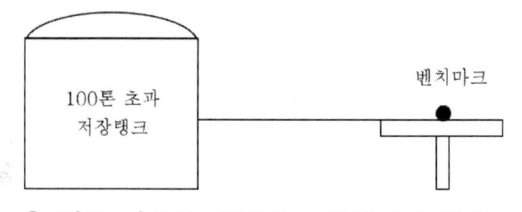

㉠ 탱크 기초면 측정점 : 벤치마크 활용

㉡ 레벨차 측정 : 레벨측정기 이용

㉢ 침하량 계산

③ 판정 기준

침하량	조치
0.5% 초과 시	침하량 1년간 1회/월 측정, 기록
1% 초과 시	사용 중지 후 적절한 조치 취함 ㉠ 라이너 삽입, 무수콘크리트 충전 ㉡ 미 침하 토사 수평 작업 ㉢ 밑판 제거 → 기초면 수평 → 밑판 설치 　　→ 비파괴시험 실시

※ 1% 초과 조치사항 실행 시, 저장탱크 들어올린 후 실시

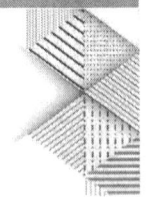

9 저장탱크 재검사

1. 재검사 주기 산정법
   ① TBI(Time Based Inspection) : 시간 경과에 따른 주기
   ② CBI(Condition BI) : 용기 상태에 따른 주기
   ③ RBI(Risk BI)
      ㉠ Risk = LoF(Likelihood of Failure) × CoF(Consequence of Failure)
      ㉡ API 2080 rule 이용한 위험도 관리
         전체 설비 20% → 전체 위험 80% 차지

2. 재검사 주기
   ① 제조, 재검사 후 5년마다
      ㉠ 초저온 저장탱크 제외
      ㉡ 불합격되어 수리한 후 합격한 경우 : 3년마다
   ② 이동설치 할 때마다 : LPG 소형 저장탱크 제외

3. 검사항목 및 합격기준
   ① 외관검사
      ㉠ 육안검사
      ㉡ 변형, 부식, 균열, 기초침하 상태 확인
   ② 두께 측정검사 : 초음파 두께 측정기 사용

③ 비파괴 검사 : MT, PT 실시 → 결함 발견 시 수리 후 → RT, UT 실시

④ 기밀시험 : 공기, 질소 사용 → 설계압력 이상 가압

⑤ 내압시험
　　㉠ 외관, 두께측정검사, 비파괴검사 결과 결함 발견시 수리 후 실시
　　㉡ 물 사용 → 설계압력 × 1.5배 이상 가압

⑥ 부속품 검사
　　㉠ 안전밸브
　　㉡ 긴급차단장치　→ 각 장치의 제조 및 검사기준
　　㉢ 기화장치

4. 재검사 방법
　① 지하 저장탱크
　　㉠ 노출된 부분만 실시
　　㉡ 결함 발견 시 굴착 후 전체 검사 실시
　② 저온 저장탱크
　　㉠ 노출된 부분만 실시
　　㉡ 결함 발견 시 단열재 제거 후 검사 실시

10 저장탱크 검사시 작업절차

1. 저장탱크 검사시 작업절차(내부작업시 절차, 개방검사 절차)
   개요
   ① 개방검사 시 화재·폭발, 중독, 산소결핍 등 사고 방지 필요
   ② 적합한 개방검사 절차 수립 필요

2. 설비별 개방검사 절차
   ① 가연성가스 설비
      ㉠ 잔가스 회수 : 대기압↓
      ㉡ 잔가스 처리 : 대기방출, 연소방출
      ㉢ 잔가스 치환 : 불활성가스, 물
      ㉣ 결과 확인 : LFL 25%↓, 산소농도 18~21%
   ② 독성가스 설비
      ㉠ 잔가스 회수 : 대기압↓
      ㉡ 잔가스 처리 : 중화처리
      ㉢ 잔가스 치환 : 불활성가스, 물
      ㉣ 결과 확인 : 허용농도↓, 산소농도 18~21%
   ③ 산소 설비
      ㉠ 잔가스 처리 : 대기방출
      ㉡ 잔가스 치환 : 불활성가스, 물
      ㉢ 결과 확인 : 산소농도 18~21%

3. 단계별 개방검사 절차
  ① 작업준비
    ㉠ 점검계획 수립 및 점검내용 확인
    ㉡ 안전조치사항 확인
    ㉢ 연결배관 차단조치
  ② 치환작업
    ㉠ 잔가스 회수 및 처리
    ㉡ 잔가스 치환 : 진압사스
    ㉢ 결과 확인 : LFL 25%↓, 산소농도 18~21%, 허용농도↓
  ③ 안전대책 수립
    ㉠ 보호구 준비 : 방독마스크, 공기호흡기, 보호의, 방폭
       손전등
    ㉡ 외부 감시 : 외부 감시인 배치 여부 확인
    ㉢ 점화원 관리 : 접지, 본딩 확인

4. 작업 시 주의사항
  ① 작업인원 : 2인 1조 이상
  ② 시건 조치 : 다른 설비와의 밸브는 시건조치 실시
  ③ 산소농도 측정 : 입실 시, 작업 중 주기적 산소농도 측정
  ④ 연락 체계 구축 : 응급 상황 대비 외부 연락 체계 상시
     유지

 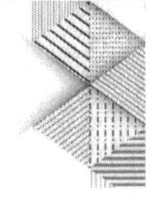

11 LPG 벌크 공급 시스템

1. LPG 벌크 공급 시스템(Bulk system) 개요
　① 정의 : LPG 충전설비 → 차량 탑재 → 특정 사용시설 공급
　② 목적 : LPG 유통비용 감소, 가격 경쟁력 제고

2. 벌크 공급 계통도

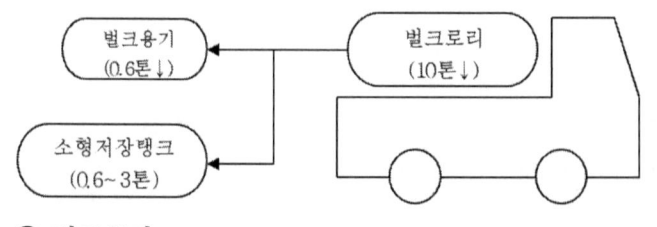

　① 벌크로리
　　㉠ 10톤 미만 저장탱크 장착한 탱크로리
　　㉡ 벌크용기, 소형저장탱크에 충전할 수 있는 설비
　　㉢ 설비 구성
　　　ⓐ 충전설비　ⓑ 긴급차단밸브　ⓒ 펌프　ⓓ 안전밸브
　② 벌크용기 및 소형저장탱크
　　㉠ 벌크용기 : 0.6톤↓ 저장설비
　　㉡ 소형저장탱크 : 0.6톤 ~ 3톤 저장설비
　　㉢ 안전장치
　　　ⓐ 안전밸브　ⓑ 방출관　ⓒ 과충전방지장치
　　　ⓓ 압력계　ⓔ 온도계

3. 벌크 공급 효과
   ① 경제적인 측면
      ㉠ 물류비 감소
      ㉡ 인원 효율적 관리
      ㉢ 물류관리 합리화
   ② 안전적인 측면
      ㉠ 용기 집하시설 대비 이음매↓ → 누출 위험↓
      ㉡ 충전횟수↓ → 안전사고↓
      ㉢ 오배달 사고율↓

4. 용기 대비 장·단점

장점	단점
㉠ 대량 운반 → 배송 합리화 ㉡ 집중감시시스템 통한 계획배송 ㉢ 안전 관리 용이	㉠ 추기 투자비↑ ㉡ 대형 수요처 발굴 어려움 ㉢ 도로상황에 따른 공급 불가

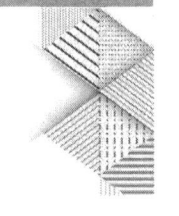

12 탱크로리 부착 부속품

1. 개요
   ① 탱크로리 이·충전 위한 부속품 부착 필요
   ② 부속품 종류[266]

---

266) **암기** 주긴안액압온부
   - 탱크로리 부착 부속품 종류 : 주 밸브, 긴급차단장치, 안전밸브,
     액면계, 압력계, 온도계, 부속품 조작상자

㉠ 주 밸브 ㉡ 긴급차단장치 ㉢ 안전밸브 ㉣ 액면계
㉤ 압력계 ㉥ 온도계 ㉦ 부속품 조작상자

2. 부속품 종류별 특징

(1) 주 밸브

① 종류 : ㉠ Y type ㉡ 볼 type

② 설계, 제작 기준
㉠ 사용 가스에 적합한 재료
㉡ 최고충전압력 이상 설계
㉢ 개폐방향, 개폐상태 육안 식별 가능 구조

③ 개폐점검
㉠ 기밀시험압력 이상 힘 가한 상태에서 실시
㉡ 전개, 전폐 조작 시 특이사항 없이 작동 여부

(2) 긴급차단장치

① 설치대상
㉠ 가스, 액체 출입 탱크 개구부
㉡ 단, 개구부 중 안전밸브, 액면계, 압력계, 온도계 설치
부는 제외

② 동력원
㉠ 공기 : Compressor Instrument Air
㉡ 기계적 힘 : 스프링
㉢ 전력 : 비상전력 확보 필요(자비축U)

(3) 안전밸브

① 설치개수 : 스프링식 안전밸브 1개 이상 설치
② 설치위치 : 탱크 기상부

(4) 액면계

　① 종류 : ㉠ 튜브식　㉡ 차압식　㉢ 로터리식

　② 구비조건 : 충전 가스 최고액면 측정 가능 필요

(5) 압력계

　① 종류

　　㉠ 부르돈관 압력계

　　㉡ 이와 동등 이상 성능 지닌 압력계

　② 구비조건

　　㉠ 기상부 압력 측정

　　㉡ 최고사용압력 1.5배 지침 보유

(6) 온도계

　① 설치위치 : 감온부 탱크 액상부 설치

　② 눈금 지시범위 : -10℃ ~ 50℃(40℃에 적색 표시)

(7) 부속품 조작상자

　① 설치위치 : 차량 좌측면 이외 편리한 곳

　② 구조 : STS 재료, 용접구조

제10장

금속 · 설비재료

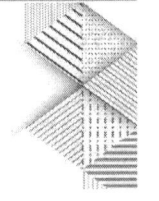

1 부식

1. 부식의 개념
    ① 금속의 산화반응으로 금속자체가 소모되어 가는 현상
    ② 금속의 이온화경향
       K > Ca > Na > Mg > Al > Zn > Fe > Ni > Sn > Pb
       > Cu > Hg > Ag > Pt > Au
       <------------------ 이온화경향↑, 부식부, 양극부

2. 부식의 조건
    ① 양극 또는 양극부 존재
    ② 음극 또는 음극부 존재
    ③ 전해질 : 전류 운반 매체(용액, 토양)
    ④ 부식전류 회로 형성 : 전위차, 부식전지

3. 부식발생 메카니즘
    ① 양극부 : 금속이온과 전자로 분리
       $Fe \rightarrow Fe^{2+} + 2e-$
    ② 음극부 : 전자가 물속 용존산소와 반응하여 수산기 형성
       $H_2O + \dfrac{1}{2}O_2 + 2e- \rightarrow 2OH-$
    ③ 전해질 : 전류 운반 매체
       $Fe + H_2O + O_2 \rightarrow Fe^{2+} + 2OH- \rightarrow Fe(OH)_2$ [산화제1철]

4. 부식의 종류

① 부식의 분류[267)]

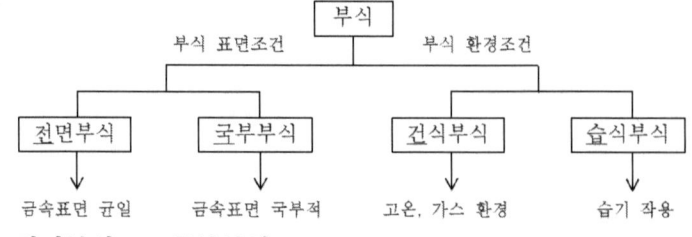

② 전면부식 vs 국부부식

구분	전면부식	국부부식[268)]
개념	금속표면이 균일하게 부식 발생	금속표면에 국부적 부식 발생
특징	수명예측 가능 → 대책 수립 용이	수명예측 불가능 → 대책 수립 곤란
종류	유체 수송 배관 내 부식 등	㉠ 갈바닉 부식 ㉡ 틈부식 ㉢ 공식 ㉣ 응력부식 ㉤ 피로부식

5. 국부부식 종류별 특성

(1) 갈바닉부식(Galvanic Corrosion, 전지부식, 이종금속 접촉부식)

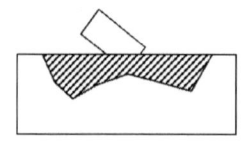

① 개념 : 이종금속 접촉 → 전지 형성 → 양극부 국부부식 발생

---

267) **암기** 전국건습
   - 금속 부식의 종류 : 전면부식, 국부부식, 건식부식, 습식부식
268) **암기** 갈틈공응피
   - 국부부식 종류 : 갈바닉 부식, 틈부식, 공식, 응력부식, 피로부식

② 메카니즘
　㉠ 이종금속 접촉 : 이종금속 서로 접촉되어 전해질 용액
　　내 존재 → 전위차 형성
　㉡ 전자 이동 :┌ 전자 잃은 쪽 : 이온화경향↑, 양극부(+)
　　　　　　　　└ 전자 얻은 쪽 : 이온화경향↓, 음극부(-)
　㉢ 부식 발생 : 양극부(+) 산화 → 국부적으로 부식 발생
③ 대책
　㉠ 이종금속 결합시 절연하여 접촉(용접 결합 금지)
　㉡ 전자 활성도가 유사한 금속, 합금 사용
　㉢ 양극부(+) 재료 두껍게 제작
　㉣ 부식억제제 사용 → 금속 부식특성 개선
　㉤ 전기방식 설비 적용┌ 음극방식법┌ 희생양극법
　　　　　　　　　　　　│　　　　　　└ 외부전원법
　　　　　　　　　　　　└ 양극방식법

(2) 틈부식(Crevice Corrosion, 틈새부식, 간극부식, 침전부식,
　　가스켓부식)

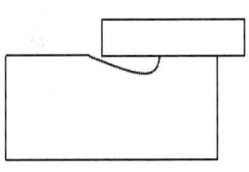

　① 개념
　㉠ 틈새에 전해질 수용액 침투 및 정
　　체 → 틈새 내 국부부식 발생
　㉡ 발생위치 : 가스켓, 볼트 등 차폐
　　된 공간
② 메카니즘
　㉠ 전해질 수용액 침투 및 정체 : 용존산소 고갈 → 양이
　　온 과다
　㉡ 전위차 형성 : 전위 평형 위해 → 음이온 Cl^- 틈새 내
　　부 이동
　㉢ 부식 가속화 : M^+ + Cl^- + H_2O → MOH + HCl
　　→ 강산성 HCl 생성 → 부식 가속화

③ 대책
　　㉠ 가스켓, 볼트 사용 대신 용접 이음
　　㉡ 틈새 밀봉(표면을 균일)
　　㉢ 전해질 수용액 가두는 역할을 하는 침전물 제거
　　㉣ 부식억제제 사용 → 금속 부식특성 개선
　　㉤ 전기방식 설비 적용

(3) 공식(Pitting Corrosion, 점식)

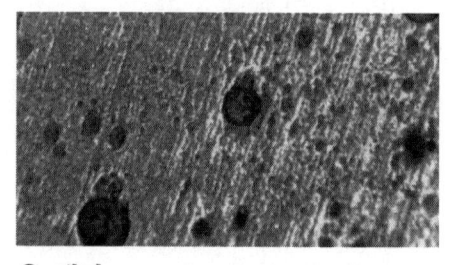

① 개념
　　㉠ Cl^- 부동태 피막 파괴 → 부식 Pit 형성 → 국부부식 발생
　　㉡ 개구부의 직경에 비해 깊이가 깊은 부식
② 메카니즘
　　㉠ 부동태 피막 파괴 : Cl^- 침투 → 부동태 피막 파괴 →
　　　부식 Pit 형성 → Pit 내 용액 정체 → 용존산소 고갈
　　　→ 양이온 과다
　　㉡ 전위차 형성 : 전위 평형 위해 → 음이온 Cl^- 틈새 내
　　　부 이동
　　㉢ 부식 가속화 : $M^+ + Cl^- + H_2O → MOH + HCl$
　　　→ 강산성 HCl 생성 → 부식 가속화
③ 대책
　　㉠ 염소분위기와의 접촉 방지
　　㉡ 연마가공 등 표면 처리
　　㉢ 전해질 제거

㉣ 부식억제제 사용 → 금속 부식특성 개선

　　㉤ 전기방식 설비 적용

(4) 응력부식(Stress Corrosion) vs 피로부식(Fatigue Corrosion)

구분	응력부식	피로부식
작용힘	정적인 인장응력 (Tensile stress)	동적인 반복응력 (Repeated stress)
특징	㉠ 합금에서만 발생 ㉡ 특정 환경조건 요함 　ⓐ 탄소강 : 질산염 　ⓑ 스테인레스강 　　: 염화물	㉠ 합금·순금속에서 발생 ㉡ 특정 환경조검 요하지 　않음 (모든 수용액에서 　발생)
대책	㉠ 응력을 발단응력 이하 　로 감소 ㉡ 합금자체를 교체 ㉢ 질산염 등 유해성분 제거 ㉣ 부식억제제 사용	㉠ 반복응력 발생 방지 ㉡ 내식성 우수한 합금 사용 ㉢ 부식억제제 사용

6. 부식의 원인(부식발생 영향인자)

　① 내적요인[269]

　　㉠ 열처리 : 열처리 미실시, 부족 → 잔류응력 존재 → 내식성↓

　　㉡ 가공 : 냉간가공 → 잔류응력↑ → 내식성↓

　　㉢ 금속 조직 : 금속을 형성하는 결정상태 면에 따라 다름

　② 외적요인[270]

　　㉠ 용존산소 : 물속 용존산소↑ → 부식속도↑

---

269) 암기 열가금
　- 금속 부식의 원인(부식발생 영향인자) 중 내적요인 : 열처리, 가
　공, 금속조직

270) 암기 용용유온p상
　- 금속 부식의 원인(부식발생 영향인자) 중 외적요인 : 용존산소,
　용해성분, 유속, 온도, pH, 상대습도

ⓒ 용해성분 : 가수분해하여 산성이 되는 염기류에 의한 부식 예) Cl^-, SO_4^{2-}

　　ⓒ 유속 : 유속↑ → 보호피막 박리 → 금속표면 침식(Errosion)

　　ⓔ 온도 : 온도↑ → 부식속도↑(80℃ 에서 부식속도 최대) 80℃ 이상시 용존산소↓ → 부식속도↓

　　ⓜ pH : ┌ pH4 이하 : 부식속도↑
　　　　　　└ pH10 이상 : 부식속도↓

　　ⓑ 상대습도

　　　　ⓐ 65% 미만 : 금속표면 수막형성 곤란 → 부식속도↓

　　　　ⓑ 65% 이상 : 금속표면 수막형성 용이 → 부식속도↑

7. 부식 방지대책[271]

　① 배관재 선정

　　㉠ 내구성↑, 내식성↑, 내열성↑

　　㉡ 동일계 배관재 선정

　　㉢ 지해매설 배관 : 스팀배관 매설 시 SIS(Steel in Steel) 사용, 진공 유지

　② 유속 제어 : 1.5 m/s 이하로 제어

　③ 라이닝재 사용

　　㉠ 방식금속 라이닝

　　㉡ 부식에 강한 유기질 코팅(PE, 아스팔트)

　④ 부식환경 제거 : 용존산소 제거, 용해성분 제거, 적정 온도·pH·상대습도 조정

---

271) [암기] 배유라부부구전부배R
　　- 금속 부식 방지대책 : 배관재 선정, 유속 제어, 라이닝재 사용, 부식환경 제거, 부식억제제 사용, 구조상 적절한 설계, 전기방식 설비 적용, 부식 여유두께, 배관 잔존수명 평가, RBI 기법 도입

⑤ 부식억제제 사용 : 규산, 인산계 방식제 이용
⑥ 구조상 적절한 설계
　　㉠ 이종금속 조합 방지 → 갈바닉 부식 방지
　　㉡ 불필요한 틈새, 표면의 요철 제거 → 틈부식 방지
　　㉢ 응력 발생 방지 구조 → 응력부식, 피로부식 방지
⑦ 전기방식 설비 적용
⑧ 부식 여유두께
⑨ 배관 잔존수명 평가
⑩ RBI 기법 도입

2 전기방식

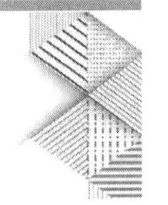

1. 개념
　① 금속에 마치 부동상태가 되는 전위를 주어서 부식을 방지하는 방식
　② 종류

　　　　　┌ 음극방식법(양극전류 주는 경우) ┬ 희생양극법
　전기방식┤　　　　　　　　　　　　　　　└ 외부전원법
　　　　　└ 양극방식법(음극전류 주는 경우)
　　　→ 화학공장에서는 주로 음극방식법 많이 사용

2. 전기방식(음극방식법)의 원리
　① 방식전류 유입 : 고전위인 피방식 금속(음극부)에 방식 전류 유입
　② 등전위 : 전위 차차 감소 → 음극부 전위 = 양극부 전위
　③ 방식 : 피방식 금속 표면에 형성된 부식전류 소멸 → 부식 방지

3. 전기방식(음극방식법)의 종류

(1) 희생양극법(유전양극법)

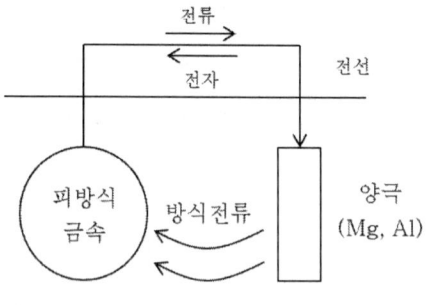

① 원리
- ㉠ Passive 방법의 전위차에 의한 전류의 흐름 이용
- ㉡ 전위차 : 피방식금속 전위 > 희생양극 전위
- ㉢ 전류 흐름 : 희생양극 → 피방식금속

② 특징
- ㉠ 전류조절 곤란
- ㉡ 과방식 우려 無
- ㉢ 방식범위 및 방식효과↓

(2) 외부전원법

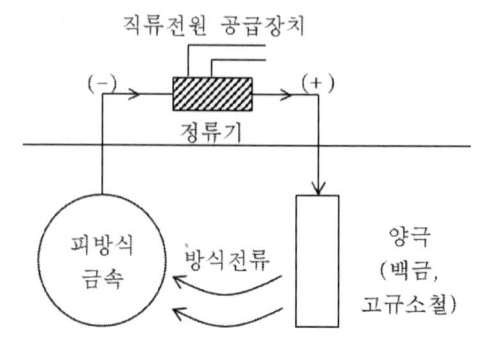

① 원리
- ㉠ Active 방법의 외부 직류전원 이용

ⓛ 정류기 이용하여 강제로 전위가함.
ⓒ 전류 흐름 : 양극 → 피방식금속
② 특징
ⓐ 전류조절 가능
ⓛ 과방식 우려 有
ⓒ 방식범위 및 방식효과↑

4. 희생양극법 vs 외부전원법

구분	희생양극법	외부전원법
양극	Mg, Al	백금, 고규소철
방식전류	小(10V 이하)	大(220V 이상)
유지관리	용이	정류기, 배선 등 유지관리 필요
전류조절	불가능	가능
과방식 우려	無	有
방식범위/효과	↓	↑
용도	소규모 설비	대규모 설비
시공성	간단, 편리	복잡

Backfill

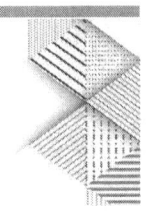

1. Backfill(채움재) 개념
   희생양극법 및 외부전원법 양극 주변 → Backfill 시공
   → 안정적인 방식전류 흐름

2. 설치 기준
   ① 재료 : 석고, 찰흙, 황산 나트륨
   ② 구비조건
      ㉠ 통전성 우수
      ㉡ 수분 흡수성 우수
   ③ 설치 방법
      ㉠ 희생양극법 : 양극 주위 덮음.
      ㉡ 외부전원법 : Vertical 양극 후부 50% 시공(원거리 시)
   ④ 주의 사항 : 고체화 되지 않도록 주기적 확인 필요 → 필요
      시 추가 충진

3. 기능 및 역할
   ① 접지 저항↓ → 통전성↑
   ② 전극 소모 균일
   ③ 양극 종류, 토양 저항 등 상황에 따라 소모량 상이
   ④ 방식전류 효과 극대화
   ⑤ 수분흡수 → 양극 주변 건조

4 전압 강하(IR Drop)

1. 개념
   ① 외부전원법 전기방식에서 주로 발생
   ② 전압강하↓ → 방식전압↓ → 방식전류 부족 → 부식 발
      생률↑

2. IR Drop 발생 원인

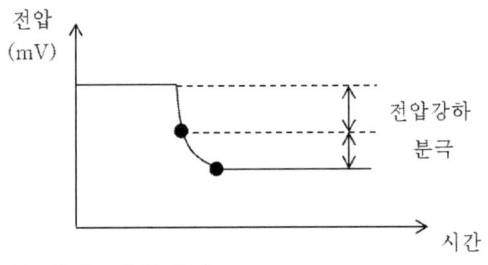

① 정상 전압강하
   ㉠ 한국전력의 수전 전압강하
   ㉡ 배전선로 길이↑
② 순간 전압강하
   ㉠ 한국전력 순간 정전
   ㉡ 낙뢰, 단락, 지락 등 발생

4. 방지대책

① 변압기 용량↑
② 배전선로 길이↓, 굵기↑
③ 직렬 콘덴서 설치

전염화물 응력부식 균열(SCC)
vs 황화물 응력부식 균열

구분	Chloride Stress Corrosion Cracking	Sulfide Stress Corrosion Cracking
개념	오스테나이트 스테인리스강이 염화물 함유 수용액 속에서 인장응력 받아서 발생	고장력강, 탄소강이 황화물 함유 수용액 속에서 인장응력 받아서 발생

구분	Chloride Stress Corrosion Cracking	Sulfide Stress Corrosion Cracking
가속 영향 요인	㉠ 잔류응력, 구속응력↑ ㉡ 염화물 농도, 양↑ ㉢ 산소↑ ㉣ 온도↑ : 60 ~ 200℃ ㉤ pH↓ ㉥ 보온재 Cl 침출량↑ ㉦ 오스테나이트 스테인리스강 　사용	㉠ 잔류응력, 구속응력↑ ㉡ 황화물 농도, 양↑ ㉢ 산소↑ ㉣ 온도↑ : 60 ~ 200℃ ㉤ pH↓ ㉥ 경도↓ ㉦ 고장력강, 탄소강 사용
대책	㉠ 잔류응력, 구속응력 최소화 ㉡ 가동정지 시 염화물 제거 ㉢ 산소유입 방지 ㉣ 온도 제어 ㉤ pH 제어 ㉥ 보온재 재질 변경 ㉦ 크롬강, 티타늄강 사용	㉠ 잔류응력, 구속응력 최소화 ㉡ 가동정지 시 황화물 제거 ㉢ 산소유입 방지 ㉣ 온도 제어 ㉤ pH 제어 ㉥ 고경도 재질 사용

→ 부식취화와 동일

6 잔존수명

1. 개념
① 용기, 배관의 구조적 안전성 유지위해 부식여유 평가 필요
② 실제 측정두께와 요구두께의 차를 부식율로 나눈 값

2. 잔존수명 계산 맟 영향인자
① 계산 :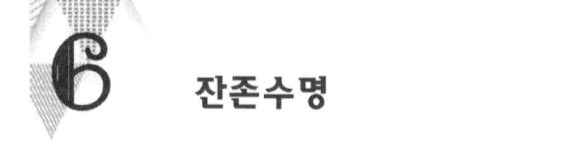

$$잔존수명(년) = \frac{실제측정두께(mm) - 요구두께(mm)}{부식율(mm/년)}$$

② 영향인자

　㉠ 부식율 : 부식율↑ → 잔존수명↓ → 검사주기↓

　㉡ 여유두께 : 실제측정두께↑, 요구두께↓ → 여유두께↑

　　→ 잔존수명↑ → 검사주기↑

3. 설비의 검사주기 및 잔존수명 활용방안

　① 검사주기

　　㉠ 최대 검사주기 : 잔존수명의 50%(단, 10년 초과 불가)

　　㉡ 잔존수명 4년 이하 시 : 검사주기는 잔존수명의 50%

　　　(단, 2년 초과 불가)

　② 잔존수명 활용방안

　　㉠ 설비의 교체 및 유지보수 시기 결정

　　㉡ 부식 방지 및 억제 대책 수립

　　㉢ RBI 기법 도입 → 설비 안전성 향상

7 　탈탄소

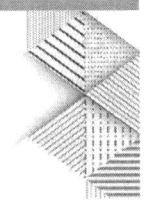

1. 개념

　① 고온, 습윤상태에서 철강 내의 탄소가 산소와 반응하여 탈
　　탄소화되는 현상

　② 반응식 : $Fe_3C + O_2 \rightarrow 3Fe + CO_2$

2. 메카니즘

　① 탄소 분리 : 철강 + 고열 → 철강 내 탄소 분리

$(Fe_3C + 고열 \rightarrow 3Fe + C)$

② 산화 : 탄소와 산소가 반응하여 이산화탄소 발생

$(C + O_2 \rightarrow CO_2)$

③ 강도 저하 : 철강 내 탄소 감소 → 강도 저하

8 비파괴검사

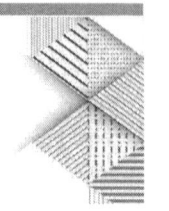

1. 개념

① 재료의 원형과 기능을 전혀 변화시키지 않고 조직의 결함을 찾는 방법

② 종류

종류	내용
㉠ 침투탐상검사(PT)	침투액 이용하여 재료 표면 결함 검사
㉡ 자분탐상검사(MT)	강자성 재료에 대한 표면 결함 검사
㉢ 방사선투과검사(RT)	방사선을 이용하여 재료 내부 결함 검사
㉣ 초음파탐상검사(UT)	초음파의 반사파를 이용하여 재료 내부 결함 검사
㉤ 와류탐상검사(ECT)	와전류 흐름 이용 → 재료 표면 결함, 변형 검사

2. 비파괴검사의 적용대상

① 모든 용접부에 100% 비파괴검사 실시 대상

　　　　⊙ 독성물질 취급 배관

　　　　ⓒ 용접 후 열처리를 하여야 하는 배관

　　　　ⓒ 영하 30℃ 이하 또는 300℃ 이상의 위험물질 취급 배관

　　ⓔ 상기 ①항 이외의 배관 중 위험물질 취급 배관

　　　　⊙ 배관두께 10 mm↓ : 10% 이상

　　　　ⓒ 배관두께 10 mm↑ : 20% 이상

3. 비파괴검사 시험방법 및 특징

(1) 침투탐상검사(PT: Penetration Test)

　　① 시험 방법[272]

세척　　　→　　　침투　　　→　　　세척　　　→　　　현상

　　　⊙ 세척 : 세척액 이용 시험체 깨끗이 세척

　　　ⓒ 침투 : 시험체 표면 침투액 도포 → 결함부 침투

　　　　　　　(침투액 : 형광물질 有, 침투력↑)

　　　ⓒ 세척 : 시험체 표면 과잉 침투액 세척

　　　ⓔ 현상 : 현상액 도포 → 결함부 내부 침투액 추출

　　　　　　　→ 결함 위치, 크기, 지시모양 검출

　　② 특징

장점	단점
⊙ 검출 용이 ⓒ 시험방법 간단 ⓒ 고도의 숙련도 불필요	⊙ 내부 결함 검출 불가 ⓒ 표면 상태에 따른 제한 有 　(기공, 거친 표면)

---

272) **암기** 세침세현
　　- 비파괴검사 중 침투탐상검사 방법 : 세척, 침투, 세척, 현상

(2) 자분탐상검사(MT: Magnetic Particle Test)
　① 시험방법

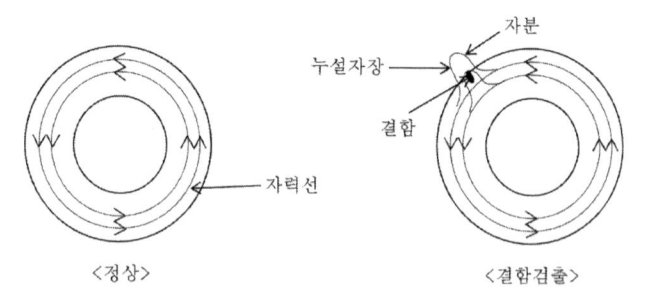

<정상>　　　　　　　　<결함검출>

　　㉠ 자분 도포 : 강자성체에 자기장 형성 → 자화 → 자분
　　　　도포
　　㉡ 자분 집적 : ⎡ 정상부 : 자분 도포 상태 유지
　　　　　　　　　⎣ 결함부 : 누설자장으로 인해 자분 집적
　　㉢ 결함 확인 : 집적된 자분 관찰 → 표면 결함 크기, 위
　　　　치, 형상 검출
　② 특징

장점	단점
㉠ 검출 용이 ㉡ 시험방법 간단 ㉢ 고도의 숙련도 불필요	㉠ 내부 결함 검출 불가 ㉡ 강자성체에 한해 적용 가능 ㉢ 자력선 방향에 평행한 결함 　검출 곤란

(3) 방사선투과검사(RT: Radiographic Test)
　① 시험방법

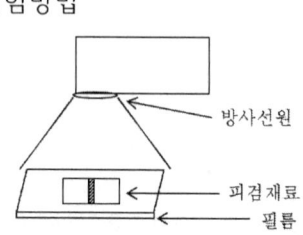

㉠ 필름 부착 : 시험체에 공업용 필름 부착

　　㉡ 방사선 조사 : 일정거리, 일정강도, 일정시간 방사선 (X, β, γ, 중성자선) 조사 → 필름에 감광

　　㉢ 결함 확인 : 판독기로 필름 판독 → 결함부 확인

　② 특징

장점	단점
㉠ 내부 결함 검출 가능 ㉡ 기록 보존 가능 ㉢ 객관성 우수	㉠ 방사선 안전관리 필요 ㉡ 판독에 고도의 숙련도 필요 ㉢ 시험체 두께↑ → 미세한 불연속 검출 곤란

　　※ `14년 방사선 안전관리 기준 개정 → 규제 강화↑ → UT 사용률↑ 추세 → 따라서 UT에 대한 기술기준 재검검 필요

(4) 초음파탐상검사(UT: Ultrasonic Test)

　① 시험방법

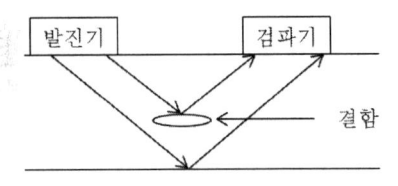

　　㉠ 초음파 투사 : 발진기에서 시험체 내부로 초음파 펄스 투사 → 결함부에서 반사파 보냄

　　㉡ 반사파 수신 : 검파기에서 반사파 수신 → 전기적 신호 변경 → 반사파 수집

　　㉢ 결함 확인 : 모니터 화면으로 결함 크기, 위치, 형상 검출

② 특징

장점	단점
㉠ 내부 결함 검출 가능 ㉡ 두꺼운 물체 검사 가능 　(검사속도↑) ㉢ 미세불연속, 모서리 결 　함 검출 가능	㉠ 방사선투과검사 보다 가격↑ ㉡ 기록 보존 곤란 ㉢ 검사자에 따라 검사 결과 상이

(5) 와류탐상검사(ECT : Eddy Current Test)

① 시험방법

㉠ 교류기전력 발생 : 코일 교류전류 작용 → 교류자속
발생 → 교류기전력 발생

㉡ 와전류 형성 : 교류기전력 발생 → 검사대상물 와전류
형성

㉢ 결함 존재 시 : 와전류 흐름 방해 → 와전류↓ → 코일
교류전류↓ → 코일 저항변화로 결함 확인

② 특징

장점	단점
㉠ 표면 결함 외 조성, 변형 등 확인가능 ㉡ 열교환기 Tube 결함 확인 강점 ㉢ 검사 속도 빠름	내부 결함 검출 불가능

9 용접 종류

1. 개념

  모재 → 용융점까지 온도↑ → 서로 혼합 연결

2. 용접 순서

  ① 절단

  　㉠ 용접 부분 절단

  　㉡ 절단면 Grinding

  ② 베벨링(Beveling) : 용접부위 Grinding → 개선각 V자 형성

  ③ 가접(Tig Welding) : 가접 → 용접부 고정 → 용접 준비

  ④ 용접(Welding)

  　㉠ 하부 → 상부 방향 실시

  　㉡ 주위온도 5℃↓ 시 → 70℃ 전후로 예열

  ⑤ 검사 및 보수

  　㉠ PT, MT, RT, UT

  　㉡ 결함발생시 제거후 재용접 → 재검사

3. 용접 종류

  ① 가스 용접 : 아세틸렌 가스 연소열 이용

  ② 아크 용접

  　㉠ 금속 아크용접 : 아크열 5,000℃ → 용접봉 녹여 모재 융합

  　㉡ 불활성가스 아크용접

  　　Ar, He 방출 → 공기차단 → 산화, 질화 방지

4. 용접 재해[273]

　　① 아크재해 : 불꽃에 의한 화상, 화재·폭발

　　② 가스, 흄재해 : 발생 가스에 의한 질식, 중독재해

　　③ 전격재해 : 감전에 의한 재해

　　④ 화재, 폭발 : 불꽃이 점화원으로 작용

　　⑤ 방사선재해 : 방사선 피폭

5. 주의 사항

　　① 용접사 : 숙련도, 안전교육

　　② 용접재료 : 적합한 재료 사용, 건조한 곳 보관

　　③ 예열, 후열 : 적절한 예·후열 실시 → 응력 해소

　　④ 청소 상태 : 불순물 제거

---

273) 암기 아가전화방
　　- 용접 재해 종류 : 아크재해, 가스·흄재해, 전격재해, 화재·폭발, 방사선재해

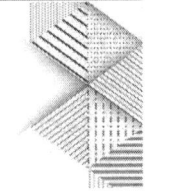

10 방사선 투과시험 판독 결과 결함 종류(용접 결함)274)

1. 언더컷(Undercut)

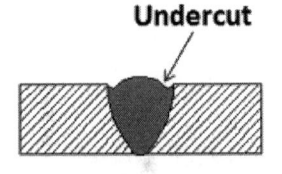

Undercut

① 개념 : 용접비드가 모재 표면보다 낮게 된 홈
② 발생 원인
　　㉠ 용접봉 취급 부적당
　　㉡ 용접전류 너무 높을 시

2. 용락(Burn Through)

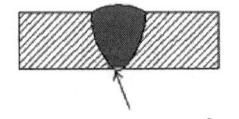

Incomplete Penetration

① 개념 : 용접 금속이 개선 뒤쪽에서 녹아 떨어진 것
② 발생 원인
　　㉠ 루트 간격 지나치게 넓을 시
　　㉡ 용접 금속 과도하게 용입

---

274) 암기 언용중융터
　　- 방사선 투과시험 판독 결과 결함(용접 결함) 종류 : 언더컷, 용락, 중공비드, 융합불량, 터짐

3. 중공비드(Hollow Bead)

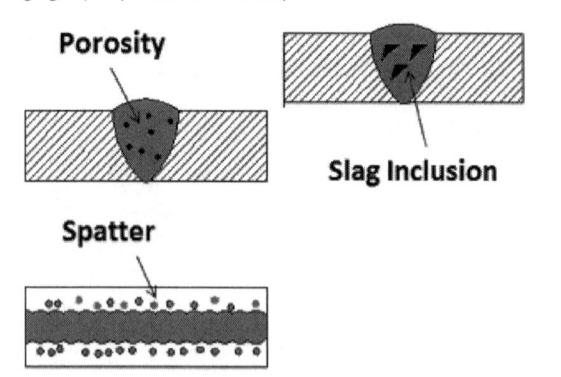

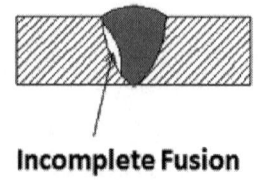

① 개념 : 기공(Blowhole)의 일종으로 가운데가 비어있는 비드임
② 발생 원인
　　㉠ 용접전류 부족시
　　㉡ 습기 존재 시

4. 융합불량(Incomplete Fusion)

Incomplete Fusion

① 개념 : 용접금속-모재, 용접금속-용접금속 불충분한 융합
② 발생 원인
　　㉠ 개선각도 작을 시
　　㉡ 용접속도 빠를 시

5. 터짐(Burst)

① 개념 : 외력 → 중심축 변형 → 내부 응력 못견뎌 파열

② 발생 원인
   ㉠ 연성 낮은 재료 사용
   ㉡ 낮은 온도에서 단조 시

11 저장탱크 용접부 보수 요령

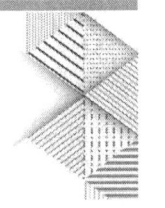

1. 개요
① 저장탱크 결함 방치 시 → 수명단축, 가스 누출·폭발 사고 발생
② 적합한 저장탱크 결함 보수 절차 수립 필요

2. 용접부 보수 요령
(1) 보수작업 전 안전조치
① 치환작업
   ㉠ 잔가스 회수 및 처리
   ㉡ 잔가스 치환 : 진압사스
   ㉢ 결과 확인 : LFL 25%↓, 산소농도 18~21%, 허용농도↓
② 안전대책 수립
   ㉠ 보호구 준비 : 방독마스크, 공기호흡기, 보호의, 방폭
      손전등
   ㉡ 외부 감시 : 외부 감시인 배치 여부 확인
   ㉢ 점화원 관리 : 접지, 본딩 확인
(2) 결함 제거 작업
   ① 제거 방법 : Grinding, Chipping, Gouging
   ② 형상 정돈 : 제거 후 보수부위 형상 정돈

③ 비파괴검사 : PT, MT 실시
(3) 용접보수 작업
  ① 표층결함 보수
    ㉠ 언더컷, 끝부분 균열
      ⓐ 그라인더에 의한 보수 : 모재-용접부 덧살 완만하게 다듬질
      ⓑ 용접에 의한 보수 : 결함 제거 후 용접보수 실시
    ㉡ 오버랩, 비드 형상
      ⓐ 그라인더로 다듬질 실시
      ⓑ PT, MT 실시
  ② 내부결함 보수
    결함 제거 → 재용접 실시 → RT, UT 실시

12 고온부식 원인 및 대책

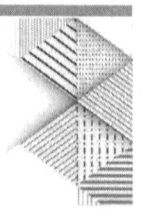

1. 개요
  ① 부식의 분류

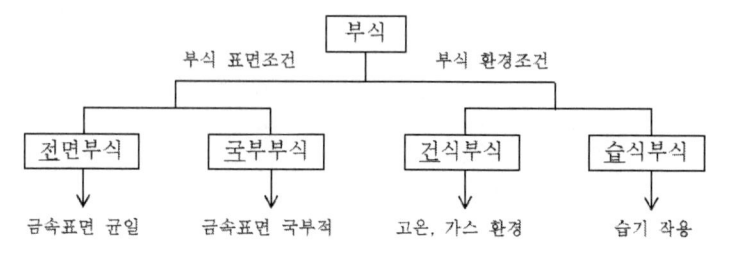

② 고온부식의 문제점

　　㉠ 부식 속도 : 고온부식 > 상온에서의 부식

　　㉡ 온도↑ → 부식속도↑(80℃ 에서 부식속도 최대)

　　　　80℃ 이상시 용존산소↓ → 부식속도↓

2. 고온부식 종류별 원인 및 대책(금속재료 고온 특성)[275]

(1) 황화

　　① 현상 : H_2S, SO_2, SO_3에 의한 Fe, Ni 부식

　　② 대책 : Si, Ar, Cr 첨가

(2) 산화

　　① 현상 : ㉠ 녹(스케일) 발생　㉡ 산화피막 박리

　　② 대책

　　　　㉠ 녹 발생 : Si, Ar, Cr 첨가

　　　　㉡ 산화피막 박리 : SiO_2 보호층

(3) 침탄

　　① 현상 : CO 가스에 의한 강 침탄 취하

　　② 대책 : Si, Ti, V 첨가

(4) 수소 취성 : 하기 참조

(5) 질화

　　① 현상 : 질소가 Al, Cr, Mo, Ti 함유한 강 질화

　　② 대책 : Ni 첨가

---

275) 암기 황산침수질카바
　　- 고온부식 종류(금속재료 고온 특성) : 황화, 산화, 침탄, 수소 취
　　성, 질화, 카르보닐화, 바나듐 어택

(6) 카르보닐화

　① 현상 : $Ni + 4CO \rightarrow Ni(CO)_4$

　② 대책 : 라이닝(Cu, Al)

(7) 바나듐 어택

　① 현상 : V_2O_5 + 금속 → 고온부식

　② 대책 : MgO, CaO 첨가

13 저온취성 방지법

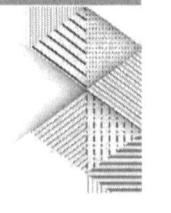

1. 저온취성 발생현상

　① 온도↓ [276)]

　　→ 경도↑, 인장강도↑, 항복점↑

　　→ 단면수축률↓, 연신율↓, 충격치↓

　② 천이온도(-70℃)↓ → 충격치 0 가깝게 됨 → 재질 몹시 취약

2. 저온취성 방지법[277)]

　① 안전율↑

　　재질 선정 시 안전율 고려(온도 10℃, 압력 50psi 더 적용)

---

276) 암기 경인항단연충
　- 온도 저하시 저온취성 발생현상 : 경도↑, 인장강도↑, 항복점↑,
　단면수축률↓, 연신율↓, 충격치↓

277) 암기 안합동18스
　- 저온취성 방지법 : 안전율↑, 합금강 사용, 동 및 동합금 사용,
　18(Cr)-8(Ni) 스테인리스강 사용

② 합금강 사용

  탄소강 + Ni, Cr, Mo 첨가 → 합금강 사용

③ 동 및 동합금 사용

  동 재질 → 저온취성에 강함

④ 18(Cr)-8(Ni) 스테인리스강 사용

  Cr, Ni 재질 → 저온취성에 강함

14 수소손상

1. 수소손상의 종류[278]

종류	내용
① 수소 침식 (Hydrogen Attack)	고온·고압 상태의 수소가스(H_2)에 의한 공격
② 수소 부풀림 (Hydrogen Blistering)	수소원자($H+$)에 의한 부풀림 현상
③ 수소 취성 (Hydrogen Embrittlement)	수소원자($H+$)에 의한 연성 및 인장강도 저하 현상
④ 수소 유기균열 (Hydrogen Induced Cracking)	황화수소, 물 존재 시 수소에 의한 균열

---

278) 암기 침부취유
    - 수소손상의 종류 : 수소 침식, 수소 부풀림, 수소 취성, 수소 유
    기균열

2. 수소손상 종류별 특징

(1) 수소 침식[279]

　① 메카니즘

　　㉠ 수소가스 침투 : 고온·고압 수소가스 → 금속 내부 침투

　　㉡ 탈탄 반응 : $Fe_3C + 2H_2 → 3Fe + CH_4$

　　㉢ 미세균열 : CH_4 발생 → 압력↑ → 기포 발생 → 미세
　　　균열 발생

　　㉣ 파열 : 장치 강도저하 → 파열

　② 대책

　　㉠ Cr-Mo 합금 사용

　　㉡ 재질 선정 시 안전계수 고려(온도 10℃, 압력 50psi
　　　더 적용)

　　㉢ 후열처리 실시 → 잔류응력 제거

　　㉣ Hydrogen Outgassing 실시 → 금속 내 용해된 수소 제거

(2) 수소 부풀림

　① 메카니즘[280]

　　㉠ 수소원자 침투 : 금속 표면 수소원자(H+) → 금속 내부
　　　침투 → 공극층 확산

　　㉡ 수소가스 발생 : ⌈ 전자 전이 : $H^+ + e^- → H$
　　　　　　　　　　　 ⌊ 재결합 : $H + H → H_2$

　　㉢ 압력 상승 : 공극 내 수소가스 발생 → 농도 및 압력↑

　　㉣ 부풀림 : 농도 및 압력↑ → 국부변형 즉 부풀림 현상 발생

---

279) 암기 수탈미파
　　- 수소 침식 메카니즘 : 수소가스 침투, 탈탄 반응, 미세균열, 파열
280) 암기 수수압부
　　- 수소 부풀림 메카니즘 : 수소원자 침투, 수소가스 발생, 압력 상
　　　승, 부풀림

② 대책

　⑦ Killed Steel 등 저항성 강한 재료 사용

　ⓒ Ni 함유 재질 사용 → 수소 확산속도 저하

　ⓒ Sufide 등 수소 침투원 제거

　ⓔ 코팅, 라이닝 실시

(3) 수소 취성

① 메카니즘[281]

　⑦ 수소원자 침투 : 금속 표면 수소원자($H+$) → 금속 내부 침투 → 공극층 확산

　ⓒ 강도 약화 : 원자의 결합력 약화 → 연성 및 인장강도 약화

　ⓒ 파괴 : 외력 발생 → 쉽게 파괴

② 대책

　⑦ 수소 취성 발생 메카니즘 정확한 규명 필요

　ⓒ Ni 함유 재질 사용 → 수소 확산속도 저하

　ⓒ 저온 열처리 실시

　ⓔ 수소 함량 적은 용접봉 사용

(4) 수소 유기균열

① 메카니즘

　⑦ 수소 부풀림 메카니즘 동일

　ⓒ 균열 : 균열 발생(특히 열영향부에서 잔류응력에 의해 발생)

② 대책 : 수소 부풀림 대책 동일

---

281) 암기 수강파
　　- 수소 취성 메카니즘 : 수소원자 침투, 강도 약화, 파괴

 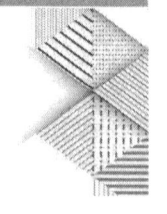

15 면심입방격자, 체심입방격자

1. 개요
    ① 금속 → 구조에 따라 동소변태 발생
    ② 구조 종류
        ㉠ 면심입방격자 : 1,400℃↓ 비자성체
        ㉡ 체심입방격자 : 1,540℃↓ 자성체

2. 면심입방격자 구조 및 특징
    ① 구조 : 정육면체 각 면마다 원자 배치
    ② 특징
        ㉠ 비교적 단단함
        ㉡ 외관 수려함
        ㉢ 금속 예 : ⓐ Ni ⓑ Cu ⓒ Al

3. 체심입방격자 구조 및 특징
    ① 구조 : 정육면체 중심에 원자 배치
    ② 특징
        ㉠ 원자배열 느슨
        ㉡ 단단하지 못함
        ㉢ 금속 예 : ⓐ Fe ⓑ Cr ⓒ Mo

16 크리프 현상(Creep)

1. 개요
① 개념 : 재료 + 고온 + 일정 하중 → 변형량 시간적 변화
② 최근 동향 : 가스터빈 등 고온조건 재료 사용률↑ → 금속 고온조건 거동 중요

2. 발생 메카니즘 및 진행단계
① 발생 메카니즘
　㉠ 고온 조건 : 금속 + 고온 조건 → 열진동↑ → 원자 확산↑
　㉡ 변형 발생 : 원자 확산↑ → 일정 하중에도 변형 발생
② 진행단계

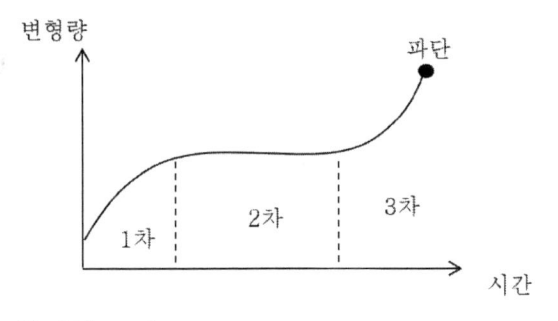

　㉠ 1차 크리프
　　ⓐ 변형속도 증가
　　ⓑ 탄성변형 + 소성변형
　㉡ 2차 크리프
　　ⓐ 변형속도 일정

　　　　　ⓑ 가공변화 및 회복 균형 상태
　　　ⓒ 3차 크리프
　　　　　ⓐ 변형속도 증가 → 파단
　　　　　ⓑ 균열 발생, 성장 단계 파괴

3. 영향인자

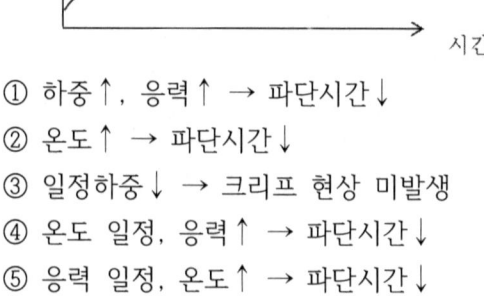

① 하중↑, 응력↑ → 파단시간↓
② 온도↑ → 파단시간↓
③ 일정하중↓ → 크리프 현상 미발생
④ 온도 일정, 응력↑ → 파단시간↓
⑤ 응력 일정, 온도↑ → 파단시간↓
⑥ 하중, 응력, 온도 → P1 > P2 > P3

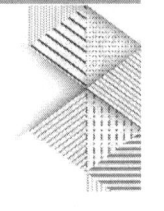

17 클래드 강(Clad Steel)

1. 개요
   ① 정의 : 강재 편면, 양면 + 다른 강 피복 → 강합판재(클래드 강)
   ② 목적 : 내식성 부족 모재 → 내식성 보강
2. 특징
   ① 붙이는 판 두께

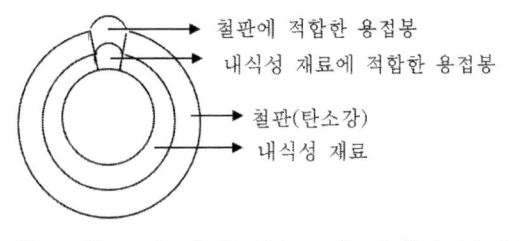

   ⓐ 모재 절반 이하(보통 모재 두께의 10~20%)
   ⓑ min. 0.07 mm↑
   ② 붙이는 방법
   　ⓐ 일반 강재 : 압연, 주조(고온하)
   　ⓑ 원자력 압력용기 강재
   　　고장력강 내면 + 스테인리스강(10mm 두께) 살돋움 용접
   ③ 재료 : ⓐ 인코넬 ⓑ Ni ⓒ 스테인리스강

3. 문제점
   ① 두 강의 열팽창계수 차 클 시, 온도 변화시 → 열팽창계수
   　큰 강 균열 발생
   ② 따라서 클래드 강 재료 선정 시 열팽창계수 고려 매우 중요

18 라미네이션(Lamination)

1. 정의

압연 Roller

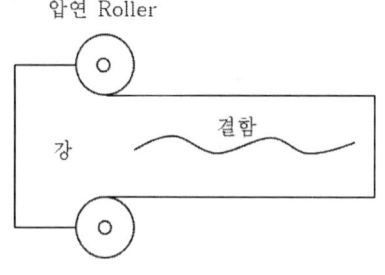

강

결함

압연강재의 내부 결함 → 압연방향으로 늘어나 층상 조직된 형태

2. 발생 원인

① 불순물 존재 : 강재 내부에 결함, 개재물, 기포 등 존재 →
   충분한 압착 X

② 분괴 압연 감김 : 분괴 압연 감김 → 압연 후 → 층상 균
   열로 존재

③ 균열 : 용접 시 균열 존재 → 압연 시 라미네이션 발생

3. 대책

① 보수용접 범위 결정 : 철저한 점검 → 보수용접 범위 결정

② 균열 보수 : 옆판, 밑판부 균열 발견 → 보수 후 → 압연
   실시

19 Erosion 및 음극박리 현상

1. Erosion(침식)

① 발생 메카니즘 : 가스 흐름 → 속도, 기류에 의한 마찰 작
용 → 배관 내면 침식 발생

② 대책(배관 설계시 차압손실 감소방안)

　㉠ 관경 확대

　　ⓐ Q = AV → 일정 유량 시 → A↑ → V↓ → 차압손실↓

　　ⓑ 효과↑, 비용↑

　㉡ 적정 유량 제어

　　ⓐ Q = AV → 일정 배관경 시 → Q↓ → V↓ → 차
압손실↓

　　ⓑ 지역 정압기 신설 → 유량부하↓

　㉢ 배관 연장 짧게 실시

　　단일라인 부설시 → 연장 길이↓

　㉣ 승압하여 공급

　　PV = 일정(보일의 법칙) → P↑ → V↓

　　→ 같은 배관크기 기준 Pressure drop 발생↓

2. 음극박리 현상

　① 발생 메카니즘[282]

---

282) 암기 전피부
　- 음극박리 현상 발생 메카니즘 : 전기방식 + 피복, 피복층 탈착,
　부식 발생

⑦ 전기방식 + 피복

　　　　매설배관 피복 + 전기방식 적용 → 배관과 피복 인접

　　　　면 친화도↓

　　　ⓒ 피복층 탈착

　　　　음극전류에 의한 음극반응 발생 → 피복층 탈착 발생

　　　ⓒ 부식 발생

　　　　방식전류 누설 → 부식 발생

　　② 대책

　　　⑦ 이중 배관 설치

　　　ⓒ 피복 탈착 발생 주기적 점검 → 유지 보수

　　　ⓒ 배관과 피복 인접면 친화도↑ 피복 기술 적용

20 프레팅 부식
(Fretting Corrosion)

1. 정의

　① 진동, 미끄럼 운동 부분의 금속접촉면에서 발생하는 부식

　② 마찰산화, 마모산화, 찰과부식, 침식부식이라 함

2. 발생 메카니즘

　① 마찰 발생 : 동력전달축, 느슨하게 풀린 고정부 → 마찰 발생

　② 산화물 생성 : 지속적인 마찰 → 금속성분의 산화물 입자 생성

　③ 마모 촉진 : 응력↑, 변형↑, 피로파괴 발생 → 회전부분

　　마모 촉진

3. 발생 조건
    ① 하중 : 두 접촉금속 경계면에 하중 받을 것
    ② 진동, 상대운동 반복 : 두 접촉금속이 진동, 상대운동 반복할 것
    ③ 충분한 진동력, 상대운동력 : 금속표면에 미끄럼, 변형 발생

4. 대책
    ① 유지관리 :동력전달축에 대한 유지관리 철저
    ② 고정부 단단히 조임 : 느슨하게 풀린 고정부 → 단단히 조임 → 마찰 발생률↓
    ③ 재질 : 내마모성 재질 선정
    ④ 미끄럼 변형 유무 주기적 확인 : 정기점검 시 미끄럼, 변형 유무 확인 → 변형률 기준 초과 시 → 보수

21 초저온 액화가스설비 재료 선택

1. 초저온 액화가스설비 정의
   -50℃↓ LO_2, LN_2, LAr, LNG 등 초저온 가스 저장·사용하는 설비

2. 초저온 액화가스설비 재료
(1) 초저온 액화가스설비의 문제점
    ① 저온취성 발생 : -50℃↓ 온도 조건 → 저온취성 발생률↑
    ② 저온취성 발생 시 문제점

㉠ 탄소강, 금속 온도↓ : 경인항단연충

　　㉡ 천이온도(-70℃)↓ → 충격치 0 가깝게 됨 → 재질 몹
　　　시 취약

⑵ 초저온 액화가스설비 재료 선택 시 고려사항(저온취성 방지
　대책) : 안합동 18 스

22 강재 취성의 결정인자

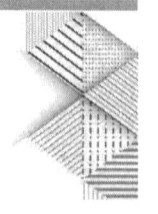

1. 개요

① 취성, 인성, 연성의 정의

취성	인성	연성
재료가 급작스럽게 파괴되는 성질	재료의 변형 수용 능력	재료의 항복 후 파괴되지 않고 변형되는 능력

※ 강재 취성은 고온취성 보다는 저온취성이 일반적임.

② 저온 취성의 위험성

　　㉠ 온도↓ : 경인항단연충

　　㉡ 천이온도(-70℃)↓ → 충격치 0 가깝게 됨 → 재질 몹
　　　시 취약

2. 취성 결정인자

① 인(P)

　　㉠ 함유량 : 일반적으로 강재 중 인 함유량 0.06%↓

　　㉡ 특징 : 상온취성의 주원인

② 황(S)

　　㉠ 강재 중 산화물질로 존재

　　㉡ 산화↓ → 황화철 생성→ 결정립 경계에 분포 → 강재 취약해짐

③ 탄소(C) : 탄소 함유량↑ → 인장강도↑, 항복점↑

　　　　　　　　　　　　　→ 충격치↓, 취성↑

3. 저온취성 대책 : <u>안합동18스</u>

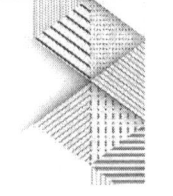

23 암모니아 취급 고압가스설비 재료 선택

1. 암모니아 가스 특성

　① 성질

　　㉠ 가벼운 무색 기체

　　㉡ 가연성가스 : 폭발범위 15% ~ 28%

　　㉢ 독성가스 : 허용농도 25 ppm

　② 제조법

　　㉠ 하버-보슈법 : $N_2 + 3H_2 → 2NH_3$(촉매 : 산화철)

　　㉡ 비료 생산 시 부생물로 추출

2. 암모니아의 강에 대한 영향

　① 저온, 상온 조건 : → 강재에 대한 영향 無

　② 고온, 고압 조건 : → 질화작용, 수소취성 작용

　③ 부식성 : 암모니아 + 동, 동합금 재료 → 부식 발생

3. 대책
① 18(Cr)-8(Ni) 스테인리스강 사용
② 동, 동합금 재료 사용 금지
③ 수소취성 방지 대책
㉠ Ni 함유 재질 사용 → 수소 확산속도 저하
㉡ 저온 열처리 실시
㉢ 수소 함량 적은 용접봉 사용

24 회주철, 구상흑연주철, 가단주철 특성 및 용도

1. 주철의 개요
① 정의 : 탄소함유량이 약 4% 전후인 철
② 탄소함유량 : 탄소함유량 = 유리탄소 + 화합탄소
③ 주철의 종류 : ㉠ 회주철 ㉡ 구상흑연주철 ㉢ 가단주철

2. 주철의 종류 및 특징
(1) 회주철
① 특징
㉠ 흑연 함유량 多
㉡ Mn 함유량 少
㉢ 주조성, 절삭성 우수 → 각종 구조재 활용
② 용도 : ㉠ 압축기 피스톤   ㉡ 밸브 몸통
(2) 구상흑연주철
① 특징

㉠ 종류 : 펄라이트형, 페라이트형

　　　㉡ 인성, 연성 우수

　　　㉢ 융점↓, 유동성↑ → 주조성 우수

　　② 용도 : ㉠ 기계부품　　㉡ 롤러, 압연기

(3) 가단주철

　　① 특징

　　　㉠ 인성, 취성 우수

　　　㉡ 백주철을 열처리한 것

　　　㉢ 내식성, 내열성 우수

　　② 용도 : 기계부품

3. 결론

　　① 주철의 금속 가공성 우수하여 기계부품 제작 등 산업전반
　　　에 사용

　　② 지속적인 기술연구 통해 주철의 활용성, 안전성 향상

25 금속재료 열처리

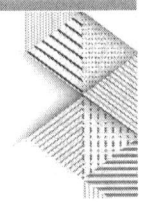

1. 개요

　　① 개념 : 가열·냉각 + 적당한 속도 → 재료 특성 개량

　　② 종류283) : ㉠ 담금질　㉡ 뜨임　㉢ 풀림　㉣ 불림

---

283) [암기] 담뜨풀불(QTAN)
　　　- 금속재료 열처리 종류 : 담금질, 뜨임, 풀림, 불림

2. 열처리 종류별 특징

① 담금질(Quenching)

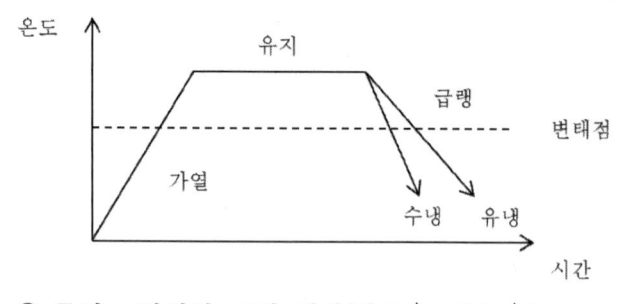

㉠ 목적 : 단단한 조직 개량(강도↑, 경도↑)

㉡ 방법 : 가열 → 유지 → 급랭(수냉, 유냉)

㉢ 특징 : 변태점 이상에서 가열

② 뜨임(Tempering)

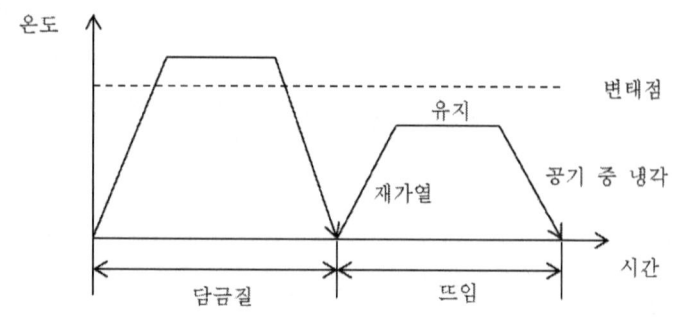

㉠ 목적 : 내부응력 제거

㉡ 방법 : 담금질 → 재가열 → 유지 → 공기 중 냉각

㉢ 특징 : 변태점 이하에서 가열

③ 풀림(Annealing)

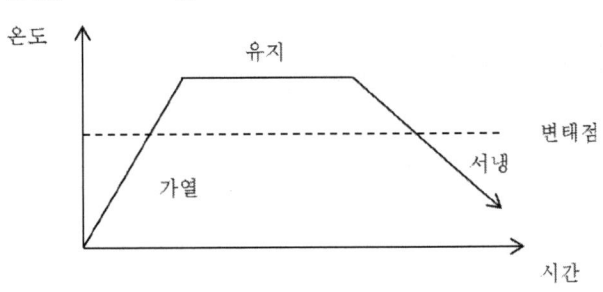

　　㉠ 목적 : 기계적 성질 개선
　　㉡ 방법 : 가열 → 유지 → 노 내에서 서냉
　　㉢ 특징 : 변태점 이상에서 가열

④ 불림(Normalizing)

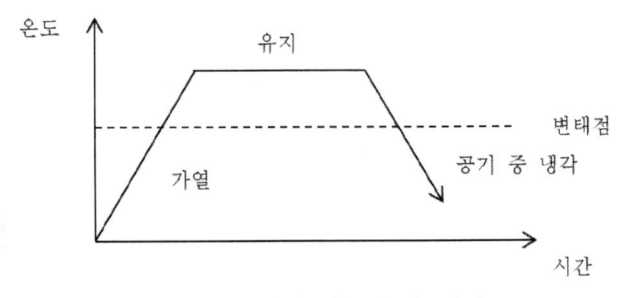

　　㉠ 목적 : 가공으로 인한 내부응력 제거
　　㉡ 방법 : 가열 → 유지 → 공기 중 냉각
　　㉢ 특징 : 변태점 이상에서 가열

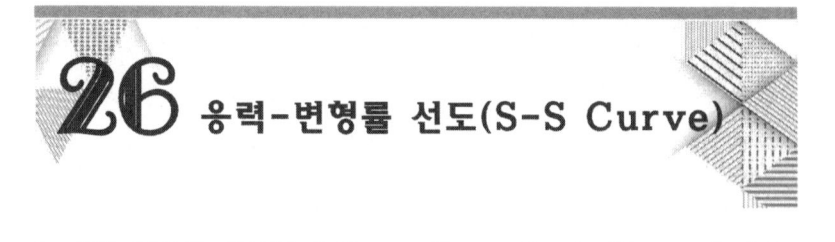

26 응력-변형률 선도(S-S Curve)

1. 응력-변형률 선도(S-S Curve, Stress-Strain Diagram) 개요
① 재료의 응력과 변형의 개념

재료 + 하중 → 응력↑ + 변형↑ → 재료 파괴

② S-S Curve의 개념

㉠ 응력과 변형의 관계를 나타내는 선도

㉡ 재료에 대한 인장시험으로 측정

2. 응력-변형률 선도[284]

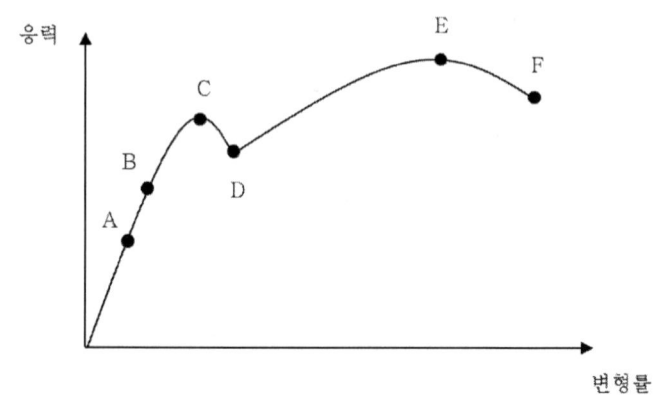

① 비례한계(A점)

㉠ Hook's Law 성립 구간

㉡ 응력 ∝ 변형률

---

[284] 암기 비탄항극파
- 응력-변형률 선도 구성 : 비례한계, 탄성한계, 항복응력, 극한응력, 파단응력

ⓒ 기울기=탄성계수
② 탄성한계(B점) : 원형으로 복귀하는 한계점
③ 항복응력(C점, D점)
   ㉠ 상항복점(C점) : 소성변형 급격한 증가 시작점
   ㉡ 하항복점(D점) : 항복현상 중 최저 응력점
④ 극한응력(E점)
   ㉠ 재료가 견딜 수 있는 최대 공칭 응력
   ㉡ 소성변형(영구변형) 발생
⑤ 파단응력(F점)
   ㉠ 파단시 응력의 점
   ㉡ 극한응력보다 낮은 점에서 발생

27 허용응력, 안전율, 안전도

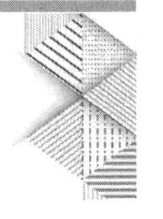

1. 허용응력, 안전율(안전계수, Safety Factor), 안전도(Safety Grade) 개념
   ① 사용응력 : 재료 + 하중 → 응력 → 변형 발생
   ② 허용응력 : 재료 + 하중 + 안전율 → 응력 → 변형 미발생

2. 허용응력 및 안전율
(1) 허용응력
   ① 개념
      ㉠ 재료 + 안전율 + 하중 → 응력 → 변형 X
      ㉡ 재료의 안전설계로부터 일정 하중에 견디는 응력의 한계

② 공식

　　㉠ 허용응력 = $\dfrac{인장강도}{안전율}$

　　　즉, 허용응력은 인장강도(기준강도)와 안전율의 비

　　㉡ 인장강도(기준강도) = $\dfrac{최대하중}{단면적}$

③ 영향인자

　　㉠ 재료의 종류　　　㉡ 재료의 형상

　　㉢ 하중의 종류　　　㉣ 부재의 가공 정밀도

　　㉤ 온도

(2) 안전율(Safety Factor, 안전계수)

① 개념 : 재료가 일정 하중에 견딜 수 있도록 안전설계하는 것

② 공식 : 안전율 = $\dfrac{인장강도}{허용응력}$

　　즉, 안전율은 인장강도(기준강도)와 허용응력의 비

③ 특징

　　㉠ 허용응력↓, 재료의 인장강도↑ → 안전율(계수)↑ 설계

　　㉡ 안전율↑ → 안전도↑ → 예상 밖 상황의 대응력↑

　　　　　　　　　　　　　　→ 파괴, 고장 비율↓

　　　　　　　　　　　　　　→ 기기 수명↑

④ 안전율 큰 순서

　　㉠ 하중 종류별 : 충격하중 > 반복하중 양진 > 반복하중
　　　편진 > 정하중

　　㉡ 재료별 : 주철 > 강

(3) 안전도(Safety Grade)
　① 개념 : 기준에 대한 여유의 정도
　② 특징
　　안전도↑ → 예상 밖 상황의 대응력↑
　　　　　　 → 파괴, 고장 비율↓
　　　　　　 → 기기 수명↑

 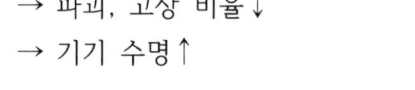 **배관 스케줄 번호**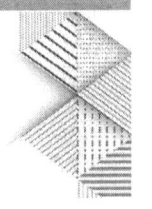

1. 정의
　① 배관 두께 및 강도를 나타내는 지표
　② 사용압력을 허용압력으로 나눈 값

2. 계산식 : $\text{Schedule Number} = \dfrac{10P}{S}$

　　P : 사용압력(kg/cm^2)　　S : 허용응력(kg/mm^2)

3. 영향인자
　① 안전율 ↑
　② 인장강도 ↓ → 허용응력 ↓
　③ 사용압력 ↑ 　　　　　　　Sch. Number↑

4. 계산 예
　사용압력 100 kg/cm^2, 인장강도 38 kg/mm^2, 안전율 3

　$\text{Schedule Number} = \dfrac{10 \times 100}{\dfrac{38}{3}} = 79 \rightarrow \text{SCH80}$

 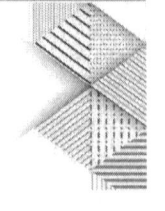

밸브 상당압력 등급(SDR)

1. 밸브 상당압력 등급(SDR : Standard Diameter Ratio) 개념
   ① 밸브 사용압력 나타내는 지표
   ② 배관 표준외경을 배관 두께로 나눈 값

2. 계산식 : $SDR = \dfrac{D}{t}$

   D : 밸브 연결 배관의 표준외경(mm)

   t : 표준외경에서 SDR값 최소인 배관 두께(mm)

3. 영향인자
   ① D↑, t↓ → SDR↑ → 저압용
   ② D↓, t↑ → SDR↓ → 고압용
   ③ 사용압력↑ → 배관두께↑ → SDR↓

4. 가스배관의 SDR

SDR	압력(Mpa)
11↓	0.4↓
17↓	0.25↓
21↓	0.2↓

30 열교환기

1. 개념
   ① 열전달의 원리 : 전도, 대류, 복사
   ② 열교환기의 정의 : 전도, 대류, 복사의 원리를 이용하여 고온유체와 저온유체 사이에 열이동이 일어나게 하는 장치

2. 열교환기 분류
   ① 기능에 따른 분류
   　　㉠ 예열기(Preheater) : 유체 예열 → 열효율 증대(예: 보일러 급수 예열기)
   　　㉡ 증발기(Evaporator) : 액체 증발 → 증기 생성(예: Furnace)
   　　㉢ 과열기(Superheater) : 포화증기 → 열 공급 → 과열증기
   　　㉣ 재비기(Reboiler) : 증류탑 저부 응축액 재증발
   　　㉤ 응축기(Condenser) : 증기 → 응축 → 재활용(예 : 스팀터빈의 복수기)
   ② 구조에 따른 분류
   　　㉠ 다관식(Shell & Tube) : 주로 사용, 설치면적↑, 유지보수 비용↑
   　　㉡ 판형(Plate) : 열전달 능력↑
   　　㉢ 공냉식(Air Cooled) : 공기 냉각매체, 설치면적↑, 소음↑

3. 열교환기 점검항목

　① 일상점검

　　㉠ 도장부 결함 및 벗겨짐

　　㉡ 기초부 및 기초고정부 상태

　　㉢ 보온재 상태

　　㉣ 배관 등과의 접촉부 상태

　② 자체점검(개방점검)

　　㉠ 내부 부식의 형태와 정도

　　㉡ 내부 배관 누설 유무

　　㉢ 부착물에 의한 오염 현황

　　㉣ 라이닝, 코팅, 가스켓 손상 유무

　　㉤ 용접부 상태

31 에틸렌 제조시설에서 나프타 분해로 코일(Tube) 침탄작용

1. 침탄작용 메카니즘[285]

　① 고환원분위기 형성 : 금속, 합금 + 400 ~ 800℃ + 탄소활
　　동도 1 초과

　② 탄소 공급 : Coking 층 탄소 → 탄소 공급 → Tube 내부 확산

　③ 확산 가속화 : Tube 표면 산화막 → 환원 → Tube 내부
　　확산 가속화

---

[285] **암기** 고탄확침
　- 에틸렌 제조시설에서 나프타 분해로 코일 침탄작용 메카니즘 :
　　고환원분위기 형성, 탄소 공급, 확산 가속화, 침탄 발생

④ 침탄 발생 : Tube 내 Cr 존재 → 탄화물 생성 → 탄소 확산 지속 → 침탄 발생

2. 침탄작용에 대한 영향[286]
① 재질 열화 : Tube 취성↑ → 재질 열화
② 지지하중↓ : 탄화물↑ → 지지하중↓ → 강도↓
③ 크리프 특성 변화 : → 고온 성질 나빠짐
④ Tube 수명↓ : 침탄부 부피 팽창 → 비침탄부 잔류응력 발생 → 총 응력↑ → 수명↓
⑤ 용접 수리 불가 : 침탄부 탄소량↑ → 용접 작업 불가

3. 예방대책[287]
① H_2S 투입 : 금속 + 고환원분위기 + H2S → 금속표면 황흡착 → 탄소이동 방해 → 침탄 방지
② Protective Oxide Layer : 금속표면의 Oxide Layer → 탄소 증착 및 결정화 억제 → 침탄 방지
③ 침탄성 강한 재료 사용 : 침탄성 강한 재료 연구, 개발 필요
④ 표면 절삭가공 : Tube 표면 절삭가공 → 탄소 확산방지
⑤ 정기적 두께 측정 : 침탄작용 발생 여부 점검

---

286) 암기 재지크Tu용
- 에틸렌 제조시설에서 나프타 분해로 코일 침탄작용에 대한 영향
: 재질 열화, 지지하중↓, 크리프 특성 변화, Tube 수명↓, 용접 수리 불가

287) 암기 HP침표정
- 에틸렌 제조시설에서 나프타 분해로 코일 침탄작용 예방대책 :
H_2S 투입, Protective Oxide Layer, 침탄성 강한 재료 사용, 표면 절삭가공, 정기적 두께 측정

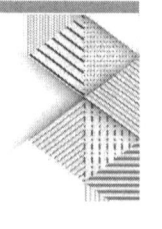

32 Metal Dusting

1. 개념
금속 + 고환원분위기 → 침탄 → 금속 Particle, 탄소 Dust 로 분해

2. 메카니즘
① 고환원분위기 형성 : 금속, 합금 + 400 ~ 800℃ + 탄소활 동도 1 초과
② 침탄 발생 : 탄소원자 → 금속표면 침투 → 내부 확산 → 취성, Cracking 야기
③ Metal Dusting : STS 310계, 고Cr강 → 금속 Particle, 탄소 Dust로 분해

3. 방지대책
① H_2S 투입 : 금속 + 고환원분위기 + H2S → 금속표면 황 흡착 → 탄소이동 방해 → 침탄현상 방지 → Metal Dusting 방지
② Protective Oxide Layer : 금속표면의 Oxide Layer → 탄소 증착 및 결정화 억제 → 침탄현상 방지 → Metal Dusting 방지
③ 침탄성 강한 재료 사용 : 침탄성 강한 재료 연구, 개발 필요
④ 표면 절삭가공 : Tube 표면 절삭가공 → 탄소 확산방지 → 침탄현상 및 Metal Dust 방지

⑤ 정기적 두께 측정 : Metal Dusting 발생 여부 점검

4. 결론
① Metal Dusting 현상 → 가스, 정유설비 장치산업 경제성, 안전도 직접 영향
② 現 문제점
　㉠ Metal Dusting의 명확한 발생 메카니즘 규명 부족
　㉡ 방지대책 기술력 부족
③ 해결방안
　㉠ 제선, 제강, 품질관리 등 제철산업 전반에 대한 이해도 증진 필요
　㉡ STS 301계, 고Cr강 등 고부가가치의 내부식 및 내열 강에 대한 기술적 연구 필요

33 화학설비의 내화기준

1. 개념
① 건축물 : 기둥, 보
② 저장탱크, 배관 : 지지대
　: 화재 시 → 일정시간 동안 강도, 성능 유지

2. 목적 및 기능
① 목적
　㉠ 화재확대 방지 및 재산 보호

    ⓒ 설비 도괴 방지 및 주변위해 방지

    ⓒ 인명안전 보장 및 소화활동 보장

② 기능[288]

    ㉠ 차열성 : 화재 복사열 차단

    ⓒ 차염성 : 화재 화염 차단

    ⓒ 불연성 : 화재에 의한 내화성 → 화재확대 방지

    ⓔ 내구성 : 충격, 소방주수에 대한 강도유지

    ⓜ 설계하중 유지 : 내화구조 설비 → 설계하중 유지↑

3. 내화기준

① 장소 범위

    ㉠ 가스폭발 위험장소 내 설치 설비

    ⓒ 분진폭발 위험장소 내 설치 설비

    ⓒ 예외 장소 : 자동소화설비(물 분무시설, 폼헤드 설비)

       설치 → 화재 시 2시간↑ 안전성 유지 가능한 경우

② 내화구조 대상물 범위

    ㉠ 건축물 기둥 및 보 : 지상 1층(6m 초과시 6m까지)

    ⓒ 저장탱크, 용기 지지대(높이 30cm↓ 제외)

       : 지상으로부터 지지대 끝부분까지

    ⓒ 배관, 전선관 지지대 : 지상으로부터 1단(6m 초과시 6m까지)

    ⓔ 내화 재료는 한국산업표준↑ 성능 보유할 것

---

288) 암기 차차불내설
  - 화학설비 내화설비 기능 : 차열성, 차염성, 불연성, 내구성, 설계 하중 유지

4. 석유화학공장 강 구조물(Steel structure) 내화피복[289]
   ① 콘크리트 타설공법
      ㉠ 철강재를 콘크리트로 피복하는 것
      ㉡ 장점
         ⓐ 충격, 부식에 내구성↑
         ⓑ 콘크리트 열전도율↓ → 외부 화재에 대한 철강재 열 차단
      ㉢ 단점 : 공사비↑, 공사기간↑, 건축자체 하중↑
   ② 미장공법 : 철골위에 내화도료를 바르는 것
   ③ 뿜칠공법 : 철강재 표면에 접착제를 도포한 후 내화재료를 뿜칠하는 공법
   ④ 경량판 붙임공법 : 석고보드 등의 경량 내화피복판을 철골 주위에 접착제 등으로 붙이는 공법
   ⑤ 복합공법 : 습식, 건식 공법의 조합

5. 내화재료 시험체 강재표면의 평균온도와 최고온도

구분	현 기준	과거 기준
평균온도	538℃(1,000℉)	350℃
최고온도	649℃(1,200℉)	450℃

→ 변경사유 : ASTM 및 UL 등의 선진규격과 동일한 기준을 적용하기 위함.

---

289) 암기 콘미뿜경복
   - 석유화학공장 강 구조물 내화피복 방법 : 콘크리트 타설공법, 미장공법, 뿜칠공법, 경량판 붙임공법, 복합공법

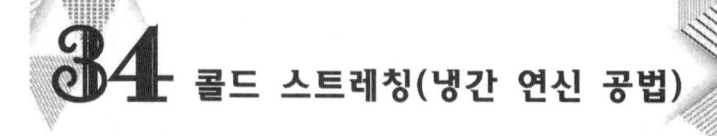

34 콜드 스트레칭(냉간 연신 공법)

1. 개념

오스테나이트 스테인리스강 → 수압 가압 공법 → 소성 → 항복강도↑ → 저장탱크 두께 4% 이상 얇게 제작하는 공법

2. 공법 절차

① Water filling : 저장탱크 내부 물 충분히 저장 → 공기 Venting

② 가압
　　㉠ 가압 전 원주방향 길이 측정
　　㉡ 설계압력 1.5배 압력으로 가압

③ 압력 유지 : 원주방향길이 변형 비율 0.01%/hr 미만 까지 압력 유지

④ 변형량 확인 : 원주방향 길이 반복 측정 및 기록 → 종료

3. 주의사항

파열 위험 有

① 위험성 : 설계압력의 1.5배 가압 → 파열 위험

② 대책 : 안전구획 설치 및 적절한 안전거리 유지

35 가스설비 파괴원인

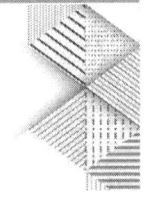

1. 가스설비 파괴원인 구분

기계적 파괴	부식 파괴
㉠ 과대 응력	㉠ 전면부식
㉡ 외적 부하	㉡ 국부부식
㉢ 과압	㉢ 건식부식
㉣ 과열	㉣ 습식부식
㉤ 기계적 피로	㉤ 갈바닉부식
㉥ 기계적 충격	㉥ 틈새부식
㉦ 취성파괴	㉦ 공식
㉧ 크리프 현상	㉧ 응력부식
㉨ 수소침식	㉨ 피로부식

제11장

냉동공학

1 냉동법의 종류

1. 개념
① 냉동 : 주위온도보다 낮은 상태로 하기 위한 작용
② 냉동법 : 자연적, 기계적으로 냉동 상태를 만드는 것

2. 냉동법의 종류
① 자연 냉동법

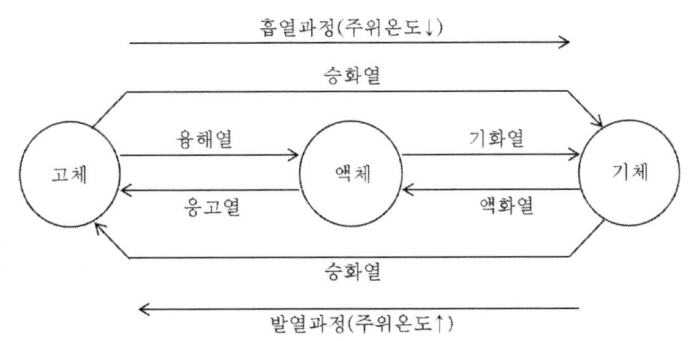

㉠ 얼음의 융해열 이용 : 얼음(고체) → 물(액체)로 상이동 시, 주위 열 흡열(융해열)

㉡ 드라이아이스의 승화열 이용 : 얼음(고체) → 수증기(기체)로 상이동 시, 주위 열 흡열(승화열)

② 증기 압축식 냉동기
㉠ 왕복동식 냉동기 : 피스톤 왕복
㉡ 나사식 냉동기 : 스크류 회전 → 냉매 증발잠열 이용
㉢ 회전식 냉동기 : 베인(Vane)
㉣ 터보식 냉동기 : 임펠라 회전

③ 기타 기계식 냉동법
    ㉠ 전자 냉동기 : 펠티에 효과 이용
    ㉡ 흡수식 냉동기 : 도시가스 이용
    ㉢ 가스엔진 방식 : 가스엔진 → 압축기 기동

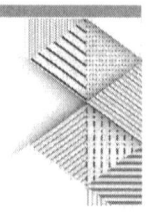

2 몰리에르 선도(P-h선도)

1. 몰리에르 선도란?
    ① 정의 : 냉매의 각종 특성치를 나타내는 선도
    ② 목적
        ㉠ 냉동기 크기 결정
        ㉡ 냉동능력 판단
        ㉢ 전동기 크기 결정
        ㉣ 냉동장치의 운동상태 확인
        ㉤ 합리적, 능률적인 운전 가능

2. 몰리에르 선도 구성

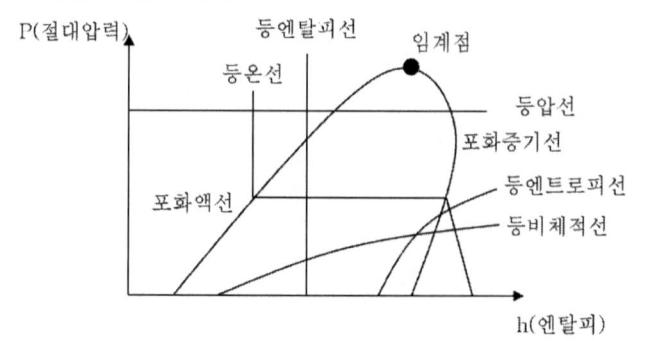

① P(절대압력)
　㉠ 냉매의 절대압력 = 대기압(1 atm) + 게이지압
　㉡ 단위 : $kg/cm^2 \cdot A$
② h(엔탈피)
　㉠ 냉매가 가지고 있는 총열량
　㉡ 단위 : kcal/kg
③ 포화액선
　㉠ 완전포화상태의 상태점 연결한 선
　㉡ 포화액선의 왼쪽부분 : 과냉구역(액체)
　㉢ 포화액선의 오른쪽부분 : 습증기구역(액체 + 기체)
　㉣ 건도 : 포화액선 건도 = 0
④ 포화증기선
　㉠ 액으로써의 냉매가 없는 상태점 연결한 선
　㉡ 포화증기선의 왼쪽부분 : 습증기구역(액체 + 기체)
　㉢ 포화증기선의 오른쪽부분 : 과열증기구역(기체)
　㉣ 건도 : 포화증기선 건도 = 1

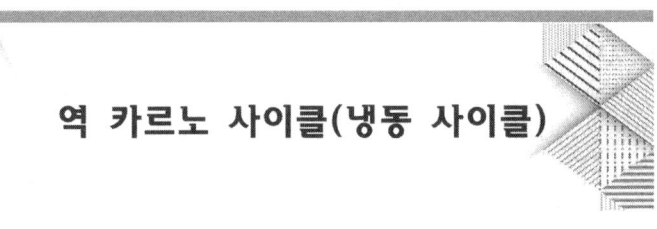

3 역 카르노 사이클(냉동 사이클)

1. 역 카르노 사이클이란?
　① 카르노 사이클의 역 순환과정
　② 냉동기의 이상적인 사이클(냉동사이클)

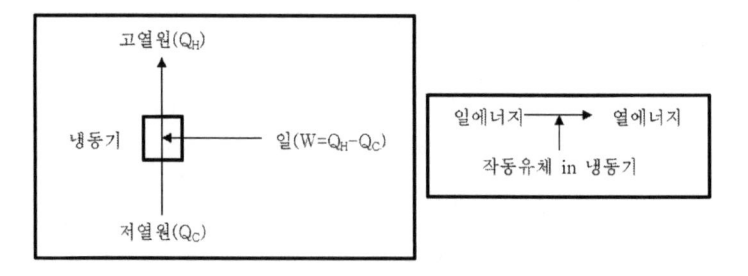

2. P-h 선도[290)

P(절대압력)

C   B

D   A

h(엔탈피)

① 단열압축(A→B)

압축기로 냉매증기 단열압축 → W(일) 소모

② 등온압축(B→C)

응축기에서 압축증기의 등압변화 → 열(QH) 방출

③ 단열팽창(C→D)

팽창밸브를 통과한 액화냉매 단열 자유팽창 → 저압의 습증기

④ 등온팽창(D→A)

증발기에서 저압 습증기의 등온팽창 → 열(QC) 흡수

---

290) **암기** 단등단등
   - 역카르노 사이클 동작 과정 : 단열압축(A→B), 등온압축(B→C), 단열팽창(C→D), 등온팽창(D→A)

3. T-S 선도

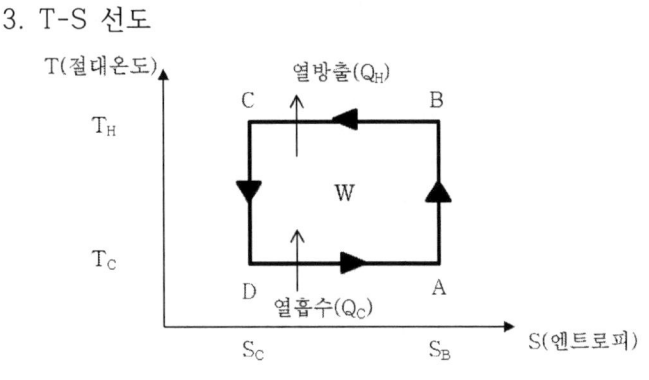

① 열(Q)

　㉠ 증발기 냉동효과 : $Q_C = T_C(S_B - S_C)$

　㉡ 응축기 방출열량 : $Q_H = T_H(S_B - S_C)$

② 일(W) : 　$W = Q_H - Q_C$

③ 성적계수(COP)

　㉠ 개념 : 냉동기 성능을 정량적인 수치로 나태낸 값

　㉡ 계산식 :

$$COP = \frac{냉동능력}{압축기\ 동력} = \frac{Q_C}{W} = \frac{Q_C}{Q_H - Q_C} = \frac{T_C}{T_H - T_C}$$

　㉢ 영향인자 : 압축기 동력↓, 냉동능력↑ → 성적계수↑

　　→ 냉동기 성능↑

④ 열펌프 성적계수(COP_h)

$$COP_h = \frac{Q_H}{W} = \frac{Q_H}{Q_H - Q_C} = \frac{T_H}{T_H - T_C}$$

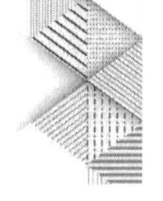

4 증기 압축식 냉동기

1. 증기 압축식 냉동기 작용

P(절대압력)

C   B

D   A

h(엔탈피)

① 단열압축(A→B)

압축기로 냉매증기 단열압축 → W(일) 소모

② 등온압축(B→C)

응측기에서 압축증기의 등압변화 → 열(QH) 방출

③ 단열팽창(C→D)

팽창밸브를 통과한 액화냉매 단열 자유팽창 → 저압의 습증기

④ 등온팽창(D→A)

증발기에서 저압 습증기의 등온팽창 → 열(QC) 흡수

2. 증기 압축식 냉동기 구성[291]

---

291) 암기 압응팽증기
- 증기 압축식 냉동기 구성 : 압축기, 응축기, 팽창밸브, 증발기, 기타 설비

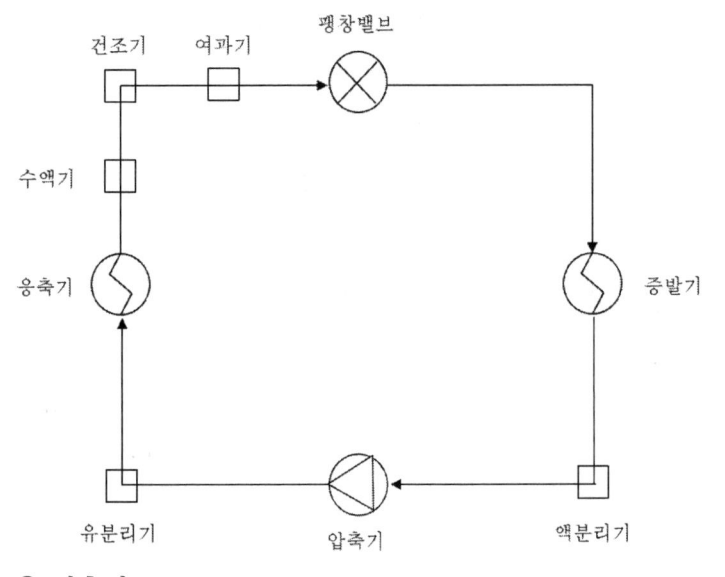

① 압축기
　　㉠ 증발기 → 저온, 저압 냉매증기 → 압축기 → 압력↑
　　　 → 온도↑
　　㉡ 공학적 근거 : $T_2 = T_1 \times \left(\dfrac{P_2}{P_1}\right)^{\frac{r-1}{r}}$
② 응축기 : 압축기 → 고온, 고압 냉매증기 → 응축기 → 열
　　방출 → 액화
③ 팽창밸브 : 응축기 → 고압 액화 냉매 → 팽창밸브 → 저
　　압 습증기
④ 증발기 : 팽창밸브 → 저압 습증기 → 증발기 → 증발잠열
　　흡수
⑤ 기타 설비[292)]

---

292) [암기] 유수건여액
　　 - 증기 압축식 냉동기 구성 중 기타 설비 구성 : 유분리기, 수액
　　기, 건조기, 여과기, 액분리기

㉠ 유분리기 : 윤활유 제거

㉡ 수액기 : 냉매액 임시 저장

㉢ 건조기 : 냉매 중 수분 제거

㉣ 여과기 : 배관 내 이물질 제거

㉤ 액분리기 : 냉매 기·액 분리

5 흡수식 냉동기

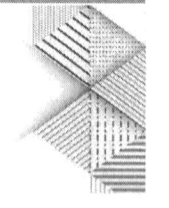

1. 개념

① 구동열원으로 전기가 아닌 가스 또는 폐열 사용

② 여름철 피크전력 부하 낮추기 위해 도입

2. 흡수식 냉동기의 원리

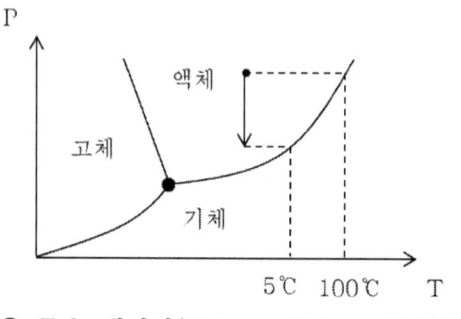

① 물은 대기압(760 mmHg) → 100℃ → 비등(증발)

② 증발기 내 고진공 상태(6 mmHg) → 5℃ → 비등(증발)

③ 냉수(13℃ 전후) → 냉매의 증발잠열 흡수 → 냉수(7℃ 전후)

3. 흡수식 냉동기 구성[293]

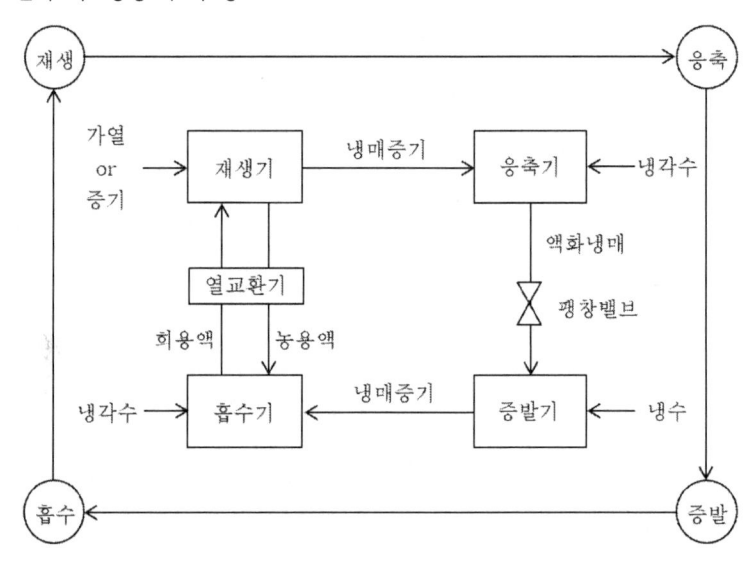

① 냉매, 흡수제

구분	냉매	흡수제
Case I	물(비등점 100℃)	LiBr(비등점 1,265℃)
Case II	NH₃(비등점 -33℃)	물

Case I: 물(비등점 100℃), LiBr(비등점 1,265℃)

※ 냉매가 물 일 때 흡수제는 LiBr(리튬브로마이드)

※ 냉매가 NH₃ 일 때 흡수제는 물

② 증발기

　㉠ 액화냉매 → 냉수로부터 열 흡수 → 증발

　㉡ 냉매증기 → 흡수기에서 연속적 흡수 → 증발기 내부 고진공 유지

　㉢ 고진공(6 mmHg) → 냉매 저온에서 증발 → 냉수

---

293) 암기 냉증흡열재응
- 흡수식 냉동기 구성 : 냉매, 증발기, 흡수기, 열교환기, 재생기, 응축기

(13℃ 전후) → 냉매의 증발잠열 흡수 → 냉수(7℃ 전후)
③ 흡수기
   ㉠ 흡수제 → 냉매증기 연속적 흡수 → 증발기 내부 고진공 유지
   ㉡ 흡수제 + 냉매증기 → 흡수열 발생 → 냉각수에 의해 냉각
④ 열교환기 : 흡수기 → 저온의 희용액 → 재생기로부터 회수되는 고온의 농용액과 열교환 → 고온의 희용액 → 재생기
⑤ 재생기 : 희용액 → 가스버너 또는 증기에 의해 가열 → 냉매 증발 → 응축기 → 농용액 → 흡수기
⑥ 응축기 : 재생기 → 냉매증기 → 응축기 내 냉각수에 의해 응축

4. 듀링선도

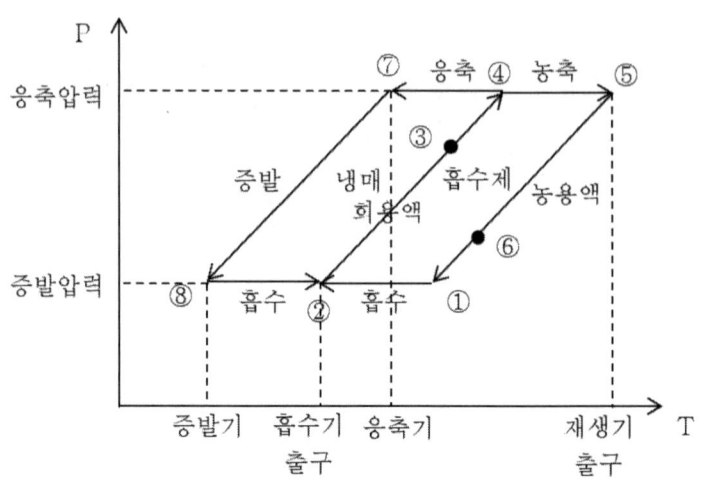

①→② : 흡수제 + 냉매증기 → 흡수 → 흡수열 발생
②→③ : 흡수기 → 저온의 희용액 → 재생기로부터 회수되는 고온의 농용액과 열교환 → 고온의 희용액

③→④ : 재생기 내 희용액 가열(가스 또는 증기)

④→⑤ : 냉매증기 이탈 → 흡수제 용액 농축

⑤→⑥ : 재생기 → 고온의 농용액 → 재생기로 투입되는 저
온의 희용액과 열교환 → 저온의 농용액

⑥→① : 농용액 → 흡수기 내 냉각수에 의해 냉각

④→⑦ : 재생기 내 이탈된 냉매증기 → 응축기 내 냉각·응축

⑦→⑧ : 액화냉매 → 증발기 내 증발

⑧→② : 냉매증기 → 흡수기로 흡수

5. 특징
① 장단점

장점	단점
㉠ 여름철 피크전력 부하감소 ㉡ 환경문제 해결 ㉢ 안전관리자 미선임 ㉣ 계약전력 감소	㉠ 초기 투자비↑ ㉡ 냉수 7℃↓ 냉각 불가능 ㉢ 유지관리 어렵다 ㉣ 기계실 면적↑

※ 증기 압축식 냉동기 대비 장단점

② 주의사항

㉠ 가스버너 사용 시 폭발, 화재 위험 → 주의 요망

㉡ 냉매 수질관리 철저 → 부식방지

6. 이중 및 삼중 효율 흡수식 냉동기
① 이중 효율 흡수식 냉동기
기존 사이클에 재생기, 열교환기 각각 1개 추가 → 기존
보다 효율 10%↑
② 삼중 효율 흡수식 냉동기
기존 사이클에 재생기, 열교환기 각각 2개 추가 → 기존
보다 효율 30%↑

6 증기 압축식 냉동기 vs 흡수식 냉동기

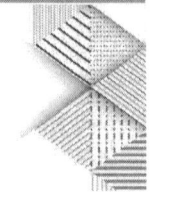

1. 증기 압축식 냉동기 구성 : <u>압응팽증기</u>

2. 흡수식 냉동기 구성 : <u>냉증흡열재응</u>

3. 증기 압축식 냉동기 vs 흡수식 냉동기

구분	증기 압축식 냉동기	흡수식 냉동기
냉매, 흡수제	㉠ 냉매 : R-22 등 ㉡ 흡수제 : 無	㉠ 냉매 : 물, NH3 ㉡ 흡수제 : LiBr, 물
동력원	전기, 가스	가스, 증기
운전압력	대기압 이상	진공(6 mmHg)
소음, 진동	회전부 多 → 소음, 진동↑	회전부 少 → 소음, 진동↓
안전관리자	선임	미선임

7 표준 냉동사이클

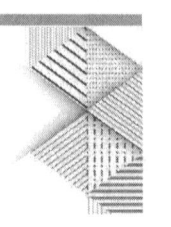

1. 의미
   ① 냉동기 증발온도에 따라 냉동능력 변동되므로
   ② 어떤 기준이 되는 냉동 사이클에 적용하여 산출해낸 냉동
   능력으로
   ③ 법정 냉동톤 산출 사이클

2. 표준 냉동사이클 및 조건

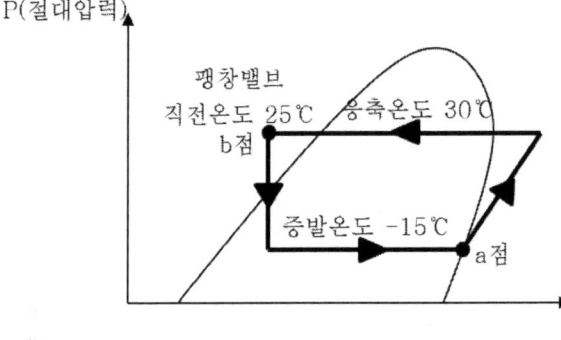

압축기 흡입가스 온도	응축온도	팽창밸브 직전온도	증발온도
-15℃	30℃	25℃	-15℃

3. 냉동능력 증대방안

① a점 ~ b점 구간 크게 함

② 증발온도↑ : → 증발잠열↑ → 냉동능력↑

③ 열교환 : 흡입가스와 응축기 출구 열교환 → 냉동능력↑

④ 플래시가스 발생량↓ : → 건조도↓ → 액 분포↑ → 냉동
능력↑

⑤ 전열관 청결 유지 : 전열관 청결 → 냉동능력↑

4. 표준 냉동사이클의 활용

① 냉동설비 검사 시 적용 : 모든 냉동기 → 표준 냉동사이클
적용 → 냉동능력 환산 → 냉동설비 검사

② 표준 냉동사이클 미적용 시 문제점
동일 냉동기라도 증발온도에 따라 냉동능력 변동됨 → 냉
동기 허가대상, 검사대상 오류 발생

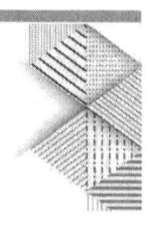

8 냉동 제조시설 시공자 자격 및 검사 종류

1. 개요
① 시공 : 냉동기 설치시 시공 자격자 시공
② 검사의 종류 : 완성, 정기, 수시 검사

2. 시공자 자격
① 가스 시공업 1종
  ㉠ 플랜트 내 가스배관
  ㉡ 냉동시설 내 고압 가스배관
② 기계설비 공사업
  ㉠ 고압 가스배관의 설치
  ㉡ 고압 가스배관의 변경공사

3. 검사 종류
① 냉동기 검사 대상 : 법적 냉동능력 3톤 이상 냉동기 제조자
② 검사의 종류
  ㉠ 완성검사 : 고압가스 제조, 저장시설의 설치 및 변경공사시 실시
  ㉡ 정기검사
    ⓐ 가연성, 독성가스 냉동제조자 : 매 1년마다
    ⓑ 불연성 가스 냉동제조자 : 매 2년마다
  ㉢ 수시검사 : 위해 우려 있는 경우

냉동제조시설의 시설기준 및 기술기준

1. 개요
냉동 제조시설 → 고압가스 안전관리법에 의해 규제

2. 시설기준[294)]
① 기밀시험, 내압시험
　㉠ 기밀시험 : 공기, 질소 사용 → 설계압력 이상 가압
　㉡ 내압시험 : 설계압력 × 1.5배 이상 가압
② 내진설계
③ 안전설비
　안전거리 + 압력배출장치 + <u>계경예산기록</u> + 방폭구조
④ 방류둑
　독성 냉매설비 중 수액기가 1만L 이상인 것
⑤ 누출 방지
　㉠ 진동 우려 부분 → 방진 조치
　㉡ 돌출부 → 적절한 방호 조치
　㉢ 부식 방지 조치
⑥ 체류 방지
　냉매가스 누출 시 → 체류하지 않는 구조

---

294) 암기 기내안방누체
　- 냉동제조시설의 시설기준 : 기밀시험·내압시험, 내진설계, 안전설비, 방류둑, 누출방지, 체류방지

3. 기술기준[295]
　① 냉매설비 수리, 청소 시
　　냉매설비 수리, 청소 시 → 불활성가스 치환 후 실시
　② 가연성 물질 보관
　　가연성 가스의 냉동설비 부근 → 가연성 물질 보관 금지
　③ Stop Valve
　　안전밸브, 방출밸브 전단 Stop Valve → 항상 개방 조치(N/O)
　④ 안전장치 점검
　　㉠ 압축기 최종단 안전장치 점검 주기 : 1회/년↑
　　㉡ 그 밖의 안전장치 점검 주기 : 1회/2년↑
　⑤ 정상 여부 확인
　　설치, 변경공사 종료 시 → 불활성가스로 시운전 후 →
　　정상 여부 확인

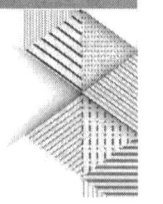

10 냉매

1. 개요
　① 정의 : 냉동장치 순환 → 열운반 → 냉각작용하는 열매체
　② 구분
　　㉠ 1차 냉매 : 상변화 → 잠열 이용
　　㉡ 2차 냉매 : 액상태 유지 → 현열 이용

---

295) 암기 냉가S안정
　- 냉동제조시설의 기술기준 : 냉매설비 수리·청소 시, 가연성 물질
　　보관, Stop Valve, 안전장치 점검, 정상 여부 확인

2. 냉매 종류[296)

　① 할로겐화 탄화수소 냉매

　　㉠ 종류 : 프레온 가스 (R-11, R-22 등)

　　㉡ 특징

　　　ⓐ 안정적 : 비독성, 불연성

　　　ⓑ 열역학적 특성 우수

　　　ⓒ 오존층 파괴 → 지구온난화 영향

　② 무기화합물 냉매

　　㉠ 종류 : 암모니아, 이산화탄소

　　㉡ 특징

　　　ⓐ 암모니아 : 가연성, 독성

　　　ⓑ 이산화탄소 : 고압 필요

　③ 유기화합물 냉매

　　㉠ 종류 : 메탄, 에탄, 프로판, 부탄

　　㉡ 특징

　　　ⓐ 가연성 → 화재·폭발 유의

　　　ⓑ 비독성

3. 구비조건

구분	구비조건
① 열역학적 특성	㉠ 비점↓　㉡ 증발잠열↑　㉢ 증기 비체적↓
② 화학적 특성	㉠ 비독성　㉡ 불연성　㉢ 부식성 없을 것
③ 물리학적 특성	㉠ 증기, 액체 밀도↓　㉡ 전기저항↑　㉢ 점도↓
④ 기타 특성	㉠ 가격 쌀 것　㉡ 제조, 구입 쉬울 것

---

296) 암기 할무유
　- 냉매 종류 : 할로겐화 탄화수소 냉매, 무기화합물 냉매, 유기화
　합물 냉매

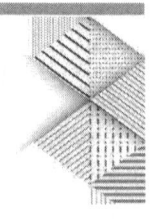

11 줄-톰슨 효과

1. 줄-톰슨 효과

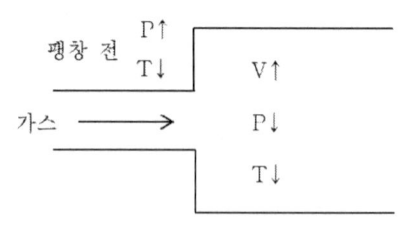

① 교축(자유팽창) 과정

팽창 전 압력↑, 온도↓ → 팽창 후 부피↑, 압력↓, 온도↓

② 줄-톰슨 계수(μ)

㉠ 의미 : 압력 변화에 의한 온도 변화 정도

㉡ 공식 : $\mu = \dfrac{\varDelta T}{\varDelta P} \times \dfrac{T_2}{T_1}$

$\varDelta T$: 온도강하　　T_1 : 팽창 전 절대온도

$\varDelta P$: 압력강하　　T_2 : 팽창 후 절대온도

③ 줄-톰슨 효과 영향인자

팽창 전 압력↑, 온도↓ → 줄 톰슨 효과↑ → μ↑

2. 줄-톰슨 계수와 온도강하와의 관계

① $\mu > 0$ → 온도 강하

② $\mu = 0$ → 온도 불변(이상기체)

③ $\mu < 0$ → 온도 상승

12 COP, APF

1. 성적계수(COP : Coefficient Of Performance)
   ① 개념 : 냉동기 성능을 정량적인 수치로 나태낸 값
   ② 계산식

   $$COP = \frac{냉동능력}{압축기\ 동력} = \frac{Q_C}{W} = \frac{Q_C}{Q_H - Q_C} = \frac{T_C}{T_H - T_C}$$

   Q_C : 저온열원에서의 흡수열 T_C : 증발기 내 냉매 증발온도
   Q_H : 고온열원에서의 방출열 T_H : 응축기 내 냉매 응축온도

   ③ 영향인자
   ㉠ 압축기 동력↓, 냉동능력↑ → COP↑ → 냉동기 성능↑
   ㉡ 방출열과 흡수열 차↓ → COP↑
   ㉢ 일정 열 차인 경우 → 흡수열↑ → COP↑
   ㉣ 응축기와 증발기 온도차↓ → COP↑
   ㉤ 일정 온도 차인 경우 → 증발온도↑ → COP↑
   ④ 문제점
   부하, 기온변화, 실사용 환경 등 미반영

2. 연간 에너지 효율(APF : Annual Performance Factor)
   ① 개념
   ㉠ 1년간 필요한 냉난방 능력 총합을 연간 소비전력량으로 나눈 값
   ㉡ APF↑ → 에너지 효율 좋은 제품

② 계산식 : $APF = \dfrac{Y_q}{Y_a}$

　　　Y_q : 연간 필요한 냉난방 능력의 총합(kcal/년)

　　　Y_a : 연간 소비전력량(kcal/년)

③ 영향인자

　　㉠ $Y_q \uparrow \rightarrow APF \uparrow \rightarrow$ 에너지 효율 $\uparrow$

　　㉡ $Y_a \downarrow \rightarrow APF \uparrow$

④ 문제점

　　㉠ 일본 연평균 기온 기준 → 국내·외 업체간 갈등 $\uparrow$

　　㉡ 국내 업체 한랭지 적용된 EERa 도입 지지

　　㉢ 일본산 수입업체 APF 적용 타당 지지

⑤ EERa(= IEER)

　　전부하, 부분부하, 냉난방기 효율에 한랭지 효율까지 반영

13 난방도일, 냉방도일

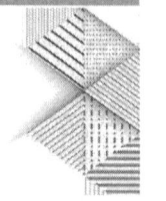

1. 난방도일(HDD : Heating Degree Days)

　① 목적 : 겨울철 난방에너지 수요 추산

　② 기준 : 일 평균기온 18℃ $\downarrow$ 시 → 난방 실시 기준

　③ 의미 : 난방도일 수치 $\uparrow$ → 기온 춥다 → 난방 연료 에너지 사용량 $\uparrow$

2. 냉방도일(CDD : Cooling Degree Days)

　① 목적 : 여름철 냉방에너지 수요 추산

② 기준 : 일 평균기온 24℃↑ 시 → 냉방 실시 기준
③ 의미 : 냉바도일 수치↑ → 기온 덥다 → 냉방 연료 에너지 사용량↑

3. 계산법
① 난방도일
평균기온 16℃ 시 → 18 - 16 = 2 → 2℃/day
② 냉방도일
평균기온 26℃ 시 → 26 - 24 = 2 → 2℃/day

제12장

펌프 · 압축기

1 가연성가스 압축기 안전관리

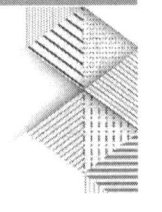

1. 가연성가스 압축기 사용 목적
   ① 저장탱크 기체 → 탱크로리로 가압 시
   ② 탱크로리 기체 → 저장탱크로 회수 시

2. 압축기 안전관리[297]
   ① 필터 청소 : 압축기 필터는 주기적으로 청소
   ② 윤활유
      ㉠ 1,000 시간 사용시 교체
      ㉡ 오일압력 22psi 유지(압력증감 시 조정나사로 조절)
   ③ 벨트풀리 커버 : 항상 부착 상태로 운전
   ④ 벨트 장력 : 벨트 장력 수시로 확인
   ⑤ 그리스 주입 : 그리스 주입형 사방 밸브 → 그리스 주입
      → 가스 누설 방지
   ⑥ 방향표시 : 사방변 방향표시 부착 → 운전시 혼동 방지
   ⑥ 플렉시블 조인트 : 동일 규격 제품 비상용으로 비치

3. 점검사항
   ① 윤활유 레벨 : 레벨 확인 → 부족시 보충
   ② 벨트 장력 : 벨트 장력 점검 및 균열유무 확인

---

297) [암기] 필윤풀장그방조
   - 가연성가스 압축기 안전관리 항목 : 필터 청소, 윤활유, 벨트풀
   리 커버, 벨트 장력, 그리스 주입, 방향표시, 플렉시블 조인트

③ 누설 상태

　㉠ 압축기 후단 배관, 플렉시블 가스누설 상태

　㉡ 사방변, 접속부위 가스누설 상태

　㉢ 통기공

4. 정지순서

① 전동기 스위치 off

② 최종 Stop valve close

③ Drain valve open

④ 각 단 압력 저하 확인 → 주흡입 valve close

⑤ 냉각수 주입 valve close

2 다단압축 목적, 장단점

1. 개요

① 압축비↑ → 토출가스 온도↑ → 여러가지 악영향 발생

② 압축비 6 이상 시 → 2단 압축 이상 적용 및 Inter cooler 설치

2. 압축비 클 경우 생기는 현상(다단압축 채용 이유)[298]

① 압축비↑ → 토출가스 온도↑

---

298) [암기] 토탄파수효동
　　- 압축비 클 경우 생기는 현상(다단압축 채용 이유) : 토출가스 온도↑, 오일 탄화 발생, 압축기 파손, 장비수명↓, 효율↓, 소요동력↑

② 토출가스 온도↑ → 오일 탄화 발생

③ 탄화에 의한 윤활 불량 → 압축기 파손

④ 오일부족 → 윤활 불량 → 장비수명↓

⑤ 체적효율↓, 기계효율↓, 압축효율↓

⑥ 효율↓ → 소요동력↑

3. 다단압축 목적[299]

　① 일량 절약

　　다단압축 → 단의 흡입효율↑ → 일량↓

　② 이용효율↑

　　압축비↓ → 기계 저온 → 흡입 시 가열↓ → 효율↑

　③ 힘 평형 향상

　　각 단 압축비 동일 → 피스톤 힘작용 균일 → 관성↑

4. 다단압축 시 장단점

장점	단점
① 가스온도↑ 방지 ② 소요동력↓ ③ 힘 평형↑ ④ 윤활유 소모↓	① 설치비↑ ② 설비증대 → 시설복잡 ③ 유지관리 개소↑ ④ 중간냉각기 필요(Inter cooler)

5. 중간냉각의 목적(역할)[300]

　① 흡입효율↑

---

299) **암기** 일이힘
　- 다단압축 목적 : 일량 절약, 이용효율↑, 힘 평형 향상

300) **암기** 흡탄마소
　- 중간냉각의 목적(역할) : 흡입효율↑, 탄소 발생↓, 마모방지율↓,
　　소손율↓

② 탄소 발생↓

③ 마모방지율↓ ⎤ → 수명↑

④ 소손율↓ ⎦

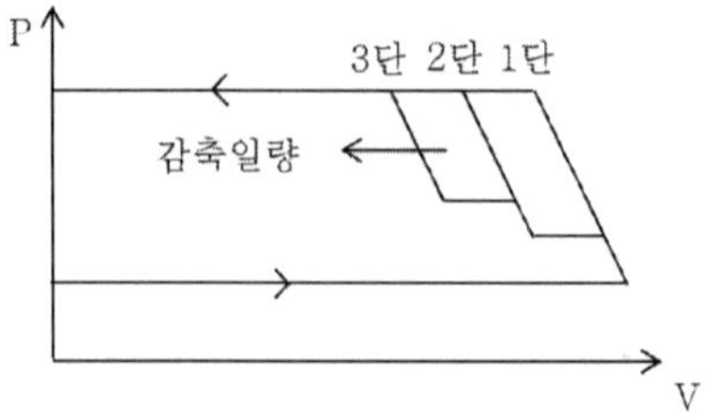

< P-V 선도 >

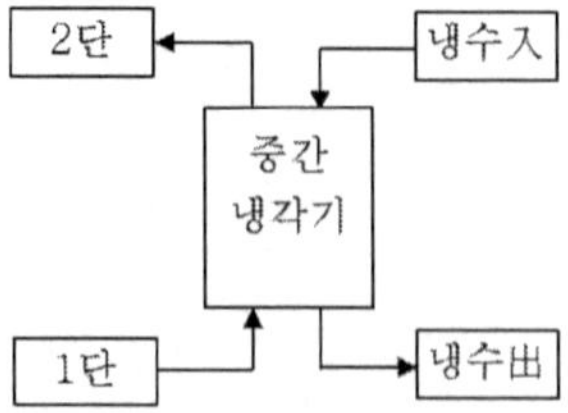

< 계통도 >

6. 2단 압축 사이클 종류

　① 2단 압축 1단 팽창

　　㉠ 저단 및 고단 압축기 채용

　　㉡ 중간냉각기 사용 → 낮은 온도 얻음

　② 2단 압축 2단 팽창

　　㉠ 저단 및 고단 압축기 채용

　　㉡ 기액분리기 사용 → 낮은 온도 얻음

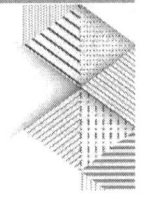

공동현상(Cavitation)

3

1. 개념

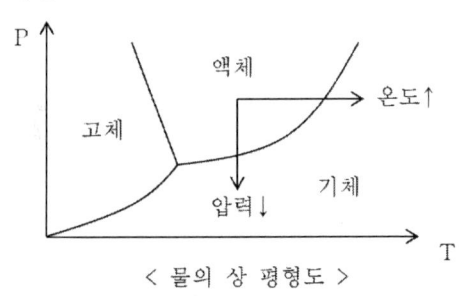

< 물의 상 평형도 >

① 펌프 흡입측 유체 압력↓, 온도↑ → 기화 → 기체 공간
발생 현상

② 문제점
기포 + 압력 → 충격파 → 임펠러 침식 발생 → 양수불능

2. Cavitation과 NPSH 관계

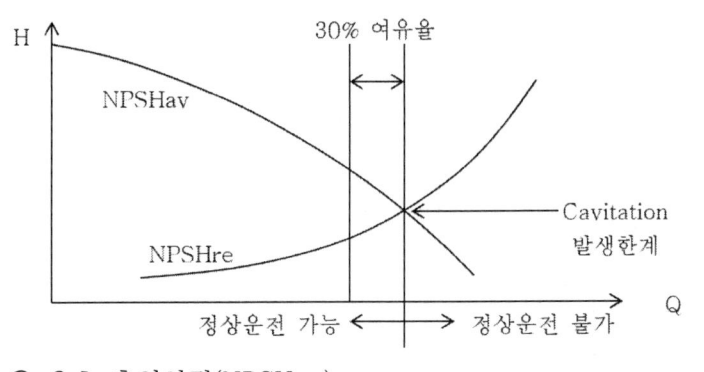

① 유효 흡입양정(NPSHav)

㉠ 정의 : Cavitation 발생없이 운전가능한 흡입 수두

㉡ 공식

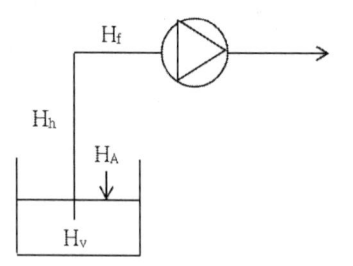

$$NPSH_{av} = H_A \pm H_h - H_v - H_f$$

H_A : 대기압 수두(m)

$$H_A = \frac{P_A}{r} = \frac{흡입수면에 \ 가해지는 \ 대기압}{비중량}$$

H_h : 흡입양정(m)

ⓐ 펌프가 수조 위에 위치 : $- H_h$

ⓑ 펌프가 수조 아래에 위치 : $+ H_h$

H_v : 포화증기압 환산수두(m)

H_f : 총 손실수두(m)

② 필요 흡입양정(NPSHre)

㉠ 정의 : 흡입측 진공 시 양정저하 3% 시점의 진공수두

㉡ 공식

$$NPSH_{re} = \left(\frac{N\sqrt{Q}}{S} \right)^{\frac{4}{3}}$$

N : 펌프의 회전수(rpm)

Q : 유량(m^3/min)

S : 비속도

③ Cavitation과 NPSH 관계

  ㉠ 공동현상 발생 : NPSHav ≤ NPSHre

  ㉡ 발생 한계 : NPSHav = NPSHre

  ㉢ 설계 적용 : NPSHav ≥ NPSHre × 1.3

  ※ 30% 여유율은 경년변화에 따른 마찰손실↑ 등 고려

3. 발생조건(원인)

  NPSHav ≤ NPSHre 시 Cavitation 발생

  ① NPSHav↓ 원인

    ㉠ Hh↑ : 흡입양정(흡입 측 높이) 클 경우

    ㉡ Hv↑ : 유체 온도 클 경우

    ㉢ Hf↑ : 마찰손실 클 경우

      ⓐ 일정 유량 시 → A↓ → V↑ ⎤

      ⓑ 일정 배관경 시 → Q↑ → V↑ ⎪

      ⓒ 조도계수(표면 거칠기)↑   ⎬→ Friction loss↑

      ⓓ 굴곡, Pitting류 개수↑   ⎪

      ⓔ 유체 점성↑   ⎦

      ⓕ 난류 흐름

  ② NPSHre↑ 원인

    회전수↑, 토출량↑, 비속도↓

4. 발생 시 문제점

  ① 소음 및 진동 발생

  ② 펌프의 성능(토출량, 양정, 효율) 감소

  ③ 임펠러의 침식 발생

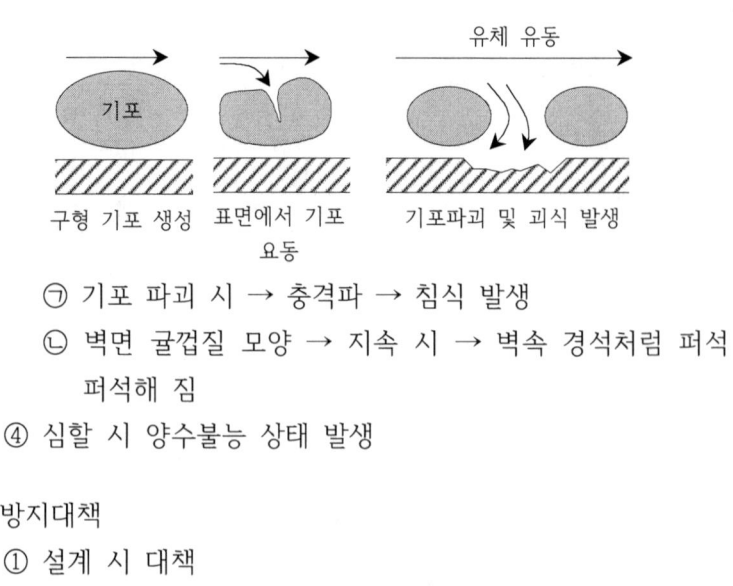

구형 기포 생성　　표면에서 기포　　기포파괴 및 괴식 발생
　　　　　　　　　　요동

유체 유동

기포

　　㉠ 기포 파괴 시 → 충격파 → 침식 발생
　　㉡ 벽면 굴껍질 모양 → 지속 시 → 벽속 경석처럼 퍼석
　　　퍼석해 짐
　④ 심할 시 양수불능 상태 발생

5. 방지대책
　① 설계 시 대책
　　안전율 30% 적용 : NPSHav ≥ NPSHre x 1.3
　② NPSHav↑ 대책
　　㉠ Hh↓
　　　펌프 위치 가능한 한 낮게 설치
　　㉡ Hv↓
　　　ⓐ 포화증기압 미만 운전
　　　ⓑ 릴리프 v/v 설치 → 액온 상승 방지
　　㉢ Hf↓
　　　㉠ 일정 유량 시 → A↑ → V↓ ⎤
　　　㉡ 일정 배관경 시 → Q↓ → V↓ ⎟
　　　㉢ 조도계수(표면 거칠기)↓　　　⎬ → Friction loss↓
　　　㉣ 굴곡, Pitting류 개수↓　　　　⎟
　　　㉤ 유체 점성↓　　　　　　　　　⎟
　　　㉥ 층류 흐름　　　　　　　　　　⎦

③ NPSHre↓ 대책
　　㉠ 회전수↓, 토출량↓, 비속도↑
　　㉡ 양흡입 펌프 사용
④ 흡입측 대책
　　㉠ 버터플라이 밸브 설치 제한
　　㉡ 편심레듀샤 사용
　　㉢ 스트레이너 주기적 청소
　　㉣ 급수, 순환되는 배관과 이격거리 확보

 4 수격작용(Water Hammering)

1. 개념
① 유체 유속 급격한 변화 → 운동E → 압력E → 충격파 발생
② △V(속도차) → △P(압력차)

2. 발생조건(원인)

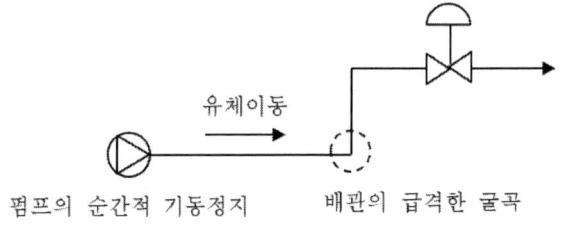

밸브의 급격한 폐쇄

유체이동

펌프의 순간적 기동정지　　배관의 급격한 굴곡

① 펌프 순간적 기동, 정지
② 배관의 급격한 굴곡

③ 밸브의 급격한 폐쇄

3. 발생 시 일어나는 현상(문제점)
    ① 충격파 → 펌프, 배관, 밸브 파손
    ② 압력강하 → 관로 압괴
    ③ 소음, 진동 발생
    ④ 주기적 압력 변동 → 압력 제어 곤란

4. 방지대책
    ① 충격파 흡수대책
       수격방지기 설치
    ② 압력상승 방지대책
       ㉠ Relief v/v
       ㉡ Hammerless check v/v(스모렌스키 check v/v)
    ③ 부(-) 압 방지대책
       ㉠ 관경↑ → 유속↓
       ㉡ 회전축 Fly wheel 설치 → 급격한 속도 변화 방지
       ㉢ 토출측 조압수조(Surge Tank) 설치
       ㉣ 토출측 직후 유량조절 밸브 설치 → 적당한 제어

5 베이퍼록(Vapor Lock)

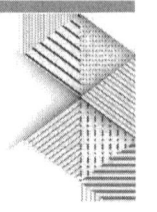

1. 베이퍼록(Vapor Lock, 증기폐쇄) 개요
    ① 개념 : 저 비등점 액체 이송 시 → 흡입측 액체 끓는 현

상 발생

　　② 문제점 : 흡입 불능 상태 발생

2. 발생원인

　　① 액 자체 온도 高, 외부 온도 高

　　② 냉각기 설치 無, 정상 작동 X

　　③ 펌프 설치위치 적당 X(너무 높음)

　　④ 관경↓

　　⑤ 보온·단열 처리 불량

　　⑥ 스케일 등 관 막힘 → 저항↑

3. 방지대책

　　① 실린더 외부 냉각

　　② 펌프 설치위치↓

　　③ 관경↑, 보온·단열 처리

　　④ 관로 청소(스케일 제거)

 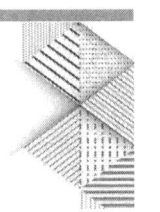

6　프라이밍(Priming)

1. 개념

　　① 펌프 내 액 無 → 액 송출 불가 → 공회전 → 펌프 손상

　　② 프라이밍 발생 조건

　　　　흡입측 탱크 물 높이 < 펌프 위치

2. 프라이밍 방지 대책
   ① 흡입측 탱크 물 높이 > 펌프 위치

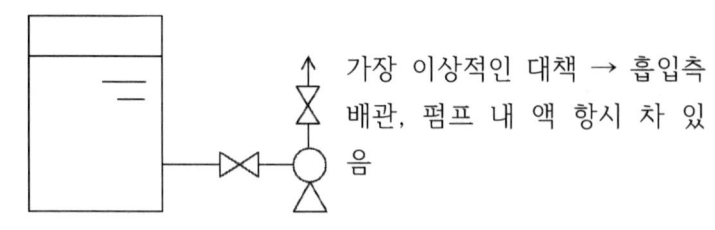

가장 이상적인 대책 → 흡입측 배관, 펌프 내 액 항시 차 있음

   ② 체크밸브 설치

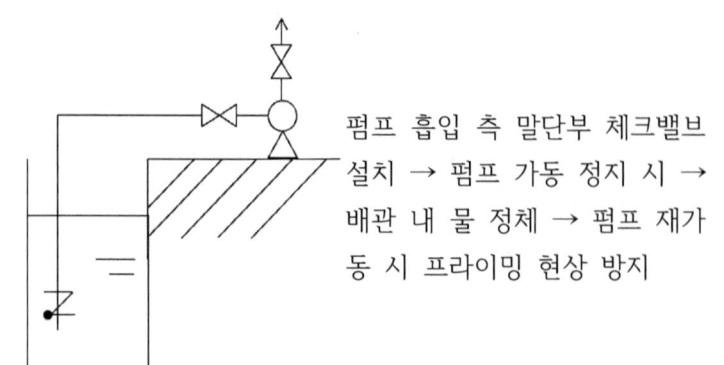

펌프 흡입 측 말단부 체크밸브 설치 → 펌프 가동 정지 시 → 배관 내 물 정체 → 펌프 재가동 시 프라이밍 현상 방지

   ③ 프라이밍 탱크 설치

프라이밍 탱크

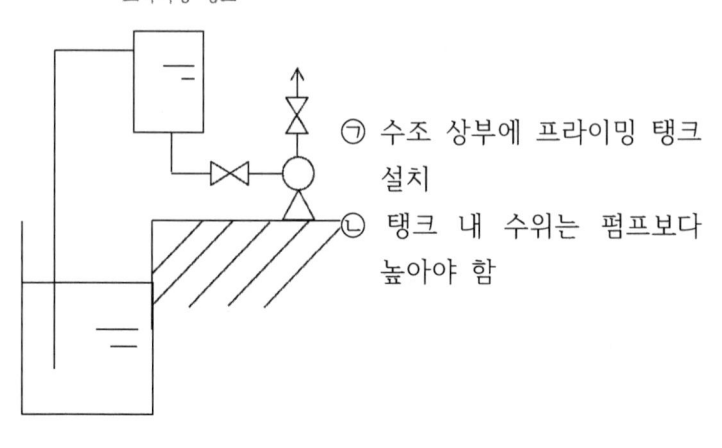

㉠ 수조 상부에 프라이밍 탱크 설치
㉡ 탱크 내 수위는 펌프보다 높아야 함

7 맥동현상(Surging)

1. 개념
펌프 운전 중 송출 압력 및 유량 주기적으로 변동하는 현상

2. 발생원인(조건)

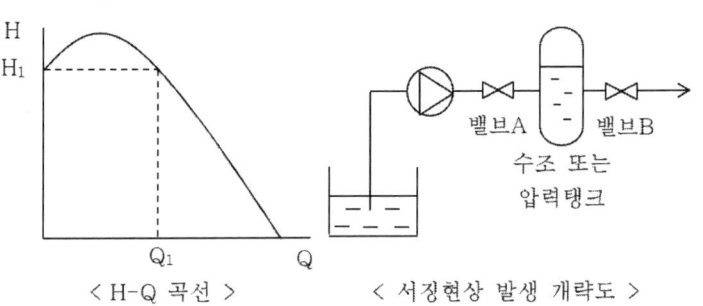

< H-Q 곡선 > < 서징현상 발생 개략도 >

① 펌프 H-Q 곡선이 오른쪽 상향 구배 특성(상기 그림)
② Q_1 미만 구간에서 운전 시
③ 토출관로 길이↑
④ 토출배관 중 수조, 압력탱크 설치
⑤ 수조, 압력탱크 후단 밸브(B)에서 토출량 조절 시

3. 발생 시 일어나는 현상(문제점)
① 소음 발생
② 진동 발생 → 펌프, 배관, 밸브 파손

4. 방지대책
① H-Q 곡선이 오른쪽 하향 구배 특성 갖는 펌프 선정

② 회전차, 안내깃 형상 치수 변경 → 특성 변화
③ By-pass 관 사용 → Q1 이상 구간에서 운전
④ 토출배관 중 수조, 압력탱크 제거
⑤ 펌프 토출측 직후 밸브(A)에서 토출량 조절

8 펌프 진동 발생원인, 구비조건

1. 개요
   Cavitation 등 발생 → 진동 발생 → 펌프, 배관, 밸브 파손

2. 진동 발생원인301)
   ① 공동현상   ② 수격현상
   ③ 베이퍼록   ④ 맥동현상
   ⑤ 임펠러 이물질 존재 시

3. 펌프 구비조건302)
   ① 조작, 보수 쉬울 것   ② 부하변동 대응 가능할 것
   ③ 효율 클 것   ④ 작동 확실할 것

---

301) 암기 공수베맥임
    - 펌프 진동 발생원인 : 공동현상, 수격현상, 베이퍼록, 맥동현상,
    임펠러 이물질 존재 시

302) 암기 조부효작병가고고
    - 펌프 구비조건 : 조작·보수 쉬울 것, 부하변동 대응 가능할 것,
    효율 클 것, 작동 확실할 것, 병렬운전에 지장 없을 것, 가격 쌀
    것, 고온·고압 견딜 것, 고장↓·수명↑

⑤ 병렬운전에 지장 없을 것   ⑥ 가격 쌀 것
⑦ 고온, 고압 견딜 것   ⑧ 고장↓, 수명↑

9 피스톤, 플런저

1. 개념 : 왕복식 펌프의 유체 체적 변화 일으키는 부속품

2. 피스톤, 플런저 구조
   ① 피스톤
      ㉠ 실린더 내부 피스톤 설치
      ㉡ 피스톤 왕복 운동 → 체적변화 → 흡입, 토출 → 유체 흐름
      ㉢ 송출압력 : 중·저압용
   ② 플런저
      ㉠ 실린더 내부 플런저 설치
      ㉡ 플런저 왕복 운동 → 체적변화 → 흡입, 토출 → 유체 흐름
      ㉢ 송출압력 : 고압용

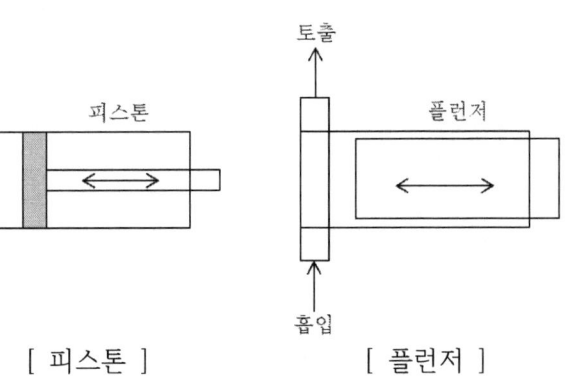

[피스톤]   [플런저]

3. 피스톤 vs 플런저 차이점

구분	피스톤	플런저
① 직경	⑦ 大 ⑥ 헤드 > 로드	⑦ 小 ⑥ 헤드 = 로드
② 사용압력	중·저압용	고압
③ 체적변화 원리	피스톤 왕복운동	플런저 왕복운동

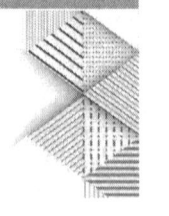

10 비속도, 상사법칙

1. 비속도(Specific speed, 비교회전도)

① 정의 : 펌프 흡입능력 즉, 고유특성 및 형식 결정 시 필요한 값

② 공식 : 비속도 $N_s = \dfrac{N\sqrt{Q}}{\left(\dfrac{H}{n}\right)^{\frac{3}{4}}}$

  N : 회전수(rpm)　　　　Q : 유량(m³/min)

  H : 양정(m) = NPSHre　n : 임펠러 단수 → 단단 = 1

③ 비속도에 따른 펌프 성능곡선

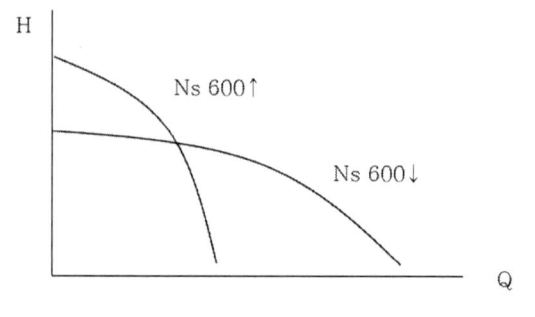

㉠ Ns 600↑ 시

    ⓐ H-Q 곡선 급경사   ⓑ 고양정, 소유량

㉡ Ns 600↓ 시

    ⓐ H-Q 곡선 완만   ⓑ 저양정, 대유량

2. 상사법칙

① 상사의 정의 : 임펠러 크기 다르지만, 비속도 같은 경우

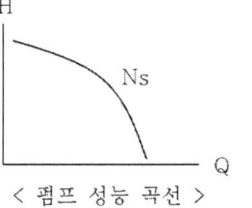

< 임펠러 大 >   < 펌프 성능 곡선 >   < 임펠러 小 >

② 상사법칙 관계식

㉠ 토출량(Q) 비 : $\dfrac{Q_2}{Q_1} = \left(\dfrac{N_2}{N_1}\right)^1 \times \left(\dfrac{D_2}{D_1}\right)^3$

㉡ 양정(H) 비 : $\dfrac{H_2}{H_1} = \left(\dfrac{N_2}{N_1}\right)^2 \times \left(\dfrac{D_2}{D_1}\right)^2$

㉢ 동력(P) 비 : $\dfrac{P_2}{P_1} = \left(\dfrac{N_2}{N_1}\right)^3 \times \left(\dfrac{D_2}{D_1}\right)^5 \times \left(\dfrac{\eta_{P_2}}{\eta_{P_1}}\right)$

    N : 펌프 회전수, D : 회전차 외경

    η_P : 펌프 효율

→ 1대 펌프를 다른 속도에서 운전시키는 경우 :

    $\dfrac{D_2}{D_1} = 1, \ \dfrac{\eta_{P_2}}{\eta_{P_1}} = 1$

③ 펌프 설치 시 주의사항

㉠ Q, H, P은 N의 1승, 2승, 3승에 비례

ⓒ 필요한 Q, H 얻기 위해 N 조정 시 → P과의 관계 고려

3. 결론
   펌프, 압축기 회전수 변경 시 → 비속도 같으면 상사법칙에
   의해 풍량, 풍압, 동력 예측 가능

11 LNG 원심펌프 종류, 특성

1. 개요
   ① LNG(초저온가스) 송출 시 → 원심펌프 많이 사용
   ② 원심펌프 종류
     임펠러 수, 축 방향, 흡입구 수, 안내 깃 유무에 따라 4가
     지로 분류

2. 원심펌프 분류[303]
   ① 임펠러 수에 따른 분류
     ㉠ 단단펌프 : 임펠러 수 1개
     ㉡ 다단펌프 : 임펠러 수 여러 개
   ② 축 방향에 따른 분류
     ㉠ 횡축펌프 : 축 수평
     ㉡ 입축펌프 : 축 수직 → 면적↓, 양정↑
   ③ 흡입구 수에 따른 분류

---

303) 암기 임축흡안
   - 원심펌프 분류 방법 : 임펠러 수에 따른 분류, 축 방향에 따른
     분류, 흡입구 수에 따른 분류, 안내 깃 유무에 따른 분류

㉠ 편흡입펌프 : 흡입구 수 1개
　　㉡ 양흡입펌프 : 흡입구 수 2개
　④ 안내 깃 유무에 따른 분류
　　㉠ 볼류트펌프 : 안내 깃 無
　　㉡ 디퓨저(터빈)펌프 : 안내 깃 有

3. 특성 곡선
　① 원심 및 터빈 펌프
　　㉠ H-Q 곡선

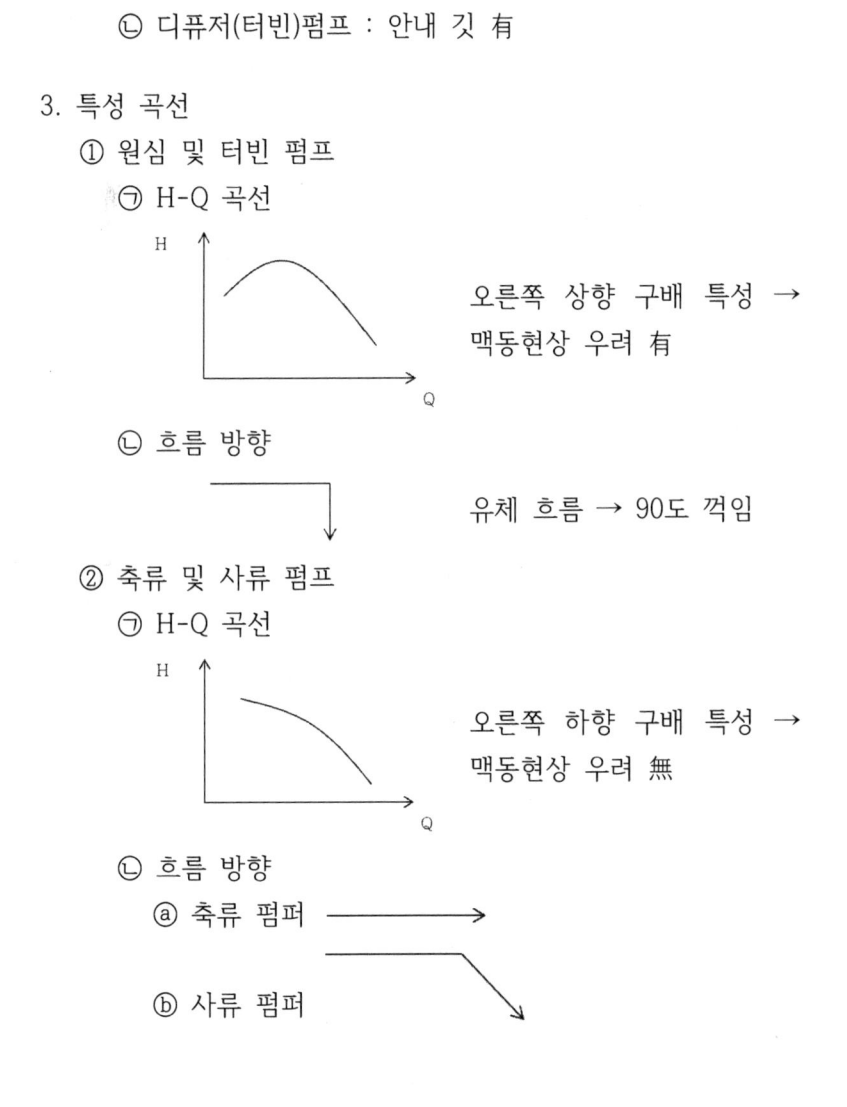

오른쪽 상향 구배 특성 →
맥동현상 우려 有

　　㉡ 흐름 방향

유체 흐름 → 90도 꺽임

　② 축류 및 사류 펌프
　　㉠ H-Q 곡선

오른쪽 하향 구배 특성 →
맥동현상 우려 無

　　㉡ 흐름 방향
　　　ⓐ 축류 펌퍼
　　　ⓑ 사류 펌퍼

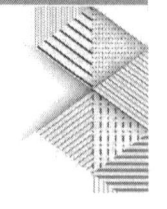

12 압축기 실린더 냉각방법

1. 냉각방법별 특징
   ① 공랭식
      ㉠ 원리 : 다수 핀 장착 → 대기와의 접촉면적↑ → 공기와 열전달율↑
      ㉡ 냉원 : 대기 공기 → 자연통풍, 강제대류
      ㉢ 구조 : 구조 간단 → 시공비↓, 유지비↓
      ㉣ 특징 : 외기온도에 따라 효율 변화 심함
   ② 수랭식
      ㉠ 원리 : 냉각수 공급 → 물과 열전달
      ㉡ 냉원 : 냉각수
      ㉢ 구조 : 물 펌프, 배관, 냉각탑 → 구조 복잡 → 시공비↑, 유지비↑
      ㉣ 특징 : 냉각 효율↑

2. 냉각방법 채택 시 고려사항
   ① 취급가스 : 취급가스의 종류, 양, 운전조건(온도, 압력)
   ② 경제성 : 냉각 효율 고려 → 경제성 분석

3. 실린더 냉각 시 이점 :
   흡탄마소

13 캔버스 이음

1. 개념
① 송풍기 진동 → 직접 이음 → 덕트 전달↑
② 송풍기 진동 → 캔버스 이음(천 재질) → 덕트 전달↓

2. 구조 및 장점

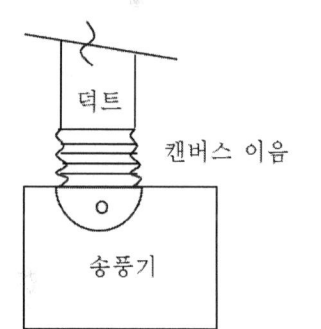

덕트

캔버스 이음

송풍기

① 송풍기 진동 상쇄
   → 진동 전달↓
② 진동 전달↓ → 소음↓
③ 연결부 풀림현상↓

14 Top Clearance(상사점 간극)

1. 정의
① 압축기 피스톤과 밸브 조립부 사이 공간
② 보통 0.5 ~ 1 mm

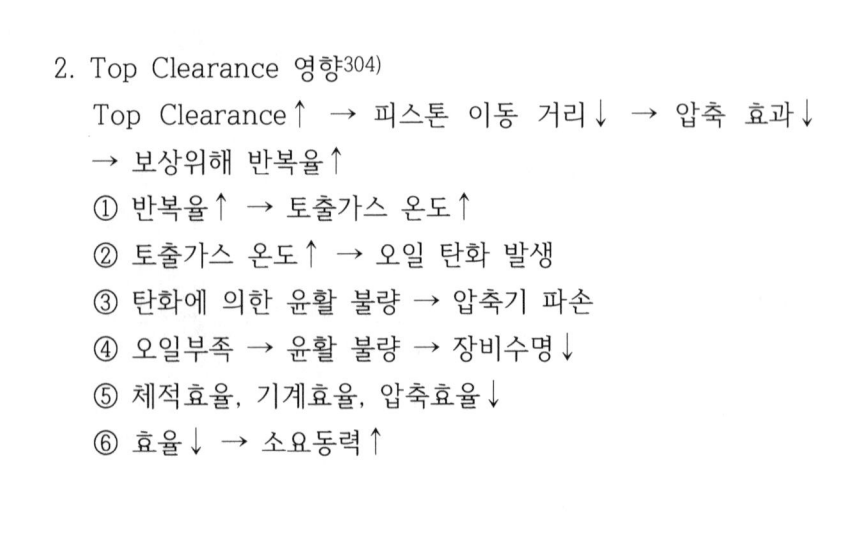

Top clearance

상사점

하사점

2. Top Clearance 영향[304)]

Top Clearance↑ → 피스톤 이동 거리↓ → 압축 효과↓ → 보상위해 반복율↑

① 반복율↑ → 토출가스 온도↑

② 토출가스 온도↑ → 오일 탄화 발생

③ 탄화에 의한 윤활 불량 → 압축기 파손

④ 오일부족 → 윤활 불량 → 장비수명↓

⑤ 체적효율, 기계효율, 압축효율↓

⑥ 효율↓ → 소요동력↑

---

304) [암기] 토탄파수효동
   - 왕복동 압축기 Top Clearance 영향 : 토출가스 온도↑, 오일 탄화 발생, 압축기 파손, 장비수명↓, 효율↓, 소요동력↑

제13장

안전장치
가스누출검지기

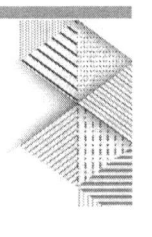

1 안전밸브 종류, 작동원리

1. 역할
설비 내 허용압력 초과 시 → 압력 방출 → 압력↓ → 설비 파괴 방지

2. 안전밸브 종류
① 양정
- ㉠ 저양정식 : 작동거리 = 배수구직경 × $\frac{1}{40}$ ~ $\frac{1}{15}$
- ㉡ 고양정식 : 작동거리 = 배수구직경 × $\frac{1}{50}$ ~ $\frac{1}{7}$
- ㉢ 전양정식 : 작동거리 = 배수구직경 × $\frac{1}{7}$ 이상
- ㉣ 전량식 : 배수구직경 > 목부직경 × 1.15배 이상

② 작동방식
- ㉠ 일반형 : 스프링 작동식
- ㉡ 레버식 : 양정 이상유무 확인, 급속방출 가능
- ㉢ 중추식 : 추무게로 작동
- ㉣ 벨로즈형 : 토출측 배압 영향 X
- ㉤ 파일럿 조작형 : 보조 안전밸브 작동에 의해 작동

③ 취급유체
- ㉠ Safety Valve : 기체 취급
- ㉡ Relief Valve : 액체 취급
- ㉢ Safety & Relief Valve : 기체, 액체 취급

④ 대기접촉
　　㉠ 개방형 : 대기방출
　　㉡ 밀폐형 : 희석, 소각

3. 작동원리
　① 밸브폐쇄 : 평상시 기계적하중(일반형, 레버식, 중추식)에 의해 밸브폐쇄
　② 압력상승 : 이상반응 등으로 인한 압력상승
　③ 밸브개방 : 설정압력 도달 시(내부압력 > 기계적하중) 밸브 개방 → 내부 유체 방출 및 압력 해소
　④ 자동복원 : 설정압력 미만 시(내부압력 < 기계적하중) 밸브 자동 폐쇄

4. 안전밸브 종류별 특징
　① 취급유체에 따른 종류

구분	Safety Valve	Relief Valve
적용유체	기체 (스팀, 가스, 증기)	액체
작동압력	설정압력 도달시	체절압력 미만시
설치목적	가스계에서 과압방지	체절압력 미만 작동 → 수온상승방지
밸브개방	Pop action (순간적 완전개방)	초과압력증가량 비례하여 개방

　② 대기 접촉 여부에 따른 종류

구분	개방형	밀폐형
적용설비	고압 증기보일러, 공기압축기	가연성, 독성가스 설비
유체처리	대기 방출	소각, 희석 처리

5. 안전밸브 특징(일반형 안전밸브 vs 파열판)305)
　① 정밀도 高
　　작동설정 압력 미세하게 조정 가능
　② 자동복원
　　압력배출 → 자동복원 → 내용물 연속유출 방지
　③ 방출량 少
　　급격한 압력상승에 부적합(대책 : 안전밸브 다수 설치)
　④ 사용 유체 한계
　　고점도, 독성가스, 슬러지, 부식성물질 사용불가

2 안전밸브 고장원인, 대책

1. 개요
　① 설비 내 허용압력 초과 시 → 압력 방출 → 압력↓ → 설비 파괴 방지
　② 고장 시 문제점
　　㉠ 누설 발생 → 독성, 가연성가스 누출 → 인적, 물적 피해
　　㉡ 작동 불량 → 설정압력 초과 시 압력 배출 X → 설비 파괴

2. 고장 형태별 원인 및 대책
(1) 누설
　① 이물질 혼입

---

305) 암기 정자방사
　　- 안전밸브 특징 : 정밀도 高, 자동복원, 방출량 少, 사용 유체 한계

노즐과 디스크 사이 이물질 혼입 → 사이공간으로 누설

→ 대책 : 노즐, 디스크 Lapping(다듬질)

② 취급 부주의

안전밸브 설치 시 충격 등에 의한 Leak point 발생

(2) 작동 불량

① 열응력, 잔류응력

배관 응력 완전히 제거

② 설정압력 근처 반복작동

사용압력 = 설정압력 × 90%↓ 설계

③ 설정 압력 변동

안전밸브 설치 시 충격, 장기간 사용 시 → 설정 압력 변동

→ 대책 ㄱ ㉠ 충격 없이 조심히 설치

㉡ 설치 후, 일정기간 사용 후 → Popping test 실시

④ 배압

토출배관에 걸리는 배압 기준

㉠ 일반 안전밸브 : 설정압력의 10%↓

㉡ 벨로우즈형(밸런스형) 안전밸브 : 설정압력의 50%↓

⑤ 부식

주기적인 검사

㉠ 유체와 안전밸브 디스크/시트 직접 접촉 경우 : 매년
1회 이상

㉡ 안전밸브 전단에 파열판 설치 경우 : 2년마다 1회 이상

㉢ 공정안전보고서 이행상태 평가결과 우수 사업장 : 4년
마다 1회 이상

㉣ 검사 후 납 봉인하고 해체하거나 조절할 수 없도록 조치
필요

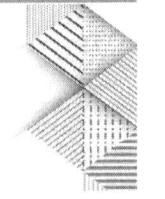

3 안전밸브 설치장소, 설치 시 고려사항

1. 개요
설비 내 허용압력 초과 시 → 압력 방출 → 압력↓ → 설비 파괴 방지

2. 설치장소[306]
① 압력용기, 반응기, 열교환기 등 : 기상부
② 압축기 : 각 단마다
③ 조정기, 정압기 감압밸브 : 전·후단
④ 밸브 : 압력상승 예상부
⑤ 산소, 질소, LPG 용기 : 용기 밸브, 목부분
⑥ 초저온 용기 : 기상부

3. 설치 시 고려사항
① 인입 플랜지까지의 인입배관 내 압력손실은 설정압력의 3% 이하
② 인입배관 호칭지름 ≥ 인입플랜지 호칭지름
　 토출배관 호칭지름 ≥ 토출플랜지 호칭지름
③ 연결배관 내부 단면적 ≥ 각 안전밸브 인입단면적 합
④ 지지대 설치

---

306) **암기** 압압조밸산초
- 안전밸브 설치장소 : 압력용기·반응기·열교환기 등(기상부), 압축기(각 단마다), 조정기·정압기 감압밸브(전·후단), 밸브(압력상승 예상부), 산소·질소·LPG 용기(용기 밸브, 목부분), 초저온 용기(기상부)

안전밸브 자체하중, 전·후단 하중, 토출시 및 외부 충격에 견딜 수 있는 구조로 설치하되 필요시 지지대 설치

⑤ 파열판과 안전밸브 직렬 설치 시, 파열판과 안전밸브 사이에 압력지시계, 경보장치 설치 필요(파열판의 파열, 누출 탐지 목적)

⑥ 안전밸브 막힘 발생 우려 시(by 점도↑, 응고 쉬운 물질, 결빙), 안전밸브와 인입배관 및 토출배관에 가열 및 단열 조치 필요

⑦ 토출된 유체 토출배관 내 정체되지 않도록 설치

⑧ 토출배관에 걸리는 배압 기준

  ㉠ 일반 안전밸브 : 설정압력의 10%↓

  ㉡ 벨로우즈형(밸런스형) 안전밸브 : 설정압력의 50%↓

⑨ 토출배관 옥외 설치 시 빗물 유입 방지

  ㉠ 캡(Cap) 설치

  ㉡ 토출배관 하부에 구멍(직경 5mm 정도)

4. 안전밸브 전·후단 차단밸브 설치 기준[307]

① 안전밸브 이중 설치 시

  인접한 설비에 안전밸브가 이중으로 설치되어 있는 경우

② 자동 압력조절 밸브 병렬 설치 시

  안전밸브 배출용량의 50% 이상에 해당하는 용량의 자동 압력조절밸브 (Fail Open 구조에 한함)와 안전밸브가 병렬로 연결된 경우

---

307) 암기 이자복예열
  - 안전밸브 전·후단 차단밸브 설치 기준 : 안전밸브 이중 설치 시, 자동 압력조절 밸브 병렬 설치 시, 안전밸브 복수 설치 시, 예비용 설비 설치 시, 열팽창에 의한 압력상승 방지 시

③ 안전밸브 복수 설치 시

　안전밸브가 복수방식으로 설치된 경우

④ 예비용 설비 설치 시

　안전밸브가 설치된 예비용 설비가 설치된 경우

⑤ 열팽창에 의한 압력상승 방지 시

　열팽창에 의한 압력상승을 방출하기 위한 안전밸브의 경우

 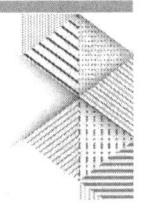

4 안전밸브 배압

1. 정의 : 안전밸브 후단에 형성되는 압력

　배압 = 축적배압 + 부가배압

　① 축적배압

　　해당 안전밸브 작동 → 유체의 흐름 → 토출측 형성 압력

　② 부가배압

　　다른 안전밸브 작동 → 유체의 흐름 → 토출측 형성 압력

2. 배압의 문제점

　토출측 압력상승 → 설정압력에서 안전밸브 미작동 → 압력↑

　→ 폭발

3. 대책 : 벨로우즈 안전밸브(Bellows safety valve)

　① 설치목적(역할)

　　토출측 배압형성 시 → 벨로우즈 신축성 이용 → 배압 영향↓

　　→ 설정압력에서 안전밸브 정상작동

② 법적기준

　　㉠ 일반 안전밸브 : 설정압력의 10%↓

　　㉡ 벨로우즈형(밸런스형) 안전밸브 : 설정압력의 50%↓

5 파열판(Rupture Disk)

1. 개요

① 정의 : 설정압력 도달 → 금속박판 파열 → 압력 배출

② 종류

　　㉠ 인장형 : 오목한 부분이 압력을 받아 파열

　　㉡ 반전형 : 볼록한 부분이 압력을 받아 파열

③ 구성 및 재질

　　㉠ 구성 : 파열판 + 지지부(홀더)

　　㉡ 재질

　　　　ⓐ 주성분 : Ni, Al, Cu

　　　　ⓑ 내식재 : 은, 티탄

2. 설치기준308)

① 반응폭주 우려 시

　　반응폭주 등 급격한 압력상승 우려 시

② 독성물질 누출 우려 시

---

308) 암기 반독이부

　　- 파열판 설치기준 : 반응폭주 우려 시, 독성물질 누출 우려 시,
　　이물질 누적 우려 시, 부식성 유체 우려 시

독성물질의 누출로 인하여 주위 작업환경 오염 우려 시
(다만 안전밸브 후단에 배출물질 처리설비 설치 시 파열판
생략 가능)
③ 이물질 누적 우려 시
운전중 안전밸브에 이상물질이 누적되어 안전밸브 기능
저하 우려 시 (보호기기의 노즐에 파열판 설치 필요)
④ 부식성 유체 우려 시
유체의 부식성이 강하여 안전밸브 재질 선정에 문제 있는
경우

3. 파열판의 설계기준식(파열압력의 영향인자, 설정시 고려사항)

$$P = 3.5\,\sigma \times \left(\frac{t}{d}\right) \times 100$$

P : 파열압력(kg/cm^2) σ : 재료 인장강도(kg/mm^2)

d : 직경(mm) t : 두께(mm)

4. 파열판과 안전밸브 직렬 설치 시 기준
① 설치기준 및 설치목적(역할)
㉠ 설치기준
독성물질이 지속적으로 유출될 수 있는 반응기, 저장탱
크 등의 화학설비에는 파열판과 안전밸브를 직렬 설치
하고, 그 사이에는 압력지시계 또는 경보장치 설치 필
요(파열판 파열, 누출 탐지 목적)
㉡ 설치목적(역할)
ⓐ 독성이 매우강한 물질 취급시 완벽 격리
ⓑ 압력방출장치 작동후 방출구 미개방
ⓒ 부식성물질로부터 스프링식 안전밸브 보호

② 파열판과 안전밸브 직렬 설치 시 설정압력(상기 설치기준 경우)

　　안전밸브 전단에 파열판 설치시, 파열판 파열압력 < 안전
　　밸브 설정압력

5. 장단점(특징)

　① 장점

　　㉠ 구조단순, 가격저렴

　　㉡ 급격한 압력상승 시 대응력↑

　　㉢ 독성물질에 사용가능

　　㉣ 이물질, 점착성 물질 축적될 경우에도 사용가능

　　㉤ 부식성 유체에도 사용가능

　② 단점

　　㉠ 1회 사용후 교체 필요

　　㉡ 작동 예민성↓

　　　운전압력과 설계압력 사이에 더 큰 margin 필요

　　㉢ 압력맥동에 의한 파열판 조기 파손 가능

　　　운전압력이 파열압력에 근접 시 압력맥동 발생 → 조
　　　기파손 가능

　　㉣ 중요설비 단독설치 불가

　　　안전밸브와 직결 설치 필요

6 통기설비

1. 정의

① 통기관(Vent)

　 탱크가 진공 또는 가압상태가 되지 않도록 대기로 개방된 배관

② 통기밸브(Breather Valve)

　 설정압력 또는 진공압력 도달시 가스증기를 방출 또는 흡입하는 밸브

2. 통기밸브 작동원리

내부 과압 발생(+)	내부 진공 발생(-)
↓	↓
설정압력 도달	진공압력 도달
↓	↓
압력디스크 개방	진공디스크 개방
↓	↓
내부압력 대기 방출	대기상 공기가 탱크 내 흡입
↓	↓
설정압력 이하 시 디스크 폐쇄	진공압력 이하 시 디스크 폐쇄

3. 통기설비 설치요건 및 설치대상

① 인화점이 38℃ 미만인 인화성물질 저장·취급 대기압 탱크

② 인화점이 60℃ 초과하는 인화성물질을 인화점 이상에서 저장·취급 대기압 탱크

③ 휘발성이 높아 증발손실이 많고 위험성이 높은 인화성액체를 저장·취급 저장탱크

④ 인화성액체를 저장·취급하는 설비의 통기설비에는 외부 화

염유입 방지를 위해 말단에 화염방지기 설치
⑤ 통기설비를 통해 방출 또는 흡입되는 통기량은 각 조건에
서 계산한 통기량 이상일 것

7 폭발방산구

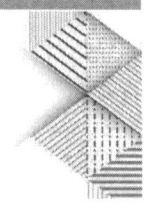

1. 폭발방산구(=폭압방산공, 폭압방산구, 폭연방출구) 개요
    ① 정의 : 폭발 압력 발생시 이를 방출하여 전체적인 파괴를
    방지하는 압력 방출장치
    ② 종류
    방출패널 개방방법 ┌ 파열막식 : 압력방출 효과 제일 크다
                    ├ 경첩식 : Emergency Vent
                    └ 이탈식 : 이상내압 상승방지 장치

2. 작동원리(메카니즘)[309]
(1) Emergency Vent(경첩식)
    ① 평상시 : 압력상승속도 < 압력배출속도 → 방출패널 폐쇄
    ② 압력상승 : 가스폭발 등 이상반응에 의해 내부 압력 급상승
    ③ 개방 : 내부압력 상승속도 > 압력배출속도 → 방출패널 개방
    ④ 폭발방지 : 압력방출에 의해 전체적인 파괴방지

---

309) 암기 평압개폭평압이폭
    - 폭발방산구 작동원리(메카니즘) : 경첩식(평상시, 압력상승, 개
    방, 폭발방지), 이탈식(평상시, 압력상승, 이탈, 폭발방지)

(2) 이상내압 상승방지 장치(이탈식)

　① 평상시 : 저장탱크 동체와 지붕 사이 용접 약하게 설계 (weak seam)

　② 압력상승 : 가스폭발 등 이상반응에 의해 내부 압력 급상승

　③ 이탈 : 내부압력 상승속도 > 압력배출속도 → 지붕이 동체에서 이탈

　④ 폭발방지 : 압력방출에 의해 전체적인 파괴방지

3. 구성

　① 방산공

　　㉠ 개구부 형상 : 기체가 유출하기 쉬운 모양

　　㉡ 개구부 설치위치

　　　ⓐ 점화원에 근접 설치(압력상승속도 가장 大)

　　　ⓑ 점화원 특별히 정할 수 없는 경우 : 방산공 설치 면의 중앙

　　㉢ 개구부 크기

　　　개구부 크기↑ → 방출패널 압력받는 면적↑ or 개방 후 압력방출 효과↑ → 작은 폭발에도 개방 가능

　　㉣ 개구부 주위 : 경고표지판 설치

　② 방출패널

　　㉠ 위험물 비산이 없는 재질

　　㉡ 시간 경과에 따른 강도변화, 내부하중, 부식, 외부손상 고려하여 제작

　③ 보호덕트

　　㉠ 강도 : 보호덕트 강도 ≥ 방산공을 설치하는 화학설비의 강도 → 폭발시 보호덕트 파손되지 않도록 설치

　　㉡ 지름↑, 길이↓, 굴곡 無

4. 장단점(특징)

장점	단점
① 방출량↑	① 보호덕트 필요
② 구조간단	② 비산 (위험↑, 넓은 지역 청소 필요)
③ 유지관리 비용↓	③ 개방 후 복원성 無

※ 일반적으로 불활성화 설비, 폭발억제 설비 대비 장단점

8 가용합금 안전밸브

1. 가용합금의 정의
   200℃ 이하의 융점을 갖는 금속

2. 메카니즘(작동원리)
   ① 온도상승 : 화재 등 온도 상승요인 발생 → 약 200℃ 도달
   ② 융해 : 플러그 중앙구멍의 가용합금 융해
   ③ 방출 : 저장물질 방출 → 과압 해소 → 폭발방지

3. 특징
   ① 자동복원력 無
      압력방출 후 자동복원력 無 → 저장물질 연속누출
   ② 방출량↓ → 폭연·폭굉에 부적합
   ③ 순간적인 고온 → 작동 반응속도↓ → 폭발가능성↑
   ④ 가용합금 냉각고화 → 수축 → 누출위험↑
   ⑤ 재질 : 주성분(Bi, 비스무트) + 첨가제(Cd, Pb, Sn)

9 Gagging

1. 개요
① 개념 : 인위적으로 안전밸브 Popping 막음 → 작동 불능 상태 유지
② 문제점 : 설비 내 허용압력 초과 시 → 압력 방출 X → 설비 파괴 → 대형사고

2. Gagging 조치 상황
① 설비 최초 점검, 작업 시
② 안전밸브 운전압력 ≥ 설정압력 × 90%
③ 작업자 실수, 고의

3. Gagging 위험성
① 안전밸브 작동 불능 : 설비 내 허용압력 초과 시 → 압력 방출 X
② 설비 파괴 : 압력 방출 X → 설비 파괴
③ 대형 사고 : LNG, LPG 설비 파괴 → 화재, 폭발, 누출 사고 발생 → 인적, 물적 피해

4. 방지대책
① 봉인 : 안전밸브 세팅압력 캡에 봉인 처리
② 병렬 설치 : 설비, 안전밸브 병렬 설치 → 설비 점검, 작업 시 Gagging 불필요
③ 설정압력 안전 설계 : 운전압력 < 설정압력 × 90% → KS, API 규격 : 안전밸브 Leak Test를 설정압력의 90%

에서 실시

④ 안전교육 : 안전교육 실시 → 안전관리 수준↑

⑤ 점검 : 주기적인 안전밸브 관리 현황 점검

10 긴급차단밸브 (Emergency Shut Valve)

1. 개요

　① 정의 : 원격조작 스위치로 공기, 전기 등의 구동원에 의해 유체 흐름을 원격으로 긴급 차단하는 조절밸브

　② 설치 목적 : 설비 신속한 차단 → 화재, 폭발 및 누출사고 위험성 사전 제어 및 예방

2. 형식[310]

　① 공압식 : 0.3 ~ 0.5 MPa

　② 유압식 : 3 ~ 5 MPa

　③ 전기식 : 예비전력 설치 필요(자비축UPS)

　④ 스프링식 : 기계적 힘 이용(탱크로리 사용)

3. 설치기준[311]

---

310) 암기 공유전스
　　- 긴급차단밸브 형식 종류 : 공압식, 유압식, 전기식, 스프링식

311) 암기 자이주신본내Fa재차
　　- 긴급차단밸브 설치기준 : 자동·원격 조작 가능, 이격 거리, 주밸브와 겸용 금지, 신속성·기밀성, 본체, 내화 조치, Fail Close 기능, 재질, 차단시간

① 자동, 원격 조작 가능 : 고압가스 특정제조사업소 제조설비 ESV → 자동, 원격 조작 가능할 것

② 이격 거리
   ㉠ 저장탱크 ESV → 5m 이상 이격 거리에서 조작 가능할 것
   ㉡ 방류둑 있을 시 → 방류둑 외부에서 조작 가능할 것

③ 주밸브와 겸용 금지 : 저장탱크 가깝게 설치하되 주밸브와 겸용 금지

④ 신속성, 기밀성
   ㉠ 신속성 : 화재 발생시 빨리 닫힐 수 있어야 함.(1분 이내)
   ㉡ 기밀성 : 닫힌 후 누출 없어야 함.

⑤ 본체
   ㉠ 화염에 견딜 수 있는 재료
   ㉡ 설비의 설계 온도, 압력에 견딜 수 있게 제작

⑥ 내화 조치 : 구동용 공기·전기 공급도관, 구동기 : 화재시 15분 이상 화염에 견딜 것

⑦ Fail Close 기능 : 구동용 동력원 공급 차단 시 닫히는 구조

⑧ 재질 : 취급유체에 대하여 내식성, 내마모성 재질

⑨ 차단시간

호칭경(mm)	차단시간(sec)
50↓	5↓
100↓	10↓
150↓	20↓

4. 시험 및 점검
　① 주기 : 1회/월(원격조작 스위치 사용)
　② 완전 시험 점검 : 설비 가동정지 시

 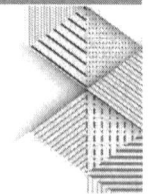

11 차단시간

1. 개요
　① 정의 : 가스시설 위급 상황 발생시 → 연료 차단 시간
　② 적용
　　㉠ 검지기와 가연성가스, 독성가스 자동차단 밸브 차단시간
　　㉡ 도시가스 시설에서 MOV 차단 시간

2. 가스 자동차단밸브 작동시간
　가스누출검지기　→　경보　→　자동차단밸브　작동(즉시)　→
　MOV 작동(40 초 이내)

3. 열전대를 사용한 소화안전장치의 차단시간
　열전대식 소화 안전장치 내용 참조

4. 긴급차단 밸브 차단시간
　상동

12 역류방지기(Check Valve)

1. 개요

① 개념 : 배압에 의해 역류방지기 작동 → 유체 역류 방지

② 종류312) : ㉠ 리프트형   ㉡ 스윙형   ㉢ 볼타입형

2. 종류별 특징

① 리프트형

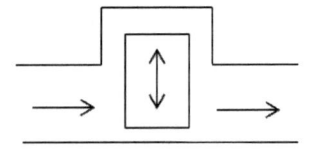

㉠ 수평배관에서 사용

㉡ 원리

  ⓐ 밸브 개방 : 입구측 압력 > 출구측 압력

  ⓑ 밸브 패쇄 : 입구측 압력 ≤ 출구측 압력

② 스윙형

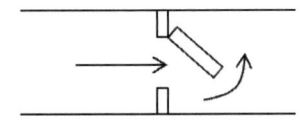

㉠ 수직, 수평배관 모두 사용

㉡ 원리

---

312) 암기 리스볼
   - 역류방지기 종류 : 리프트형, 스윙형, 볼타입형

ⓐ 밸브 개방 : 유체 흐름 있을 시(단, 유체흐름 힘 >
　　　　 Disk 무게 힘)
　　　ⓑ 밸브 패쇄 : 유체 흐름 없거나, 유체 흐름 반대 시
　③ 볼타입형

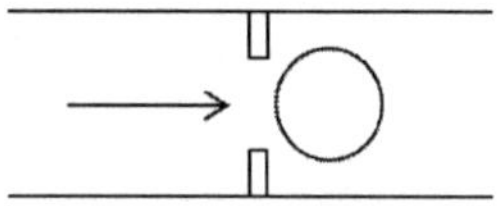

　　㉠ 수직, 수평배관 모두 사용
　　㉡ 주로 유리액면계 파손 우려 설비에 사용

3. 설치 장소
　① 가연성가스 압축기 ↔ 충전용 주관
　② 아세틸렌 압축기 유분리기 ↔ 고압건조기
　③ 암모니아, 메탄올 합성탑, 정제탑 ↔ 압축기

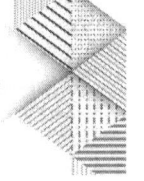

13 폭발억제 설비(폭발진압 설비)

1. 개념

화재 조기감지 → 억제제 자동고속 살포 → 폭발성장 억제

2. 폭발억제 시스템 구성[313)](#)

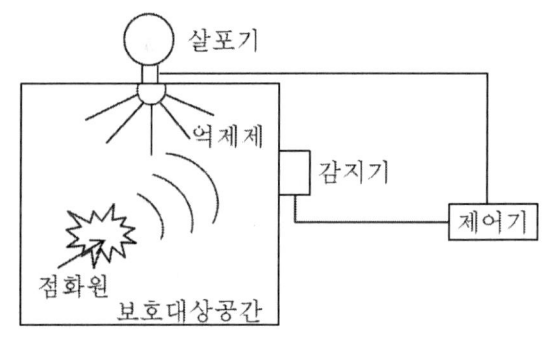

① 감지기

　　㉠ 역할 : 화재 검출 및 제어기 신호 전달

　　㉡ 빠른 응답성 및 정확성 요구(압력 검출기, 복사에너지 검출기)

② 제어기

　　㉠ 역할 : 감지기 신호 받아 뇌관 기폭

　　㉡ 구성

　　　　ⓐ 뇌관회로

　　　　ⓑ 전기회로의 이상감지 기능

---

313) **암기** 감제살억
　　- 폭발억제 설비 구성 : 감지기, 제어기, 살포기, 억제제

   ⓒ 예비전원
 ③ 살포기
   ㉠ 역할 : 억제제 고속 살포
   ㉡ 살포방법
    ⓐ 용기 강도 약하게 설계
    ⓑ 용기 파열판 설치
 ④ 억제제 : 할론1301 주로 사용
   ㉠ 부촉매 효과↑
   ㉡ 취급 용이, 작동 후 처리 용이

3. 폭발억제 메카니즘
(1) 폭발억제 설비 작동원리
 ① 감지기 : 화재 검출 → 제어기 신호전달
 ② 제어기 : 감지기 신호 받아 → 전기뇌관 기폭
 ③ 살포기
   ㉠ 용기 강도 약하게 설계 시
    전기뇌관 기폭시 용기 파괴 → 억제제 분출 → 폭발진압
   ㉡ 용기 파열판 설치 시
    전기뇌관 기폭시 파열판 파괴 → N_2 충전압력으로 억제제 분출 → 폭발진압

(2) 폭발억제 시 압력변화

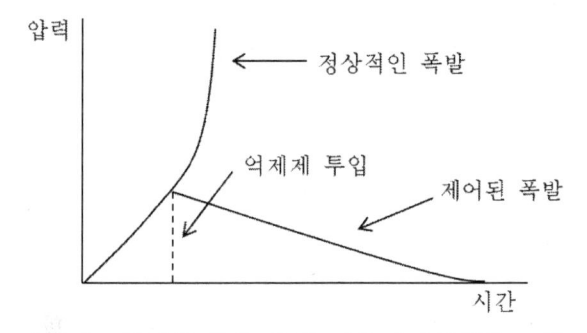

라디칼포착제(Br*)에 의해 자유라디칼(H*) 포착 → 활성화에너
지↑ → 연소속도↓ → 온도↓ → 압력↓

4. 설계(설치) 시 고려사항[314]
    ① 감지기 선정
       빠른 응답성 및 정확성 요구(압력 검출기, 복사에너지 검
       출기)
    ② 제어기 선정
       ㉠ 전기회로의 감지이상 기능
       ㉡ 예비전원 구비
          ⓐ 자가발전기
          ⓑ 비상전원수전설비
          ⓒ 축전지설비
          ⓓ UPS(Uninterruptible Power Supply)

---

314) 암기 감제살억타방폭
     - 폭발억제 설비(폭발진압 설비) 설계(설치) 시 고려사항 : 감지기
       선정, 제어기 선정, 살포기의 살포방식, 억제제 선정, 타시스템과
       연동, 방폭, 폭발위험물질의 폭발 특성

③ 살포기의 살포방식

　　㉠ 용기 강도 약하게 설계

　　㉡ 용기 파열판 설치

④ 억제제 선정

　　㉠ 소화능력↑

　　㉡ 폭발위험물질에 대한 물리·화학적 안정성↑

⑤ 타시스템과 연동

　　폭발압력 감지시 → ⌈ 원료, 정촉매 등의 긴급차단밸브 Close
　　　　　　　　　　　⌊ 폭발배출 장치 즉시 작동

⑥ 방폭

　　㉠ 감지기, 전기뇌관 : 방폭구조

　　㉡ 배선 : 방폭배선공사

⑦ 폭발위험물질의 폭발 특성

　　폭발 특성에 따라 → 억제제 종류, 농도, 량 등 선정

5. 설치 방법[315]

① 이물질 축적 안되게 설비 설치

② 부식, 오염 되지 않도록 설비 설치

③ 진동 없는 곳에 설치

④ 구조물에 의한 손상, 장애가 없도록 설치

⑤ 구성품은 최대허용온도를 초과하지 않게 설치

---

315) 암기 이부진구구
　　- 폭발억제 설비(폭발진압 설비) 설치방법 : 이물질 축적 안되게
　　설비 설치 부식·오염 되지 않도록 설비 설치, 진동 없는 곳에 설
　　치, 구조물에 의한 손상·장애가 없도록 설치, 구성품은 최대허용온
　　도를 초과하지 않게 설치

6. 검사 및 유지보수[316)

　① 교체 및 재충전 : 자체무게 5% 감소, 압력손실 10% 이상

　② 교체 시 시험을 통해 성능 확인

　③ 폭발억제 설비 작동시 모든 구성품 재검사

　④ 점검주기 : 1회/분기

14 내부반응 감시장치

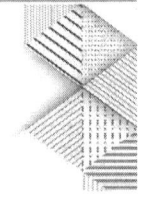

1. 개념

　특수반응설비에 설치하는 장치로써 온도, 압력, 유량, 가스밀도·조성 등 감시

2. 내부반응 감시장치 종류[317)

　① 계측장치

　　㉠ 온도 감시장치 : 급격한 온도상승 측정할 수 있는 위치에 설치

　　㉡ 압력 감시장치 : 압력 급변 우려위치에 2곳 이상 설치

　　㉢ 유량 감시장치 : 원재료 송출입 계통마다 1곳 이상 설치

---

316) [암기] 교교폭주
　- 폭발억제 설비(폭발진압 설비) 검사 및 유지보수 : 교체 및 재충전, 교체 시 시험을 통해 성능 확인, 폭발억제 설비 작동시 모든 구성품 재검사, 점검주기(1회/분기)

317) [암기] 계경예산기록
　- 내부반응 감시장치 종류 : 계측장치, 경보장치, 예비전력 장치, 산소분석기, 기록장치

ⓔ 가스밀도·조성 감시장치 : 정확한 가스밀도·조성 측정
　　　　가능 위치에 설치
　② 경보장치
　　감시장치 → ┌ 경보장치 　　┐ 연동
　　　　　　　　└ 긴급차단장치 ┘
　③ 예비전력 장치
　　자가발전기, 비상전원수전설비, 축전지설비, UPS
　④ 산소분석기
　　산소분석기로 반응기 내 산소농도 측정 → MOC 근접 →
　　불활성가스 주입 → MOC↓ 유지
　⑤ 기록장치
　　계측결과 자동 기록, 시간별 계측결과 확인 가능

15 안전거리

1. 안전거리 기준[318)]

구분	안전거리
① 단위공정 시설·설비로부터 다른 단위공정 시설·설비 사이	설비 바깥면으로부터 10m 이상
② 위험물질 저장탱크로부터 단위공정 시설·설비, 보일러·가열로 사이	저장탱크 바깥면으로부터 20m 이상
③ Flare Stack으로부터 단위공정 시설·설비, 위험물질 저장탱크, 위험물 하역설비 사이	Flare Stack 반경 20m 이상
④ 사무실·연구실·실험실·정비실·식당으로부터 단위공정 시설·설비, 위험물질 저장탱크, 위험물 하역설비, 보일러·가열로 사이	사무실 등의 바깥면으로부터 20m 이상

---

318) 암기 단단위단F단위위사단위위보
- 안전거리 구분 : 단위공정 시설·설비로부터 다른 단위공정 시설·설비 사이, 위험물질 저장탱크로부터 단위공정 시설·설비와 보일러·가열로 사이, Flare Stack으로부터 단위공정 시설·설비, 위험물질 저장탱크, 위험물 하역설비 사이, 사무실·연구실·실험실·정비실·식당으로부터 단위공정 시설·설비, 위험물질 저장탱크, 위험물 하역설비, 보일러·가열로 사이

16 역화방지기

1. 역화방지기(불꽃방지기, 화염전파방지기, Flame Arrester) 개요
   ① 정의
      가연성가스가 있는 장소로 불꽃의 유입·전파 방지
   ② 종류[319]

      불꽃방지기 ┬ 형식 ┬ 소염소자식 ┬ 금속망형
      　　　　　 │ 　　 │ 　　　　　 └ 평판형
      　　　　　 │ 　　 └ 액봉식 : 수냉형
      　　　　　 └ 사용목적 ┬ 관말단 화염방지기
      　　　　　 　　　　　 ├ 관내 폭연방지기
      　　　　　 　　　　　 └ 관내 폭굉방지기

   ③ 특징
      ㉠ 충분한 기계적 특성
         폭발 및 화재로 인한 압력과 온도에 견딜 수 있는 충
         분한 내구성 필요
      ㉡ 소염능력
         폭발화염을 저지하는 열역학적 특성(열 발열속도 < 열
         방열속도)

---

319) **암기** 형사소액금평수
    - 역화방지기 종류 : 형식, 사용목적, 소염소자식, 액봉식, 금속망
    형, 평판형, 수냉형

2. 설치장소
　① 가연성가스 : 압축기 ↔ 오토클레이브 사이
　② 아세틸렌 가스 : 고압건조기 ↔ 충전용 지관 사이
　③ 산소, 수소, 아세틸렌 가스 : 배관 ↔ 화염사용시설, 용접
　　시설 사이

3. 불꽃방지기의 원리[320]
　① 소염소자식
　　㉠ 접촉 : 불꽃이 금속망의 세극벽면 접촉
　　㉡ 방열
　　　ⓐ 불꽃 세분화 → 표면적↑ → 열 방열속도↑
　　　ⓑ 열전도율 높은 금속망 → 열 방열속도↑
　　㉢ 소멸 : 소염소멸(열 발열속도 < 열 방열속도)
　② 액봉식
　　㉠ 액봉 : 통기관 말단 액체에 담금 → 외부 화염 전달 불가
　　㉡ 액화 : 가연성가스 액화
　　㉢ 회수 : 액화된 가연성물질 다시 탱크로 회수

4. 불꽃방지기 형식 및 구조
　① 소염소자식

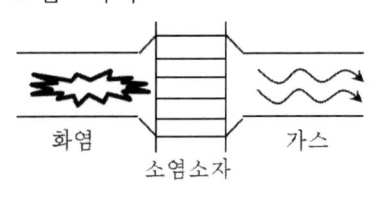

　　화염　　　소염소자　　　가스

---

320) 암기 접방소액액회
　　- 불꽃방지기의 원리 : 소염소자식(접촉, 방열, 소멸), 액봉식(액봉,
　　액화, 회수)

구조	내용
㉠ 본체	내식성 금속제, 내구성 (폭발 압력, 화재 온도)
㉡ 소염소자	내식성, 내열성, 정비작업 용이성
㉢ 가스켓	내식성, 내열성
㉣ 접합부	완벽한 Sealing

② 액봉식

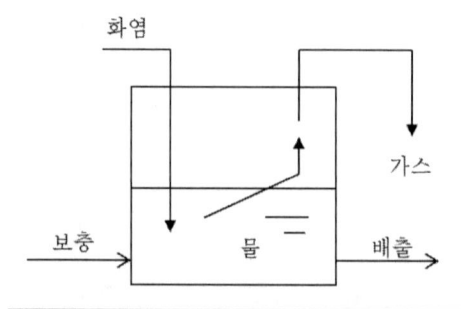

구조	내용
㉠ 본체	내식성(담금액체), 내열성, 불연성
㉡ 담금액체	비독성, 불연성, 화학적 안정성(화학설비 취급물질)
㉢ 설계 시	담금액체 동결방지, 담금액체 보충·배출 설비 설치

5. 화염방지기 재질[321]

열 방열속도↑ 재질로써,

① 스테인리스강

② 모넬(Ni + Cu, 내산성)

---

321) [암기] 스모알주
   - 화염방지기 재질 : 스테인리스강, 모넬(Ni + Cu, 내산성), 알루미늄, 주철

③ 알루미늄

④ 주철

6. 소염성능의 영향인자

$$V = K\frac{L}{D^2}$$

    V : 소염가능한 화염전파속도

    K : 혼합가스의 종류, 소염소자의 종류에 따른 상수

    D : 세극의 직경 L : 세극의 두께

① 세극의 두께(L)↑ → V↑ → 소염성능↑

② 세극의 직경(D)↓ → V↑ → 소염성능↑

③ 소염소자의 열전도율↑ → K↑ → 소염성능↑

④ 화염전파속도(V)

    혼합가스의 <u>산불난PT화점</u> → V↑ → 소염성능↑

7. 사용목적에 따른 화염방지기 종류 및 성능

명칭	구분	설명
관말단 화염방지기	정의	⊙ 화학설비 통기관 말단 설치 ⓒ 외부 화염의 내부 전파 보호기능 보유
	성능	충분한 소염능력 필요
관 내 폭연방지기	정의	⊙ 배관 중간 설치 ⓒ 화염전파 차단 보호기능 보유
	성능	충분한 소염능력 필요
관 내 폭굉방지기	정의	⊙ 배관 중간 설치 ⓒ 폭굉 전파 차단 보호기능 보유
	성능	폭굉파의 내부 전파 방지를 위한 충분한 성능 필요

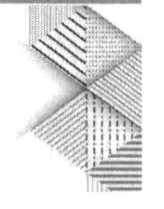

17 폭발방지장치

1. 개요
① 개념

가스 저장탱크 내 열전달 능력↑ 재료 설치 → 국부가열
방지 → BLEVE 방지

② BLEVE 발생 원리

㉠ 액상부 : 액상부로 열전달 → 온도상승 속도↓

㉡ 기상부 : 열전달 속도↓ → 온도상승 속도↑ → 국부
가열 발생

2. 폭발방지장치 원리
① 메카니즘

㉠ 고온 접촉 : 외부화염 고온 접촉 → 온도↑

㉡ 열전달 : 알루미늄 합금 박판 열흡수 → 액상부로 열전달

㉢ 파열방지 : 온도상승 속도↓ → 파열방지

② 열전도 법칙

$$q = K \frac{\Delta t}{l} \quad [\text{kcal/m}^2\text{h}]$$

열전도도↑ 재료 → 열전달 능력↑ → 국부 가열 속도↓
→ BLEVE 방지

3. 구조 및 재료

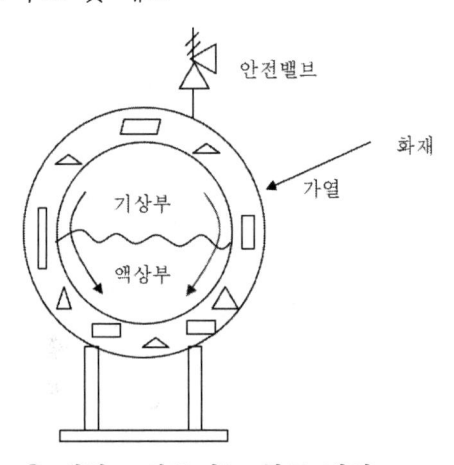

① 재질 : 알루미늄 합금 박판
② 모양 : 다공성 벌집모양
③ 두께 : 11 cm ↑ (2~3% 압축)

18 방파판

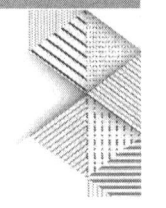

1. 개념

액화가스 운반 탱크 내 방파판 설치 → 급격한 유동 시 →
정전기 발생 방지

2. 설치 기준

① 횡단면적

㉠ A : 횡단면적 20% ↑

ⓒ B : 횡단면적 40%↑
② 설치방향 : 유동유체 직각방향으로 설치
③ 재료 : 두께 3.2mm↑ 스테인리스 재질(SS41)
④ 돌출된 구멍 : 구멍이 한쪽면으로 돌출되도록 제작
⑤ 개수 : 탱크 내용적 5m³ 마다 1개씩 설치

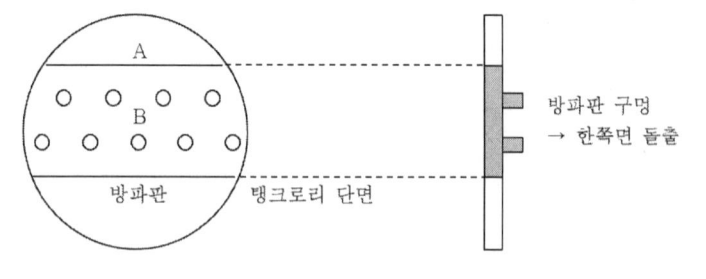

19 가스누출 검지경보기

1. 개념

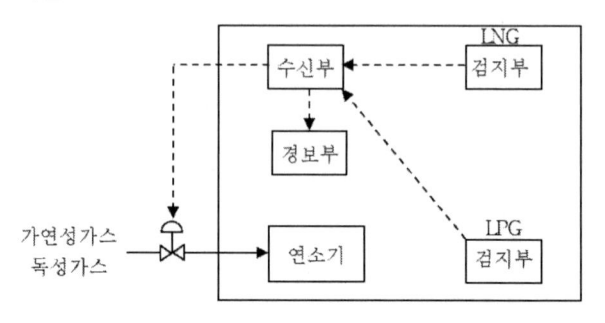

① 가연성 및 독성가스 검지 → 농도 지시 → 경보 발생
② 구성 : 검지부, 수신부, 경보부

2. 설치대상 물질
   ① 가연성가스 : 인화점이 35℃ 이하인 인화성가스
   ② 독성가스 : 35℃, 0.1 Mpa에서 기체인 독성물질

3. 설치장소
   ① 설치장소
      ㉠ 가연성 및 독성가스 취급 설비
      ㉡ 가스 체류 쉬운 장소
      ㉢ 가스충전설비 접속부위 주변
      ㉣ 폭발위험장소 내 변전실, 배전반실, 제어실
      ㉤ 배관의 긴급차단밸브 부분
   ② 설치 제외 장소
      ㉠ 수증기, 유증기, 먼지 다량 체류 장소
      ㉡ 고온, 저온 장소
      ㉢ 부식성가스 체류 장소
      ㉣ 파손 우려 多 → 유지관리 어려운 장소

4. 설치위치 기준
   ① 검지부
      ㉠ 가스 누출 우려 부위
      ㉡ 건출물 내부 : 감지대상 가스 비중 고려
      ㉢ 건축물 외부 : 풍향, 풍속, 감지대상 가스 비중 고려
      ㉣ 하기 장소에는 적응성 있는 감지기 설치
         ⓐ 진동, 충격 있는 장소
         ⓑ 온도, 습도 높은 장소
         ⓒ 고전압, 고주파수 등 전자잡음 발생 장소
         ⓓ 급기구 등 공기 흡입되는 곳으로부터 1.5 m 이내 장소

㉺ 공기보다 가벼운 가스
　　　　　ⓐ 천장부 30cm 이내
　　　　　ⓑ 연소기 반경 8m 이내
　　　㉻ 공기보다 무거운 가스
　　　　　ⓐ 바닥부 30cm 이내
　　　　　ⓑ 연소기 반경 4m 이내
　　② 수신·경보부
　　　㉠ 근로자 상주하는 장소
　　　㉡ 경보음 쉽게 청취 가능 장소

5. 경보부 설정 기준
　　① 경보농도
　　　㉠ 가연성가스 : 폭발하한계의 25% 이하
　　　㉡ 독성가스 : 독성물질의 허용농도 이하
　　② 검지부 정밀도
　　　㉠ 가연성가스 : ± 25% 이하
　　　㉡ 독성가스 : ± 30% 이하
　　③ 가연성가스 누출 검지경보기 추가 기준
　　　㉠ 정상 및 오동작 상태 식별 가능토록 조치 필요
　　　㉡ 2개 이상 경보설정
　　　　　ⓐ 1차 경보 : 폭발하한계의 20% 이하
　　　　　ⓑ 2차 경보 : 폭발하한계의 25% 이하 경보, 필요 시
　　　　　　　차단밸브 작동

6. 성능 기준[322]

---

322) 암기 잡반정지
　　- 가스누출 검지경보기 성능 기준 : 잡가스 적응성, 경보 반응시
　　　간, 경보 정밀도, 지시계 눈금범위

① 잡가스 적응성

　　담배연기, 기계유 증기, 석유류 증기 등의 잡가스 오보 방지
② 경보 반응시간

　　㉠ 가연성가스 : 설정농도의 1.6배일 경우 30초 이내 작동

　　㉡ 독성가스 : 1분 이내 작동
③ 경보 정밀도

　　전압변동 ± 10% 정도일때 기능저하 없이 정상 작동
④ 지시계 눈금범위

　　㉠ 가연성가스 : 0 ~ 폭발하한계

　　㉡ 독성가스 : 0 ~ 허용농도의 3배 수치

7. 구조 및 유지관리

　① 구조

　　㉠ 충분한 강도 및 내식성

　　㉡ 취급, 정비 편리

　　㉢ 폭발위험장소 내 설치 시 적합한 방폭성능

　　㉣ 작동상태 식별 가능

　　㉤ 폭발하한계의 60% 이상 작동설정 금지

　　㉥ 표시색상

　　　ⓐ 설정농도 이상 : 적색

　　　ⓑ 기기 고장 : 황색

　　　ⓒ 전원 공급지시 : 녹색

　② 유지관리

　　㉠ 항상 정상 작동상태 유지(작동 불량 시 즉시 교체 및
　　　수리)

　　㉡ 제조사 지침에 의한 정기적 점검, 교정 필요

　　㉢ 점검 사항

　　　　ⓐ 검지부 : 외관 이상 유무, 전송 케이블 및 배선, 감
　　　　　지부 전해액 등
　　　　ⓑ 수신 경보부 : 퓨즈, 전원 표시등, 전압, 경보 설정점 등
　　ⓔ 성능시험
　　　　ⓐ 표준가스 사용, 유효기간 확인
　　　　ⓑ 경보 설정점 농도와 지시눈금 일치
　　　　ⓒ 응답속도

8. 종류[323]
(1) 반도체식

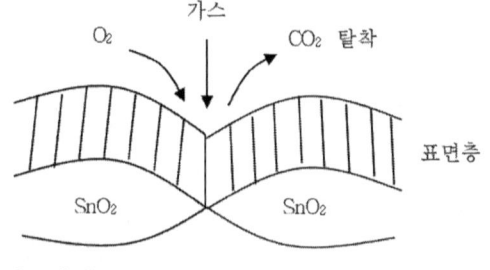

① 원리
　　가스 + 반도체 → 흡착 → 전기전도도↑ → 저항↓ → 경보
② 메카니즘
　　㉠ 반도체 가열 유지 : 반도체(SnO_2) + 350℃
　　㉡ 가스 접촉 : 가스 + 반도체 → 흡착
　　㉢ 경보 : 흡착 → 전기전도도↑ → 저항↓ → 경보
③ 특징
　　㉠ 가스농도↑ → 출력↑ : 로그함수적 상승
　　㉡ 감도 특성↑

---

323) [암기] 반접기
　　- 가스누출 검지경보기 종류 : 반도체식, 접촉연소식, 기체 열전도식

    © 장기 안정성↑

    ② 주위 온도, 습도 영향↑

(2) 접촉연소식

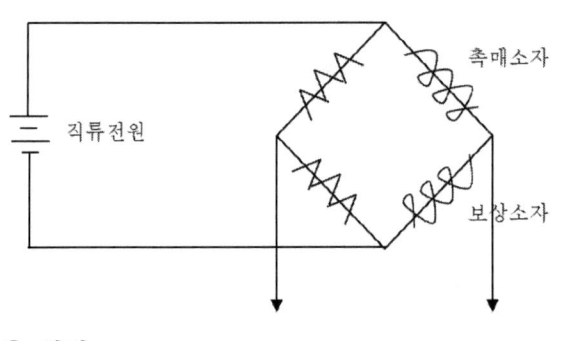

① 원리

가스 + 산화촉매 → 온도↑ → 저항↑ → 휘스톤브릿지
(Weastone Bridge) 전압 불평형 → 출력 발생 → 경보

② 메카니즘

㉠ 촉매소자 유지 : 백금선 + 파라듐 산화촉매 + 500℃

㉡ 가스 접촉 : 가스 + 산화촉매 → 접촉연소 → 온도↑

㉢ 경보 : 온도↑ → 저항↑ → 출력발생 → 증폭 → 경보

③ 특징

㉠ 가스농도↑ → 출력↑ : Linear 상승

㉡ 장기사용 시 촉매 열화 → 감도 특성↓

㉢ 장기 안정성↓

② 주위 온도, 습도 영향↓

(3) 기체 열전도식

① 원리

가스 + 검지소자 → 열전도도 차이 발생 → 온도변화 → 저항
변화 → 휘스톤브릿지 전압 불평형 → 출력 발생 → 경보

② 메카니즘

　　㉠ 검지소자 유지 : 백금선 + 반도체(SnO_2 + 250℃

　　㉡ 가스 접촉 : 가스 + 검지소자 → 열전도도 차이 발생
　　　→ 온도변화

　　㉢ 경보 : 온도변화 → 저항변화 → 출력발생 → 증폭 →
　　　경보

③ 특징

　　㉠ 가스농도↑ → 출력↑ : Linear 상승

　　㉡ 촉매열화 無 → 감도 특성↑

　　㉢ 장기 안정성↑

　　㉣ 주위 온도, 습도 영향↓

(4) 반 vs 접 vs 기

구분	반도체식	접촉연소식	기체열전도식
출력	↑	↓	↓
증폭기	불필요	필요	필요
감도 특성	↑	촉매열화 → 감도↓	촉매열화 X → 감도↑
장기 안정성	↑	↓	↑
산소	필요	필요	불필요
온·습도 영향	↑ (민감, 영향성↑)	↓ (영향성↓)	↓
기타	CO 검지 불가	내구성↓	고농도가스 검지적합

20 FID

1. FID(Flame Ionization Detector, 수소염 이온화식) 원리

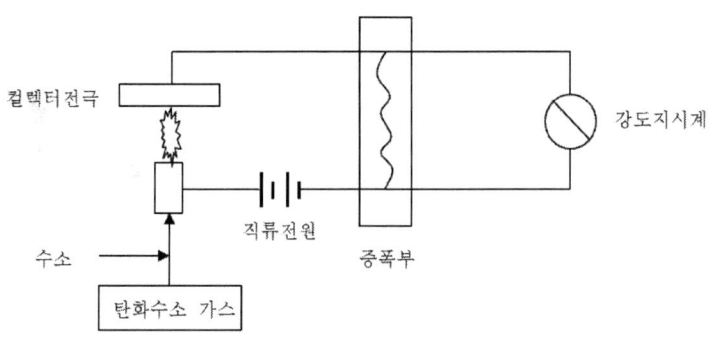

탄화수소 가스 + 수소불꽃 → 전기전도도↑ → 저항↓ → 경보

2. 메카니즘

① 수소불꽃 생성 : 수소 + 산소 → 수소불꽃 + 직류전압 부여

② 가스 접촉 : 탄화수소 가스 + 수소불꽃 → 전기전도도↑

③ 경보 : 전기전도도↑ → 저항↓ → 전류 발생 → 전류 증폭
    → 경보 (가스 농도↑ → 전류↑)

3. 특징

① 검지감도↑(1ppm 측정 가능)

② 차량탑재, 휴대 가능

③ 고순도 수소 사용

④ 탄화수소(C_mH_n) 계열만 검지 가능

 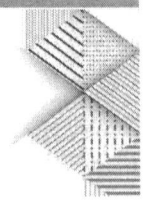

21 OMD

1. OMD(Optical Methane Detector, 광학메탄 검지기) 개요
   기존 가스누출 감지경보기 + 광학기술, 전자공학
   → 민감도↑, 선택성↑, 측정속도↑

2. 원리 및 메카니즘
   ① 원리

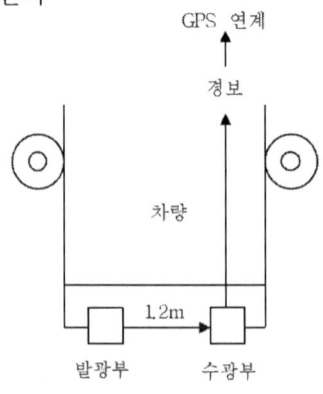

GPS 연계

경보

차량

1.2m

발광부   수광부

   적외선 흡광법 → 메탄 검지 시 → 출력신호 → 경보
   ② 메카니즘
   ㉠ 가스 無 : 발광부 적외선 광원 전송 → 수광부 안정된
      출력신호 표시
   ㉡ 가스 有 : 발광부 적외선 광원 전송 → 메탄 적외선
      광원 일부 흡수 → 수광부 감소된 출력신호 표시
   ㉢ 경보 : 출력신호 → 메탄 농도 표시 → 경보 → GPS
      연계 → 누출 위치 파악 가능

3. 특징
① 검지감도↑(0.1 ppm 측정 가능)
② 환경 민감성↓
　건조, 고·저온(-29℃ ~ 43℃) 환경 → 정상 작동
③ 메탄 검지능력↑, 에탄 및 프로판 검지능력↓

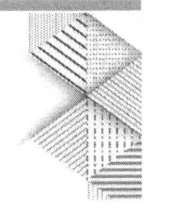

22 RMLD

1. RMLD(적외선 레이져 메탄 감지기) 개념
　좁은 지역, 고소지역, 고온설비 측정 가능한 메탄 감지기

2. 작동원리

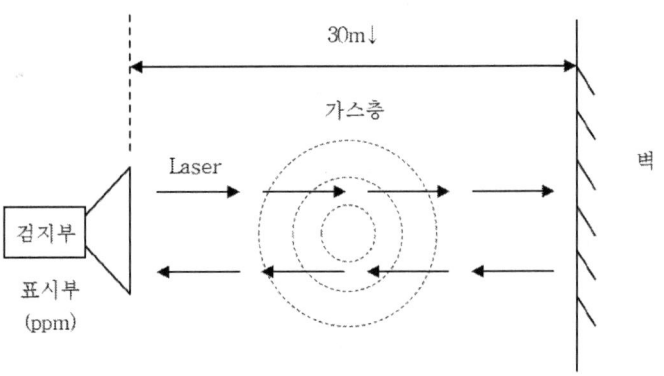

① 레이져 빔 조사
　가스누출 예상지역에 적외선 레이져 빔 조사
② 세기 측정
　가스에 의해 빛의 반사, 산란 → 돌아오는 빛의 세기 측정

③ 정량적 표시

가스량↑ → 돌아오는 빛의 세기↓ → 누출 농도↑ → 수치로 표시

3. 특징
① 측정 Scale : 메탄농도 1ppm 단위 측정
② 정량적 표시 : 컬러 LCD 수치 표시
③ 휴대성 편리 : 리튬 이온식 충전 → 이동 편리

4. 결론
도시가스사, 석유화학 플랜트에서 사각지대, 장거리 배관 등 가스 누출 상태 편리하게 측정 가능하므로, 안전관리 위해 보급률을 높여야 한다. 또한 측정 거리와 측정 범위를 높이기 위한 연구개발도 필요하다.

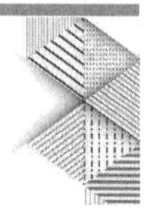

23 가연성가스 검출기

1. 안전등형
① 원리
CH_4 존재 시 → 불꽃 주변 발열량↑ → 불꽃모양↑ → 청색불꽃 길이로 CH_4 농도 대략 파악 가능
② 특징
CH_4 누출여부 가장 손쉽게 확인 가능

2. 간섭계형
　① 원리
　　공기의 빛 굴절률과 가스의 빛 굴절률 차이
　② 특징
　　CH₄ 이외 가스 측정 가능

3. 열선형
　① 원리
　　휘스톤브리지 회로의 편위전류 → 가스농도 지시, 경보 발생
　② 종류
　　㉠ 접촉 연소식
　　㉡ 기체 열전도식

24 실내용 가스누출 차단장치[324)

1. 퓨즈콕(Fuse cock) : 과류 차단 기능

2. 누설검지 퓨즈콕 : 퓨즈콕 + 누설검지 기능(밸브 후단)

3. 타이머콕 : 퓨즈콕 + 타이머 기능(일정시간 후 자동차단)

4. 상자콕 : 퀵커플러 연결 콘센트, 과류차단

---

324) 암기 퓨누타상가다
　　- 실내용 가스누출 차단장치 종류 : 퓨즈콕, 누설검지 퓨즈콕, 타
　　이머콕, 상자콕, 가스호스용 퀵커플러, 다기능 계량기

5. 가스호스용 퀵커플러 : 호스 연결시 원터치, 상시 닫힘, 이탈
   시 자동 차단

6. 다기능 계량기 : 유량, 온도 측정, 이상여부 실시간 감시

25 방·소화설비

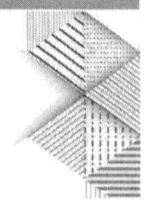

1. 개념

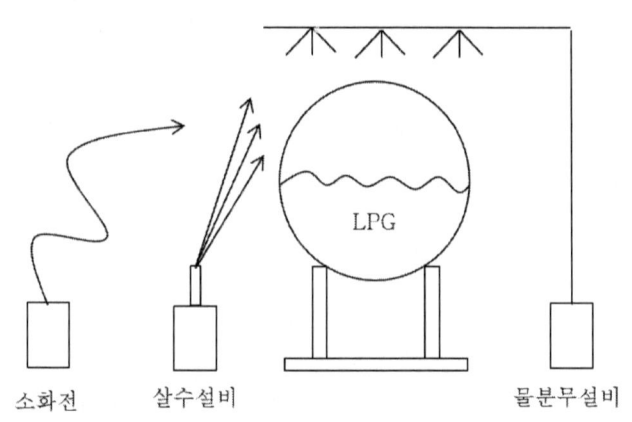

소화전   살수설비   물분무설비

주위 화재, 태양 복사열 → 가스 저장설비 온도↑ 방지 → 압
력↑ 방지

2. 종류
   ① 물분무설비 : 미립자 분무로 냉각, 질식 효과
   ② 살수설비 : 살수노즐을 통한 물 살포
   ③ 소화전(Fire hydrant)

㉠ 호스압 : 0.35 Mpa 이상

　　　㉡ 방사량 : 400 L/min 이상(24 ton/hr)

3. 방사 노즐 종류

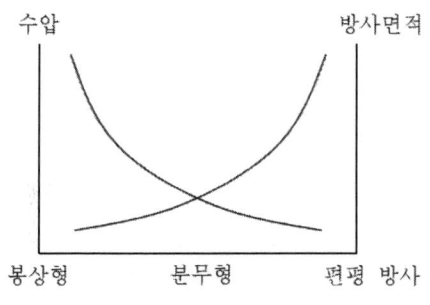

　　① 봉상형 노즐 : 수압↑, 방사면적↓

　　② 분무형 노즐 : 미분무 분사(수압↓), 방사면적↑

　　③ 편평 방사 노즐 : 적당한 수압, 방사면적↑

4. 설치기준

　　① 살수량

　　　㉠ 비 내화구조 : 표면적 $1m^2$ 당 5 L/min

　　　㉡ 내화구조 : 표면적 $1m^2$ 당 2.5 L/min

　　② 수원 보유량

　　　기준 살수량(L/min) 30분 이상 용량

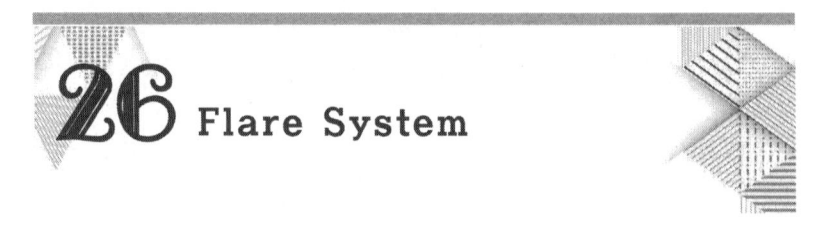

26 Flare System

1. Flare System의 개념

안전밸브 방출 물질 → 소각 후 대기 방출 시 필요한 일체의
설비

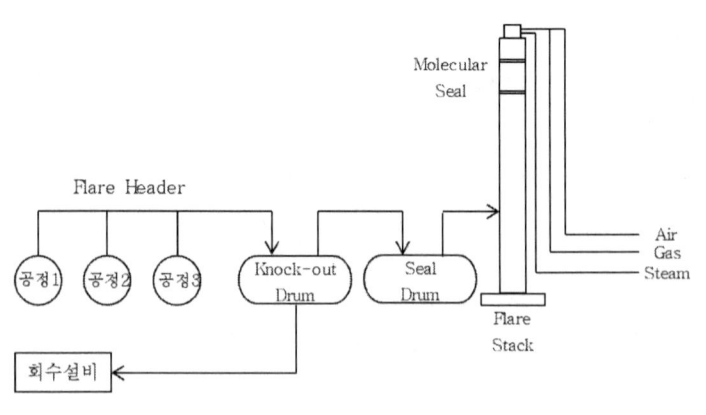

2. 플레어시스템의 구성

① 상호 연결포집 배관시스템

㉠ 안전밸브, 기타 배출원으로부터의 토출배관

㉡ 토출배관을 연결한 지선

㉢ 지선을 연결한 Flare Header

② 액체 제거 설비

㉠ Knock-out Drum

㉡ 이송펌프 및 부대설비

③ Flare Stack
   ㉠ 본체
   ㉡ 플레어 팁
   ㉢ 파일럿 버너
   ㉣ 지지대
   ㉤ 자동점화장치
   ㉥ 유틸리티 배관(공기, 연료가스, 수증기)
④ 부대장치
   ㉠ 화염검지기 및 모니터
   ㉡ 역화방지기
      ⓐ Seal Drum
      ⓑ Molecular Seal
   ㉢ 연기 억제조절장치
   ㉣ 격리장치
   ㉤ 경보기 포함 계장

3. 플레어시스템 설치 시 고려사항
   ① 연소가스 방출에 따른 국내법규상 기준 만족
   ② 재질 선정
      고온, 저온, 부식성 등 유체 물성 고려
   ③ 산소 제어
      ㉠ 플레어시스템 내 산소유입 방지(특히 안전밸브 보수시 유의)
      ㉡ 산소함유물질은 별도 플레어시스템에서 처리
   ④ Flare Header
      연료가스, 불활성가스 치환 가능 장치 설치
   ⑤ Knock-out Drum
      방출가스와 비말동반된 액체의 제거능력 충분(플레어스택

액체 유입방지)

⑥ Flare Stack

　　㉠ 플레어스택의 위치 및 이격거리는 복사열, 연소생성물 착지농도 기준으로 충분히 이격

　　㉡ 불꽃이 꺼지지 않게 유속산정

　　㉢ 파일럿 점화장치 및 조절장치는 안전한 곳에 위치

⑦ 화염역류 방지

　　Seal Drum, Molecular seal과 같은 플레어시스템 내부 폭발예방을 위한 화염역류 방지장치 설치

4. 플레어시스템 주요 설비별 설계 시 고려사항(상세 버전)

(1) Flare Header

① 역할

　　안전밸브 등에서 방출된 가스 및 액체를 그룹별로 모아서 플레어스택으로 보내는 주배관

② 설계 시 고려사항

　　㉠ 플레어스택까지 거리 멀어 액정체 우려시 녹아웃드럼 설치

　　㉡ 안전밸브와 녹아웃드럼 사이 배관 액체 정체 X

　　㉢ 안전밸브와 녹아웃드럼 사이 배관 경사도 : 1/500 이상

　　㉣ 포집배관 시스템에 차단밸브 설치 금지

　　　(단, 각 생산설비의 플레어헤더에는 설치 가능)

　　㉤ 플레어헤더 지지대는 운전시 충분한 하중에 견딜 것

　　㉥ 플레어해더 설치장소 : 공정외 지역, 작업빈도 낮은 지역

　　㉦ ┌ 수분함유 액체 : 동파 대비
　　　　└ 고점도, 고유동점 기름, 폴리머 : 보온, 가열설비 및 배수설비

(2) Knock-out Drum

　① 역할 : 배출물의 기액분리(액체 분리 및 포집)

　　┌ 공정 회수
　　└ 증발 후 플레어스택으로 보냄

　② 설계 시 고려사항

　　㉠ 안전밸브와 녹아웃드럼 사이, 녹아웃드럼과 플레어스택
　　　사이 배관 차단밸브 설치 금지

　　㉡ 충분한 증기공간 확보 : 가스에 액체의 비말동반 방지

　　㉢ 액면계 설치 : 일정 수위 초과 시

　　　┌ 알람 경보
　　　└ 펌프와 연동 → 별도 처리시설로 이송

　　㉣ 펌프 비상전원 연결
　　　주전원 차단시 비상전원에 의해 정상작동 가능해야 함

　　㉤ ┌ 수분함유 유체 : 동결방지 조치
　　　　└ 고점도 액체 : 스팀코일, 자켓 또는 가열장치 설치

　　㉥ 모든 화학물질은 외부열원에 의해 반응성 가질 수 있
　　　으므로 유의

(3) Flare Stack

　① 역할 : 가연성가스 소각하여 대기방출

　② 종류

구분	Elevated Flare	Ground Flare
장점	㉠ 공간확보 용이 ㉡ 운전비용↓ ㉢ 운전 안정성↑	㉠ 복사열, 소음 발생률↓ ㉡ Smokeless flaring 　위해 스팀량↓ ㉢ 외부 불꽃 노출 X
단점	㉠ 복사열, 소음 발생률↑ ㉡ Smokeless flaring 　위해 스팀량↑ ㉢ 외부 불꽃 노출	㉠ 사용 공간 多 ㉡ 운전비용↑(3배 이상) ㉢ 운전 안정성↓ 　(배출가스 변동폭 大)

③ 설계 시 고려사항

　　㉠ 직경선정 시 가스속도 고려 : 최대유속 음속의 50%

　　㉡ 높이

　　　ⓐ 200m 까지 설치가능

　　　ⓑ 복사열 : 4,000 kcal/m²h 이하

　　㉢ 버너팁 방출속도

　　　발열량에 따라 방출속도 20 ~ 120 m/s 결정

　　㉣ 그을음

　　　그을음 발생 방지위해 적절한 스팀 공급

　　㉤ 역화 방지

　　　ⓐ Seal Drum, Molecular Seal 설치

　　　ⓑ 수소가스 : 불꽃방지기 설치

　　㉥ 감시 및 재점화 시스템 구축 : 불꽃소멸 방지 목적

④ 운전 시 주의사항

　　㉠ 플레어 연소상황 상시 점검 및 감시

　　㉡ 파일럿버너

　　　ⓐ 연료가스 : 압력, 유량, 품질 신뢰성 높은 것 사용

　　　ⓑ 점화상황 상시 점검 및 감시

　　　ⓒ 강풍, 폭우에 의한 소화 대비 즉각 점화장치 보유

　　㉢ 불활성 가스 퍼지

　　　배관, 스택내 폭발성 혼합가스 형성 방지 목적

　　㉣ 밀봉드럼 : 규정액면 상시 유지

(4) Seal Drum

① 역할 : 플레어시스템 내부 화염역류 방지

② 설계 시 고려사항

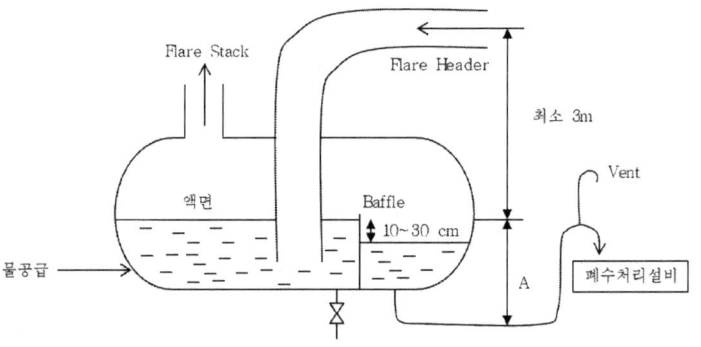

⑦ ┌ 밀봉드럼 지름 > 플레어헤더 지름 × 2
　　└ 밀봉드럼 길이 = 밀봉드림 지름 × 3

ⓛ 플레어헤더의 밀봉높이

　　: 밀봉액 정상액면으로부터 10~30 cm 높이 유지

ⓒ 밀봉드럼 액면으로부터 플레어헤더 중앙까지 높이

　　: 수직으로 최소 3m 이상

ⓔ 폐수처리설비로 배출되는 밀봉액 배수 배관 높이

　　(상기 그림 A)

　　: 밀봉드럼 운전압력 환산수두값 × 1.75배 이상

ⓜ 최소 설계압력 : 3.5 kg/cm²G 이상

ⓑ 액면계 : 밀봉액 비말동반 방지토록 규정액면 상시 유지

ⓢ 밀봉액의 동결, 인화성 및 반응성 고려하여 설계

(5) Molecular Seal

　① 역할 : 플레어시스템 내부 화염역류 방지

　② 종류별 원리

　　⑦ Buoyancy seal

　　　ⓐ 퍼지가스 비중 > 공기 비중 : 외부 실린더 하부에
　　　　퍼지가스 축적

ⓑ 퍼지가스 비중 < 공기 비중 : 내부 실린더 상부에
퍼지가스 축적

→ 플레어스택으로부터의 공기 역류 차단

ⓒ Velocity seal

플레어 팁 내부 여러 개 Baffle 설치 → 퍼지가스 속도
구배 형성 → 플레어스택으로부터의 공기 역류 차단

27 Vent Stack

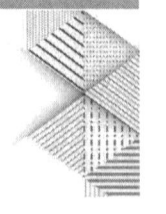

1. 개념

안전밸브 등에서 배출된 물질을 대기방출하기 위해 설치한
굴뚝

2. 설계 시 고려사항[325]

① 구조 및 강도

진동, 바람, 지진에 견딜 것

② 직경

압력손실, 분출속도 고려하여 결정

③ 불활성가스 주입 설비

배관 내 소량의 가연성가스 존재시 → 공기유입 → 가연

---

325) 암기 구직불응높온기스정낙
    - Vent Stack 설계 시 고려사항 : 구조 및 강도, 직경, 불활성가
    스 주입 설비, 응축수 고임방지 조치, 높이, 온도관련 배출기준,
    기액분리기, 스팀공급 설비, 정전기 및 낙뢰 방지

성혼합기 형성 → 화재 및 폭발 위험, 따라서 불활성가스
주입하여 이를 방지
④ 응축수 고임방지 조치
벤트스택 및 연결 배관 내 응축수 고임 방지를 위한 적절
한 조치 필요
⑤ 높이

가연성가스(H_2, CH_4) : 착지농도가 폭발하한계의 25% 이하
독성물질(NH_3, CO) : 착지농도가 허용농도 이하

⑥ 온도관련 배출기준

㉠ 저온가스 배출 시 : 배관 열수축 고려

㉡ 고온가스 배출 시 : 설비 및 인체 영향 없도록 냉각
후 배출

⑦ 기액분리기
벤트스택 전단부 기액분리기(Knock-out drum) 설치 →
액체 분리 → 벤트스택 내부 동결 방지
⑧ 스팀공급 설비
벤트스택 말단부 화재 발생시 대비하여 스팀공급설비 설
치하여 신속진화
⑨ 정전기 및 낙뢰 방지
정전기 방지링 및 낙뢰 방지용 피뢰침 설치 → 가연성가
스 화재 발생 방지

28 고압가스 특정제조시설 중 특수반응설비 안전장치

1. 개요
   ① 특수반응설비의 정의
      화학반응 시 반응-제어 균형 Unbalance → 반응속도 지수함수적 증가 → 반응 폭주 우려 설비
   ② 특수반응설비 종류(반응폭주 발생 쉬운 공정)
      저암석에메

2. 발생원인
   냉동계공조반원혼

3. 방지대책(안전장치)
   본수능절 + 내부반응 감시장치

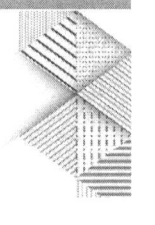

29 Relief System

1. 개념
   ① 안전밸브 등에서 배출된 방출물을 안전하게 처리하는 설비
   ② 기능 = 과압 해소 + 방출물 안전 배출

2. Relief System의 구성

```
                    가연성   ┌──────────┐      ┌──────────┐      ┌──────────┐
                     ───────▶│Knock-out │─────▶│Seal drum │─────▶│Flare stack│
   ┌────────┐       │        │  drum    │      │(역화방지) │      │(연소배출) │
   │ 방출물  │───────┤        │(기액분리) │      └──────────┘      └──────────┘
   │ 배출설비 │       │        └──────────┘
   └────────┘       │                         수용성  ┌──────────┐
                    │  독성                    ──────▶│   Wet    │─────▶ 폐수처리설비
                    └──────▶┌──────────┐      │        │ scrubber │
                            │ Scrubber │──────┤        └──────────┘
                            │(중화처리) │      │        ┌──────────┐
                            └──────────┘      └──────▶│   Dry    │─────▶ Vent stack
                    비가연성           비수용성        │ scrubber │
                    ─────────                         └──────────┘

                       비독성                          ┌──────────┐
                    ──────────────────────────────────▶│Vent stack│
                                                        └──────────┘
```

   ① 방출물 배출설비
      ㉠ 역할 : 설정압력 초과 시 압력해소
      ㉡ 종류
         ⓐ 압력 배출 장치 : 안전밸브, 파열판, 통기설비, 폭압
            방산공
         ⓑ 내용물 긴급 이송설비
         ⓒ Blow down system
   ② 방출물 처리장치
      ㉠ 역할 : 압력방출장치에서 방출된 물질 안전하게 처리

및 배출하는 설비

　　ⓒ 종류 : Flare stack, 폐수처리설비, Vent stack

　③ 부속설비

　　㉠ Knock-out drum : 기액분리

　　ⓒ Seal drum : 역화방지

　　ⓒ Scrubber : 독성물질 중화처리

3. Relief System의 설치목적(기능)[326]

　① 과압 해소

　　과압 해소 목적 ┌ 해당 설비 보호, 주변설비 손실방지
　　　　　　　　　 └ 인체 보호

　② 방출물 안전 배출

　　방출물 안전배출 목적 ┌ 화재, 폭발 방지
　　　　　　　　　　　　 └ 중독 방지

　③ 보험료 절감

　④ 정부 행정규정 준수

　⑤ 안전도 향상 ┌ 설비 신뢰성↑
　　　　　　　　 └ 인근주민 안전에 대한 신뢰성↑

4. 설계 시 고려사항

　① 압력 배출 장치

　　㉠ 안전밸브 고려사항

　　ⓒ 파열판 고려사항

　　ⓒ 통기설비 고려사항

---

326) 암기 과방보정안
　　- Relief System의 설치목적(기능) : 과압 해소, 방출물 안전 배
　　　출, 보험료 절감, 정부 행정규정 준수, 안전도 향상

  ㉢ 폭압방산공 고려사항

 ② 내용물 긴급 이송설비

  부압 방지 대책 : 압경진균냉송

 ③ Flare stack

  ㉠ Flare system 고려사항

  ㉡ Flare stack 고려사항 등

 ④ Vent stack

  구직불응높온기스정낙

5. Relief Scenario(Relief system 설계방법)[327]

 ① 1단계 : Relief 설치위치 결정

  발생압력 고려

 ② 2단계 : Relief 형태 결정

  방출량, 방출물질 특성 고려

 ③ 3단계 : 방출가능성 시나리오 작성

  ㉠ 방출이 일어날 수 있는 여러가지 시나리오 작성

  ㉡ 질량유속, 물리적상태(액상, 기상, 2상) 결정

 ④ 4단계 : 방출물질 특성치에 대한 규격계산

  ㉠ 방출물질의 특성치

  ㉡ 방출공정에 대한 자료 수집 ⎤ → Relief 크기 결정

 ⑤ 5단계 : 최악의 시나리오 선정

 ⑥ 6단계 : 최종적인 Relief System 설계

---

[327] **암기** 설형방방최최

 - Relief Scenario(Relief system 설계방법) : Relief 설치위치 결정, Relief 형태 결정, 방출가능성 시나리오 작성, 방출물질 특성치에 대한 규격계산, 최악의 시나리오 선정, 최종적인 Relief System 설계

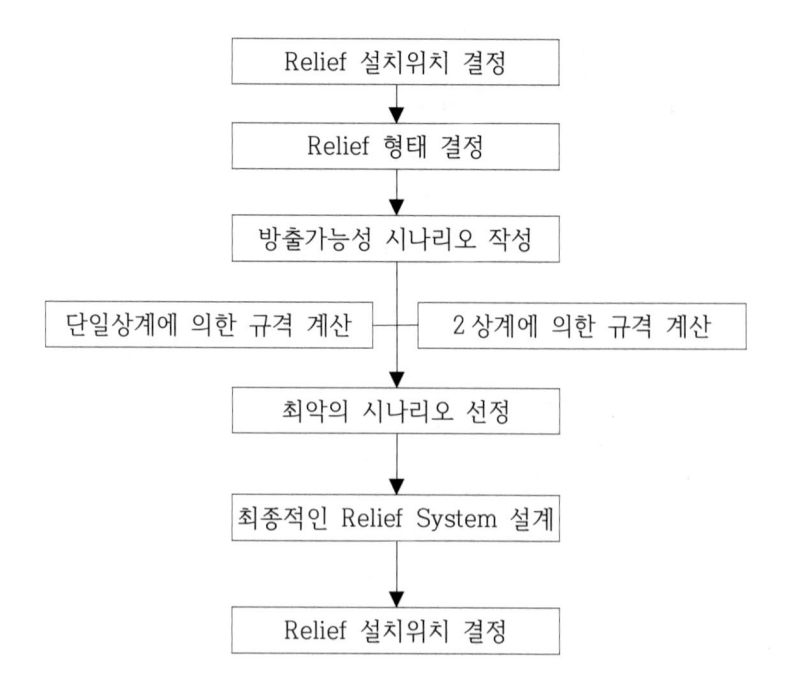

Relief 설치위치 결정

Relief 형태 결정

방출가능성 시나리오 작성

단일상계에 의한 규격 계산 ── 2상계에 의한 규격 계산

최악의 시나리오 선정

최종적인 Relief System 설계

Relief 설치위치 결정

제14장

가스계량기

1 가스계량기 종류별 작동원리 및 특징

1. 개요

가스 계량기 ┌ 습식
            └ 건식 ┌ 실측식
                    └ 추량식

2. 가스 계량기 종류별 작동 원리 및 특징[328)]

(1) 습식

① 드럼형

  ㉠ 작동 원리 : 물 통과 가스의 부력 → 드럼 회전

  ㉡ 특징

   ⓐ 계량 정확성↑ → 표준유량계, 실험실용 이용

   ⓑ 기차 변동성↓(Instrumental Correction, 계량기 오차)

   ⓒ 수위 조절 등 관리 필요

   ⓓ 설치 면적↑

② 면적식

  ㉠ 작동 원리 : 측정부저 상하 흐름 측정

  ㉡ 특징 : 기체, 액체 모두 사용

---

328) 암기 드면막로터오볼초
   - 가스 계량기 종류 : 드럼형, 면적식, 실측식(막식, 로터리식), 추측식(터빈식, 오리피스식, 볼텍스식, 초음파식)

⑵ 건식

　⑺ 실측식

　① 막식

　　㉠ 작동 원리 : 다이어프램 전후 이동

　　㉡ 특징 : 가격 저렴, 유지관리 용이

　② 로터리식

　　㉠ 작동 원리 : 땅콩모양 회전자 회전

　　㉡ 특징 : 대용량 수용가용

　⑻ 추측식

　① 터빈식

　　㉠ 작동 원리 : 터빈 회전

　　㉡ 특징 : 가격 고가, 중압 대용량 수용가용

　② 오리피스식

　　㉠ 작동 원리 : 오리피스에 의한 차압

　　㉡ 특징 : 가격 저렴, 오차 큼

　③ 볼텍스식

　　㉠ 작동 원리 : 초전도체 후면 와류 발생빈도

　　㉡ 특징 : Turn Down Ratio↑(1 : 100)

　④ 초음파식

　　㉠ 작동 원리 : 전파 속도차법, Dopper법

　　㉡ 특징 : 가격 고가, 대형 배관에 이용

초음파 가스미터기 원리 및 종류

1. 작동 원리

① 초음파 전파

유체 중 초음파 전파 → 가스 유속 측정 → 전파 속도차 법, Doppler법

② 유량 산출

가스 유속 × 배관 단면적 → $Q = VA$ 이용하여 유량 산출

2. 초음파 측정법

(1) 전파 속도차법

① 원리 : 초음파 유체 통과 시 → 상·하류 전파속도 상이 → 속도차↑ → 유속↑

② 종류

㉠ 전파 시간차법 : 전파속도 변화 시간차로 검출

㉡ 주파수차법 : 전파속도 변화 주파수차로 검출

(2) Doppler 법

```
┌─────┐        ┌─────┐
│ 발진기 │        │ 검파기 │
└─────┘        └─────┘


   흐름
─────────→ ◯──── 부유물, 기포
```

초음파 유체 중 발사 → 유체중 부유물, 기포에 의해 반사 → 초음파 수신 → 유체 유속 측정 → 유량 산출

3. 초음파 가스계량기 특징
   ① 비접촉식 → 사용 범위 넓다
   ② 설치시 세심한 주의 필요
   ③ 직관거리 많이 필요
   ④ 대형 배관에 주로 이용
   ⑤ 가격 고가

3 가스계량기 검정기준

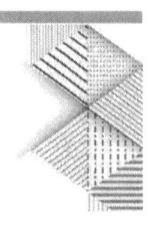

1. 가스계량기 검정기준
   ① 기밀시험 : 10 kPa↑
   ② 압력손실 : 0.3 kPa↓
   ③ 사용공차 : ± 3%↓
   ④ 검정공차 : ± 2%↓
   ⑤ 감도유량 : 3 L/hr↓ (막식)
   ⑥ 검정 유효기간 : 5년

 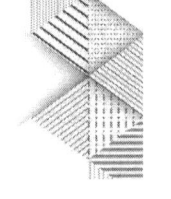

4 가스계량기 선정시 고려사항

1. 선정시 고려사항(구비 조건)
   ① Accuracy(정확도)↑
   ② Turn Down Ratio↑
   ③ 내구성↑
   ④ 유지보수 용이성↑
   ⑤ 소형이면서 용량↑
   ⑥ 구조 간단
   ⑦ 가격 저렴

5 가스계량기 설치장소 및 주의사항

1. 설치장소 및 설치시 주의사항
   ① 설치장소
      ㉠ 통풍 양호한 곳
      ㉡ 검침, 수리 작업 용이한 곳
      ㉢ 화기, 습기, 진동 없는 곳
      ㉣ 온도변동 적은 곳
      ㉤ 복사열 받지 않는 곳

② 설치시 주의사항
   ㉠ Meter Run(직관부) 고려하여 설치
   ㉡ 계량기 출구 입상배관 금지
   ㉢ 가스미터 연결시 무리한 힘 작용 금지
   ㉣ 수직, 수평 설치 및 밴드 고정

6 가스계량기 고장 원인 및 대책329)

1. 부동
   ① 정의 : 가스 통과하나 계량 지침 미작동
   ② 원인
      ㉠ 계량 막 파손
      ㉡ 밸브와 밸브 시트 사이 누설
   ③ 대책
      ㉠ 완성품 검사 철저
      ㉡ 취급 주의

2. 불통
   ① 정의 : 가스 계량기 미통과
   ② 원인
      ㉠ 수분 등에 의한 동결

---

329) 암기 부불누기감이
    - 가스계량기 고장 원인 : 부동, 불통, 누설, 기차불량, 감도불량,
    이물질로 인한 불량

      ⓒ 밸브와 밸브 시트 고착

  ③ 대책

      ㉠ 수분 제거 등 동결 방지

      ⓒ 정기적인 유지보수

3. 누설

  ① 정의 : 미터 내부와 외부 누설로 나뉨

  ② 원인

      ㉠ 내부 누설 : 패킹 재료의 열화

      ⓒ 외부 누설 : 부식에 의한 케이스 파손

  ③ 대책

      ㉠ 충격, 열 작용 금지

      ⓒ 부식 방지

4. 기차불량

  ① 정의 : 계량기 표시양 초과 또는 미달

  ② 원인

      ㉠ 계량막 신축에 의한 계량실 부피 변화

      ⓒ 밸브와 밸브 시트 사이 누설

  ③ 대책

      ㉠ 정기적인 유지보수

      ⓒ 재검정기준에 의한 검교정

5. 감도불량

  ① 정의 : 감도유량 미측정

  ② 원인

      ㉠ 패킹부 누설

ⓒ 밸브와 밸브 시트 사이 누설
③ 대책
　　㉠ 정기적인 유지보수
　　ⓒ 교체 및 수리 후 재검정

6. 이물질로 인한 불량
　① 정의 : 계량기 출구 압력 현저하게 감소 → 불안정한 가스 연소
　② 원인
　　㉠ 크랭크축 이물질 들어감
　　ⓒ 연동기구 변형 시
　③ 대책
　　㉠ 스트레이너 설치 → 이물질 제거
　　ⓒ 깨끗한 환경에서 작업

마이콤미터(다기능 가스계량기)

1. 개념
　가스 유량 적산 → 원격감시 및 원격검침 → 이상상태 발생
　→ 가스 자동차단 및 경보

2. 구성[330]

---

330) **암기** 감압차컨
　　- 마이콤미터(다기능 가스계량기) 구성 : 감진기, 압력스위치, 차단
　　밸브, 컨트롤러

① 감진기

　진도 3 이상 진동 발생 시 → 가스 자동차단

② 압력스위치

　입력압력 3kPa↓ → 가스 자동차단

③ 차단밸브

　㉠ 외부 신호 연동 차단

　㉡ 수동 복귀

　㉢ 자기유지형 전자밸브

④ 컨트롤러

　㉠ 합계유량 오버 기능

　㉡ 개별 최대유량 오버 기능

　㉢ 안전계속 사용시간 오버 기능

3. 5대 기능[331]

기능	내용	마이콤 미터	기계식 미터
① 적산	가스 사용량 적산	O	O
② 경보	가스 검지→경보	O	X
③ 자동차단	누출, 압력↓→차단	O	X
④ 통신	원격검침, 이상상태 감지	O	X
⑤ 옵션단자	가스누출검지기 연결	O	X

---

331) 암기 적경자통옵
　- 마이콤미터(다기능 가스계량기) 5대 기능 : 적산, 경보, 자동차단, 통신, 옵션단자

4. 장단점

장점	단점
① 안전장치 내장 → 안전 ② 원격검침 가능 ③ 원격 설비상태 파악 ④ 이상상태 발생시 가스 자동차단	① 고가 ② 고장시 수리 곤란 ③ 통신선 필요 ④ 부피 크다

8 가스 원격검침 시스템(AMR)

1. 가스 원격검침 시스템(AMR : Automatic Meter Reading) 개념
가스 사용자 계량값 → 전송매체 → 가스 사업자 계량값 원격 확인

2. 가스 원격검침 시스템 계통도

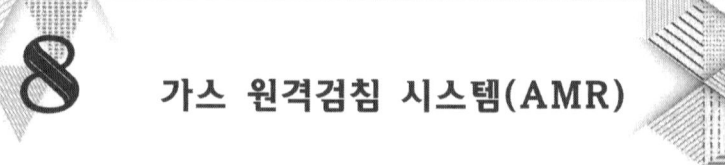

가스사용자

가스계량기 → 전파수신기　　통신사　　가스사업자

고지서 발급

① 가스 사용자 계량값 → 전파수신기
② 전파수신기 → 통신사 → 가스 사업자 전송
③ 가스 사업자 → 가스 사용자 요금 고지

3. 가스 원격검침 시스템 종류별 특징[332]

---

332) 암기 시NoM
　　- 가스 원격검침 시스템 종류 : 시험용 회선방식, No Ringing 회선방식, MDF

(1) 시험용 회선방식

　① 원리 : 전화 교환기의 시험용 회선 활용

　② 특징

　　㉠ 전화 교환기 활용 → 추가설비 불필요

　　㉡ 전화 교환기 소프트웨어, 하드웨어 수정 필요

　　㉢ 교환기의 트래픽에 영향 미침

　　㉣ 운용, 유지보수 용이

(2) No Ringing 회선방식

　① 원리 : 전화 교환기 내 No Ringing Trunk 설치

　② 특징

　　㉠ 경보 기능 제공 가능

　　㉡ 전화 교환기 소프트웨어 변경 곤란

(3) MDF

　① 원리 : 가입자 선로 이용

　② 특징

　　㉠ 교환기의 트래픽에 영향 미치지 않음

　　㉡ 전화 교환기 소프트웨어, 하드웨어 수정 불필요

　　㉢ 다이얼링 불필요

　　㉣ 검침 소요시간 짧음

4. 결론

　① 가스 원격검치 시스템 이용 → 검침원 노동력 감소 → 인력 효율적 운영

　② 다기능 가스 계량기 설치 시 원격 안전관리 가능

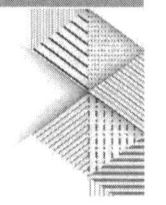

9 차압식 가스계량기

1. 개념

   가스 배관 내 흐름 변동 장치 설치 → 전·후단 차압 형성 →
   압력차 측정 → 유량 산출

2. 종류 및 원리

   ① Orifice

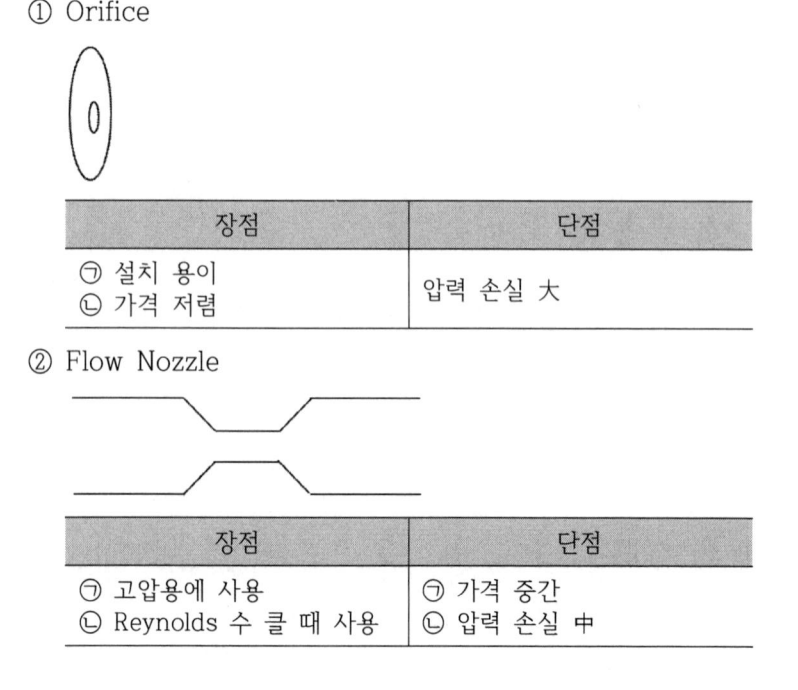

장점	단점
㉠ 설치 용이 ㉡ 가격 저렴	압력 손실 大

   ② Flow Nozzle

장점	단점
㉠ 고압용에 사용 ㉡ Reynolds 수 클 때 사용	㉠ 가격 중간 ㉡ 압력 손실 中

③ Venturi Tube

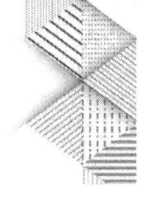

장점	단점
㉠ 압력 손실 少 ㉡ Accuracy 좋다	㉠ 가격 고가 ㉡ 구조 복잡

3. 차압식 가스계량기 특징
   ① 구조 간단
   ② 가격 저렴
   ③ 유체 제약조건↓
   ㉠ 가스, 증기, 물, 기름 측정 가능
   ㉡ 슬러지 유체 불가능
   ④ 유지보수 용이
   ⑤ Turn Down Ratio↓(1 : 3~5)
   ⑥ 압력 손실↑

10 온압 보정

1. 개념

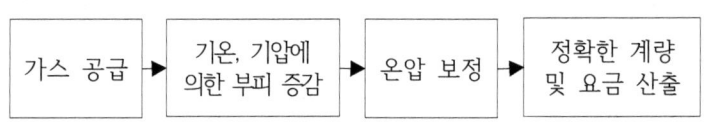

① 온압 보정의 개념

기온, 기압에 대한 가스 부피 유량 조정

② 보정의 공학적 근거(보일-샤를의 법칙)

$P\downarrow$, $T\uparrow$ → $V\uparrow$

2. 온압 보정

① 보정 기준

0℃, 1atm 표준상태

② 보정 계수

㉠ 겨울철 : 온도↓ → 부피↓ → 보정계수 > 1

㉡ 여름철 : 온도↑ → 부피↑ → 보정계수 < 1

→ 지역별로 평균온도, 공급압력 고려하여 선정

③ 보정 절차

온도, 압력 측정 → 0℃, 1atm 표준상태 기준 온압 보정

→ 보정계수 산출

3. 적용 예

① 기준

사용량 100 m3, 20 ℃, 1.1 atm

② 온압보정

㉠ 보정 계수 산정

$$\frac{273}{20+273} \times \frac{1.1}{1.0} = 1.025$$

㉡ 온압 보정 결과

100 m^3 × 1.025 = 102.5 m^3

11 온도계

1. 접촉식 온도계

① 역학적 온도계

종류	원리	응답성	제어정도
㉠ 유리 온도계	팽창	보통	부적합
㉡ 바이메탈식	팽창	지연	적합

② 전기식 온도계

종류	원리	응답성	제어정도
㉠ 백금저항식	저항	보통	적합
㉡ 서미스터식	저항	빠름	적합
㉢ 열전대식	열기전력	빠름	적합

2. 비접촉식 온도계(복사식 온도계)

종류	원리	응답성	제어정도
㉠ 광고 온도계	열복사	직독	부적합
㉡ 복사 온도계	열복사	빠름	적합

3. 비접촉식 기계식 온도계

종류	원리
㉠ 봉입식	온도변화 → 물질 체적팽창 → 온도 지시
㉡ 금속팽창식	바이메탈 열팽창률 차이 → 곡률 발생 → 온도 지시

제15장

가스설비 시공
배관 유지관리

1 지하배관 부식 검사 방법

1. 간접 측정법(Probe 전류 측정법)
　　① 방법 : 토양 비저항, Probe 전류 측정 → 최대 부식깊이
　　　산정 → 부식강도 판정
　　② 특징
　　　㉠ 정확도 우수
　　　㉡ 아연도금관, 아스팔트 및 플라스틱 피복강관 적용 가능

2. 직접 측정법
(1) 관내 목시 검사법
　　① 방법 : 배관 내 내시경 이용 → 영상 확인
　　② 특징
　　　㉠ 관통 부식공 발견에 유효
　　　㉡ 부식 양상 확인 및 기록 가능

(2) 와류 탐상법
　　① 방법 : 교류 적용 → 부식부 코일 임피던스 변화 → 부식
　　　검출
　　② 특징
　　　㉠ 부식 검사 속도 빠름
　　　㉡ 부식 뿐만 아니라 배관 변형, 찍힘 검출 가능

(3) 누설 자속법
　　① 방법 : 관내 자석 삽입 → 배관 전체 자화 → 부식부 누

설 자속 검출

② 특징

　　㉠ 부식 검사 속도 빠름

　　㉡ 강자성체에 한해 적용 가능

(4) 초음파 탐상법

① 방법 : 초음파 발사 → 반사 속도 이용 관 두께 측정 →
부식 여부 판단

② 특징

　　㉠ 검사 비용↑

　　㉡ 정확도↑

배류법의 종류(방식전류 간섭)

1. 방식전류 간섭 개념

방식전류 → 대지 중 전기구배 형성 → 타 매설물 방식전류
유입 → 전식

2. 배류법 종류[333]

① 선택 배류법

　　㉠ 원리 : 실리콘 다이오드 사용

　　㉡ 장단점

---

333) 암기 선강직
　　- 배류법 종류 : 선택 배류법, 강제 배류법, 직접 배류법

장점	단점
ⓐ·전철전류 이용 → 유지비↓ ⓑ 시공비↓	ⓐ 전철 운행시간만 방식 가능 ⓑ 과방식 우려 有

② 강제 배류법

  ㉠ 원리 : 선택 배류법 + 외부전원법

  ㉡ 장단점

장점	단점
ⓐ 방식범위 넓다 ⓑ 전압전류 조정 용이	ⓐ 별도 전류 필요 → 유지비↑ ⓑ 과방식 우려 有

③ 직접 배류법

  ㉠ 원리 : 직접 도선 연결

  ㉡ 장단점

장점	단점
ⓐ 설치 간단 ⓑ 시공비↓, 유지비↓	전류 역류 가능성 有

3. 간섭 방지대책

  ① 방식전류 및 배류전원 감소

  ② 외부전원법 양극을 타 매설물로부터 격리

  ③ 간섭 대상물과 방식 대상물 접속

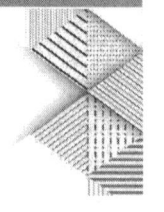

③ 과방식

1. 개념
① 방식전류 지나치게 유입
② 전력낭비 및 장해 발생

2. 전기방식 기준
① 자연전위와 방식전위 최소 -300mV 초과 유지
② 방식전위 상·하한
　㉠ 상한 : -850mV
　㉡ 하한 : -2,500mV

3. 과방식의 영향
① 수소취성
　㉠ 수소 침투 : 수소원자 → 금속 내부 침투 → 확산
　㉡ 강도 약화 : 원자의 결합력 약화 → 연성 및 인장강도 약화
　㉢ 파괴 : 외력 발생 → 쉽게 파괴
② 타시설 간섭
　방식전류 → 대지 중 전기구배 형성 → 타 매설물 방식전류 유입 → 전식
③ 코팅 열화
　수소원자 발생 → 알칼리 생성 → 코팅 손상

4. 방지대책
　① 방식전류 및 배류전원 감소
　② 외부전원법 양극을 타 매설물로부터 격리

4 　전식

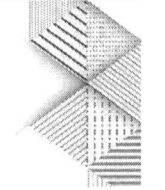

1. 개념

　방식전류 → 대지 중 전기구배 형성 → 타 매설물 방식전류
　유입 → 전식

2. 전식 방지대책(배류법)

　선강직

3. 전식 방지대책

　① 방식전류 및 배류전원 감소
　② 외부전원법 양극을 타 매설물로부터 격리
　③ 간섭 대상물과 방식 대상물 접속

5 Sand Blast

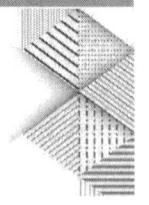

1. 개념

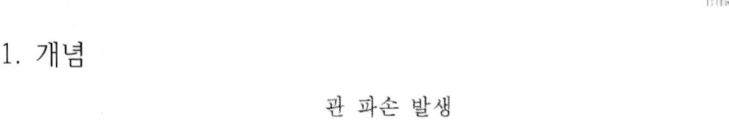

관 파손 발생

가스관

50cm↑

모래+ 수압

송수관

Flange

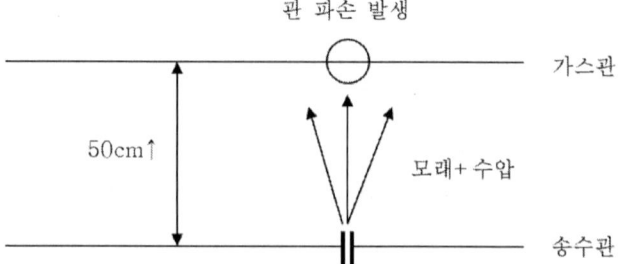

매설 송수관 수압 + 모래 → 가스관 파손 → 가스 누설 →
가스 공급 불능

2. 메카니즘

① 물 누출

㉠ 송수관과 가스관 근접 매설 설치

㉡ 송수관 Flange부 물 누출

② 모래 방사

물 누출 → 수압↑ + 모래 → 방사 → 가스관 공격 → 가
스관 파손

③ 가스 공급 불능

가스관 파손 → 가스 누출 → 물 유입 → 가스 공급 불능

3. 방지대책
　① 송수관과 가스관 50cm 이상 이격
　② 송수관 Flange부 등 누설 우려 Point 보호판 시공

⑥ Well Point 공법

1. 개념

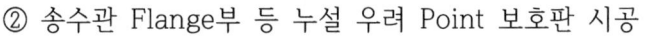

　진공펌프

　　　　　　　　　　　　　　　　　　　　G.L.

　1~2m

　　집수구

　　　　　지하수

가스 배관 지하 매설 시 → 집수구, 진공펌프 이용 지하수 배수 작업 방법

2. 시공 대상
　① 배수펌프로 배수 곤란한 경우
　② 용수 다량지역

3. 시공 방법
　① 집수구 설치
　　㉠ 1~2m 간격으로 집수구 설치
　　㉡ 지하수 수위와 가스관 Level 고려

② 진공펌프 설치

각 집수구 → 집수 Header → 진공펌프 연결 → 배수 저장조

③ 배수 실시

진공펌프 가동 → 지하수 배수 → 지하수 수위↓ → 가스관 Bottom부 기준 1m 이상 배수

④ 굴착공사 실시

굴착공사 실시 후 → 가스관 설치 → 되메우기

7 가스배관 종류 및 구비조건

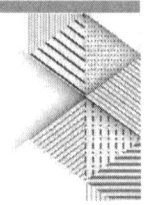

1. 가스배관 종류
   ① 지상식
      ㉠ SPP : 배관용 탄소강관
      ㉡ SPPS 압력 : 350℃↓, 10Mpa↓
      ㉢ SPPH 고압 : 350℃↓, 10Mpa↑
      ㉣ SPHT 고온 : 350℃↑
      ㉤ SPLT 저온 : 빙점↓, 초저온 사용
   ② 지하식
      ㉠ PLP : 폴리에틸렌 피복 강관
      ㉡ PE : 가스용 폴리에틸렌관

2. 구비조건
   ① 경제적일 것

② 유통 원활
③ 가공성↑, 운반 용이성↑
④ 정전기 발생량↓
⑤ 기계적 성질 우수성↑
⑥ 사용 연한↑
⑦ 내식성, 내마모성↑

8 PE관 융착

1. 개념

지하 매설 PE관 접합 → 열 융착 ┌ 맞대기
                              ├ 소켓
                              └ 새들

        └ 전기 융착

2. 융착의 3요소

① 온도 : 200 ~ 270 ℃
② 압력 : 1.5 ~ 2.0 kg/cm^2
③ 시간 : 용융부위 비례

3. 융착 단계

① 열 융착

파이프 정렬 → 융착부 면취 → 가압용융 → 가열유지 →
히터제거 → 압착 → 냉각 → 결과 확인

② 전기 융착

　파이프 정렬 → 융착부 면취 → 삽입길이 확인 → 이음관

　연결 → 융착진행 → 완료 → 냉각 → 결과 확인

4. 융착 종류

⑴ 열 융착

　① 맞대기(Butt)

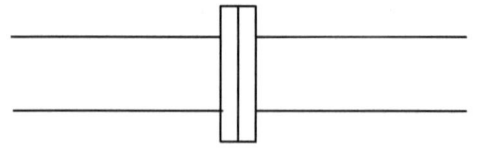

　　㉠ 관경 75mm↑

　　㉡ 관 다듬질 → 가열 → 가압 → 융착

　② 소켓(socket)

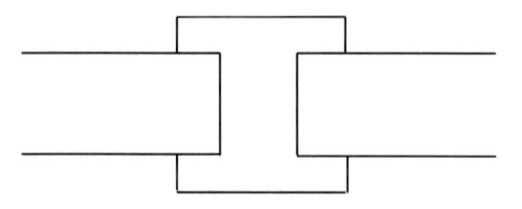

　　㉠ 관경 75mm↓

　　㉡ 이음부 소켓 이용 → 융착

　③ 새들(Saddle)

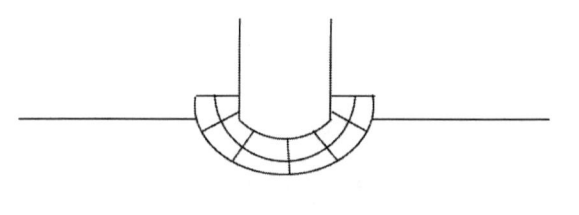

　주관에서 지관 연결(관 분기시)

(2) 전기 융착

열선내장

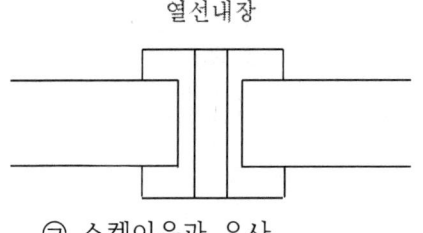

　　㉠ 소켓이음과 유사
　　㉡ 소켓 전열선 용융
　　㉢ 전압 : 40V 전후

5. 융착부 결함
　① 결함 원인
　　㉠ 매설 전 : 자재 불량
　　㉡ 매설 중
　　　ⓐ 작업 과정 중 불량
　　　ⓑ 온도, 압력, 시간 조건 불만족
　② 결함 형태
　　㉠ 융합 불량, 융합 과다
　　㉡ 모래 섞임
　　㉢ 삽입 불량
　③ 비파괴 검사 방법
　　㉠ 열 융착 : 회절파 시간 측정법
　　㉡ 전기 융착 : 초음파 위상배열 탐사법

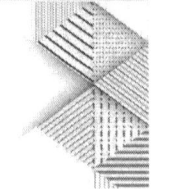

PE(Poly Ethylene) 관

1. 개념
   ① 사용 용도
      ㉠ 지해매설 배관
      ㉡ 저압가스 배관(0.4 MPa↓)
   ② 재질 : Poly Ehylene → 부식에 강함 → 반영구적

2. 장단점[334]
   ① 장점
      ㉠ 유동성
         유체 흐름에 대한 마찰력↓ → 관내 압력손실↓
      ㉡ 기밀 유지성↑
         모재 융착 접합 → 접합 용이 및 누출 우려 無
      ㉢ 안정성↑
         내식성↑, 내한성↑, 유연성↑
      ㉣ 경제성↑
         부식에 강함 → 수명↑(강관 대비)
      ㉤ 유지관리 용이성↑
         유연성↑ → 분기 작업시 Squeeze Off → 가스차단

---

334) 암기 유기안경유내외관자
   - PE(Poly Ethylene) 관 장단점 : 유동성, 기밀 유지성↑, 안정성
   ↑, 경제성↑, 유지관리 용이성↑, 내열성↓, 외압 강도↓, 관 위
   치 탐사 곤란, 자외선 침해

용이 → 유지관리 용이
② 단점
　ⓐ 내열성↓
　　고온 배관과 이격 거리 유지 필요
　ⓑ 외압 강도↓
　　외압 우려 부분 보호판, 강관 등으로 보호 필요
　ⓒ 관 위치 탐사 곤란
　　비전도성 → 매설 배관 탐사시 곤란 → 로케이팅 와이
　　어 설치 필요
　ⓓ 자외선 침해
　　자외선에 의해 열화 속도↑ → 따라서 매설 배관만 이용

3. 사용범위 확대 문제점
① 융착부 건전성 확보
　열, 전기 융착 기술 개발 필요
② 내열성 강화
　내열성 강화 소재 개발 필요
③ 외압 강도 유지
　외압강도 높은 소재 개발 필요
④ 중압(0.4 MPa) 이상 사용 범위 확대 필요
　　ⓐ 고밀도 재질 연구, 개발 필요
　　ⓑ 적색 컴파운드 생산 필요

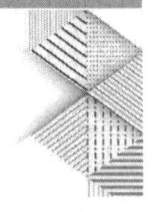

10 Locating Wire

1. 개념

① 매설 PE관 위치 탐사 시 → 비전도성 → 탐사 곤란

② PE관 상부 Locating Wire 부설 → 통전 → 탐사 가능

2. 설치 기준

① 설치 개략도

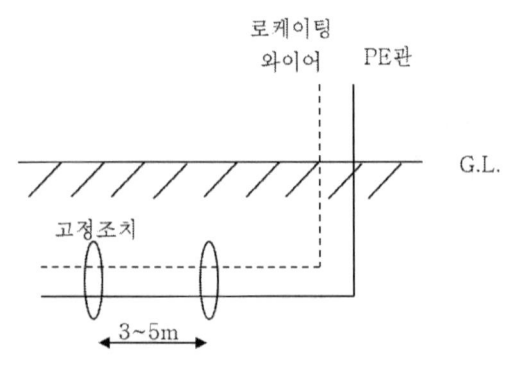

PE 관 매설시 PE관 상부에 Locating Wire 설치

② 설치 기준

㉠ 3~5 m 이내 고정조치

㉡ 접촉터미널 단면적 6 mm2 이상

3. 탐사 원리

① 재료 : 전선관으로써 통전 가능

② 탐사 방법 : 주파수 탐지기, 금속 탐지기 등으로 탐사 가능

11 가스시설 누설

1. 개념

가스시설의 가스 누설 → 화재, 폭발, 중독 사고 발생 → 위험성↑

2. 누설 원인[335]

① 부식 : 내적요인(열가금), 외적요인(용용유온p상)

② 타공사 : 무단 굴착, 협의일정 미준수, 안전조치 미흡

③ 지진 및 온도 : 지진 및 온도에 의한 배관 비틀림

④ 차량 : 차량통행 하중, 차량 직접파손

⑤ 시공불량 : 매설기준 미준수, 타시설 근접 설치, 방식전류 유입, 연약지반 시공

⑥ 설계불량 : 수요 예측 오류, 배관망 오류, 관경 설계 오류

⑦ 운전, 보수불량 : 운전조건 미준수, 안전점검 미시행, 보수불량

⑧ 용접불량 : 언용중융터

3. 누설 검사방법

① 보링 : 깊이 50cm↑, 간격 5m↓, 시간 1분↑

② 수주계 : 시간 5분↑

③ 발포액 또는 냄새

---

335) 암기 부타지차시설운용
- 가스시설 누설 원인 : 부식, 타공사, 지진 및 온도, 차량, 시공불량, 설계불량, 운전·보수불량, 용접불량

㉠ 누출 우려 부위 발포액 도포 → 기포 발생 확인

㉡ 가스 냄새 또는 부취제 냄새 확인

④ FID(수소염 이온화식 검지기)

4. 누설 조치방법

① 본질적인 방법 : 노후관 교체

② PE Repair tube법 : 누설부 열수축 시트 가열 수축

③ 배관 내면 보수

㉠ 플라스틱 파이프 삽입

㉡ 접착제 도포 후 필름 내장

㉢ 실 도포 후 고화

5. 누설 방지대책

① 부식 대책 : <u>배유라부부구전부배R</u>

② 타공사 대책 : 타공사 시 입회, 순회 점검

③ 시공, 설계 불량 대책

④ 운전, 보수 불량 대책

12 배관망 해석

1. 배관망 해석(Kirchhoff's Law, 키르히호프법) 개념
배관망 해석 → 가스누출 정도 및 위치 파악 → 가스 안전 공급 및 설비 운영

2. Kirchhoff's Law
① 제 1 법칙

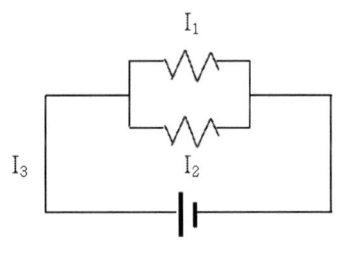

- ㉠ 전기회로 해석 : Σ 유입전류 = Σ 유출전류
- ㉡ 병렬시스템 : $I_1 + I_2 = I_3$

② 제 2 법칙

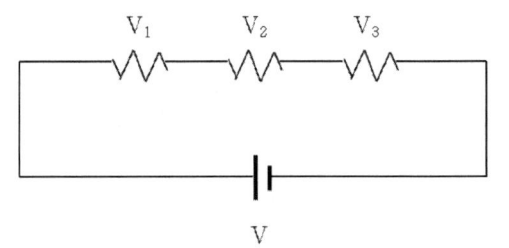

- ㉠ 전기회로 해석 : Σ 전원전압 = Σ 전압강하
- ㉡ 직렬시스템 : $V_1 + V_2 + V_3 = V$

3. 활용 분야

　　① 가스 누출정도 및 누설위치 분석

　　② 최적 공급경로 분석

　　③ 유량흐름 분석

　　④ 안전성 분석

　　⑤ 관경, 배관망 해석 및 진단

　　⑥ 비상상황 대책 계획 수립

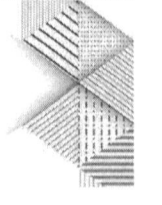

13 하디 크로스법
(Hardy Cross Method)

1. 정의

배관망 유량 계산하는 수학적 해석법

2. 배관망 해석

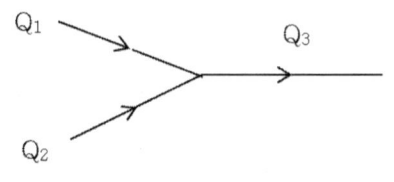

　　① $Q_1 + Q_2 = Q_3$

　　② 인입량의 합 = 방출량의 합

　　③ Drop의 합 = 0

14 환산배관망 및 비환산배관망

1. 개념

가스 공급 시 배관공급 형태

→ 환산배관망 : 대규모 지역, 그물형태

→ 비환산배관망 : 소규모 지역, 트리형태

2. 환산배관망 및 비환산배관망

① 환산배관망

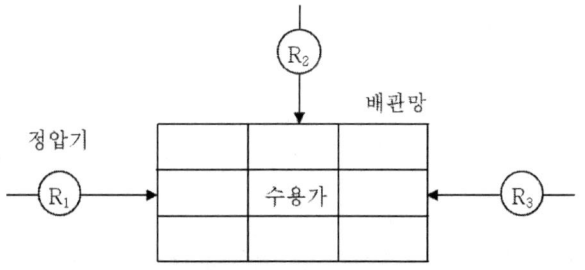

㉠ 넓고 큰 도시 공급 형태

㉡ 그물형태

㉢ 정압기 2개 이상 배분 설치

② 비환산배관망

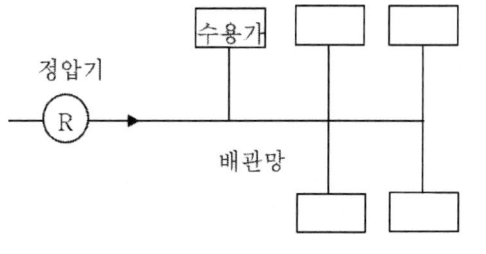

㉠ 소규모 지역 및 시설

　　㉡ 트리 형태

　　㉢ 정압기 1개 설치

3. 장단점

구분	환산배관망	비환산배관망
장점	㉠ 압력 전역 동일 ㉡ 정압기 복수 설치 　(고장시 대응) ㉢ 누출 부위, 정도 파악 가능 ㉣ 배관 효율적 사용 가능	㉠ 초기 투자비↓ ㉡ 유지보수비↓
단점	㉠ 초기 투자비↑ ㉡ 유지보수비↑	㉠ 압력차 존재 　(입구, 말단) ㉡ 정압기 고장시 대응 불 　가(단독) ㉢ 누출 부위, 정도 파악 곤란

15 피그 시스템 및 인텔리전트 피크

1. Pig Cleaning 개념

　① 목적

　　배관 내 이물질, 유분 성분, 녹 등 제거

　② Pig Ball 종류

　　㉠ Brush Ball : 3회 전후

　　㉡ 우레탄 Ball : 3회 전후

　　㉢ Sponge Ball : 40회 전후

2. 피그 시스템

① 구성

　㉠ 가압장치 : Compressor 사용 → Pig Ball 충분한 공
　　송 가능 압력 필요

　㉡ Launcher : Pig Ball 출발지점에 설치 → Pig Ball 장
　　착 + Comp. 연결

　㉢ Receiver : Pig Ball 도착지점에 설치 → Pig Ball 및
　　오염물 회수

② 작업 절차

　㉠ 준비 단계

　　ⓐ 가압장치, Launcher, Receiver 등 설치

　　ⓑ Pig Ball 장착 및 가압 준비

　㉡ Pig Cleaning 단계

　　Brush, 우레탄, Sponge Ball 순으로 Cleaning 실시

　㉢ 종료 단계

　　ⓐ 오염물 미배출 시까지 실시

　　ⓑ Sponge 오염두께 0.2 cm↓ 합격

3. 인텔리전트 피그
   ① 기능
      ㉠ Pig Cleaning 기능
      ㉡ 인텔리전트 기능
         ⓐ 배관 두께 측정
         ⓑ 배관 물리적 위치 확인
   ② 사용 용도
      정밀 진단 → 내부형상 감지용 → 두께 감육 검사용

 **16** 배관 정보관리 시스템

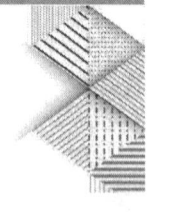

1. 배관 정보관리 시스템(GIS : Geographic Information System) 개념
   ① Geographic Information System
      (지리)   (정보)   (시스템)
   ② 지도에 관한 모든 정보 → 컴퓨터 이용 → 편리하게 활용

2. GIS 주요 기능[336]
   ① 인터페이스 기능 : 사용자 사용 편의 기능
   ② 입력 기능 : 멀티미디어 데이터 입력 기능
   ③ 분석 기능 : 데이터 수정, 조작 연산 통한 분석 기능

---

336) 암기 인입분관검
   - GIS 주요 기능 : 인터페이스 기능, 입력 기능, 분석 기능, 관리 기능, 검색 기능

④ 관리 기능 : 방대한 데이터 효율적 관리 기능

⑤ 검색 기능 : 공간 및 속성 데이터 → 사용자 정확한 검색 기능

3. GIS 활용 분야[337)

① 도시정보 시스템 : 도시 현황파악 및 기반시설 관리

② 토지정보 시스템 : 지적 등 토지관련 재산권 전산화

③ 환경정보 시스템 : 대기, 수질, 폐기물 오염원 관리

④ 자원정보 시스템 : 산림자원 경영 및 관리 대책 수립

⑤ 지하정보 시스템 : 지하 매설시설 정보 관리

⑥ 국방정보 시스템 : 인공위성 데이터 활용 → 군 관련 정보 관리

⑦ 재해정보 시스템 : 홍수, 산불 방지 대책 수립 및 관리

⑧ 해양정보 시스템 : 해류 흐름, 수온 분포, 어장 현황 관리

⑨ 교통정보 시스템 : 육상, 해상, 항공 교통 관리

4. GIS 구성

① 하드웨어 : GIS 운용하는 데 필요한 컴퓨터 시스템

② 소프트웨어 : 운영체제, 데이터베이스 관리 시스템 등

③ 데이터 : 각종 입력, 수집, 분석 데이터

④ 조직 및 인력 : 점검팀, 정보관리팀, 점검원 등 구성

---

337) 암기 도토환자지국재해교
- GIS 활용 분야 : 도시정보 시스템, 토지정보 시스템, 환경정보 시스템, 자원정보 시스템, 지하정보 시스템, 국방정보 시스템, 재해정보 시스템, 해양정보 시스템, 교통정보 시스템

5. 향후 과제
   ① 관제센터 설립
   ② 우리나라에 맞는 GIS 개발
   ③ 표준지도 제작
   ④ 데이터베이스 구축

17 지하 공동구

1. 정의

전력, 통신, 상수도, 가스 배관 등 지하 매설 시 효율적 관리를 위한 시설

2. 목적 및 기대효과
   ① 목적
      도로 반복굴착 방지 → 중복 투자 발생 방지 → 도로 혼잡 방지

② 기대효과
　　㉠ 지하 매설설비 유지관리 용이
　　㉡ 중복 투자 방지
　　㉢ 도로공간 효율적 이용
　　㉣ 도시 미관 향상

3. 문제점
　① 초기투자비 증가
　② 노선 불일치에 따른 추가비용 발생
　③ 사고 발생시 타 시설물에 영향
　④ 화재시 대형사고 발생
　⑤ 사고 발생시 책임 소재 불분명

18 Fire Safe Ball Valve

1. 정의
Fire Safe Test 합격한 설계구조 Valve

2. 기능
　① 기밀 유지
　　화재 발생시 온도↑ → Sealing 구조 파손 → 유체 압력
　　금속간 밀착 유도 → 가스 누출 방지
　② 화재, 폭발, 중독 사고 방지
　　가스 누출 방지 → 사고 방지

3. 밸브 구조 및 작동원리

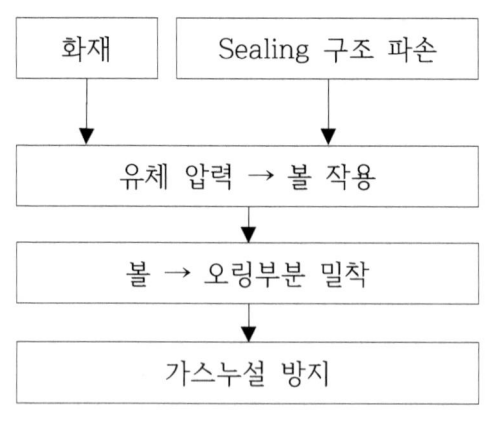

```
┌─────────────┐   ┌──────────────────────┐
│    화재      │   │  Sealing 구조 파손    │
└─────────────┘   └──────────────────────┘
       │                     │
       ▼                     ▼
┌──────────────────────────────────────────┐
│         유체 압력 → 볼 작용               │
└──────────────────────────────────────────┘
                     │
                     ▼
┌──────────────────────────────────────────┐
│         볼 → 오링부분 밀착               │
└──────────────────────────────────────────┘
                     │
                     ▼
┌──────────────────────────────────────────┐
│           가스누설 방지                   │
└──────────────────────────────────────────┘
```

19 Rocket Mole

1. 개념

차량 이동, 도로 횡단, 구조물 多 → 비개착식 공법

2. 시공 방법

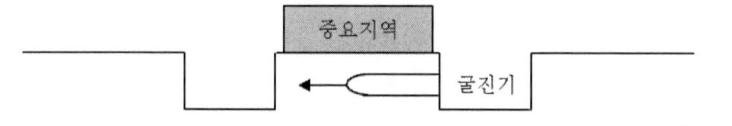

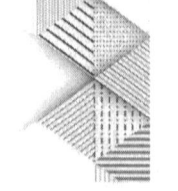

① 터파기

가스관 압입 좌우 공간 터파기 → 굴진기 설치

② 보호관 압입

가스관 압입 전 굴진기로 보호관 압입 → 가스관 설치 공

간 마련
③ 가스관 삽입
   보호관 내 가스관 삽입 → 사이 공간 충진물 충진

3. 특징
   ① 정밀도↑
      압입 정밀도↑ → 설계 위치 안착율↑ → 배관 안전도↑
   ② 시간 단축
      개착 공법 대비 시공 기간 단축
   ③ 추진력↑
      비개착 구간 300m↑

제16장

가스시설
내진설계

1 내진설계 흐름도

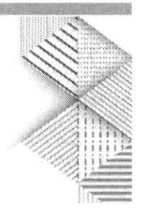

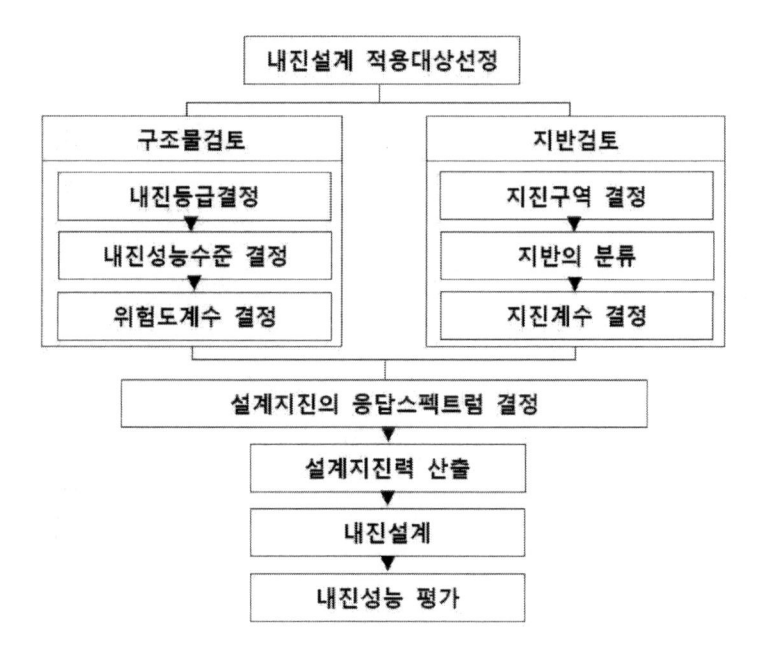

```
            ┌─────────────────────┐
            │   내진설계 적용대상선정   │
            └─────────────────────┘
        ┌──────────────┴──────────────┐
┌─────────────────┐            ┌─────────────────┐
│     구조물검토     │            │     지반검토      │
│ ┌─────────────┐ │            │ ┌─────────────┐ │
│ │  내진등급결정  │ │            │ │  지진구역 결정 │ │
│ └─────────────┘ │            │ └─────────────┘ │
│ ┌─────────────┐ │            │ ┌─────────────┐ │
│ │ 내진성능수준 결정│ │            │ │  지반의 분류  │ │
│ └─────────────┘ │            │ └─────────────┘ │
│ ┌─────────────┐ │            │ ┌─────────────┐ │
│ │ 위험도계수 결정 │ │            │ │ 지진계수 결정 │ │
│ └─────────────┘ │            │ └─────────────┘ │
└─────────────────┘            └─────────────────┘
        └──────────────┬──────────────┘
          ┌──────────────────────────┐
          │   설계지진의 응답스펙트럼 결정   │
          └──────────────────────────┘
                      ↓
             ┌──────────────────┐
             │   설계지진력 산출    │
             └──────────────────┘
                      ↓
             ┌──────────────────┐
             │     내진설계       │
             └──────────────────┘
                      ↓
             ┌──────────────────┐
             │   내진성능 평가     │
             └──────────────────┘
```

2 내진설계 구조물 검토

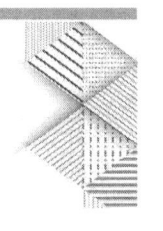

1. 개요

① 구조물 특성, 지반 특성 고려

→ 지진에 안전할 수 있도록 내진 설계

② 내진설계 구조물 검토 → 내진 등급 결정

→ 내진 성능수준 결정

→ 위험도 계수 결정

2. 내진 등급 결정

구분	내진 특등급	내진 1등급	내진 2등급
피해정도	막대한 피해 초래	상당한 피해 초래	경미한 피해 초래
규모	6.0↑	5.5~5.9	5.0~5.4
가스배관	독성가스 고압배관	가연성가스 고압배관	독성, 가연성가스 외 고압배관

※ 내진 등급 분류 기준 : 시설 중요도에 따라 결정함.

3. 내진 성능수준 결정

구분	기능수행 수준	붕괴 및 누출 방지 수준
내진 특등급	재현주기 200 년 지반운동	재현주기 2,400 년 지반운동
내진 1 등급	재현주기 100 년 지반운동	재현주기 1,000 년 지반운동
내진 2 등급	재현주기 50 년 지반운동	재현주기 500 년 지반운동

① 기능수행 수준

㉠ 지진하중 작용시 → 본래기능 정상 수행

㉡ 빈번히 발생하는 소형지진 → 피해 無

㉢ 가끔 발생하는 중형지진 → 보수 후 재사용 가능

② 붕괴 및 누출 방지 수준

　　㉠ 지진하중 작용시 → 구조적 손상 미발생

　　　　→ 가스누출로 인한 화재, 폭발 미발생

　　㉡ 매우 드물게 발생하는 대형지진 → 붕괴 및 가스누출
　　　미발생

4. 위험도 계수 결정

재현 주기	50 년	100 년	200 년	500 년	1,000 년	2,400 년
위험도 계수	0.4	0.57	0.73	1.0	1.4	2.0

※ 재현주기 500년 지반운동 수준을 1로 기준한 위험도 비

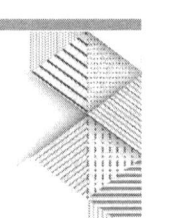

3 내진설계 지반 검토

1. 개요

　① 구조물 특성, 지반 특성 고려

　　→ 지진에 안전할 수 있도록 내진 설계

　② 내진설계 지반 검토 → 지진 구역 결정

　　　　　　　　　→ 지반 분류

　　　　　　　　　→ 지진계수 결정

2. 지진 구역 결정

지진등급	I 등급	II 등급
행정구역	서울, 6대 광역시, 경기, 충청, 경상	강원 북부, 전라 남서부, 제주도
지진구역 계수(Z)	0.11	0.07

→ 지진의 빈도와 크기를 근거로 산정

3. 지반 분류

지반 분류	SA	SB	SC	SD	SE	SF
지반 강도	경암지반 ------------------> 연약지반					

① 지반 강도 : SA → SF 갈수록 약해짐
② 분류 기준 : 토질 및 지질 조건, 지하지형이 지반운동에 미치는 영향 등 고려

4. 지진 계수 결정

지반 분류	지진응답계수(Ca)		지진계수(Cv)	
	Z=0.11	Z=0.07	Z=0.11	Z=0.07
SA ~ SF	0.09~0.22	0.05~0.17	0.09~0.37	0.05~0.23

① 지진계수 분류 기준
　　㉠ 지진응답 계수(Ca) : 지반분류 별, 지진구역 계수 별 결정
　　㉡ 지진 계수(Cv) : 지반분류 별, 지진구역 계수 별 결정
② 지진계수 영향인자
　　㉠ 지진구역 계수↑(I 등급)
　　㉡ 지반 분류의 지반 강도↓(SF)
　　　→ 지진계수↑ → 내진설계 지반 강도↑

 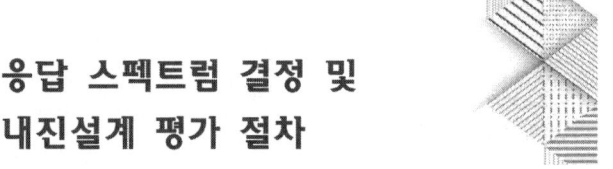

4 응답 스펙트럼 결정 및 내진설계 평가 절차

1. 구조물 위험도 계수 + 지반 지진 계수
2. 응답 스펙트럼 결정
3. 표준 응답 스펙트럼 보다 클 시
4. 설계 지진력 산출
5. 내진 설계
6. 내진 성능 평가

5 내진 설계 평가 항목

1. 구조물 특성[338]
   ① 내진설계 구조물 변위
   ② 연결부에 대한 취성파괴 가능성
   ③ 가스누출 방지 기능
   ④ 미끄러짐 고려한 상호작용
   ⑤ 내부 액체표면의 운동

---

338) 암기 내연가미내
   - 내진 설계 평가 항목의 구조물 특성 : 내진설계 구조물 변위, 연결부에 대한 취성파괴 가능성, 가스누출 방지 기능, 미끄러짐 고려한 상호작용, 내부 액체표면의 운동

2. 지반특성[339)]
    ① 지반 진동크기
    ② 지반 영구변형
    ③ 사면 안전성
    ④ 지반 액상화 잠재성
    ⑤ 기초 안전성

6 내진성능 진단 및 내진 보강방법

1. 개요
구조물 준공 → 시간경과에 따른 물리적 열화 발생 → 내진 보강 필요

2. 내진 보강방법
    ① 보수
    물리적 열화 회복 → 준공시 수준 회복
    ② 보강
    사회적 열화 + 장래 요구 성능 대비

---

339) 암기 지지사지기
    - 내진 설계 평가 항목 지반특성 : 지반 진동크기, 지반 영구변형,
    사면 안전성, 지반 액상화 잠재성, 기초 안전성

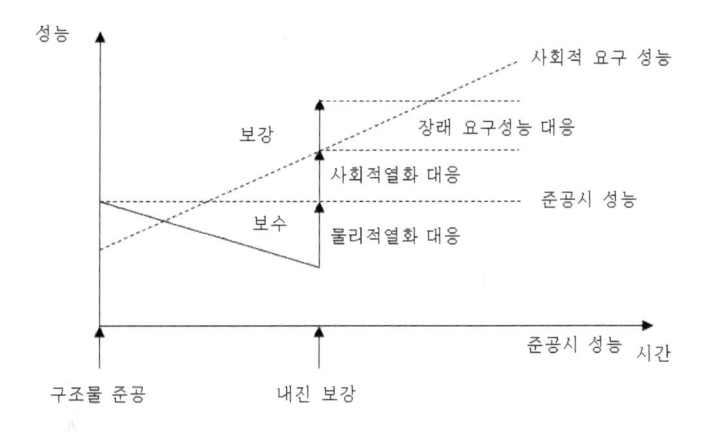

3. 내진성능 진단 : 내진성능 평가 → 보강 여부 판정 → 보강
   실시 → 내진성능 평가

(1) 내진성능 평가 항목
   ① 구조물 특성 : 내연가미내
   ② 지반 특성 : 지지사지기

(2) 보강 여부 판정
   ① 보강 불필요 : 내진성능 평가 결과 > 관리 기준
   ② 보강 필요 : 내진성능 평가 결과 < 관리 기준

(3) 보강 실시
   ① 보강 범위 결정
   ② 보강 공법 결정
   ③ 보강 공사 실시

(4) 내진성능 평가
   보강 공사 후 내진성능 평가 재실시 → 내진성능 평가 결과
   > 관리 기준 → 내진 보강 종료

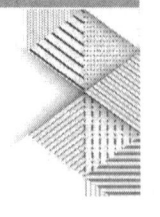

7 지진

1. 개념
① 정의 : 지구 내부 장시간 쌓여진 에너지 → 순간적 방출 → 지진파 전파
② 발생원인 : 암석권에 있는 판의 움직임

2. 용어 정의[340)]
① 진원 : 지진 발생지점
② 진앙 : 발생지점에서 수직상부 지표상 위치
③ 규모 : 지진 실제 크기
④ 진도 : 강도
→ 발생 지진에 대한 규모는 일정, 진도는 지역마다 다름

3. 지진계
① 원리 : 추 관성의 원리 이용 → 지반 흔들리는 정도 측정
② 종류
㉠ 수평동 지진계 : P파, 러브파 감지
㉡ 상하동 지진계 : S파, 레일리파 감지

---

340) **암기** 진진규진
    - 지진 관련 용어 정의 : 진원, 진앙, 규모, 진도

8 블록화 및 MOV

1. 개념
① 블록화 : 도시가스 공급 일정구역 설정 → 긴급상황 대비
② MOV(Motor Operated Valve) : 주배관 원격 차단밸브

2. 블록화 및 MOV
① 블록화

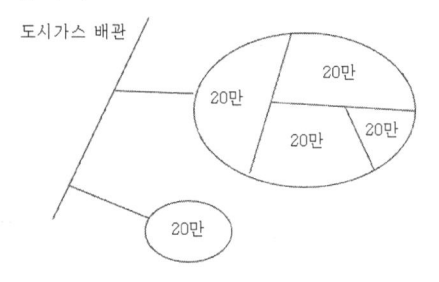

20만 가구 세분화 → 도시가스 공급 구역 설정 → 지진, 가스누출 등 긴급상황 발생시 → 긴급차단 등 피해 최소화 위한 구획

② MOV

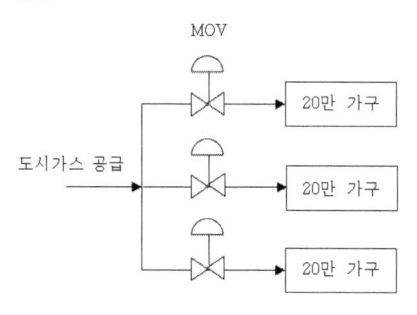

블록화 지역 내 긴급상황 발생시 → 가스공급 중단지역 최소화 위해 20만 가구당 설치하는 원격 차단밸브

제17장

사고재해

냉동제조시설 사고원인 및 대책

1. 냉동제조설비의 사고형태
   ① 가연성가스 냉매 누출
      냉동제조시설 파열 → 냉매 누출 → 폭발성 혼합가스 생성
      → 화재·폭발
   ② 독성가스 냉매 누출
      냉동제조시설 파열 → 냉매 누출 → 중독사고

2. 사고 종류별 원인 및 대책341)
(1) 수액기 파열사고
   ① 본체 부식 : 배유라부부구전부배R
   ② 과충전 : 내부반응 감시설비(계경예산기록)
   ③ 용접불량 : 용접 보수작업(표층결함보수, 내부결함보수)
   ④ 액면계 파손
      ㉠ 자·수동 밸브 설치
      ㉡ 병렬 설치

(2) 압축기 파열사고
   ① 실린더, 유분기 부식 : 배유라부부구전부배R

---

341) 암기 수부과용액 압부오균액 증발부부지폭
   - 냉동제조시설 사고종류 : 수액기 파열사고(본체 부식, 과충전,
   용접불량, 액면계 파손), 압축기 파열사고(실린더·유분기 부식, 밸
   브 오조작, 균열, 액압축), 증발기 파열사고(배관 부식, 냉매에 의
   한 부식, 지반침하, 폭발성 물질 형성)

② 밸브 오조작
　　㉠ 밸브 개폐 표시
　　㉡ 안전교육, 안전운전절차서 강화
③ 균열
　　㉠ Killed Steel 등 저항성 강한 재료 사용
　　㉡ 정기적인 검사 및 유지보수 실시
④ 액압축
　　㉠ 액분리기 설치
　　㉡ 증발기 재점검

(3) 증발기 파열사고
① 배관 부식 : <u>배유라부부구전부배R</u>
② 냉매에 의한 부식
　　㉠ 암모니아 냉동기 : 동, 동합금 사용 금지
　　㉡ 프레온 냉동기 : 알루미늄, 마그네슘 합금 사용 금지
③ 지반침하
　　㉠ 기초 설계 시 안전율↑
　　㉡ 침하상태 주기적 측정 및 기록·관리
④ 폭발성 물질 형성 : 냉매와 피냉각물질 반응성 고려

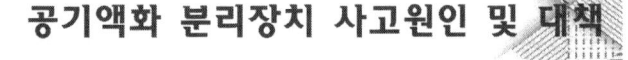

2. 공기액화 분리장치 사고원인 및 대책

1. 공기액화 분리장치(ASU : Air Separation Unit) 기능 및 종류
   ① 기능 : 공기 액화 → 액체공기 → 질소, 산소 분리
   ② 종류
   　　㉠ 린데식
   　　　　ⓐ 원리 : 줄톰슨효과 → 단열팽창
   　　　　ⓑ 메카니즘 : 공기 → 압축기 → 압축공기 → 열교환기
   　　　　　　→ 팽창밸브 → 단열팽창 → 액화
   　　㉡ 클라우드식
   　　　　ⓐ 원리 : 줄톰슨효과 → 단열팽창
   　　　　ⓑ 메카니즘 : 공기 → 압축기 → 압축공기 → 열교환기
   　　　　　　→ 팽창기 → 단열팽창 → 액화
   　　　　ⓒ 효율 : 고효율(클라우드식 > 린데식)
   　　㉢ 캐스케이드식
   　　　　ⓐ 원리 : 다원 냉동사이클
   　　　　ⓑ 메카니즘 : 비등점↓ 냉매 이용 → 공기 액화
   ③ 위험성 : 공기흡입 시 가연성가스 혼입 등으로 폭발사고
   위험 존재

2. 폭발 원인 및 대책[342]

---

342) 암기 아질압오C
    - 공기액화 분리장치 사고원인 : 공기 흡입구로부터 아세틸렌 혼
    입, 공기 중 질소화합물(NOx) 혼입, 압축기용 윤활유 분해에 의한
    탄화수소 생성, 액체공기 중 오존 혼입, $CO_2 \cdot H_2O$ 존재

① 공기 흡입구로부터 아세틸렌 혼입
　㉠ 여과기 설치 : 공기 흡입 시 아세틸렌 혼입 방지
　㉡ 공기흡입구 위치 재조정 : 아세틸렌 혼입 X
　㉢ 운전정지 : 일정 농도 이상 검지 → 운전정지
　㉣ 카바이드 작업 금지 : 아세틸렌 생성
　　CaC_2(카바이드) + $2H_2O$ → C_2H_2 + $Ca(OH)_2$
② 공기 중 질소화합물(NOx) 혼입
　㉠ 여과기 설치 : 공기 흡입 시 질소화합물 혼입 방지
　㉡ 공기흡입구 위치 재조정 : 질소화합물 혼입 X
③ 압축기용 윤활유 분해에 의한 탄화수소 생성
　㉠ 양질의 윤활유(광유) 선정 : 윤활유 분해 X → 탄화수
　　소 생성 방지
　㉡ 유분리기 설치 : 유분리기 설치 → 윤활유 분해 방지
　㉢ 운전정지 : 일정 농도 이상 검지 → 운전정지
④ 액체공기 중 오존 혼입
　㉠ 여과기 설치 : 공기 흡입 시 오존 혼입 방지
　㉡ 공기흡입구 위치 재조정 : 오존 혼입 X
⑤ CO_2, H_2O 존재
　㉠ CO_2 제거 : 흡수제로 NaOH 사용 → CO_2 제거 → 드
　　라이아이스 생성 방지
　㉡ H_2O 제거 : 건조제(실리카겔 등) 사용 → H_2O제거 →
　　얼음 생성 방지

고압가스 제조설비 사고원인 및 대책

1. 고압가스 제조설비 사고형태
   ① 내압 상승에 따른 용기 파열
      부피팽창 등에 의한 내압 상승 → 압력상승속도 > 용기 내압강도 → 파열
   ② 가연성가스 누출에 의한 화재·폭발
      가스 누출 → 가연성혼합기 형성 → 점화원 → 화재·폭발
2. 사고형태별 원인 및 대책
(1) 내압 상승에 따른 용기 파열
   ① 오조작
      ㉠ 안전 표시 부착
      ㉡ 안전교육, 안전운전절차서 강화
   ② 외력
      ㉠ 방호벽
      ㉡ 차단벽
   ③ 화재
      화재발생 → 물분무설비로 용기외벽 냉각
        → 온도↓ → 압력↓ ─┐→ 폭발방지
        → 용기의 강도저하 방지 ─┘
   ④ 부식 : 배유라부부구전부배R

(2) 가연성가스 누출에 의한 화재·폭발

　① 누설, 방류, 체류

　　㉠ 배관, 용기의 충분한 부식 여유두께

　　㉡ 배관길이 최소화 → 배관누설가능성↓

　　㉢ 방유제 설치 → 증발표면적↓ → 급격한 증발 방지↓

　　㉣ RBI 기법도입 → 안전성↑

　② 산소공급원

　　산소분석기로 반응기 내 산소농도 측정 → MOC 근접 →

　　불활성가스 주입 → MOC↓ 유지

　③ 점화원 : 발도부인

 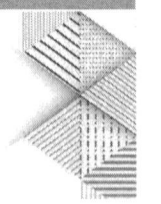

4 고압산소배관 사고 메카니즘, 원인 및 대책

1. 개요

　① 고압산소배관 사고 개념

　　배관 내 발화 발생 → 금속 발화점 이상 가열 → 화학반

　　응 → 금속화재 → 고압산소 분출

　② 위험성

　　고압산소 분출 + 유지류 등 가연물 + 점화원 → 화재·폭발

2. 고압산소배관 사고 메카니즘[343]

---

343) **암기** 발화고화

　　- 고압산소배관 사고 메카니즘 : 발화 발생, 화학반응, 고압산소

　　분출, 화재·폭발

① 발화 발생 : 다양한 원인에 의해 배관 내 발화 발생 → 금속 발화점 850℃ 이상 가열

② 화학반응 : 고압산소 분위기 + 철 → 화학반응 → 온도↑ → 금속화재 발생

③ 고압산소 분출 : 금속화재 발생 → 배관 구멍 발생 → 고압산소 분출

④ 화재·폭발 : 고압산소 분출 + 유지류 등 가연물 + 점화원 → 화재·폭발

3. 발화원인 및 대책[344]

(1) 기류에 의한 스케일 입자 마찰

① 개념 : 산소 유속↑ → 스케일 입자에 의한 마찰열↑ → 온도↑ → 발화

② 대책 : 배관 내부 스케일(돌기) 제거

(2) 배관 내 가연성물질 연소

① 개념 : 가연성물질(윤활유 미스트, 유분 세척제) + 점화원 → 발화

② 대책 : 배관 내 가연성물질 축적 금지

(3) 배관 마모에 의한 철가루 생성

① 개념 : 배관 마모 → 철가루 생성 → 고압산소와 연소반응 → 발화

---

344) [암기] 기가마작작단
- 고압산소배관 발화원인 : 기류에 의한 스케일 입자 마찰, 배관 내 가연성물질 연소, 배관 마모에 의한 철가루 생성, 작열된 철가루에 의한 가연물질 연소, 작열철분의 융착에 의한 배관벽 연소, 단열압축에 의한 발열

② 대책

　　㉠ 배관 설치 후 Flushing, Blowing 철저히 실시

　　㉡ 배관 가급적 직선으로 설계

　　㉢ 산소 유속↓

(4) 작열된 철가루에 의한 가연물질 연소

　① 개념 : 철가루 발화 → 열전도율↓, 고압산소 분위기 → 연소열 축적 → 작열철분 발생(1500℃) → 윤활유 등 가연물질 연소 → 발화

　② 대책

　　㉠ 배관 내 유지류 제거

　　㉡ 철가루 생성 방지

(5) 작열철분의 융착에 의한 배관벽 연소

　① 개념 : 고형입자 및 작열철분 T자관 내벽 융착 → 내벽 천공

　② 대책 : 고형입자, 철분 제거

(6) 단열압축에 의한 발열

　① 개념 : 밸브 급격한 조작 → 단열압축 발생 → 발열

　② 대책 : 급격한 밸브 조작 금지

5 고압가스 운반시 안전대책

1. 개념
① 고압가스 생산부터 사용까지 Process

생산, 제조 → 저장 → 운반 → 보관 → 사용

② 운반시 문제점

차량 운반 → 교통사고 등 발생 → 2차, 3차 사고 발생 → 사고 확산

2. 고압가스 운반차량 등록기준
① 허용농도 200 ppm↓ 독성가스 운반차량

② 탱크로리

③ 튜브 트레일러

④ 고압가스 용기 운반차량

⑤ LPG 용기 운반차량

⑥ ISO 탱크 컨테이너

3. 문제점 및 대책

문제점	대책
㉠ 일반차량 이용	㉠ 독성가스 차량 등록 강화
㉡ 운반책임자 미동승	㉡ LBS 도입
㉢ 심야운전, 고령자 운전	㉢ 교육강화, 물류비 현실화
㉣ 안전의식↓	㉣ 안전 교육, 훈련 강화
㉤ 응급조치 장비 미흡	㉤ 관리상태 점검 강화

초저온 액화가스설비 사고형태, 대책 및 안전작업 수칙

1. 대상가스 및 설비구성

① 대상가스

㉠ 액화산소(-183℃)

㉡ 액화질소(-196℃)

㉢ 액화알곤(-196℃)

㉣ LNG(-162℃)

② 설비구성

㉠ 저장탱크 ㉡ 기화기 ㉢ 가스공급 설비

2. 사고형태 별 대책[345]

(1) 저온취성에 의한 파열

① 위험성

㉠ 탄소강, 금속 온도↓ : <u>경인항단연충</u>

㉡ 천이온도(-70℃)↓ → 충격치 0 가깝게 됨 → 재질 몹시 취약

② 대책 : <u>안합동18스</u>

---

345) **암기** 저급부화동질공배
- 초저온 액화가스설비 사고형태 : 저온취성에 의한 파열, 급격한 증발에 의한 파열, 부압에 의한 탱크 손상, 화학작용에 의한 파열, 동상 사고, 질식 사고, 공기응축에 의한 피난 안전성 방해, 배관 액봉상태에 의한 파열

(2) 급격한 증발에 의한 파열
　① 위험성 : 입열 → 온도↑ → 기화 → 급격한 팽창(약 700 배) → 압력↑ → 파열
　② 대책
　　㉠ 액체 주입 시 예냉
　　㉡ 단열재 손상 유무 수시점검
　　㉢ 적절한 단열재 선정
　　　ⓐ 단열법
　　　ⓑ 단열방법
　　㉣ 압력배출장치 설치

(3) 부압에 의한 탱크 손상
　① 위험성 : 액화가스 급격한 배출시, 갑작스런 탱크 냉각 시 → 내부 압력 < 외부 압력 → 부압(진공) 형성
　② 대책 : 압경진균냉송

(4) 화학작용에 의한 파열
　① 위험성 : 가연성물질 + 액화산소 + 점화원 → 화학반응(연소) → 온도↑ → 압력↑ → 파열
　② 대책
　　㉠ 유지류 혼입 방지
　　㉡ 가연성 패킹재료의 사용 금지

(5) 동상 사고
　① 위험성 : 초저온 액체 → 빠른속도로 사람 피부조직 동결
　② 대책 : 노출부 조작 시 가죽장갑 착용

(6) 질식 사고
　① 위험성 : 밀폐공간 내 질식 위험성 존재

② 대책 : 환기, 통풍

(7) 공기응축에 의한 피난 안전성 방해

① 위험성 : 기화시 → 주변공기 응축 → 안개 형성 → 차량 통행, 피난 안전성 방해

② 대책 : 누설, 방류, 체류 방지

(8) 배관 액봉상태(Liquid seal)에 의한 파열

초저온 액화가스 → 배관 내 액봉상태 존재 → 입열 → 기화 → 부피팽창 → 폭발 발생

3. 안전작업 수칙

① 보호장구 착용 : 노출부 조작 시 가죽장갑 착용 → 동상 방지

② 유지류, 유기물 사용 금지 : 산소 취급 설비 → 유지류, 유기물 사용 금지

③ 수분 혼입 금지 : 수분 혼입 → 결빙 발생 → 배관 등 파손 초래

④ 안전장치 작동불량 방지(이물질 제거)

⑤ 밸브 조작기준 준수

⑥ 설비 충격 가하지 말 것

⑦ 화기, 가연성물질 접촉 방지

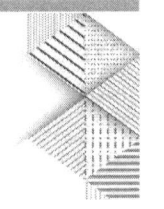

7 고압가스 재해형태

1. 고압가스 분류
   ① 저장상태(압액용)
   ② 연소성(가조불)
   ③ 독성(독비)

2. 재해형태 별 대책[346]
   ① 가연성가스에 따른 재해 : 가스화재 형태(증풀제플)
   ② 불연성가스에 따른 재해 : 산소결핍
   ③ 독성가스에 따른 재해 : 응확포이제현
   ④ 초저온 액화가스에 따른 재해 : 저급부화동질공배

 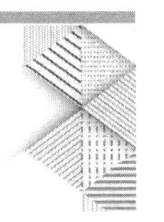

8 독성가스 누출시 대책

1. 독성가스 정의 및 저장시설 기준
   ① 정의
      ㉠ 공기중에 일정량 이상 존재시 인체에 유해한 영향 미

---

346) 암기 가불독초
   - 고압가스 재해형태 : 가연성가스에 따른 재해, 불연성가스에 따른 재해, 독성가스에 따른 재해, 초저온 액화가스에 따른 재해

치는 가스

    ⓒ 허용농도 LC50 5,000 ppm 이하

    ⓔ 가스 예 : Cl_2, CO, NH_3, $COCl_2$(포스겐), C_2H_4O

  ② 저장시설 기준

    ㉠ 일정한 구획

    ⓒ 통풍구 미설치

2. 독성가스 누출시 조치사항[347)]

(1) 응급조치

  ① 누출부 폐쇄, 밀폐조치

  ② 긴급대피경보

  ③ 비상체계 운영 및 연락

(2) 확산방지 조치

  ① 희석 : 물, 용매 희석 → 증기압↓ 조치

  ② 증발억제 : 기포성액체, 부유물 사용

  ③ 건축물 보호조치 : 기밀구조, 출입구는 불연성

(3) 포집, 이송 조치

  ① 국소배기, 강제환기 장치 → 포집

  ② 이송 : 흡입장치와 연동된 중화설비로 이송

(4) 제독조치(제독장치)[348)]

  ① 연소식

---

347) [암기] 응확포이제현
   - 독성가스 누출시 조치 절차 : 응급조치, 확산방지 조치, 포집, 이송 조치, 제독조치, 현장정리 및 방지대책 수립

348) [암기] 연습건복
   - 제독조치(제독장치) 종류 : 연소식, 습식법, 건식법, 복합식

ⓐ 원리 : 자연발화성 가스(실란) 연소 → 염화물로 변화

ⓑ 방법

    ⓐ 상온에서 자연발화

    ⓑ 버너 강제연소

    ⓒ 히터가열식

ⓒ 장단점

장점	단점
ⓐ 자연발화성 가스에 대해 유효 ⓑ 고농도, 대용량에 적합	ⓐ 산화물 제거 어려움 ⓑ 경보 장치 필요 ⓒ 집진 설비 필요

② 습식법

ⓐ 원리 : 가수분해성, 산성가스 → 물, 알카리수용액에 흡수 중화

ⓑ 방법

    ⓐ 충전탑(흡수장치)

    ⓑ 벤츄리스크러버, 제트스크러버

ⓒ 장단점

장점	단점
ⓐ 운전비↓ ⓑ 저농도에 적합 ⓒ 먼지 배출 가능	ⓐ 제독효과↓ ⓑ 고형물 생성 → 막힘 발생 ⓒ 발화 위험

③ 건식법

ⓐ 원리

    ⓐ 산화, 중화 : 규조토, 활성탄 + 산화제 → 산화, 중화

    ⓑ 촉매산화반응 : 활성탄 + 금속산화물 → 반응

ⓑ 방법 : 약제 충전 후 가스 유통

ⓒ 장단점

장점	단점
ⓐ 제독효과↑ ⓑ 설비규모↓	ⓐ 압력 손실↑ ⓑ 소음 발생

④ 복합식

㉠ 원리

ⓐ Thermal Wet : 연소식 + 습식법 → 자체가스 연소

ⓑ Burn Wet : 연소식 + 습식법 → 연소가스 연소

㉡ 장단점

장점	단점
ⓐ 제독효과 가장↑ ⓑ 대용량 처리 가능 ⓒ 혼합가스 처리가능	ⓐ 폐수처리 필요 ⓑ 설비 규모↑ ⓒ 운영비↑

(5) 현장정리 및 방지대책 수립

① 제독조치 후 현장정리

② 재발방지 대책 수립

③ 안전교육 실시

3. 독성가스 누출시 대책[349]

① 본질적 안전 : 단순오류효율대완영

② 공학적 설계

㉠ 밀폐성(기밀성)↑, 재질선정에 유의

㉡ 비상 Relief system 구축

㉢ 방유제 설치

---

349) 암기 본공검방비절
- 독성가스 누출시 대책 : 본질적 안전, 공학적 설계, 가스누출검지
경보기 설치, 방출된 물질에 대한 처리, 비상대응책, 절차적 측면

③ 가스누출검지경보기 설치

　　조기감지, 경고조치 → 긴급차단장치 연동 → 초기대응으로 피해최소화

④ 방출된 물질에 대한 처리

　　㉠ 안전밸브, 파열판 배출물질 처리

　　　　ⓐ 벤트스텍 → 충전탑, 세정탑 → 희석배출

　　　　ⓑ 플레어스텍 → 연소배출

　　㉡ 독성물질 누출 시

　　　　ⓐ 검지 → 경보 → 긴급차단장치 작동 → 흡인설비 작동

　　　　ⓑ 제독설비로 이송 → 연소식, 습식법, 건식법, 복합식

⑤ 비상대응책

　　㉠ 공장, 설비 긴급 차단

　　㉡ 누출지역 철수

　　㉢ 안전한 장소로 피난

　　㉣ 개인보호장비 휴대

⑥ 절차적 측면

9 독성가스 안전관리 문제점 및 대책

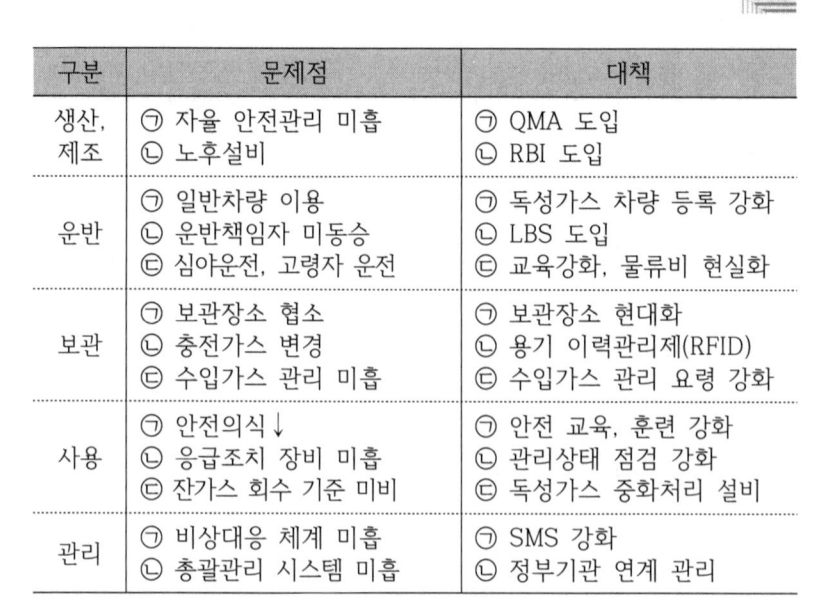

구분	문제점	대책
생산, 제조	㉠ 자율 안전관리 미흡 ㉡ 노후설비	㉠ QMA 도입 ㉡ RBI 도입
운반	㉠ 일반차량 이용 ㉡ 운반책임자 미등승 ㉢ 심야운전, 고령자 운전	㉠ 독성가스 차량 등록 강화 ㉡ LBS 도입 ㉢ 교육강화, 물류비 현실화
보관	㉠ 보관장소 협소 ㉡ 충전가스 변경 ㉢ 수입가스 관리 미흡	㉠ 보관장소 현대화 ㉡ 용기 이력관리제(RFID) ㉢ 수입가스 관리 요령 강화
사용	㉠ 안전의식↓ ㉡ 응급조치 장비 미흡 ㉢ 잔가스 회수 기준 미비	㉠ 안전 교육, 훈련 강화 ㉡ 관리상태 점검 강화 ㉢ 독성가스 중화처리 설비
관리	㉠ 비상대응 체계 미흡 ㉡ 총괄관리 시스템 미흡	㉠ SMS 강화 ㉡ 정부기관 연계 관리

10 가스 6대 사고 종류

1. 6대 사고 선정 기준 및 목적
   ① 선정기준
      사고 발생빈도↑, 인명피해율↑ → 6대 사고 선정

② 선정목적

　　사고 집중 관리 → 사고 발생률↓

2. 6대 사고 종류[350]

　　① 고의사고

　　　　㉠ 6대 사고 비중 : 45%

　　　　㉡ 사고원인

　　　　　　ⓐ 호스 절단, 분리

　　　　　　ⓑ 용기밸브 개방

　　② 막음조치 미비

　　　　㉠ 6대 사고 비중 : 20%

　　　　㉡ 사고원인

　　　　　　연소기 철거 및 배관공사 후 말단부 막음조치 생략

　　③ 부탄연소기 사고

　　　　㉠ 6대 사고 비중 : 15%

　　　　㉡ 사고원인

　　　　　　ⓐ 과대불판 사용

　　　　　　ⓑ 음식물 조리중 과열

　　④ 가스보일러

　　　　㉠ 6대 사고 비중 : 10%

　　　　㉡ 사고원인

　　　　　　ⓐ 가스보일러 부적절한 설치

　　　　　　ⓑ 노후화, 결함

　　⑤ 굴차공사 사고

---

350) 암기 고막부가굴독
　　- 가스 6대 사고 종류 : 고의사고, 막음조치 미비, 부탄연소기 사고, 가스보일러, 굴차공사 사고, 독성가스

㉠ 6대 사고 비중 : 7%

　　㉡ 사고원인

　　　ⓐ 매설 배관 미비

　　　ⓑ 굴착공사 안전수칙 미준수

　⑥ 독성가스

　　㉠ 6대 사고 비중 : 3%

　　㉡ 사고원인

　　　ⓐ 냉동사업장 휴지시 안전 미조치

　　　ⓑ 무자격자 가스시설 임의 철거

　　　ⓒ 잔가스 회수조치 미실시 후 보수작업 실시

11 타공사 사고발생 원인351)

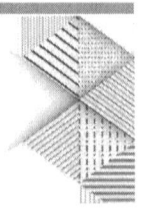

사고발생 원인	방지 대책
① 무단 굴착	EOCS 운영
② 협의 일정 미준수	협의 준수, 교육
③ 배관 정보 불일치	배관 탐사, 시굴착
④ 안전조치 미흡	손상방지 기준 준수
⑤ 안전수칙 미준수	안전 교육, 훈련

---

351) 암기 무협배안안
　　- 도시가스 타공사 사고발생 원인 : 무단 굴착, 협의 일정 미준수,
　　배관 정보 불일치, 안전조치 미흡, 안전수칙 미준수

12 최근 도시가스 특정사용시설 사고

1. 개요
    ① 최근동향
    도시가스 특정사용시설 사고 발생율 증가추세
    (전체 점유율 2%)
    ② 사고 유형[352)
        ㉠ 타 공사에 의한 사고
        ㉡ 사용자 취급 부주의 사고
        ㉢ 공급자 취급 부주의 사고
        ㉣ 가스보일러 CO 중독 사고

2. 사고유형 별 특징
    ① 타 공사에 의한 사고
        ㉠ 사고원인 : 휴먼에러
        ㉡ 타 공사 종류
            ⓐ 건축 철거 공사
            ⓑ 폐기물 철거 공사
            ⓒ 전기통신 공사
    ② 사용자 취급 부주의 사고

---

352) 암기 타사공가
    - 최근 도시가스 특정사용시설 사고 유형 : 타 공사에 의한 사고,
    사용자 취급 부주의 사고, 공급자 취급 부주의 사고, 가스보일러
    CO 중독 사고

㉠ 사고원인 : 휴먼에러

　　　㉡ 부주의 예 : 냉온수기 시험운전 중 부주의

　③ 공급자 취급 부주의 사고

　　　㉠ 사고원인 : 휴먼에러

　　　㉡ 부주의 예 : 설비 보수작업 시 부주의

　④ 가스보일러 CO 중독 사고

　　　㉠ 사고원인 : 설비 결함 사고

　　　㉡ 설비 결함 원인

　　　　　ⓐ 가스보일러 부적절한 설치

　　　　　ⓑ 노후화, 부식

3. 결론

지속적인 홍보, 시설점검의 생활화, 취급주의 → 안전의식 강
화 → 사고 감소

13 가스보일러 사고사례

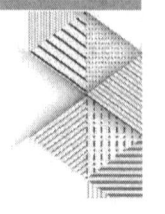

1. 사고내용

가스보일러 배기덕트 누출 → 사우나 탈의실 유입 → 가스
중독

2. 사고원인

　① 배기팬 모터 고장

　② 배기팬과 배기덕트 접속부 균열

③ 보일러실과 탈의실 출입문 병행 사용

3. 대책
　　① 배기팬 점검 주기 강화
　　② 배기팬 설치기준 강화
　　③ 보일러실과 탈의실 출입문 병행 사용 금지

14 상황실 근무요령

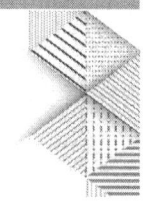

1. 상황실 정의
　　① 가스 공급자, 공공 안전 위해 한국가스안전공사 운영하는
　　② 통신기기, 대중매체기기, 비상연락망 비치한 통제실

2. 상황실 운영 및 설치 기준
(1) 운영 기준
　　① 목적 : 가스시설 상시파악, 사고접수, 상황보고, 전파
　　② 근무자 편성 : 주간, 야간 구분하여 편성
　　③ 비상연락망 유지
　　　　㉠ 내부 인력, 외부 기관 및 업체 연락망 유지
　　　　㉡ 통신기기 확보
　　④ 긴급출동반 편성
　　　　㉠ 비상사태 종류, 사고정도에 따라 편성 및 운용
　　　　㉡ 구호장비, 긴급보수장비, 수송장비, 긴급통신수단 확보

⑵ 설치 기준
　① 비치품목
　　㉠ 상황판 설치
　　㉡ 상황일지 작성
　　㉢ 부대설비 : TV, Fax, 무전기, 전화기
　② 상황판 기능
　　원격감시장치 정상작동 유무 확인 가능할 것

15 사고조사

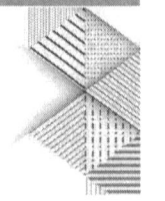

1. 목적
　① 가스안전관리 업무 효율적 추진
　② 동종 사고 재발 방지
　③ 사고예방 시책, 조치사항 정책 반영

2. 범위
　① 누설원인 조사 : 누설부위, 누설량, 확산범위
　② 폭발원인 조사 : 폭발형태 조사, 점화원 판정, 누설가스 체류 과정

3. 보고서 포함사항353)

---

353) 암기 일장피시사사문대
　　- 사고조사 보고서 포함사항 : 일시, 장소, 피해현황, 시설현황, 사고내용, 사고원인, 문제점, 대책

① 일시

② 장소

③ 피해현황 : 인명, 재산

④ 시설현황 : 가스시설, 시공일자, 검사기록

⑤ 사고내용 : 6하 원칙

⑥ 사고원인 : 누설, 발화원

⑦ 문제점, 대책 : 근본적인 문제점, 위법사항, 단·장기적 대책

4. 요령

① 조사 절차

   ㉠ 출동 중 조사   ㉡ 현장조사   ㉢ 추적조사

② 조사인원

   3~5명으로 사고 규모에 따라 구성

③ 사고조사 반장

   전문지식, 현장경험 多 사람으로 선임

④ 현장조사

   ㉠ 감식용 기기 등 조사장비 철저히 준비

   ㉡ 조사자 복장 : 안전모, 안전화 착용

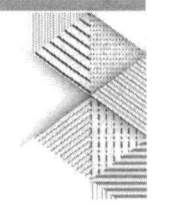

16 사고 통보 방법

1. 사고 종류별 통보 방법 및 기한[354)]

사고 종류	통보 방법	통보 기한	
		속보	상보
① 사망 사고	속보 및 상보	즉시	20 일 이내
② 부상, 중독 사고	속보 및 상보	즉시	10 일 이내
③ 화재, 폭발 사고	속보	즉시	-
④ 시설파손, 인명 대피, 공급중단	속보	즉시	-
⑤ 저장탱크 가스 누출	속보	즉시	-

※ 속보 : 전화, 팩스 이용한 통보

※ 상보 : 서명으로 제출하는 상세한 통보

2. 사고통보 항목

① 통보자 정보 : 통보자 소속, 성명, 직위, 연락처

② 사고 정보 : 사고 일시, 발생장소, 내용, 현황

③ 피해 정보 : 인명 피해현황, 재산 피해현황

---

354) [암기] 사부화시저
   - 통보해야하는 가스 사고 종류 : 사망 사고, 부상·중독 사고, 화재·폭발 사고, 시설파손·인명대피·공급중단, 저장탱크 가스 누출

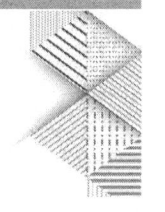

17 안전관리자 직무

1. 안전관리자 범위
   ① 안전관리 총괄자 : 회사 대표
   ② 안전관리 책임자 : 시설 총괄관리자
   ③ 안전관리원 : 안전관리 업무 수행자

2. 안전관리자 직무
   ① 가스설비 안전 유지
   ② 가스제조공정 안전 관리
   ③ 공급자 의무이행 확인
   ④ 안전관리규정 시행
   ⑤ 자체검사 실시, 기록 작성 및 보존
   ⑥ 사고 통보
   ⑦ 그 밖의 위해방지조치

3. 안전관리자 선임 기준
   ① 선임 시점
      ㉠ 사업개시 전
      ㉡ 특정고압가스 사용 전
   ② 선·해임 시
      ㉠ 지체없이 신고관청에 신고
      ㉡ 해임한 날로부터 30일 이내 신규 선임
   ③ 직무대리자 지정

⊙ 안전관리자 일시적으로 직무 수행 불가 시 대리자 지정
　　　ⓒ 대행기간(`17년 6월 3일 고법 시행령 개정)
　　　　ⓐ 여행, 질병 시 : 30일 이내 기간
　　　　ⓑ 해임, 퇴직 시 : 다른 안전관리자 선임 시까지

18 충전소 가스사고(충북 옥천)

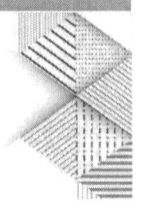

1. 사고 경위
　① 프로판 가스 오충전
　　탱크로리 운전자 실수로 프로판 가스를 부탄탱크에 충전
　② 프로판 가스 회수 시도
　　⊙ 프로판 가스를 탱크로리로 회수하기 위하여
　　ⓒ 차단밸브 개방상태에서 체크밸브 캡 분해
　③ 가스 누출사고 발생
　　⊙ 캡 분해 시 가스 누출 및 확산
　　ⓒ 점화원에 의해 화재·폭발 발생

2. 사고 원인
　① 안전작업 절차 미실시
　　⊙ 충전 작업 시 탱크 미확인
　　ⓒ 안전관리자 부재
　　ⓔ 캡 개방 전 차단밸브 폐쇄 조치 생략
　② 탱크로리 운전자 부주의
　　⊙ 안전의식 미비

　　　　ⓒ 대상 탱크 확인 절차 생략

3. 충전소 위험요소
　　① LPG 충전소
　　　　㉠ 탱크로리 하역 작업시 위험
　　　　ⓒ 용기, 자동차 충전시 위험
　　　　ⓒ 저장탱크 가스 누출
　　② CNG 충전소
　　　　㉠ 도시가스 공급 중단
　　　　ⓒ 압축기 파손
　　　　ⓒ 압축가스 과압에 의한 파열

19 화기작업시 위험성 및 대책
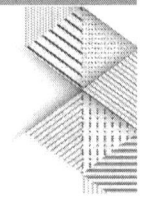

1. 위험성
　　① 화재·폭발 위험성
　　　　탱크, 배관 내 잔류 가연성증기 → 가연성혼합기 형성 →
　　　　용접, 용단시 점화원에 의해 화재, 폭발 발생
　　② 중독 위험성
　　　　㉠ 탱크, 배관 내 독성물질 기화 → 중독
　　　　ⓒ 밀폐된 탱크 내 용접작업시 Fume 발생 → 중독
　　③ 질식 위험성
　　　　저장물의 불활성가스 치환 → O_2 농도↓ → 질식
　　④ 위험물질 누출

배관, 밸브 완전차단 실패 → 위험물질 누출

2. 대책(화기작업시 안전조치 사항)[355]
  ① 소화장비 비치
    ㉠ 이동식 소화기 비치(작업자 5m 미만)
    ㉡ 필요시 화재진압 위한 소방차 대기
  ② 위험물질 방출, 처리
    배관, 용기내 위험물질 배출 → 세정 → 가스농도 측정
  ③ 가스농도 측정
    ㉠ 화기작업 전 측정 후 → 주기적(최소 4시간 간격) 측정
      → 기록
    ㉡ 허용 기준
      ⓐ 가연성가스 : LFL의 25%↓
      ⓑ 독성가스 : CO_2 1.5%↓, CO 30ppm↓, H_2S 10ppm↓
      ⓒ 산소농도 : 18% ~ 23.5%
  ④ 안전담당자 입회
    ㉠ 현장 입회하여 안전상태 확인
    ㉡ 주기적인 가스농도 측정
  ⑤ 작업구역 설정
    ㉠ 화염, 스파크 등이 인근 공정설비에 영향이 있다고 판단되는 지역
    ㉡ 작업구역은 출입, 통행 제한

---

355) 암기 소위가안작환불차밸
  - 화기작업시 안전조치 사항 : 소화장비 비치, 위험물질 방출·처리, 가스농도 측정, 안전담당자 입회, 작업구역 설정, 환기, 불티 비산차단막·불받이포, 차량 출입제한, 밸브 차단표지 부착

⑥ 환기
  ㉠ 밀폐공간인 경우 강제환기 실시
  ㉡ 환기 목적
    ⓐ O_2 농도 유지
    ⓑ 가연성가스 희석
    ⓒ 독성가스 배출
⑦ 불티 비산차단막, 불받이포
  용접 불티 → 인화성물질 접촉 방지 위한 조치
⑧ 차량 출입제한
  불꽃이 발생하는 내연설비의 차량, 장비 출입통제
⑨ 밸브 차단표지 부착
  red tag 부착, 맹판설치 등

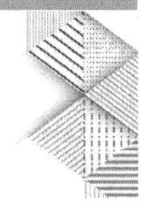

20 밀폐공간작업

1. 밀폐용기 개방시 안전조치
   ① 특별안전보건교육 실시
   ② 안전관리자 감독하에 작업 실시
   ③ 개인 안전보호구 착용여부 확인
   ④ 고온, 고압 → 상온, 상압 유지
   ⑤ 공정물질 제거 → 불활성화 실시

2. 밀폐공간 출입시 안전조치
   ① 용기 세척 및 치환

② 가스농도 측정

③ 통신장비 준비

3. 밀폐공간 내 작업시 안전조치

　① 작업자

　　㉠ 송기마스크, 사다리, 섬유로프 등 긴급상황 시 대피,
　　　구출기구 비치

　　㉡ 구명밧줄 착용

　　㉢ 조명기기는 저전압 방폭기기 사용

　　㉣ 공기작동식 공구, 방폭공구 사용

　　㉤ 환기설비 설치

　② 안전관리자

　　㉠ 반드시 입회하에 작업 지시

　　㉡ 안전대기 상태 유지

　　㉢ 통신장비 휴대

　　㉣ 작업자 안전보호구 이상유무 확인

　　㉤ 구출 대비용 안전보호구 착용

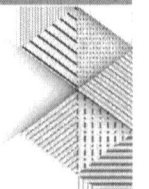

21 산소결핍

1. 산소결핍의 정의

　공기중 산소농도가 18% 미만인 밀폐공간 내 작업자가 산소
　부족으로 생기는 질식재해

2. 주요 원인356)

　① 산화작용

　　밀폐 철재탱크 내 수분 장기화 존재 → 산화작용 → 산소
　　감소

　② 불활성가스 주입

　　치환 작업 후 → 내부점검시 불활성가스에 의한 산소결핍

　③ 미생물의 호흡작용

　　호기성 미생물 호흡시 → 산소 소모 → CO2 방출

　④ 유기용재 사용장소

　　밀폐공간 내 유기용재 저장 → 유기용재 증발↑ → 산소
　　결핍

　⑤ 지하수 내 공기 중 산소 용해

　　공기 중 산소 → 지하수 내 용해 → 산소 감소

3. 산소결핍 위험작업(밀폐공간 출입허가 대상장소)

　① 장기간 밀폐된 강제의 보일러, 탱크

　② 화학물질 들어있던 반응기, 탱크 내부

　③ 유해가스 들어있던 배관, 집진기 내부

　④ 장기간 사용하지 않은 우물 내부

　⑤ 해수 체류 암거, 맨홀, 피트

　⑥ 기타 가스농도 허용기준 외 농도

---

356) 암기 산불미유지
　　- 산소결핍의 주요 원인 : 산화작용, 불활성가스 주입, 미생물의
　　호흡작용, 유기용재 사용장소, 지하수 내 공기 중 산소 용해

4. 산소농도별 생리적반응

산소농도(%)	생리적반응
6	순간 실신, 5 분 내 사망
8	혼수상태, 8 분 내 사망
10	의식불명, 기도폐쇄
12	현기증, 구토
16	두통, 구역질

22 산소중독

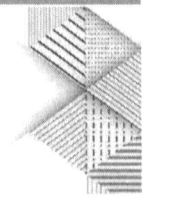

1. 개요

인체 산소농도 높거나, 폭로시간 긴 경우 발생

2. 산소중독 설명

① 메카니즘

㉠ 고농도 산소 흡입 : 공기 중 산소농도 23.5% 초과 → 흡입

㉡ 산화 헤모글로빈 축적 : 혈액 중 다량 산소 용해 →
산화 헤모글로빈 축적 → 이산화탄소 운반 불가

㉢ 산소중독 : 이산화탄소 축적 → 산소중독

② 증상

㉠ 호흡곤란 → 경련 → 신경세포 손상 → 상피세포 파괴
→ 사망

㉡ 산소분압 0.45 ~ 1.6 : 중독 효과 주로 폐 중심

ⓒ 산소분압 1.6↑ : 중독 효과 뇌 중심

3. 예방법
　① 노출 제한 : 낮은 분압 하 가장 적은 시간으로 제한
　② 호흡 제한 : 산소 호흡 중간에 공기 호흡 시간 기준 준수

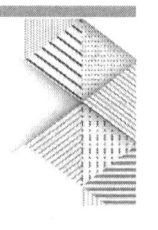

23 사고 발생과정 3단계

3 단계	대책
1 단계(발단) : 사고 시작되는 사건	화재·폭발 예방대책 → 가산점
2 단계(전파) : 발생사고 계속 진전	폭발보호, 피해확대 방지
3 단계(종결) : 발생사고 종결	비상조치계획, 방재절차수립, 화재조사(원인규명, FTA)

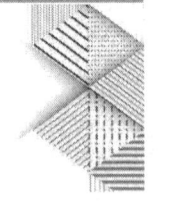

24 대형사고 예방을 위한 중·단기적 대책

1. 단기계획357)

① 설계, 제작, 보수 시 대책

㉠ 설계 : 본질적인 안전설계

㉡ 제작 : 내진설계, 비파괴검사, 열처리, 잔존수명, 부식방지

㉢ 보수 : RBI, RCM

② 비상상황 시 대책

절차적인 대책

③ 안전장치 설치

안전밸브, 파열판, 폭발방산구, 부압방지설비, Fail Close/Open 등

④ 내부반응 감시설비 설치

<u>계경예산기록</u>

⑤ 위험성 평가

⑥ 예비 설비, 부품 확보

⑦ 정기점검, 안전진단

⑧ 내화구조

---

357) [암기] 설비안내평예정내방검지경보
- 대형 가스사고 예방을 위한 단기계획 : 설계·제작·보수 시 대책, 비상상황 시 대책, 안전장치 설치, 내부반응 감시설비 설치, 위험성 평가, 예비 설비·부품 확보, 정기점검·안전진단, 내화구조, 방폭설비·폭발위험지역 구분, 가스누출검지 및 경보설비

⑨ 방폭설비, 폭발위험지역 구분

⑩ 가스누출검지 및 경보설비

2. 장기계획[358]

① 국내 실정에 맞는 위험성평가기법 개발

② 고장확률, 휴먼에러에 대한 DB 구축

③ 시뮬레이션 프로그램 개발

④ 전문 가스안전기술자 양성

⑤ 안전 설계, 제작, 설치 기준 확립

⑥ 재해사례 정밀조사 및 공개

㉠ 사고의 데이터 베이스 확립

㉡ 유사사고 방지

25 가스사고 분류, 방지대책

1. 가스사고 분류

① 가스 성질에 따른 분류

㉠ 고압 : 용기파열, 가스분출

㉡ 가연성 : 화재, 폭발

㉢ 유해성 : 중독, 질식

---

358) [암기] 국가고시전기사
- 대형 가스사고 예방을 위한 장기계획 : 국내 실정에 맞는 위험
성평가기법 개발, 고장확률·휴먼에러에 대한 DB 구축, 시뮬레이션
프로그램 개발, 전문 가스안전기술자 양성, 안전 설계·제작·설치
기준 확립, 재해사례 정밀조사 및 공개

　　　　② 저온, 고온 : 동상, 화상
　　② 사고 형태에 따른 분류
　　　　빈도 큰 순서 : 화재 > 폭발 > 파열 > 누출 > 중독 > 질식
　　③ 사고 원인에 따른 분류
　　　　빈도 큰 순서 : 사용자 취급 부주의 > 시설미비 > 제품 노후, 고장
　　　　㉠ 사용자 취급부주의
　　　　　　ⓐ 밸브, cock 오조작
　　　　　　ⓑ 가스시설 관리 불량
　　　　㉡ 시설미비
　　　　　　ⓐ 보일러 급배기 불량
　　　　　　ⓑ 용기 보관실 위치 불량
　　　　㉢ 제품 노후, 고장
　　　　　　ⓐ 가스시설 노후화에 의한 고장
　　　　　　ⓑ 부식에 의한 고장

2. 가스사고 형태별 방지대책
　　① 화재·폭발사고
　　② 파열사고
　　③ 누출사고
　　④ 중독사고
　　⑤ 질식사고

제18장

위험성평가

1 MSDS(물질안전보건자료)

1. 개요

① 정의

유해화학물질 제조, 수입, 취급 사업자가 해당 물질에 대한 위험성평가의 근거자료로 작성한 것

② MSDS 작성, 비치 대상물질

㉠ 물리적 위험성 16종

㉡ 건강 유해성 물질 11종

㉢ 환경 유해성 물질 1종

→ GHS 분류 기준

2. MSDS 작성항목, 기재사항

① 화학제품과 회사에 관한 정보

② 유해성·위험성

③ 구성성분의 명칭 및 함유량

④ 응급조치요령

⑤ 화재, 폭발 시 대처방법

⑥ 누출사고시 대처방법

⑦ 취급 및 저장방법

⑧ 노출방지 및 개인보호구

⑨ 물리화학적 특성

⑩ 안정성 및 반응성

⑪ 독성에 관한 정보

⑫ 환경에 미치는 영향

⑬ 폐기 시 주의사항

⑭ 운송에 필요한 정보

⑮ 법적규제 현황

⑯ 그 밖의 참고사항

3. 활용범위[359)]

① 공정 위험성평가

② 화학물질 취급설비 재질선정

③ 비상대책 수립

④ 안전작업절차서 작성

⑤ 보건대책 수립

⑥ 화학물질 취급설비 구조선정

4. 효과

① 지역 주민 알권리 충족

② 화학물질 누출, 화재, 폭발 예방

③ 사고 대응력 향상

④ 안전성 높은 대체물질 개발에 동기부여

---

359) [암기] 위재비안보구
    - MSDS 활용범위 : 공정 위험성평가, 화학물질 취급설비 재질선
      정, 비상대책 수립, 안전작업절차서 작성, 보건대책 수립, 화학물
      질 취급설비 구조선정

도시가스 배관 위험성평가 기술 동향

1. 도시가스 배관의 위험성
① 배관 부식
② 굴착공사로 인하 배관파손
③ 지하 매설로 인한 안전 관리 한계

2. 위험성평가 기술 동향
(1) 위험성평가 기술 현황
① SPC(Scoring Pipeline Checklist)
② Risk Free
③ TRiMS
④ PiRAS
⑤ RBI(Risk Based Inspection)

(2) 위험성평가 기술의 한계
① 정보 부족
   배관자료, 과거 사고 사례 등의 데이터 불충분
② 활용성의 한계
   위험의 정도만 제시할 뿐 손실비용 등의 위험의 양 평가 불가
③ 인식 부족
   위험성 평가의 필요성에 대한 인식 부족

 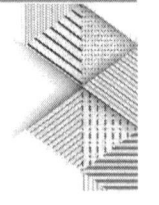

RBI 기법

1. RBI(Risk Based Inspection, 위험성 기반 검사) 기법 개념
   ① 설비의 위험도 평가 → 점검주기 및 교체시기 결정 → 안전설비 기능 유지
   ② 설비 위험도 = 사고 발생가능성 x 사고 피해크기
   Risk = LoF(Likelihood of Failure)
      × CoF(Consequence of Failure)

2. RBI 수행절차 4단계
   ① 1 단계 : RBI 수행 전 단계
      ㉠ RBI 팀 구성
      ㉡ 시스템화
      ㉢ 자료 수집 및 분석
   ② 2 단계 : 위험성 평가 단계
      ㉠ 자료입력
      ㉡ 위험도 평가 = 발생가능성 × 피해크기
      ㉢ 4단계의 검사이력 반영
   ③ 3 단계 : 상세 평가 단계
      ㉠ 상세 평가 대상 선정
      ㉡ 위험경감 방안 수립
      ㉢ 잔여수명 평가 수행
   ④ 4 단계 : 검사계획 단계
      ㉠ 검사계획 수립

ⓛ 검사 수행

ⓔ 2 단계 검사이력에 반영

3. RBI 구축시 효과[360]

　① 직접 효과

　　㉠ 신뢰도 향상

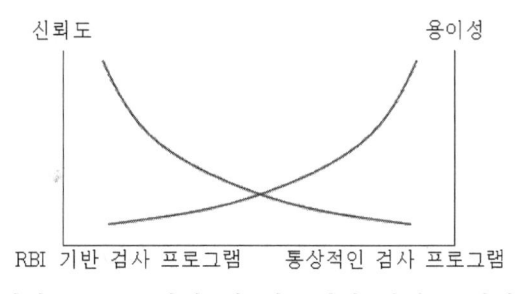

　　위험요소 큰 설비 및 시스템의 위험도 정량적 평가 → 신뢰도 高

　　ⓛ 안전성 향상

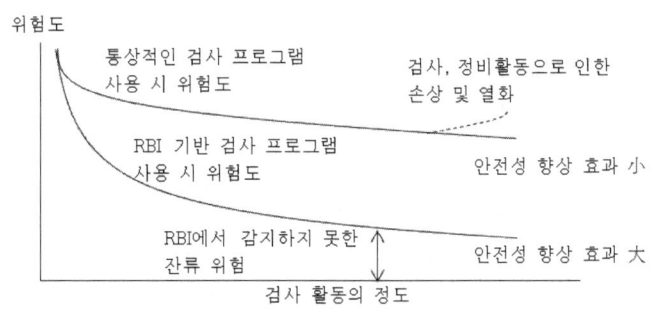

　　안전성 향상 효과 : RBI 기반 검사 프로그램 > 통상적인 검사 프로그램

---

360) [암기] 신안투보 생보손유
　　- RBI 구축시 효과 : 직접 효과(신뢰도 향상, 안전성 향상, 투자비 대비 경비 절감, 보험료 감액), 간접 효과(생산성 향상, 보험료 감액, 손상 메카니즘 규명, 유지보수 및 안전관리 전문가 양성)

ⓒ 투자비 대비 경비 절감

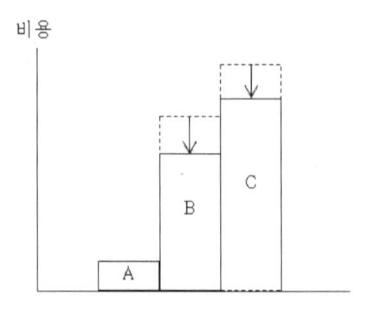

비용

A : RBI 구축 투자비

B : 유지관리 비용(감소)

C : 생산 비용(감소)

→ RBI 구축 후 유지관리 비용과 생산 비용이 절감되어, 투자비 대비 경비 절감 효과. 즉 ROI가 매우 좋다. ROI 약 10 ~ 20 : 1

ⓔ 보험료 감액 : RBI 기술 도입 → 안전성 향상 → 보험료 감액 효과 발생

② 간접 효과

㉠ 생산성 향상 : 설비의 효율적 검사 → 플랜트, 설비 Down time 감소 → 생산성 향상

㉡ 보험료 감액 : RBI 기술 도입 → 안전성 향상 → 보험료 감액 효과 발생

㉢ 손상 메카니즘 규명 : RBI 기반 프로그램 이용 → 손상 메카니즘 및 고장율 평가 → 효율적 설비 관리 가능

㉣ 유지보수, 안전관리 전문가 양성 : 선진 프로그램 도입, 국내화 RBI 기술 개발 등으로 인한 전문가 양성 가능 → 플랜트, 설비에 대한 전문지식 및 경험 증대

4. RBI 기법을 이용한 위험도 관리
① API 2080 rule 이용한 위험도 관리

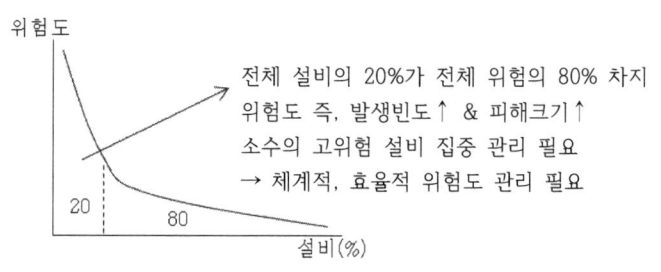

위험도

전체 설비의 20%가 전체 위험의 80% 차지
위험도 즉, 발생빈도↑ & 피해크기↑
소수의 고위험 설비 집중 관리 필요
→ 체계적, 효율적 위험도 관리 필요

20   80

설비(%)

  ㉠ 고위험 설비 : 즉각적인 검사 수행 → 신뢰도 확보
  ㉡ 저위험 설비 : 사용조건 및 상태에 따라 → 검사주기
    연장
② 설비관리 : 상세 평가 대상 선정 → 취약부위 분석 → 손
  상메카니즘 및 검사효율 고려 → 가장 적합한 기법으로
  수행
③ 검사이력 전산화 : 검사 수행 결과 → 전산시스템 내 관리
④ 부식지도 작성 : 설비 손상메카니즘 정의 → Corrosion
  map 작성 → 공정 Trouble 발생 시 원인 예측 가능

4 사고영향 분석(CA) 기법

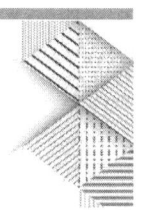

1. 개념
화재, 폭발, 중독 사고에 대한 물적 및 인적 손실의 영향을
정량적으로 평가하는 기법

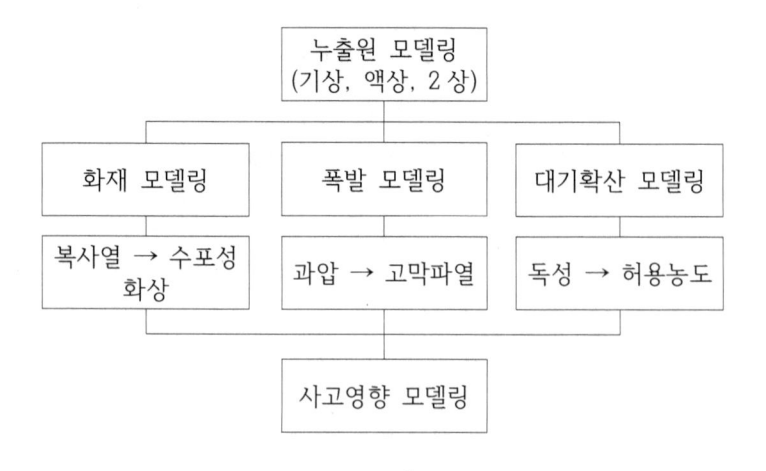

2. 사고 영향 분석 기법

(1) 누출원 모델링

① 개념 : 화재, 폭발, 중독 사고에 대한 누출원의 누출량, 누출속도, 누출상태 예측 모델

② 누출 시나리오 종류

종류	내용
Continuous liquid release	용기, 배관 구멍을 통하여 액체 누출
Continuous gas release	용기, 배관 구멍을 통하여 가스 누출
Two phase release	용기, 배관 구멍을 통하여 액체, 기체 2상 누출
Flashing liquid	액체 누출 후 증기화
Liquid pool evaporation	액체 누출 후 서서히 증발

누출 시나리오별 누출 방지 및 완화 대책 수립 필요

(2) 화재 모델링

① 개념 : 화재에 대한 복사열량, 피해 영향 예측 모델

② 화재 모델링의 종류

  ㉠ Pool fire 모델링 : TNO 액면화재 모델

  ㉡ Jet fire 모델링 : API 분출화재 모델

  ㉢ Fire ball 모델링 : CPQRA 화구화재 모델

  ㉣ Flash fire 모델링

    : 화재 진행 방향에서의 위험성 → 복사열 계산 곤란

③ 모델링 목적

  화재 발생 → 복사열 → 피해예측 →

    →┌ 건축물 및 공정설비 안전 배치
     │ 본질적인 안전설계
     └ 비상조치계획 등 안전대책 수립

(3) 폭발 모델링

① 개념 : 폭발에 대한 인적, 물적 피해 영향 예측 모델

② 폭발 모델링의 종류

  ㉠ 용기폭발 모델링

    ⓐ 물리적 폭발 모델 : 용기 가압속도↓ → 등온팽창 모델

    ⓑ 화학적 반응 모델 : 용기 가압속도↑ → TNT 당량 모델

  ㉡ BLEVE 모델링

    ⓐ 물리적 폭발 모델의 등온팽창 모델 : 용기 기상부 가스팽창에 의한 과압(과열액체 Flashing 무시)

    ⓑ 등온팽창 모델 : 과열액체 Flashing에 의한 과압

    ⓒ TNT 당량 모델 : 단열팽창 가정

　　　　ⓒ UVCE 모델링

　　　　　　ⓐ TNT 등가 모델 : 가연성 물질의 양과 관계

　　　　　　ⓑ TNO 상관 모델

　　　　　　ⓒ TNO 멀티에너지 모델

　　　③ 모델링 목적

　　　　폭발 발생 → 과압 → 피해예측 →

　　　　　　→ ┌안전거리 산정 및 적정성 평가
　　　　　　　├봉쇄 대책 수립
　　　　　　　└압력방출장치의 방출압력 산정

(4) 대기확산 모델링

　　① 개념

　　　누출에 대한 독성물질 이동 예측 모델

　　② 분산 모델링의 종류(분산 유형)

구분	Jet release dispersion	Heavy gas dispersion	Gaussian dispersion
개념	기계적 난류	부양에 의한 난류	대기 난류에 의한 확산
확산 원리	부력, 운동량	공기와의 비중차	바람, 대기 난류
특징	누출 물질 부력, 운동에너지↑ → 누출고도↑→ 대지 농도↓	비중차↑, 고도↑ → 확산 속도↑	바람 속도↑→ 이동 및 혼합 속도↑→ 이동할수록 농도↓

　　③ 모델링 목적

　　　누출 발생 → 독성물질 이동 예측 →

　　　　　→ ┌증기운 생성 방지 대책 수립
　　　　　　└인적 피해 방지 대책 수립

④ 분산 모델링의 주요 변수(영향요인)

  ㉠ 바람 속도

  바람속도↑ → ┌ 이동 거리↑ ┐ → 농도↓
              └ 이동 및 혼합속도↑ ┘

  ㉡ 대기 안정도

  지표면 온도↑   ┐→ 안정도↓ → 수직이동 거리↑
  고도 높을수록 온도↓ ┘   → 수직혼합↑

  ㉢ 대지 조건

    ⓐ 개방된 영역(교외) : 혼합효과↓

    ⓑ 건축물 多 도시 : 혼합효과↑

  ㉣ 누출 고도

  누출 고도↑ → 수직이동 거리↑ → 대지 농도↓

  ㉤ 부력 및 운동량

  누출 물질 부력 및 운동량↓ → 누출 고도↓ → 대지
  농도↑

(5) 사고 영향 모델링

  ① 개념

  화재, 폭발, 중독 사고 발생 시 각각 복사열 영향, 과압
  영향, 독성 영향의 정도를 예측하는 모델링

  ② 영향 예측

  ㉠ 열복사 영향

  사람 상해 정도 ┌ 노출 시간 및 열플럭스에 의존
                ├ Pool fire, Flash fire : Probit 모델
                └ 수포성 화상 기준 : 2도 화상($6 \, cal/cm^2 \cdot s$)

    ⓒ 폭발 영향

      사람 상해 정도 ┌ 직접적인 영향 : 비산물, 폭풍 과압
                 ├ 간접적인 영향 : 건물 붕괴
                 └ 고막 파열 기준 : 0.35 kg/cm^2

    ⓒ 독성 영향

      사람 상해 정도 ┌ 노출 시간 및 농도에 의존
                 ├ 급성 폭로 : 짧은 시간 폭로
                 └ 만성 폭로 : 장기간 복합 노출

QRA

1. 위험성 평가(Risk Assessment), CPQRA(Chemical Process Quantitative Risk Assessment), QRA 개요

  ① 정의

    유해·위험요인을 파악하고 해당 유해·위험요인에 의한 부상, 질병의 발생 가능성(빈도)과 중대성(강도)을 추정, 결정하고 감소대책을 수립하여 실행하는 일련의 과정을 말한다.

  ② 목적

    ㉠ 잠재적 위험요인(Hazard) 확인

    ㉡ 사고 발생빈도 및 강도 분석

    ㉢ 개인적, 사회적 위험 계산 및 표현

    ㉣ 위험 평가 → 대책 수립 → 안전성 향상

2. 위험성평가의 수행절차

(1) 수행절차의 개요

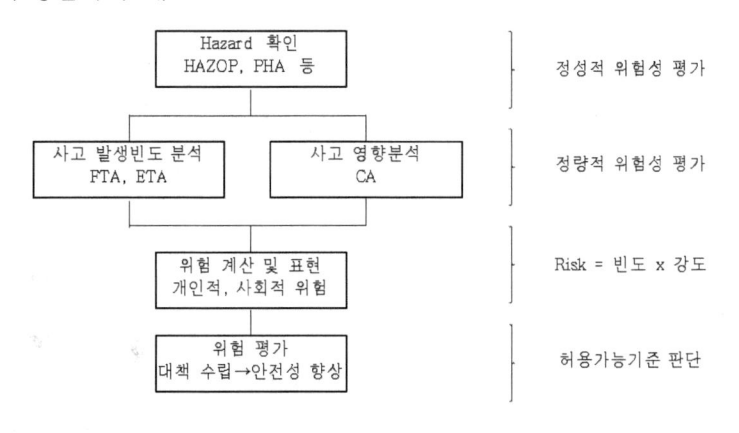

(2) 각 수행절차별 세부 내용

① Hazard 확인

  ㉠ 물적, 인적, 환경적 손해를 입힐 가능성 있는 위험요인 조사

  ㉡ Hazard 확인 시 정성적 위험성평가 기법 활용

     <u>사체이작위안예상</u>

② 사고 발생빈도 분석

  ㉠ 사고 발생 데이터 활용하여 사고 확률 계산

  ㉡ 사고 발생빈도 계산 시 정량적 위험성평가 기법 활용

     ⓐ 결함수 분석(FTA) : 연역적 기법으로 사고 원인 파악

     ⓑ 사건수 분석(ETA) : 귀납적 기법으로 시스템 신뢰도 파악

③ 사고 영향분석

  ㉠ 화재, 폭발, 중독 사고에 대한 피해 예측

  ㉡ 사고 영향분석 시 CA 등 정량적 위험성평가 기법 활용

     ⓐ 화재 모델링

      ⓑ 폭발 모델링

      ⓒ 대기확산 모델링

  ④ 위험 계산 및 표현

     ⑦ 위험(Risk) = 사고 발생빈도 × 사고 강도

     ⓒ 개인적 위험 : 위험 등고선

     ⓒ 사회적 위험 : F-N 커브, 위험도 매트릭스

3. 정성적 및 정량적 위험성평가의 특징

  하기 참조

정성적 위험성평가
vs 정량적 위험성평가

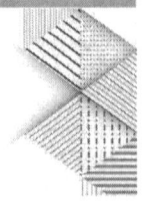

1. 정성적 위험성평가 vs 정량적 위험성평가

  ① 개념 및 종류

구분	정성적 위험성평가[361]	정량적 위험성평가[362]
개념	Hazard(잠재적 위험요인) 조사	Risk(위험성) 조사 Risk = 사고 빈도 × 강도
종류	⑦ 사고 예상 질문 분석 (What-if) ⓒ 체크리스트(Check List) ⓒ 이상위험도 분석 (FMECA) ⓔ 작업자 실수 분석(HEA) ⓜ 위험과 운전 분석 (HAZOP) ⓑ 안전성 검토법 (Safety Review)	⑦ 결함수 분석(FTA) ⓒ 사건수 분석(ETA) ⓒ 원인결과 분석(CCA)

구분	정성적 위험성평가[361]	정량적 위험성평가[362]
	Ⓐ 예비위험 분석법(PHA) ◎ 상대위험순위 결정(DMI)	

② 특징

구분	정성적 위험성평가	정량적 위험성평가
전문성	비전문가 접근용이	전문성 요구
통계 데이터	x	O (사고 빈도, 강도 등)
정량화	x	O
신뢰도	↓(정성적, 주관적)	↑(정량적, 객관적)
평가비용	↓	↑
결과 도출 시간	↓	↑

2. 신뢰도(정밀도) 및 용이성
　① 정성적 위험성평가 : 용이성↑, 신뢰도↓
　② 정량적 위험성평가 : 신뢰도↑, 용이성↓
　③ 반정량적 위험성평가 : 용이성, 신뢰도 적절
　　　→ 예 : LOPA, 반정량적Bow Tie 리스크 평가 법

---

361) 암기 사체이작위안예상
　- 정성정 위험성평가 종류 : 사고 예상 질문 분석(What-if), 체크
　리스트(Check List), 이상위험도 분석(FMECA), 작업자 실수 분석
　(HEA), 위험과 운전 분석(HAZOP), 안전성 검토법(Safety Review),
　예비위험 분석법(PHA), 상대위험순위 결정(DMI)

362) 암기 결사원
　- 정량적 위험성평가 종류 : 결함수 분석(FTA), 사건수 분석
　(ETA), 원인결과 분석(CCA)

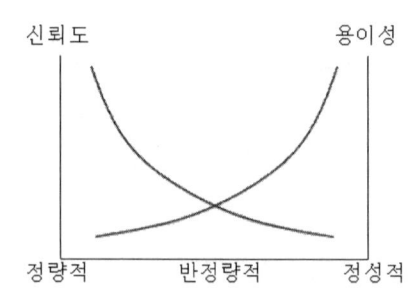

신뢰도   용이성

정량적   반정량적   정성적

 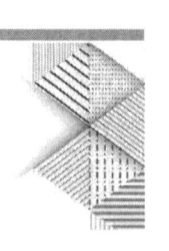

정성적 위험성평가

1. 개념

　○○○ 기법은 공정 및 설비의 잠재적 위험요인(Hazard)을 조사하여 일반적인 원인, 결과, 대책을 도출하는 정성적 위험성평가 기법이다.

2. 적용시기 : 설계, 시공, 시운전, 공정변경 시(PHA 만 설계 초기 단계)

3. 참가인원 : 각 분야(기계, 장치, 전기, 계장, 운전, 안전·환경 등) 전문가 3 ~ 5명 이상

4. 검토 시 필요 자료

　PSM 25개 자료

5. 특징

　정성적 위험성평가 특징 6가지

HAZOP(위험과 운전 분석) Study

1. HAZOP study의 개념

HAZOP

Hazard(잠재적 위험요인)　　　Operability(운전상 문제점)

위험성↓ → 안전성↑　　　　공정 효율성↑ → 경제성↑

2. 수행절차[363]

① 공정 설명
　㉠ 위험성평가 대상 도면 선정
　㉡ 도면 내 설비에 대한 목적, 특성 설명 및 토의
② 운전상태 파악(회분식 공정 only)
　㉠ 운전단계별 설비 운전상태 파악
　㉡ 설비운전상태 및 단계/검토구간 조합표 사용
③ 검토구간 설정
　㉠ 공정의 복잡성 고려 검토구간 크기 결정
　㉡ 검토구간의 설계목적 설명
④ 위험성 평가
　㉠ 이탈 = 가이드워드 × 변수
　㉡ 이탈 원인 파악 → 결과 예측

---

363) 암기 공운전검토위험안전보고서
　- HAZOP study 수행절차 : 공정 설명, 운전상태 파악, 검토구간
　설정, 위험성 평가, 안전조치 강구, 보고서 작성

⑤ 안전조치 강구

　　㉠ 사고 빈도 × 강도 → 위험도 결정

　　㉡ 개선권고 → 안전조치 강구

⑥ 보고서 작성

　　㉠ 공정 및 설비의 개요, 특성과 검토범위 포함

　　㉡ 위험성 평가 결과 및 조치계획

3. HAZOP study 시 고려해야할 위험 형태

① 공장에서 작업 중인 인원에 대한 위험

② 공장 및 장비에 대한 위험

③ 제품 품질에 대한 위험

④ 일반 대중에 대한 위험

⑤ 환경에 대한 위험

4. 이탈(Deviation), 가이드워드(Guide word), 공정변수(Process parameter)

(1) 개념

　이탈 = 가이드워드 × 공정변수

① 이탈 : 설계 의도로부터 벗어난 상태

② 가이드워드 : 변수의 질이나 양을 표현

③ 공정변수

　　특정변수 : 수치화 가능, 가이드워드와 조합

　　　　　　　(유량, 온도, 압력, 액위)

　　일반변수 : 수치화 불가, 가이드워드와 조합 X

　　　　　　　(반응, 혼합, 부식)

(2) 가이드워드(위험형태) 종류

① No, Not, None(없음) : 설계의도에 반하여 변수의 양이 없는 상태

② More(증가) : 변수가 양적으로 증가되는 상태

③ Less(감소) : 변수가 양적으로 감소되는 상태

④ Other than(기타) : 설계의도대로 설치되지 않거나 운전 유지되지 않는 상태

⑤ Pars of(부분) : 설계의도대로 완전히 이루어지지 않는 상태

⑥ Reverse(반대) : 설계의도와 정반대로 나타나는 상태

⑦ As well as(부가) : 설계의도 외에 다른 변수가 부가되는 상태

(3) 회분식 공정의 특정이탈(가이드워드와 특정 공정변수 조합)

① 시간에 관련한 이탈

  ㉠ Less time(시간단축) : 조작, 행위 예상보다 짧게 지속

  ㉡ More time(시간지연) : 조작, 행위 예상보다 오래 지속

  ㉢ No time(시간생략) : 사건, 조치 이루어지지 않음

② 시퀀스에 관련한 이탈

  ㉠ Action too late(조작지연) : 허용범위 보다 늦게 시작

  ㉡ Action too early(조기조작) : 허용범위 보다 일찍 시작

  ㉢ Action left out(조작생략) : 조작을 생략함

  ㉣ Action backwards(역행조작) : 전 단계 단위공정으로 역행

  ㉤ Part of action missed(부분조작) : 한단계 조작내에 서 하나의 부수 조치 생략

  ㉥ Extraction included(다른조작) : 한단계 조작중 불필 요한 다른 단계의 조작 행함

  ㉦ Wrong action taken : 예측 불가능한 기타 오조작

5. 검토 시 필요 자료[364]

   ① PFD

   ② P&ID

   ③ MSDS

   ④ 공정 설명서

   ⑤ 건물, 설비 배치도

   ⑥ 방폭지역 구분도, 전기단선도

6. 장단점

장점	단점
① 안전상 위험요인 뿐만 아니라 운전상 문제점도 확인 가능	① 정확한 상세도면, 공정데이터 필요
② 프로젝트 모든 단계에서 적용 가능	② 각 분야 전문가 다수 필요 (시간, 노력↑)
③ 정량적 평가를 위한 정보제공	③ 평가자 자질에 따라 결과 상이
④ 자유토론 과정에서 위험 요소 확인 가능	④ 공학적, 정량적 정보 제공 불가

---

364) 암기 PPM공건방
    - HAZOP study 검토 시 필요 자료 : PFD, P&ID, MSDS, 공정 설명서, 건물·설비 배치도, 방폭지역 구분도·전기단선도

9 K-PSR

1. K-PSR(Kosha Process Safety Review), PHR(Process Hazard Review), Safety Review, 공정안전성 분석, 안전 재검토 개념
   설치·가동 중인 화학공장의 공정안전성을 재검토하여 사고위험성을 분석하는 정성적 위험성 평가 기법

2. 평가 필요 자료목록
   ① 기존의 위험성 평가서(HAZOP 등)
   ② 공정관련 자료 : PSM 25개 자료(사고보고서 포함 여부 확인)
   ③ 비상조치 계획

3. 가이드워드(위험형태)
(1) 개념
   ① 가이드워드 = 위험형태 + 원인
   ② 공정상 잠재위험 조사 시 도움을 주는 용어

(2) 회분식 공정의 위험형태별 가이드워드
   ① 누출 가이드워드

원인(대분류)	원인(소분류)
부식	내·외부 부식, 응력 부식, Creep, 열적반복
침식	마모
누설	플랜지, 밸브, 펌프 누유, 누수

② 화재·폭발 가이드워드

원인(대분류)	원인(소분류)
물리적 과압	밸브 폐쇄, 압력방출장치 고장
취급제한 화학물질 및 분진	화재, 폭주반응, 촉매 이상, 조성변화
점화원	나정복자고충단선

③ 공정 트러블 가이드워드

원인(대분류)	원인(소분류)
조업상 문제	조업상 실수로 온도, 압력, 농도 제어 실패
원료 및 촉매 등 물질	원료 및 촉매 등 이상에 의한 원인

④ 상해 가이드워드

원인(대분류)	원인(소분류)
추락	장치설비, 사다리, 계단에서의 추락
전도	미끄러짐, 넘어짐
협착	기계장치에 협착, 회전체에 감김
충돌	돌출부, 차량에 접촉 및 충돌
유해위험물질 접촉	화상, 피부손상
질식	유해가스 발생, 산소부족

(3) 연속식 공정의 위험형태별 가이드워드

① 누출 가이드워드

원인(대분류)	원인(소분류)
부식, 침식, 누설	동일
파열	폭굉, 물리적 과압, 수격현상, 순간증발

원인(대분류)	원인(소분류)
펑크	충돌, 기계 진동, 과속
개방구 오조작	벤트, 드레인, 블로우 다운 작업실수

② 화재·폭발 가이드워드

원인(대분류)	원인(소분류)
물리적 과압, 취급~, 점화원	동일
누설, 파열, 펑크, 개방구 오조작	동일

③ 공정 트러블 가이드워드
   회분식과 동일
④ 상해 가이드워드
   회분식과 동일

4. K-PSR 특징

구분	기존 위험성 평가법	K-PSR
화학공정 적합성	설계단계에 적합	조업단계에 적합
검토범위	화재, 폭발, 누출 등 중대산업사고 발생위험	화재, 폭발, 누출 위험은 물론 공정트러블, 상해위험요소 포함
평가 소요인원	각 부문별 4~5인 (생산, 정비 경험 없어도 가능)	각 부문별 4~5인 (운전, 정비 경험 필수)
평가 소요시간	기법에 따라 상이	기존 평가기법 보다 축소가능
보고서 분량	기법에 따라 상이	기존 평가기법 보다 간소화가능

구분	기존 위험성 평가법	K-PSR
신규인원에 대한 교육 소요시간	기법에 따라 사이	2일 정도
가이드 워드	이탈 + 공정변수	위험형태 + 원인
도면상의 Node 선정	P&ID 상 모든 배관, 장치 (P*ID 1매당 다수 Node)	주요 공정장치와 부속장치, 배관, 계측제어설비를 하나의 시스템으로 묶어 검토(P&ID 1매당 1~3개 Node)
평가결과의 적합성	다소 설계적인 측면의 결과 도출	현장 노하우 반영되어 현실적인 결과 도출

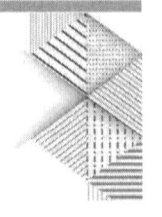

10 FTA

1. FTA(Fault Tree Analysis, 결함수분석) 개요
   ① 개념
      사고 결과 → 사고 원인 분석 → 사고발생 확률 도출
   ② 적용 시기
      ㉠ 설비 신규 설치, 가동 전
      ㉡ 사고 원인 규명 시

2. 분석 절차365)

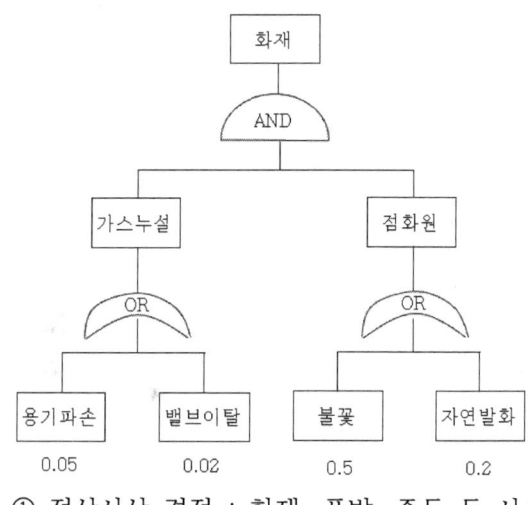

① 정상사상 결정 : 화재, 폭발, 중독 등 사고의 결과 결정

② 원인 규명 : 사고 원인 조사 → 인과관계 분석

③ 결함수 구성 : 사고 원인의 인과관계를 논리기호(And, Or) 활용 → 결함수 작성

④ 재해발생 확률 계산

　　㉠ And 게이트 : $R_a \times R_b$

　　㉡ Or 게이트 : $1 - \left[(1 - R_a)(1 - R_b)\right]$

⑤ 안전대책 수립 : 재해발생 확률 높은 순으로 안전대책 수립

3. 필요자료

<u>PPM공건방</u>

---

365) 【암기】 정원결재안
　　- FTA 분석 절차 : 정상사상 결정, 원인 규명, 결함수 구성, 재해발생 확률 계산, 안전대책 수립

4. 특징
　① 정략적 위험성 평가 특징 모두
　② 연역적 기법
　　사고 결과(정상사상) → 사고 원인(기본사상)

 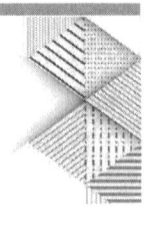

11 ETA

1. ETA(Event Tree Analysis, 사건수분석) 개요
　① 개념
　　사고 원인 → 사고 결과 분석 → 사고발생 확률 도출
　② 적용 시기
　　㉠ 설비 신규 설치, 가동 전
　　㉡ 사고 원인 규명 시

2. 분석 절차[366)]
　① 초기사건 선정 : 정성적 평가기법 활용 → 사고 원인 결정
　② 사건수 구성 : 초기사건 → 안전요소 평가(성공 : 상부, 실패 : 하부) → 사건수 작성
　③ 사고결과 확인 : 초기사건으로부터 여러 경로로 진행된 사고결과 확인
　④ 사고결과 분석 : 사고형태 별 사고발생빈도 합, 수용수준,

---

366) 암기 초사사사안
　　- ETA 분석 절차 : 초기사건 선정, 사건수 구성, 사고결과 확인,
　　사고결과 분석, 안전대책 수립

개선요소 분석

⑤ 안전대책 수립 : 재해발생 확률 높은 순으로 안전대책 수립

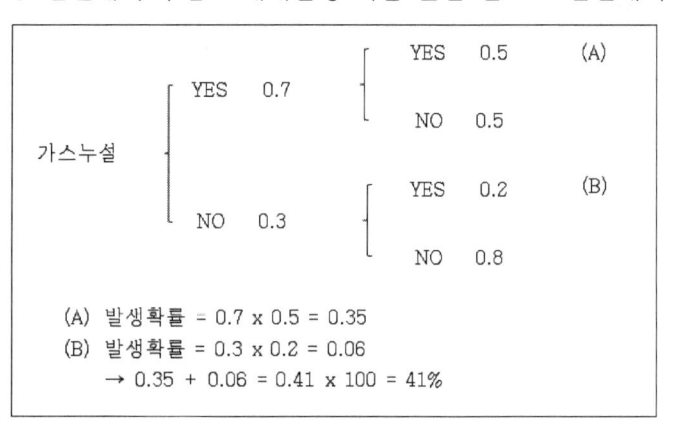

```
                                    ┌ YES  0.5    (A)
                    ┌ YES  0.7    ─┤
                    │               └ NO   0.5
   가스누설      ─┤
                    │               ┌ YES  0.2    (B)
                    └ NO   0.3    ─┤
                                    └ NO   0.8

   (A) 발생확률 = 0.7 x 0.5 = 0.35
   (B) 발생확률 = 0.3 x 0.2 = 0.06
       → 0.35 + 0.06 = 0.41 x 100 = 41%
```

3. 필요자료

   PPM 공건방

4. 특징

   ① 정략적 위험성 평가 특징 모두

   ② 귀납적 기법 : 사고 원인(초기사건) → 사고 결과

5. FTA vs ETA

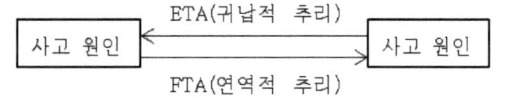

```
              ETA(귀납적 추리)
   ┌────────┐ ←──────────── ┌────────┐
   │ 사고 원인 │              │ 사고 원인 │
   └────────┘ ──────────→ └────────┘
              FTA(연역적 추리)
```

   ① 개념

   　 ㉠ FTA : 단일사건에 관한 사고발생 확률 분석

   　 ㉡ ETA : 사고원인에 관한 사고발생 확률 분석

   ② 관계

   　 FTA와 ETA는 상호 보완적 관계 → 병행 분석 필요

12 LOPA 기법

1. LOPA(Layer of Protection Analysis, 방호계층분석) 기법의 개념

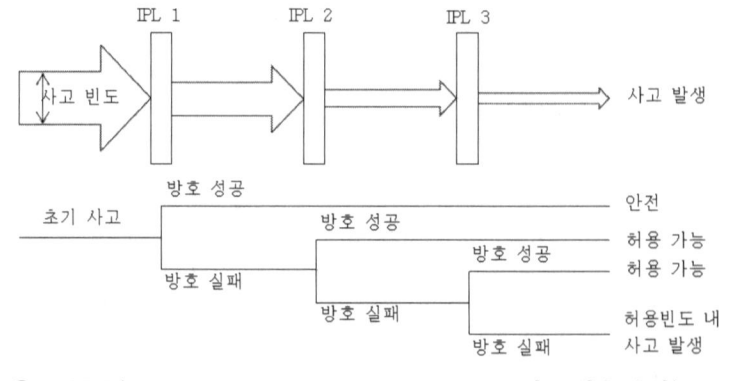

① LOPA(Layer of Protection Analysis, 방호계층분석)
   허용 가능한 수준의 사고 빈도의 만족을 위한 IPL(독립방호계층)의 효과성을 평가하는 반정량적 위험성평가 기법

② IPL(Independent Protection Layer, 독립방호계층)
   사고의 빈도 및 크기를 감소할 수 있는 장치, 시스템 및 행위

③ LOPA와 IPL 관계
   LOPA 분석을 활용하여 초기사고 발생 시 → 독립방호계층의 보호 기능 평가 → 허용 가능한 빈도를 갖춘 시스템 구축

2. LOPA 분석 목적(의미)

① 허용가능한 수준의 공정, 시스템 유지 : LOPA 분석 →
SIL(안전무결수준) 등급 조정 및 결정 → SIL 만족한 SIF
(안전계장기능) 조합 → SIS(안전계장시스템) 구축한 후
→ 허용가능한 수준의 공정, 시스템 유지

② 방호조치 평가 : 충분한 방호조치가 고려된 운전 및 실무
규정인지 평가

③ 독립방호계층 규명 : IPL에 대한 명확하고 적절한 상세기
준 제시

3. 6 단계 수행 절차(적용 방법)367)

① 1 단계 : 사고 영향 확인

　㉠ 기 실시한 위험성평가에서 개발된 시나리오 이용

　㉡ HAZOP 등 정성적 위험성평가에서 사고 영향 확인

　㉢ 사고 영향 확인 후 크기 추정

② 2 단계 : 사고 시나리오 선택

　㉠ 한 번에 한 시나리오만 적용

　㉡ 1개 원인(초기사고)과 쌍을 이루는 1개 결과로 제한

③ 3 단계 : 초기사고 확인 및 빈도 평가

　㉠ 초기사고 확인 시 반드시 영향 포함

　㉡ 빈도 평가 시 시나리오 배경적인 면 포함

---

367) 암기 사사초독위위
- LOPA 6 단계 수행 절차(적용 방법) : 사고 영향 확인, 사고 시
나리오 선택, 초기사고 확인 및 빈도 평가, 독립방호계층 규명 및
고장확률 평가, 위험도 추정, 위험도 평가

ⓒ 빈도 평가 지침 수립 필요

④ 4 단계 : 독립방호계층 규명 및 고장확률 평가

　　㉠ 기존 안전장치 확인

　　㉡ 안전장치 유효성 및 독립성 확인

　　㉢ 독립방호계층 고장확률 평가

⑤ 5 단계 : 위험도 추정

　　㉠ 사고 영향, 초기사고, 독립방호계층 데이터 결합

　　　→ 시나리오 위험도 수학적으로 추정

　　㉡ 그래프식, 산술적 공식 등 이용

⑥ 6 단계 : 위험도 평가

　　㉠ 위험도 결정 → 위험도 허용여부 분석

　　㉡ 위험도 > 허용 위험기준 : 위험도 감소 대책 수립

　　㉢ 위험도 < 허용 위험기준 : 다음 사고 시나리오 분석,
　　　없으면 종료

4. LOPA 보고서 포함사항

　① 영향 확인 : 기 위험성평가(HAZOP) 영향

　② 강도 수준 : 미약, 심각, 매우심각

　③ 초기사고 원인

　④ 초기사고 빈도

　⑤ 방호계층

　　㉠ 일반적인 공정설계

　　㉡ 기본 공정제어 시스템

　　㉢ 경보

　⑥ 추가적인 완화 대책 : 압력방출장치, 방유제, 출입제한

　⑦ 독립방호 계층 : 하기 인정 기준

　⑧ 중간 사고빈도 : 허용 위험기준 크면, 감소 대책 수립

⑨ 안전계장기능 무결성 수준

⑩ 완화된 사고 빈도

⑪ 전체 위험도

5. 방호계층에 대한 IPL(독립방호계층)으로의 인정 기준

① 확인된 위험 최소 100배 이상 감소 가능

② 0.9 이상의 유용성 제공

③ 독립방호계층이 갖추어야 할 중요한 특징

  ㉠ 구체성 : 하나의 독립방호계층은 하나의 잠재된 위험한 사고 결과를 유일하게 예방, 완화할 수 있게 설계

  ㉡ 독립성 : 하나의 독립방호계층은 확인된 위험과 관련된 다른 방호계층으로부터 독립적

  ㉢ 확인 가능성 : 방호기능의 정상작동 입증하기 위해 설계, 입증시험, 안전시스템 정비 필요

  ㉣ 신뢰성 : 우발 고장, 시스템 고장 형태 모두 설계에 반영

6. SIS(Safety Instrumented System, 안전계장시스템)

(1) 개념

① SIS

  ㉠ 하나 이상의 SIF(안전계장기능)을 수행하는 감지부, 제어부, 출력부 의 조합

  ㉡ 대표적인 SIS는 화재·가스 시스템, 비상정지 시스템, 공정 정지 시스템

② SIF(Safety Instrumented Function, 안전계장기능)

특정한 SIL(안전무결수준)을 가진 감지부, 제어부, 출력부 의 조합

③ SIL(Safety Integrity Level, 안전무결수준)

일정 기간 내에 SIS가 요구되어진 SIF를 만족스럽게 수행
할 확률의 등급

(2) SIS 구성

① 감지부

㉠ 공정 상황 측정하기 위한 장치(Temperature transmitter 등)

㉡ 빠른 응답성 및 정확성 요구

② 제어부

㉠ 하나 이상의 logic 기능을 수행하는 장치(Electrical
system 등)

㉡ 전기회로의 감지이상 기능

㉢ 예비전원 구비 : 자가발전기, 비상전원수전설비, 축전
지설비, UPS

③ 출력부

물리적 작동을 하는 장치(Flow Control Valve 등)

(3) SIS 구축 효과(목적)

RBI 직접, 간접효과

7. SIL(Safety Integrity Level, 안전무결수준)

(1) 개념

상기 SIS 개념

(2) SIL 등급

SIL 등급	유용성	평균 작동요구시 고장확률	위험도 감소
1	90 ~ 99%	$\geq 10^{-2} \sim 10^{-1}$	10 ~ 100
2	99 ~ 99.9%	$\geq 10^{-3} \sim 10^{-2}$	100 ~ 1,000
3	99.9 ~ 99.99%	$\geq 10^{-4} \sim 10^{-3}$	1,000 ~ 10,000
4	> 99.99%	$\geq 10^{-5} \sim 10^{-4}$	> 10,000

① SIL 등급↑ → 요구되어진 SIF 수행 확률↑ → SIS 정상 작동 확률↑

② SIL 3 등급 설명 : 10,000회 중 1회 내지 10회 실패

(3) SIL 검증 절차

① SIF 분석

감지부, 제어부, 출력부의 조합인 SIF 기록 → 분석 후 파악

② PFD계산

$$\text{평균 작동요구시 고장확률} = \frac{\text{작동 실패 횟수}}{\text{총 작동 요구 횟수}}$$

③ SIL 검토

㉠ 시스템의 연관관계 분석

㉡ 운전 logic 파악

1**3** JSA

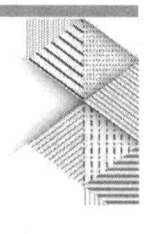

1. JSA(작업안전분석, 작업위험분석, Job Safety Analysis, Job Hazard Analysis) 개념
   특정 작업에 대한 각 주요단계별 Hazard와 Accident 파악 후 이를 제거, 최소화 및 예방 대책을 개발하기 위한 기법

2. JSA 적용시기
   ① 작업 수행 전
   ② 사고발생 시 원인 파악, 대책의 적절성 평가 시
   ③ 공정, 작업방법 변경 시
   ④ 새로운 물질 사용 시
   ⑤ 이해당사자에게 사용 설비의 안전성을 쉽게 설명하고자 할 경우

3. 수행절차
   ① 사전 준비
      ㉠ JSA 절차서 작성
      ㉡ JSA 팀 구성
      ㉢ JSA 실행 대상작업 선정
   ② 평가 실행
      ㉠ 작업 단계 구분
      ㉡ 단계별 Hazard 파악
      ㉢ 단계별 안전대책 수립

③ 결과 적용
    ㉠ JSA 검토 및 승인
    ㉡ JSA 결과 후속조치
    ㉢ JSA 결과 기록 및 교육
④ 이행 평가
    ㉠ 운영부서의 자체 평가
    ㉡ 안전부서의 정기 평가

4. 적용작업
    ① 사고, 질병 발생 작업
    ② 심각한 상해를 일이킬 작업
    ③ 복잡한 작업
    ④ 유해위험물질 취급 작업
    ⑤ 판단, 경험 요하는 작업 등

5. 수행 시 필요 자료
    ① 과거 리스크 평가 실시 결과서
    ② 관련 작업에 대한 정상, 비정상 운전절차서
    ③ PSM 25개 자료

14 변경관리

1. MOC(Management of Change, 변경관리) 원칙
    ① 변경 수행으로 추가되는 위험이 없도록 제안된 변경내용

충분히 검토
② 변경 결과로 요구되는 새로운 절차 및 자료 검토 후 개정
③ 변경에 관련된 안전운전절차서, 공정안전자료, 공정운전, 정비교육교재 및 설비·정지 대장 등의 서류 수정 및 보완

2. 수행절차
① 변경관리 요구서 제출
변경 발의자 변경관리 요구서 작성 → 변경관리위원회 제출
② 변경관리 요구서 포함 내용
㉠ 일반 사항
발의자 이름, 요구일자, 설비명, 비상변경 여부
㉡ 발의자의 기술적 소견 및 근거
ⓐ 변경계획에 대한 공정 및 설계의 기술 근거
ⓑ 변경 개요 및 의견(도면 등 서류 첨부)
ⓒ 공정안전 확보 대책
ⓓ 안전운전에 필요한 사항 및 신뢰성 향상 효과
③ 위험성 평가 실시
㉠ 정성적 위험성 평가 : 사체이작위안예상
㉡ 정량적 위험성 평가 : 결사원
④ 검토자 지정
변경관리위원회는 변경요구서 접수 후 검토 책임부서와 전문가 지정
⑤ 검토
검토자는 기술 및 안전성 검토 후 그 결과를 변경관리위원회에 제출
⑥ 승인여부 결정
㉠ 변경관리위원회는 최종 검토 후 승인여부 결정

ⓛ 승인여부, 승인여부 사유를 변경관리요구서에 기록하여
　　　발의자에게 통보하여 시행 지시
　⑦ 변경 완료
　　변경 완료 → 통보 → 변경완료 사항 검사 및 확인 → 관
　　련 서류에 변경내용 기록 후 보관

3. 변경발의 전 검토사항
　변경발의 부서장은 변경관리요구서를 변경관리위원회에 제출
　전 다음 사항을 검토하여야 함.
　① 변경설비의 기본 및 상세설계
　② 변경설비의 안전, 보건, 환경에 관한 사항
　③ 공정안전자료 보완에 필요한 사항
　④ 공정위험성 평가수행 필요 여부
　⑤ 안전운전절차서에 신설 또는 보완 필요 사항
　⑥ 점검·정비절차의 신설 또는 보완 필요 사항
　⑦ 안전작업 허가절차
　⑧ 운전원 및 정비보수원 교육
　⑨ 가동전 안전점검표에 포함될 사항
　⑩ 변경완료 후 검사에 필요한 사항
　⑪ 감독 및 판정에 필요한 사항

4. 변경관리 검토절차
　① 변경관리위원회 1차 검토
　　㉠ 발의자로부터 변경관리요구서 접수 후 1차 검토 수행
　　ⓛ 전문적인 검토 필요 시 전문가 지정 후 검토 요청
　② 전문가 검토
　　㉠ 상세하고 광범위하게 검토 실시

      © 검토 결과 변경관리위원회에 제출
  ③ 변경관리위원회 2차 검토
      ⑦ 전문가 검토 결과 접수 후 최종검토 수행
      © 승인여부, 승인여부 사유를 변경관리요구서에 기록하여
         발의자에게 통보하여 시행 지시
  ④ 변경 시행
    변경요구 승인 시 변경 발의부서는 변경관리 시행 실시

15 정밀 안전진단

1. 정밀 안전진단 필요성
  ① 시설 장기간 사용 → 노후화 → 사고 위험↑
  ② 따라서 정밀 안전진단 실시 → 위험요인 조사 → 개선 활
    동 실시

2. 대상 및 시기(고압가스 시설)
  ① 대상
      ⑦ 고압가스 특정제조시설 특수반응설비 설치된 시설
      © 최초 완성검사 받은날로부터 15년 경과한 시설
  ② 시기
      ⑦ 최초 완성검사 받은날로부터 15년 경과한 년도
      © 그 후 4년마다 정기검사
      © 정기검사 받은날로부터 2년 경과 시(정기보수 기간)

2. 대상 및 시기(도시가스 시설, 천연가스 저장탱크)

대상	시기
LNG 저장탱크	15년 되는해 매 5년
도심지역 고압의 본관, 공급관	15년 되는해 매 5년
도심지역 중압의 본관, 공급관	20년 되는해 매 5년

3. 진단팀 구성 및 기간
① 진단팀 : 팀장 1명 + 팀원 4~5명
② 기간 : 5~15일 정도

4. 정밀 안전진단 Process[368)
자료 수집 및 분석 → 현장 조사 → 종합 평가 → 보수 조치
① 자료 수집 및 분석
   ㉠ 서류 확인 : 진단 대상, 배관 건전성
   ㉡ 현장 확인 : 취약 구간, 진단 범위
② 현장 조사
   ㉠ 지반 조사
      ⓐ 부등침하
      ⓑ 변형 유무, 정도
   ㉡ 시설 조사
      ⓐ 부식, 피복 상태
      ⓑ 가스 누설 여부
      ⓒ 변형, 손상 정도
      ⓓ 부식 방지 조치(방식전류 등)

---

368) 암기 자현종보
   - 정밀 안전진단 Process : 자료 수집 및 분석, 현장 조사, 종합 평가, 보수 조치

③ 종합 평가
　　㉠ 자료 조사, 현장 조사 결과 → 종합적 평가
　　㉡ 평가 등급
　　　　ⓐ 우수 등급 : 양호
　　　　ⓑ 보통 등급 : 사용상 지장 없으나 지속 관리 필요
　　　　ⓒ 미흡 등급 : 즉시 또는 1개월 이내 보수 필요
④ 보수 조치
　　㉠ 현상 유지 : 우수, 보통 등급 시
　　㉡ 수준 회복 : 보통 등급 중 관리수준 미달시
　　㉢ 교체 신설 : 미흡 등급으로 즉시 보수 필요

5. 정밀 안전진단에 대한 의견
　① 정밀 안전진단 시, 시설 상황에 맞는 위험성평가 기법을 활용하여 실질적인 위험요인을 조사하고 사고에 대한 빈도와 크기를 정량적으로 도출하여 정확한 개선안 도출을 해야 한다.
　② 또한 CPMS를 도입, 활용하여 충분한 자료와 정보를 바탕으로 효율적인 안전진단이 될 수 있도록 노력해야 할 것이다.

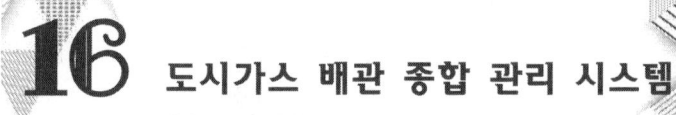

16 도시가스 배관 종합 관리 시스템 (CPMS)

1. 도입 배경

① 노후화 배관 안전진단 필요

20년↑ 경과 도시지역 가스 배관 → 정밀 안전진단 필요

② 문제점

배관, 유지보수 관련 등 정보 부족

③ 해결방안

빅 데이터 기반 배관 건정성 관리 기술 도입 → CPMS

2. CPMS 흐름도

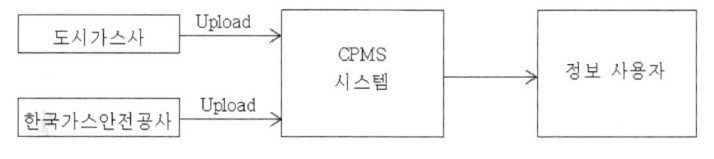

① 정보 Uploader

㉠ 도시가스사

ⓐ 배관 정보 : 배관 재질, 관경, 배관망도 등

ⓑ 유지보수 정보 : 유지보수 이력, 검사 주기

㉡ 한국가스안전공사

ⓐ 검사진단 관련 정보

ⓑ 배관 안전관리 결과 정보

② CPMS 시스템

㉠ 빅 데이터 기반 시스템 구축

㉡ 슈퍼 컴퓨터

③ 정보 사용자
　⊙ 정보 활용
　　원하는 정보 검색, 다운로드 기능 보유 → 안전관리에 활용
　⊙ 정보 사용자
　　ⓐ 한국가스안전공사
　　ⓑ 도시가스사
　　ⓒ 산업통상자원부 등 관계 기관

3. 효과
　① 배관, 유지보수 등 정보 반복 제출 불필요
　② 검사진단 정보 공유 → 업무 소통 원활
　③ 관련 업무 처리시간↓
　④ 사고 발생시 초기 대응 신속
　⑤ 체계적인 배관 안전관리 가능

4. CPMS 도입 전후 비교

구분	CPMS 도입 전	CMPS 도입 후
① 사고 발생	해당 도시가스사 연락	CPMS 이용
② 자료 요청 기간	3일 소요	2시간 소요
③ 진단신청 보고서 제출	Off line → 3일 소요	On line → 4시간 소요
④ 관련 정보	해당 도시가스 의존	빅 데이터 시스템 이용

17 QMA

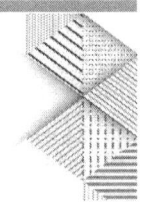

1. QMA(Qauntitative Management Assessment, 안전관리 수준 평가제도) 개요
   가스시설 운영 및 안전관리 수준 → 정량적 평가 → 사용자 자율 안전관리 수준 향상 제도

2. 도입 배경
   ① 기존 체계 한계 : 기존 합격, 불합격 판정 체계 → 자율 안전관리 한계
   ② 안전 의식 개선 필요 : 사업주 자율 안전관리 의식 향상 필요
   ③ 고객 욕구 충족 : 고품질 서비스를 요구하는 고객의 욕구 충족 필요

3. 도입 방향(기존 체계 vs QMA)
   ⑴ 기존 체계(3 종)
   정기검사 + 안전관리 규정 준수 평가 = 가스 안전관리 종합 평가
   ① 정기검사
   　　㉠ 주기 : 1회/년
   　　㉡ 평가 : 가스시설 안전성
   　　㉢ 결과 : 합격, 불합격
   　　㉣ 혜택 : 없음

② 안전관리 규정 준수 평가
    ㉠ 주기 : 1회/년
    ㉡ 평가 : 안전관리 체계 적합성 여부
    ㉢ 결과 : 합격, 불합격
    ㉣ 혜택 : 없음
③ 가스 안전관리 종합평가
    ㉠ 주기 : 1회/년
    ㉡ 평가 : 가스시설 안전성 + 안전관리 체계 적합성 여부
    ㉢ 결과 : 상대평가(점수부여)
    ㉣ 혜택 : 보험요율 차등 적용

(2) QMA(1종)
  ① 주기
    ㉠ 등급별 차등 적용
    ㉡ 0.5년 ~ 3년 1회
  ② 평가
    ㉠ 가스시설 안전성
    ㉡ 안전관리 체계 적합성 여부
    ㉢ 안전관리 성과
    ㉣ 자율 안전관리 노력
  ③ 결과
    ㉠ 등급 부여
    ㉡ A(3년 주기), B(2년 주기), C(1년 주기), D(0.5년 주기)
  ④ 혜택
    보험요율 차등 적용

4. QMA 평가

(1) 평가 대상

　　① 도시가스 사업자

　　② LPG 충전 사업자

(2) 평가 분야, 항목

　　① 시스템 분야

　　　　㉠ 안전관리 리더쉽, 조직 : 안전관리 방침, 목표

　　　　㉡ 안전 교육 및 훈련, 홍보 : 교육, 훈련 계획 및 실적

　　　　㉢ 가스 사고 : 사고 발생 여부, 대응 능력, 사후 관리

　　　　㉣ 비상사태 대비 : 비상조치 계획, 운영, 협조

　　　　㉤ 운영 관리 : 예방활동

　　② 시설 분야

　　　　㉠ 배관 정기검사

　　　　㉡ 정압기 정기검사

　　　　㉢ 제조소 정기검사

5. 기대 효과 및 문제점

　　① 기대 효과

　　　　㉠ 가스 안전관리 체계 선진화

　　　　㉡ 검사 통합 → 사업자, 소비자 불평 해소

　　　　㉢ 자율적인 안전관리 체계, 수준 향상

　　　　㉣ 컨설팅 방식 통한 검사 품질 향상

　　② 문제점

　　　　㉠ 검사 비용 증가

　　　　㉡ 시설 교체에 따른 비용 부담 증가

　　　　㉢ 도시가스사 경우 상위 10% 정도만 A등급 받음.

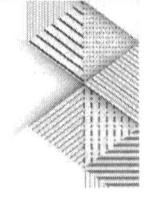

18 SPC 기법

1. SPC 기법(가스배관 안전성 평가기법, 통계적 공정관리) 정의
   ① 도시가스 배관의 안전성 평가기법으로써,
      배관 특성별 구분, 위험성 서열화 → 안전성 향상 기법
   ② Thomas 모델 + Scoring 시스템 조합
      → 안전성 향상 기법

2. SPC 기법 설명
   ① Scoring 시스템
      도시가스 배관 유해요인 조사 → 배관 Score 산정
   ② Thomas 모델
      도시가스 배관 Spec. 조사 → 누출사고 빈도 산출
   ③ 안전성 평가
      배관 Score by Scoring 시스템 + 누출사고 빈도 by Thomas
      모델 → 안전성 평가 → 개선안 도출 → 안전성 향상

19 IMP

1. 배관 건전성 프로그램(IMP : Integrity Management Program)
   개념

첨단 장비 활용 → 고 중요 지역 가스배관 평가실적 → 프로
그램 입력 → 배관 건전성 자동 평가

2. 목적
   ① 고 중요 지역 배관 건전성 평가 가속화
   ② 배관 건전성 관리 체계 개선
   ③ 정부 역할 개선
   ④ 배관 안전성에 대한 공식적인 보증

3. IMP 수행절차[369)]

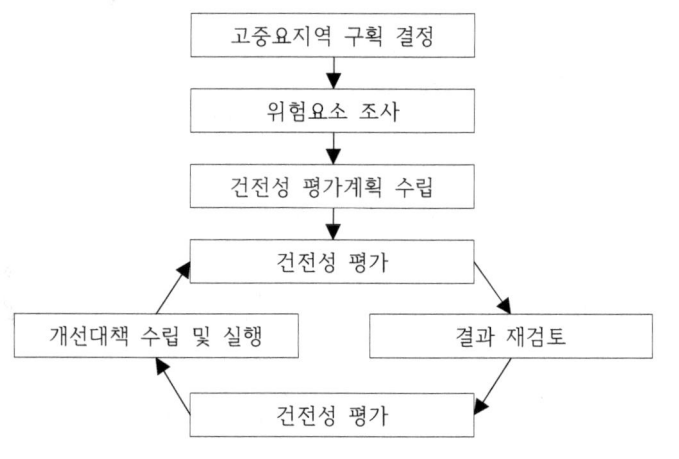

4. IMP에 의한 배관 건전성 평가 방법[370)]

---

369) **암기** 고위건건결건개
   - IMP 수행절차 : 고중요지역 구획 결정, 위험요소 조사, 건전성
   평가계획 수립, 건전성 평가, 결과 재검토, 건전성 재평가, 개선대
   책 수립 및 실행

370) **암기** 배수직
   - IMP에 의한 배관 건전성 평가 방법 : 배관 내부 검사(ILI), 수압
   시험(HT), 직접 평가(DA)

(1) 배관 내부 검사(ILI : In-Line Inspection)

　① 개념 : Pig 장비 사용 → 배관 두께 측정 → 건전성 평가

　② 방법

　　㉠ 표준 및 정밀 분석용 자속 누설방법

　　㉡ 초음파 이용 방법

　③ 고려 사항

　　㉠ 배관 내부 깨끗해야 함.(스케일, 녹 無)

　　㉡ 굴곡, 찌그러짐 배관 내 장비 잘 통과되어야 함

(2) 수압 시험(HT : Hydrostatic Test)

　① 개념 : 배관 내 물 가압 → 건전성 평가

　② 방법 : Water filling → 설계 압력 × 1.5 배↑ 가압 →
30분 holding → 압력 유지 시 합격

　③ 고려 사항

　　㉠ 물 다량 필요 → 배수 시 환경 문제 없도록 대비 철저

　　㉡ 수압 시험 완료 후 배관 건조 필수

(3) 직접 평가(DA : Direct Assessment)

　① 개념

　　㉠ 배관 물리적 특성 + 배관체계 운영 이력 + 배관 검사,
평가 이력 → 건전성 평가

　　㉡ 종류

　　　ⓐ 외면부식 직접평가(ECDA : External Corrosion DA)

　　　ⓑ 내면부식 직접평가(ICDA : Internal Corrosion DA)

　② 외면부식 직접평가 : 하기 참조

　③ 내면부식 직접평가 : 하기 참조

20 외면부식 직접평가(ECDA), 내면부식 직접평가(ICDA)

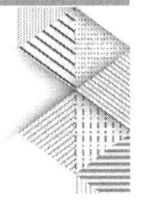

1. 외면부식 직접평가

(1) 평가 대상

　① 배관 내부검사, 수압 시험으로 검사 불가능 배관

　② 외면부식 확인 필요한 배관

(2) 평가 절차

　① 사전평가 단계 : 배관 구획 선택 → 데이터 수집 → 타당
　　성 조사 → 간접검사 도구 선택 → ECDA 범위 선택

　② 간접검사 단계 : 사전 계획 → 간접검사 실시 → 이상구간
　　표시 및 심각도 구분

　③ 직접검사 단계 : 이상구간 우선순위 선정 → 직접검사 실
　　시 → 결함 측정 → 원인 분석 → ECDA 공정중 평가

　④ 후평가 단계 : 결함 크기 산정 → 부식 성장률 계산 →
　　재평가 주기 계산 → ECDA 유효성 평가 → Feedback

2. 내면부식 직접평가

　① 개념 : 배관 두께 측정 → 배관 내부부식 여부 평가

　② 내부부식 원인 : 수분, 미생물, 산소, 이산화탄소, 황화수소

　③ 평가 방법 : 초음파 이용 → 두께 측정

21 SMS

1. SMS(Safety Management System) 개요
① 개념
   ㉠ 사고 예방 위한 체계적, 종합적인 안전관리 제도
   ㉡ 산업안전보건법에 의한 PSM(공정안전보고서)과 동일한 체계
② SMS 개발 참고 모델
   SMS = 기존 검사제도 + 원자력 관련 모델 + OSHA 모델

2. SMS 적용 대상
① 고압가스 분야
   ㉠ 석유정제사업자 고압가스 시설 : 저장능력 100톤↑
   ㉡ 석유화학공업자 고압가스 시설 : 저장능력 100톤↑, 1일 처리능력 10,000m3↑
   ㉢ 비료생산업자 고압가스 시설 : 저장능력 100톤↑, 1일 처리능력 100,000m3↑
② 액화석유가스 분야 : 저장능력 1,000톤↑ 시설 보유한 충전사업자, 저장소 설치자
③ 도시가스 분야 : 도시가스사업자

3. SMS 구축방법371)

---

371) 암기 안기적적기본
   - SMS 구축방법 : 안전성평가, 기본모델, 적용, 적합성 평가, 기본모델 수정, 본격적 운영

① 안전성평가 : 안전진단, 안전성평가 실시

② 기본모델 : Risk 개선 요소 반영하여 모델 개발

③ 적용 : 현장 적용 후 시범 운영

④ 적합성 평가 : 적용 결과 평가

⑤ 기본모델 수정 : 평가 피드백 모델 수정, 보완

⑥ 본격적 운영 : 모델 본격적 운영

4. SMS 운영절차372)

　① 구성

　　㉠ 안전관리규정 12개(40개 세부요소)

　　㉡ 안전성 향상 계획서 4개(31개 세부요소)

　② 실행 : 관리규정, 향상 계획에 맞게 공정 안전관리 실시

　③ 안전성 평가 : 설비의 신규 설치, 증설, 변경 작업 시 안전성 평가 실시

　④ 목표 변경 : 안전성 평가 결과에 따라 안전관리 목표 변경

　⑤ 업무 분석 : 변경된 목표가 해당 업무에 타당한지 여부 분석

　⑥ SMS 수정 : 안전관리 규정, 안전성 향상 계획서 수정, 보완

5. SMS 구성요소

(1) 안전관리 규정

　① 경영방침

　　㉠ 경영이념　　　㉡ 안전관리목표

　② 안전관리조직

　　㉠ 구성　　　㉡ 권한, 책임

---

372) 암기 구실안목업수
　- SMS 운영절차 : 구성, 실행, 안전성 평가, 목표 변경, 업무 분석, SMS 수정

③ 정보, 기술
　㉠ 정보관리체계　　㉡ 시설, 장치자료
④ 안전성 평가
　㉠ 절차, 기법　　㉡ 결과조치
⑤ 시설관리
　㉠ 설계품질 보증　㉡ 시공품질 보증
⑥ 작업관리
　㉠ 시공관리　　　㉡ 운전관리
⑦ 협력업체 관리
　㉠ 선정　　　　　㉡ 관리감독
⑧ 타 공사 관리(도시가스 분야만 해당)
　㉠ 배관 정보 관리 ㉡ 타 공사 현장 관리
⑨ 수요자 관리
　㉠ 시설안전점검　㉡ 안전 홍보
⑩ 교육훈련
　㉠ 교육훈련 계획　㉡ 교육성과 분석
⑪ 비상조치, 사고관리
　㉠ 비상조치계획　㉡ 비상훈련
⑫ 안전감사
　㉠ 안전관리시스템 감사　　㉡ 공정안전성 감사
(2) 안전성 향상 계획서
　① 공정안전자료
　　㉠ MSDS
　　㉡ 건물, 설비 배치도
　　㉢ 방폭지역 구분도, 전기단선도
　② 안전성평가서

     ㉠ 공정위험 특성
     ㉡ 잠재위험 종류
     ㉢ 안전성 평가보고서
  ③ 안전운전계획서
     ㉠ 안전운전지침서
     ㉡ 안전작업허가
     ㉢ 변경요소 관리계획
  ④ 비상조치계획서
     ㉠ 장비, 인력 보유현황
     ㉡ 비상연락체계
     ㉢ 주민홍보계획

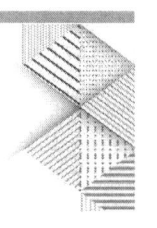

22 SMS vs PSM

구분	SMS	PSM
① 제출시기	㉠ 대상시설 설치, 이전 (60 일전) ㉡ 주요부분 변경 (60 일전) ㉢ 5년 마다 갱신	㉠ 대상시설 설치, 이전 (30 일전) ㉡ 주요부분 변경 (30 일전) ㉢ 4년 마다 이행상태평가
② 제출내용	㉠ 공정안전자료 ㉡ 안전성평가서 ㉢ 안전운전계획 ㉣ 비상조치계획	㉠ 공정안전자료 ㉡ 공정위험성 평가서 ㉢ 안전운전계획 ㉣ 비상조치계획

구분	SMS	PSM
③ 제출처	한국가스안전공단	안전보건공단
④ 관련법령	가스 3 법	산업안전보건법
⑤ 확인	중간검사, 완성검사시 병행실시	㉠ 신규설비 　: 설치중, 시운전시 ㉡ 기존설비 　: 심사후 3 개월 이내 ㉢ 변경 　: 변경후 1 개월 이내

23 가스 안전영향 평가제

1. 가스 안전영향 평가제
    ① 정의 : 타 공사에 따른 도시가스 배관 안전관리 제도
    ② 목적
        ㉠ 사고 방지 : 굴착공사 시행 전 → 공사 계획, 안전조치
           확인 → 굴착공사 사고 방지
        ㉡ 영향 평가 : 대형공사 시 가스관 미칠 영향 평가

2. 평가 대상
    ① 대형공사 : 도시철도, 지하차도, 지하보도, 지하상가
    ② 가스배관 노출부 : 당해 굴착공사로 인해 가스배관 노출이
       예상되는 부분
    ③ 건축물 지하 매설 도시가스 배관 : 당해 굴착공사로 인해
       건설된 건축물 지하 매설된 중압이상 도시가스 배관

3. 평가 절차

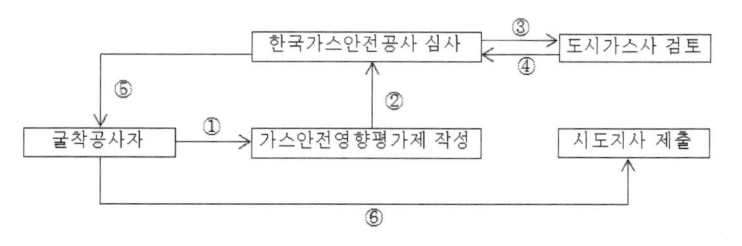

4. 평가 내용
① 가스배관 범위 : 굴착공사로 인해 영향 받은 가스배관 범위
② 공사 계획 : 공사 일정, 방법, 장비 등 공사 계획 검토 →
변경 필요성 여부 검토
③ 안전 조치
㉠ 안전관리 조직, 체계
㉡ 지장물 조사 결과
㉢ 안전 시설 설치, 안전 보호구 비치 및 착용
㉣ 안전관리 조치 비용 등
④ 입회 : 입회 시기, 입회 방법
⑤ 그 외 산업통상자원부 장관이 필요하다고 정한 사항

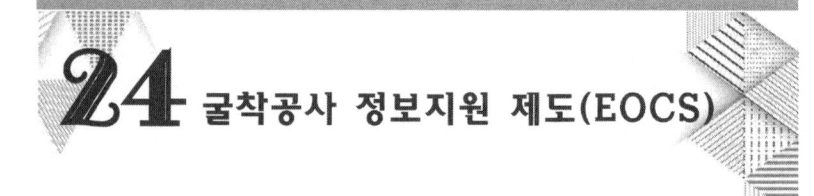

24 굴착공사 정보지원 제도(EOCS)

1. 굴착공사 정보지원 제도(EOCS : Excavation One Call System)
① 개념 : 굴착 공사자 → EOCS 전화, 인테넷 굴착계획 신
고 → 도시가스사 자동통보 → 굴착 공사자와 도시가스사

내용 공유 → 가스배관 손상 사고 방지
② EOCS 신고대상
㉠ 도로, 공동 주택단지
㉡ 도로 경계선으로부터 3m 이내 지역에서 굴착공사하는 경우

2. 업무 절차

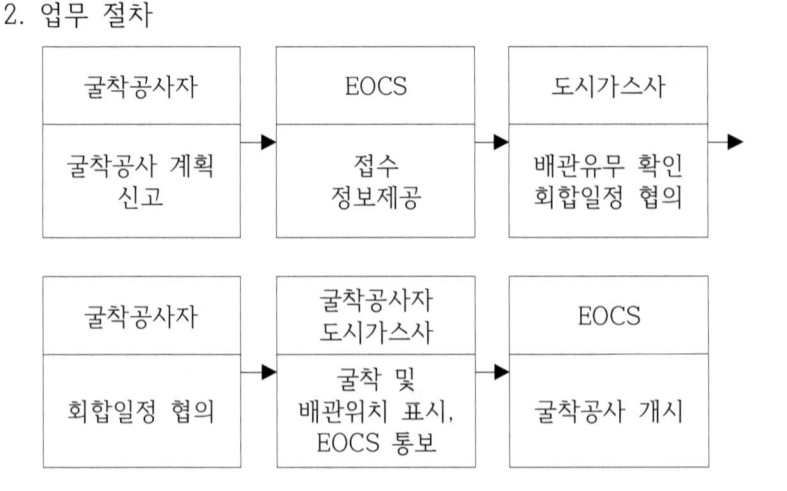

(1) 굴착 공사자
① 굴착계획 신고
굴착계획 → 전화, 인터넷 이용 → EOCS 신고
② 표시방법 결정
도시가스사와 협의 → 굴착지점, 매설배관 위치 표시방법 결정
③ 굴착위치 표시
굴착위치 흰색 페인트 표시 → 도시가스사와 만나지 않을 경우 → 표시사실 ECOS 통지

④ 배관위치 표시

도시가스사 알려준 매설배관 직상부 지면 → 황색페인트
표시

⑤ 굴착공사 개시

EOCS로부터 굴착허가 통지 받은 후 굴착공사 개시

(2) 도시가스 사업자

① 배관 유무 확인

굴착계획 신고지역 배관 유무 확인 → 확인 결과 전화,
인터넷 이용 EOCS 통지(24시간 내)

② 표시방법 결정

굴착공사자와 협의 → 굴착지점, 매설배관 위치 표시방법
결정

③ 표시방법 결정내용 통지

표시방법 결정내용 → EOCS 통지

④ 배관위치 표시

굴착공사자와 만나지 않을 시 → 굴착공사자가 굴착위치
표시 후 48시간 내 배관위치 표시

⑤ 표시완료 사실 EOCS 통지

배관위치 표시 사실 → 전화, 인터넷 이용 → EOCS 통지

3. 효과

① 타 공사로 인한 가스배관 손상사고 예방

② 굴착공사자, 도시가스사 편익 증대

③ 체계적인 안전관리 제도화

25 지하배관 안전성 평가 절차, 5가지 외부요인

1. 개요

가스배관 안전성 평가 시 설계요인, 제3자에 의한 손상 등의 요인에 따라 구간별 위험성을 서열화하여 관리하는 것이 효율적임

2. 지하배관 안전성 평가 절차

① 준비
  ㉠ 사고이력자료 검토
  ㉡ 외부요인 결정
  ㉢ 평가결과 Score 관리기준 작성
② 평가
  ㉠ Node 구분
  ㉡ 평가 수행→ 사체이작위안예상 결사원
  ㉢ 위험성 크기 허용가능 여부 판단
③ 대책 수립
  ㉠ 위험성 크기 허용 불가능 시 대책 수립
  ㉡ 우선순위 고려하여 감소대책 수립
  ㉢ 사후관리

2. 5가지 외부요인373)

---

373) 암기 설3운부용
    - 지하배관 안전성 평가시 5가지 외부요인 : 설계요인, 제3자에 의한 손상, 운전·보수, 부식, 용접··시험

① 설계요인
    ⊙ 토양의 움직임
    ⓒ 시스템의 안전율
② 제 3 자에 의한 손상
    ⊙ 배관에 연결된 지상 시설물
    ⓒ 작업빈도
③ 운전, 보수
    ⊙ SCADA, 원방감시 시스템
    ⓒ 교육, 훈련
④ 부식
    ⊙ 배관 주위 부식환경
    ⓒ 경과년수
⑤ 용접, 시험
    ⊙ 용접부, 분기점 개수
    ⓒ 수압시험

26 대기 안정도

1. 대기 안정도, Pasquill의 대기 안정도 등급이란?
    ① 사전적 정의 : 평형상태에 있는 대기
    ② 개념 : 공기덩어리 상승 후 하강하여 되돌아가려는 경향의
       정도

2. 공기덩어리 이동 메카니즘
   ① 연직운동
      ㉠ 낮에 지표면 열에의해 가열
      ㉡ 온도↑ → 밀도↓ → 공기덩어리 상승 → 대기 안정도↓
   ② 하강운동
      ㉠ 밤에는 지표대기 냉각
      ㉡ 온도↓ → 밀도↑ → 공기덩어리 하강 → 대기 안정도↑

3. 대기 안정도와 대기확산모델의 관계
   ① 대기 안정도↑ 시
      대기 안정도↑ → 대기오염물질 확산↓ → 위험도↑
   ② 대기확산모델과의 관계
      가스 누출에 대한 대기확산 피해 영향 평가 시 대기안정
      도 중요

4. Pasquill의 등급별 특징

등급	안정도
A	매우 불안정
B	불안정
C	약한 불안정
D	중립
E	안정
F	매우 안정

27 증기위험도지수(VHI)

1. 증기위험도지수(VHI, Vapor Hazard Index) 개념
   ① 허용농도와 포화증기농도의 비
   ② 유기용제 공기중 포화시 허용농도의 몇배인지 나타낸 값

2. 공식 : $VHI = \dfrac{P_{max}}{760} \times \dfrac{10^6}{AC}$

   P_{max} : 포화증기압(mmHg)

   AC : 허용농도(ppm), 일반적으로 TLV-TWA 사용

3. 영향인자

   $P_{max} \uparrow$, $AC \downarrow \rightarrow VHI \uparrow$

4. VHI 적용
   ① 독성물질의 증기로 되기 쉬운 정도와 증기위험성의 정량
      적 확인
   ② 유기용제에 대한 잠재적 위험성 판단지표
      → 유기용제 : 상온·상압에서 휘발성이 있는 액체로써 솔
        벤트, 시너 등
   ③ 여름철 더울때(30℃) → 온도↑ → Pmax↑ → VHI↑ →
      위험성↑
   ④ CS_2(이황화탄소) vs C_6H_6(벤젠)
      → CS_2의 TLV = C_6H_6의 TLV → 위험도 비슷
      → CS_2의 ACI = C_6H_6의 ACI → 위험도 비슷

→ CS_2의 VHI > C_6H_6의 VHI × 5 → CS_2가 5배 더 위험

→ 따라서 VHI 확인 중요함

28 허용농도지수(ACI)

1. ACI(Allowable Concentration Index, 허용농도지수) 개념
   소량 유기용제에 대한 위험성 평가지표

2. 공식 : $ACI = \dfrac{100}{AC}$

3. ACI 적용 물질
   ① 도장(페인트칠)
   　표면적↑ → 포화증기압↑ → VHI↑ → 위험도 표현 효과 無
   　→ ACI 활용하여 위험도 확인
   ② 분무칠
   　Mist 상태 → 포화증기압↑ → VHI↑ → 위험도 표현 효과 無 → ACI 활용하여 위험도 확인

4. 도장, 분무칠 외 물질 비교
   CS_2(이황화탄소) vs C_6H_6(벤젠)
   → CS_2의 TLV = C_6H_6의 TLV → 위험도 비슷
   → CS_2의 ACI = C_6H_6의 ACI → 위험도 비슷
   → CS_2의 VHI > C_6H_6의 VHI × 5 → CS_2가 5배 더 위험
   → 따라서 VHI 확인 중요함

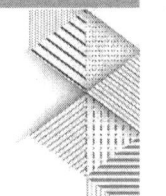

29 반응 위험지수(RHI)

1. 반응 위험지수(RHI: Reaction Hazard Index) 개념
   ① 화학물질의 상대적인 잠재적 위험성 등급
   ② 공식

   $$RHI = \frac{10\,T_d}{T_d + 30E_a}$$

   T_d : 분해온도 E_a : 활성화에너지

2. 영향인자
   ① $T_d \uparrow \rightarrow RHI \uparrow \rightarrow$ 위험도 $\uparrow$

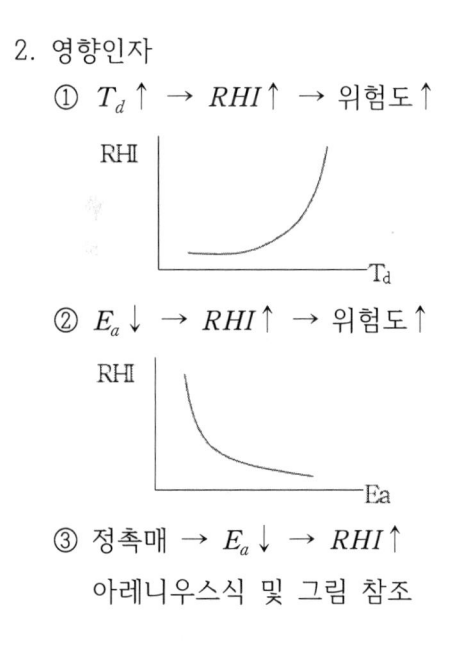

   ② $E_a \downarrow \rightarrow RHI \uparrow \rightarrow$ 위험도 $\uparrow$

   ③ 정촉매 $\rightarrow E_a \downarrow \rightarrow RHI \uparrow$
      아레니우스식 및 그림 참조

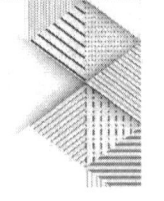

30 위험성 표현방법

1. 위험성 표현 목적
    ① 위험성 감소대책 수립
    ② 치명도 허용기준 판단

2. 위험성 표현방법

구분	사회적 위험	개인적 위험
① 개념	집단에 속한 사람들에게 미치는 위험성	특정장소, 불특정 개인에게 미치는 위험성
② 종류	㉠ 위험도 메트릭스 ㉡ F-N Curve	㉠ 위험도 등고선 ㉡ 위험도 프로파일

3. 사회적 위험

(1) 위험도 메트릭스

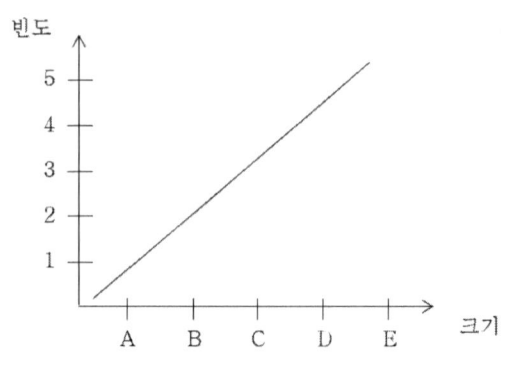

① 표현방법

　　x축에 사고 크기, y축에 사고 빈도 표시 → 위험도 등급

표시

② 사고 크기

　사망, 부상, 재산피해로 나타냄.

③ 사고 빈도

　사고 발생 가능성을 확률단위 또는 발생빈도별로 분류

④ 위험등급

　㉠ 사고 크기와 빈도로 기초하여 1~5 등급으로 구분

　㉡ 1~2 등급 : 반드시 사회적으로 허용가능영역이 되도록

　　→ 사고크기↓, 사고빈도↓ 대책 수립 필요

　㉢ 1E 경우 : 빈도↓, 크기↑ 가스시설 → 특히 중요

(2) F-N Curve

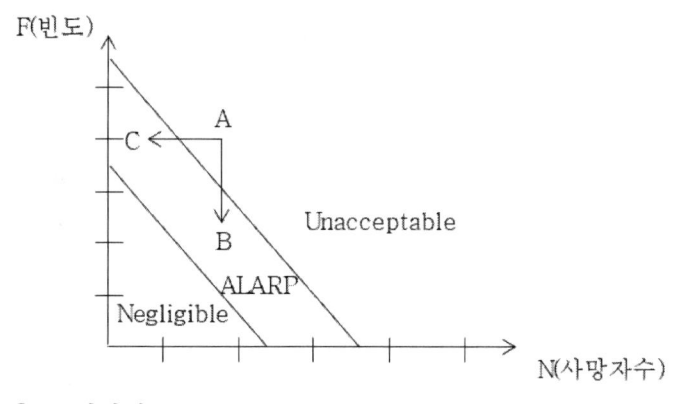

① 표현방법

　누적빈도 대 사망자수로 표현되는 결과 도표

② 활용

　㉠ 주로 원자력 산업에서 사용

　㉡ 사고 발생시 위험영향 범위 예측에 사용

③ Negligible 영역

　㉠ 무시가능 영역

      ⓒ 위험 감소 현실적으로 불가능, 경제·시간적 노력 과도한 요구

  ④ ALARP(As Low As Reasonable Practicable) 영역

      ㉠ 허용가능 영역

      ⓒ 위험 감소 합리적으로 실행 가능

  ⑤ Unacceptable

      ㉠ 허용불가능 영역

      ⓒ 위험 감소 대책

        ⓐ A → B : 사고 빈도 최소화 대책

           예) 안전밸브, 인터록시스템

        ⓑ A → C : 위험 영향범위 최소화 대책

           예) 방호벽, 인구밀도 하향 조절

4. 개인적 위험

(1) 위험도 등고선

  ① 표현방법

    위험과 거리와의 관계를 등고선으로 표시

  ② 등고선

    특정장소에서 특정한 정도의 위험을 야기시킬수 있는 사건의 예상빈도를 의미하며, 위험도가 동일한 점을 서로 연

결하여 표시

③ 대책 수립

등고선 이용 → 위험도 높은 지역 사람 이주 → 방호대
책 수립

(2) 위험도 프로파일

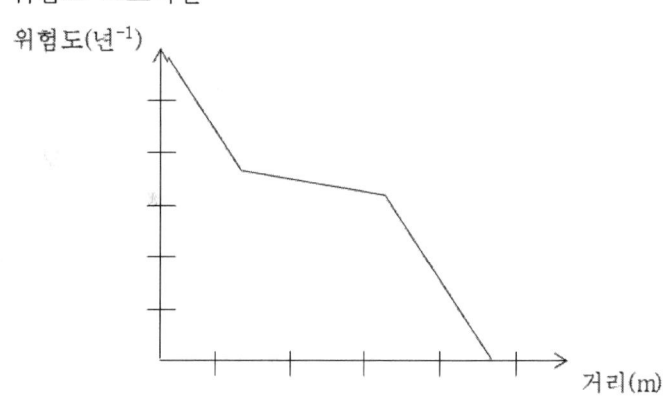

① 표현방법

사고원으로부터 거리의 함수로 개인 위험성을 도시화

② 대책 수립

거리↑ → 위험도↓

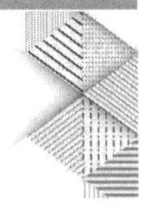

31 Hazard vs Risk

구분	Hazard	Risk
① 정의	사회적 허용 기준 이상	Risk = 사고 빈도 × 크기
② 평가방법	정성적인 위험성 평가	정량적인 위험성 평가
③ 위험개념	'위험이 증가하였다' 경우, 위험은 Hazard 에 해당	'위험을 부담하다' 경우, 위험은 Risk 에 해당
④ 예	㉠ 폭발성, 독성물질 ㉡ 원유탱크	화재, 폭발, 누출사고의 영향력(사고 빈도 × 크기)
⑤ 활용	인적·물적·환경적 피해를 평가하는 척도로 사용	

32 사고 vs 손실

구분	사고(Peril)	손실(Loss)
① 개념	㉠ 우발적 사고 ㉡ 이상현상	㉠ 우발적 사고의 결과 ㉡ 이상현상으로 인한 피해
② 인과관계	손실의 원인 → 사고	사고의 결과 → 손실
③ 예	화재, 폭발, 중독	인적, 물적, 환경적 피해

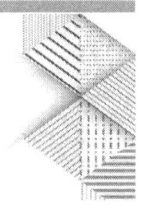

33 공정흐름도(PFD)

1. PFD(공정흐름도, Process Flow Diagram) 개념
   공정흐름도(Process Flow Diagram)로써 장치간 공정연관성,
   운전조건, 물질수지, 열수지를 나타내는 도면

2. 활용
   P&ID, 유틸리티계통도, 유틸리티배관계장도 등 후속 기본설
   계, 상세설계, 운전절차서 작성 시 활용

3. 표시사항
   ① 공정관련
      ㉠ 공정처리순서, 흐름 방향
      ㉡ 공정 Balance
         ⓐ 물질수지(Material Balance)
         ⓑ 열수지(Heat Balance)
      ㉢ 공정변수(유량, 온도, 압력) 장상상태 값
      ㉣ 회분식 공정 : 작업순서, 작업시간
   ② 장치, 설비
      ㉠ 주요장치, 설비류 배열
      ㉡ 열교환기, 압력용기, 저장탱크 간단 정보
   ③ 기본 제어 회로
   ④ 유체 물리적 특성
      비중, 밀도, 점도 등

4. 심사기준(상세검토)
   ① 주요공정 유체흐름
   ② 물질, 열수지
   ③ 공정변수(유량, 온도, 압력)에 대한 최소, 최대변수 한계치
      ㉠ 한계 설정 이유
      ㉡ 이탈로 이한 결과
      ㉢ 조절방법
   ④ 제어계통, 주요 밸브 사양
   ⑤ 주요 장치, 회전기기 명칭 및 주요사양
   ⑥ 주요 장치, 회전기기 유체의 입출하 표시
   ⑦ 모든 원료, 공급유체, 중간제품의 온도, 압력
   ⑧ 기본적인 제어 Loop

34 P&ID

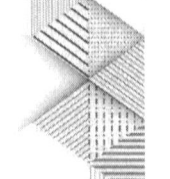

1. P&ID(Piping and Instrument Diagram) 개념
   공정배관 계장도(Piping and Instrument Diagram)로써 공정장치, 동력기계, 공정제어 및 계기 표시하고 상호관의 관계를 나타내는 도면

2. 활용
   ① 상세설계 시
   ② 공정 운전 시
   ③ 유지보수 시 등

3. 표시사항
   ① 설명서
      ㉠ 부호(symbol), 범례도(Legend)
      ㉡ 약자, 약어 정의
      ㉢ 고유번호 부여(Numbering) 기준
   ② 장치, 동력기계
      ㉠ 고유번호, 명칭
      ㉡ 용량, 동력원
      ㉢ 연결부
   ③ 배관
      ㉠ 피팅류, 밸브류
      ㉡ 보온, 보냉 종류 및 두께
      ㉢ 벤트, 드레인
      ㉣ 배관 번호, 관경, 재질
   ④ 계측기기
      ㉠ 센서, 제어계통
      ㉡ 제어장치 구분(DCS, PLC)
   ⑤ 안전장치 : 안전밸브 및 파열판 설정압력, 용량

4. 심사기준(상세검토)
   ① 발열반응 공정 : 고온에서 긴급차단 인터록 회로 확인
   ② 산화반응 공정 : 폭발범위 내 형성 방지 인터록 회로
   ③ 가열로 : Tube, 유체 과열방지장치
   ④ Control 밸브 : Failure Position 위치(Fail Close, Fail Open)
   ⑤ 안전밸브
      ㉠ 설정압력, 용량 ㉡ 전후 차단밸브 설치 여부

⑥ Flare Stack : 차단밸브 설치 여부
⑦ 용기 : 과압, 진공방지장치
⑧ 상압탱크 역화방지기 설치여부

제19장
에너지환경
신기술

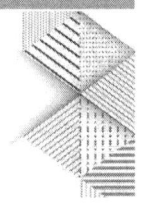

1 가스 안전관리 선진화 방안

1. 개요
국내 가스산업 발전 → 가스 사용량↑ → 가스사고 발생율↑
→ 안전관리 선진화 필요

2. 선진화 추진 분야
① IT 접목 분야(유비쿼터스 지능형)
　㉠ RFID : 무선주파수 인식 기술
　㉡ LBS : 위치 기반 시스템
　㉢ POS : 판매시점 정보관리 시스템
② 안전장치 분야
　㉠ 마이콤미터 개발
　㉡ 차단기능형 용기 밸브 개발
　㉢ 타이머 부착 퓨즈콕
③ 검사 분야
　㉠ RBI 기법 도입
　㉡ QMA 기법 도입
　㉢ 다양한 QRA 기법 실시
④ 공급자 점검 분야
　㉠ LPG 안전관리 우수 판매업소 지정제도 활성화
　㉡ 노후 시설 집중 관리
⑤ LPG 분야
　㉠ 부탄 연소기 안전기준 보완

ⓛ 연소기 표시사항 개선
　　⑥ 도시가스 분야
　　　㉠ 사용시설 공동배관 안전관리 강화
　　　ⓛ 규제 합리화 로드맵 추진

 ## 고도화 설비 공정(VGO-FCC)

1. 개념

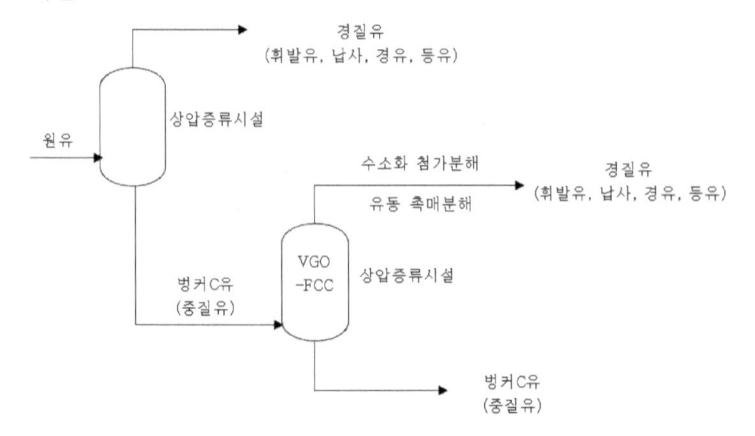

원유 정제 → 휘발유, 납사, 등유, 경유 → 벙커 C 유 → 고도
화 설비 공정 → 휘발유, 납사, 등유, 경유

2. 고도화 설비 공정

① 수소화 첨가 분해 : 중질유 + 수소 첨가 → 경질유 변환
② 유동촉매 분해 공정 : 중질유 감압 증류시 → VGO(감압가
　　스 오일) 이용 → 경질유 제조

3. 특징
   ① 원유 수입비용↓
   ② 배럴당 정제 마진↑
   ③ 탄소 배출량↓
   ④ 고부가 가치 창출

3   스마트 그리드(Smart Grid)

1. 개념
   기존 전력망 + 정보통신 기술 → 에너지 + 통신 네트워크 →
   지능형 전력망

2. 스마트 그리드 기능
   ① 실시간 정보 확인 : 전력 공급자와 소비자 실시간 전기사
   용 정보 확인 가능
   ② 전력망 디지털화 : 소비자 스마트 미터 사용 → 전력 수요
   공급 상황 확인 가능
   ③ 에너지원 선택 : 전력 수요공급 상황 변동 → 가격 정보
   확인 → 에너지원 선택

3. 파급 효과
   ① 에너지 효율 최적화
   ② 태양광, 풍력 등 신재생에너지 안정적 이용
   ③ 정전시 피해 최소화
   ④ 국가간 전력망 연계 가능

4 마이크로 그리드(Micro Grid)

1. 개념
   신재생에너지 발전설비 + 에너지 저장 장치 → 소규모 독립
   형 전력망

2. 구성 설비
   ① EMS(에너지 관리 시스템)
      ㉠ 전력부하 및 신재생에너지 발전량 예측
      ㉡ 자동제어 관리
   ② 분산 에너지원
      ㉠ 신재생에너지
      ㉡ 에너지 저장 장치(ESS)
   ③ 운영 기기
      ㉠ 전력 변환 시스템
      ㉡ 네트워크 게이트웨이

3. 활용 분야
   ① 도서지역 : 도서지역, 오지, 사막 지역
   ② 탈원전 추진 국가 : 서유럽 등 선진국
   ③ 에너지 자립섬 : 소규모 독립형 전력망 구축

5 첨두부하 및 기저부하

1. 첨두부하
   ① 전력 Peak 시 → 필요한 전력
   ② 발전단가 高
   ③ 발전소 예 : ㉠ 가스 발전   ㉡ LNG 복합발전

2. 기저부하
   ① Steady한 전력량 발전
   ② 발전단가 낮음
   ③ 발전소 예 : ㉠ 원자력 발전   ㉡ 화력 발전

3. 첨두부하 발생원인
   ① 최대부하 운전 : 설비, 기기 정상운전 전 최대부하 운전
   ② 설비 효율↓ : 설비 노후화 → 효율↓ → 소비전력↑

6 지구온난화(Global Warming)

1. 개념
   대기 중 온실가스 농도↑ → 온실효과 발생 → 지구표면
   온도↑

2. 온실가스 종류(GHG : Green House Gas)

온실가스	지구온난화 지수	주요 발생원
CO_2	1	에너지 사용
CH_4	21	화석연료
N_2O	310	산업공정
HFC	1,300	에어컨 냉매
PFC	7,000	반도체 세정용
SF_6	23,900	전기 절연용

3. 지구온난화 지수(GWP : Global Warming Potential)

① 정의 : CO_2 기준 → 상대적인 지구 온난화 기여 정도

② 계산식

$$지구온난화 지수 = \frac{다른 물질 1kg 지구 온난화 기여 정도}{CO_2 \ 1kg 지구 온난화 기여 정도}$$

③ 영향인자

　㉠ 적외선 흡수율↑ → 지구온난화 기여 정도↑

　㉡ 파장 흡수율 → 지구온난화 기여 정도↑

4. 지구 온난화 미치는 영향

① 자연에 미치는 영향

　㉠ 평균기온↑　　　　　㉡ 해수면↑

　㉢ 엘리뇨 현상　　　　㉣ 가뭄, 사막화

　㉤ 생태계 파괴

② 인체에 미치는 영향

　㉠ 심폐 기관 질병 유발　　㉡ 식량 부족

　㉢ 곤충 서식 기간↑ → 전염병↑

③ 한반도에 미치는 영향
  ㉠ 뚜렷한 4계절 모호화   ㉡ 평균기온 1~4℃↑
  ㉢ 생태계 먹이사슬 교란

5. 예방대책
  ① 청정 소화약제 사용
  ② 프로온 가스 사용 규제
  ③ 냉매 대체 물질 개발
  ④ 온실가스 목표 관리제 적극적 참여
  ⑤ 온실가스 배출권 거래제 강화

7  집단에너지 사업(CES)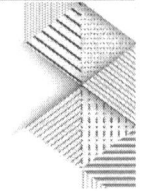

1. 집단에너지 사업
  ① 정의 : 일정 지역 에너지(전기, 냉·난방) 공급 사업
  ② 구분

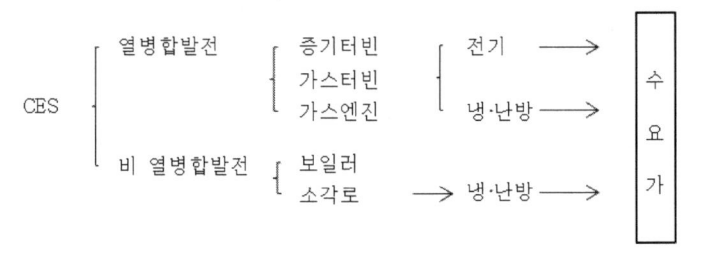

2. 사업 구분 및 기준
  ① 지역난방 사업 : 시간단 열생산 5 백만 kcal/hr↑

② 산업단지 집단에너지 사업 : 시간당 열생산 3 천만 kcal/hr↑

③ 구역형 집단에너지 사업 : 도심가, 호텔, 백화점 → 전기 및 냉·난방 공급

3. 특징
① 사업 실효성 : 연면적 5,000 m^2↑ 복합 건물 공급시 → 사업 실효성 有
② 투자 회수 기간 : 4 ~ 5년
③ 하절기 전력 수요↓ : 열병합발전 경우 → 여름철 전력 수요↓

4. 문제점
① 과다 경쟁으로 사업영역 마찰↑
② CES 고시지역 지정 → 지역 침범 불가피
③ CES 허용기준↑ → 완화 필요
④ 전기 직판 등 사업제도 부재

8 무선 주파수 인식 기술(RFID)

1. 무선 주파수 인식 기술(RFID : Radio Frequency Identification) 개념
초소형 IC칩 내 정보 입력 → 무선주파수 이용 → 정보인식 기술

2. 구성 요소

  ① Tag : IC칩 내장 → 사물 정보 입력 → LPG 용기 부착

  ② Reader : Tag 정보 인식 → 컴퓨터 전달

  ③ Antenna : 무선 주파수 이용 → 정보 전송

3. 장단점

장점	단점
① 반영구적 ② 대용량 메모리 저장 ③ 원거리 인식(수백미터) ④ 다수 데이터 동시 인식 ⑤ 공간 제약 無	① 가격 고가 ② 국가별 주파수 상이 ③ 보안 기능 취약 ④ 개인 사생활 침해 우려 有

4. 활용 분야

  ① LPG 용기 이력 관리제(하기)

  ② 물류 시스템 분야

  ③ 고속도로 톨게이트

  ④ 도서관 인원 출입, 도서 대출 현황

  ⑤ 주차관리 분야

5. Bar Code vs RFID

구분	Bar Code	RFID
① 인식 방법	빛 이용	주파수 이용
② 인식 정보량	소량	대량
③ 인식 거리	수십센티미터	수백미터
④ 인식 속도	느림	빠름

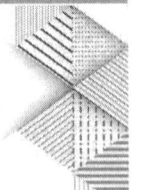

RFID LPG 용기 이력관리제

1. 개념 및 구성요소 : 동일

2. 효과
   ① 기존 바코드 시스템 대체 차세대 인식기술
      ㉠ 바코드 시스템 : 정보 → 바코드 입력 → 스캐너 확인
      ㉡ RFID : 정보 → 초소형 IC 칩 내 입력 → 무선주파수
        이용 추적관리
   ② LPG 용기 전산화
      ㉠ 용기 관리 체계화 및 효율화
      ㉡ 안전관리 강화

3. 문제점
   ① RFID ↔ Reader기 상호간 통신거리 문제
   ② RFID Tag 탈부착 가능 → 관리 곤란
   ③ 충격, 접착력 약화 → RFID Tag 탈락
   ④ 동일 용기 재부착 곤란
   ⑤ 고의 훼손

4. 해결방안
   ① LPG 용기 개발
      RFID 기능 적합한 LPG 용기 개발 → 통신거리 실효성↑
   ② 부착 방법 변경
      ㉠ 기존 : LPG 용기에 RFID 부착 노력
      ㉡ 신규 : RFID 기능 장착한 밸브 개발

10 위치 기반 서비스(LBS)

1. 위치 기반 서비스(LBS : Location Based Service) 개요
   ① 개념
      GPS + 이동통신 기지국 무선망 → 위치 파악 서비스 제공
   ② 유비쿼터스 시대 핵심 기술
      RFID, LBS, POS

2. 구성 요소
   ① 무선 통신망
      ㉠ GPS : 인공위성 micro wave → GPS 수신
      ㉡ Cell : 이동 통신 기지국 무선망
   ② 모바일 정보 기기 : 스마트 폰, 네비게이션
   ③ 위치 확인 기술 : 무선 측위 기술

3. LBS 종류
   ① GPS 방식
      ㉠ 원리 : 인공위성 micro wave → GPS 수신
      ㉡ 장단점

장점	단점
ⓐ 오차범위↓(150m↓) ⓑ 정확한 위치 추적 가능	ⓐ 실내 추적 불가 ⓑ 고층건물 방해물 작용

   ② Cell 방식
      ㉠ 원리 : 이동통신 기지국 무선망 이용

ⓛ 장단점

장점	단점
ⓐ 실내 추적 가능	ⓐ 오차범위↑(500 ~ 1,000m)
ⓑ 지하 추적 가능	ⓑ 정확한 위치 추적 곤란

4. 향후 과제
　　① 개인 사생활 침해 고려
　　② 보안에 대한 고려
　　③ 고압가스, 독성가스 운반 차량에 장착 기술 확대

11 판매시점 정보관리 시스템(POS)

1. 판매시점 정보관리 시스템(POS : Point of Sale) 개념
　　상품 판매시 바코드 부착 → 정보 입력 및 분석

2. 구성 요소
　　① 단말기
　　　　㉠ 내압방폭 구조
　　　　ⓛ 기능 : ⓐ 고객 인식　　ⓑ 충전작업 정보
　　② 사이트 컨트롤러
　　　　㉠ POS 두뇌 역할
　　　　ⓛ 단말기 데이터 저장
　　③ 점포 서버 : 단말기 정보 → 점포 서버내 수집 및 저장
　　④ 본사 메인 서버 : 데이터 수집 및 분석

3. 도입 효과
  ① 안전성 확보
    LPG 충전기에 내압방폭구조 POS 장착 → 안전하게 충전
  ② 생산성 향상
    ㉠ 충전 중 고객 정보 표시
    ㉡ 카드, 현금 처리 신속
    ㉢ 판매 집계 동시 처리
  ③ 고객 관리
    ㉠ 개인별 카드 발급 및 관리
    ㉡ 마일리지 적립
    ㉢ 세금계산서 발행
  ④ 복수 충전소 통합관리
    ㉠ 2개 이상 충전소 통합관리
    ㉡ 지역적 한계 탈피

12 신재생에너지 의무 할당제(RPS)

1. 신재생에너지 의무 할당제(RPS : Renewable Energy Portfolio Standard)
  ① 정의 : 총발전량 일정 비율은 신재생에너지 공급 의무화 제도(2012년 시행)
  ② 제도 목적 : 신재생에너지 보급 확대
  ③ 대상 : 발전설비 용량 500MW 이상인 발전사업자

④ 신재생에너지 공급 비율
　　㉠ 2012년 : 총발전량의 2%
　　㉡ 2024년 : 총발전량의 10%
　　　→ 단계적으로 상향 조정
⑤ 신재생에너지 공급 방법
　　㉠ 직접 신재생에너지 발전설비 도입
　　㉡ 다른 신재생에너지 발전사업자 공급인증서(REC) 구매

2. REC와 SMP
　① REC(Renewable Energy Certificate, 공급인증서)
　　㉠ 신재생에너지 설비 도입 후 전력 공급함을 증명한 인증서
　　㉡ 거래 시장에서 거래 가능 → 매수자는 RPS 인정
　② SMP(System Marginal Price, 계통한계가격)
　　㉠ 거래 시간별 발전 전력량의 전력시장 가격(원/kWh)
　　㉡ 전력생산 발전기 중 변동기가 가장 높은 발전기의 발전단가로 결정됨.

13 환산톤

1. 탄소톤(TC : Tonnes of Carbon)
　① 개념 : 온실가스 중 가장 큰 비중(74%)인 CO_2의 C(탄소) 기준으로 환산한 톤

② 공식 : $TC = 0.273 \times TCO_2$

여기서, $0.237 = \dfrac{C \text{ 원자량 } 12g}{CO_2 \text{ 분자량 } 44g}$

③ 계산 예) 15톤 CO_2는 몇 TC 인가?

→ 0.273×15톤 CO_2 = 4.1톤 C(TC)

2. 석유 환산톤(TOE : Ton of Oil Equivalent)

① 개념 : 원유 1톤의 발열량 107 kcal = 1 TOE

② 공식 : 해당 에너지 $TOE = \dfrac{\text{해당 에너지}(kcal)}{10^7 \, kcal}$

③ 계산 예) 석탄 500 kg을 TOE로 환산하시오.

(단, 석탄 발열량 : 5,000 kcal/kg)

→ 석탄 $TOE = \dfrac{500kg \times 5,000kcal/kg}{10^7 kcal} = 0.25 \, TOE$

14 이산화탄소 포집 및 저장 기술 (CCS)

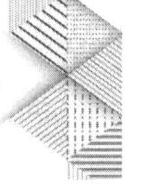

1. 이산화탄소 포집 및 저장 기술(CCS : Carbon Capture & Storage) 개념

① 온실가스 CO_2 문제점

연료 연소 → CO_2 발생 → 대기 방출 → 지구온난화 발생

② CCS 기술

연료 연소 전후 CO_2 포집 → 수송 → 저장

2. 포집 기술

(1) 연소 전 포집 : SNG 참조

(2) 연소 후 포집

  ① 개념 : 연료 연소 → Flue gas 내 CO_2 포집 → 대기 방출
  ② 포집 방법 : 흡수, 흡착, 막분리 등 다양한 기술 연구, 개
    발 중

3. 저장 기술

(1) 수송 기술

  ① 개념 : 포집된 CO_2 → 저장소 이송 기술
  ② 종류
    ㉠ 수송용 트럭 이송
    ㉡ 파이프 라인 이송
    ㉢ 선박 이송

(2) 저장 기술

  ① 단순 저장
    ㉠ 개념 : CO_2 → 육상, 해저에 안전하게 저장
    ㉡ 종류
      ⓐ 지하 암반 저장 ; 초임계상태 다공성 암반 → CO_2
        쿠션가스 형태 주입 → 저장
      ⓑ 해저 저장 : 해저 3,000m 이하 퇴적층 → CO_2
        Hydrate 형태 주입 → 저장
  ② CO_2 활용 : CO_2 → 정제 → 플라스틱, 바이오매스 활용
    → 연구, 개발 중

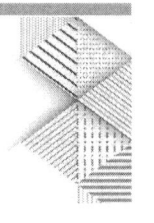

15 신재생 에너지

1. 개념
원자력, 석탄, 가스 등의 에너지 이외의 에너지 분야

2. 신재생 에너지 종류별 장단점
① 재생 에너지[374)]

종류	장점	단점
태양열 및 태양광	무한량, 무가격	경제성↓
바이오 매스	고부가가치 에너지	생물학적 공정 복잡
풍력	무한량, 무가격	경제성↓
소수력	발전원가↓	수몰 보상
지열	발전원가↓	국내 도입가능 지역 無
폐기물	경제성↑	고도 기술 필요

---

374) 암기 태바풍소지폐
- 재생 에너지 종류 : 태양열 및 태양광, 바이오 매스, 풍력, 소수력, 지열, 폐기물

② 신 에너지[375]

종류	장점	단점
연료 전지	⑦ 저공해 ⓒ 고효율	⑦ 초기 투자비↑ ⓒ 전지 수명향상 기술개발 필요
석탄 액화 가스화	⑦ 고효율 발전 ⓒ 고부가가치 에너지	⑦ 초기 투자비↑ ⓒ 설비 복잡
수소 에너지	연소 시 공해 물질 無	경제성↓

3. 신재생 에너지 특징
　① 친 환경적 에너지
　　온실가스 감축 → 지구온난화 방지
　② 고부가가치 에너지
　　저급 연료, 폐기물 활용 → 생활 에너지 사용 → 석유화
　　학 플랜트 원부연료 사용
　③ 대체 에너지
　　석유, 석탄 등 에너지 고갈 → 대체 에너지

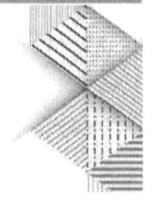

16 연료 전지(Fuel Cell)

1. 개념
　천연가스, 납사, 메탄올 → 연료전지 → 전기 & 열 에너지
　생산

---

375) [암기] 연석수
　- 신에너지 종류 : 연료 전지, 석탄 액화 가스화, 수소 에너지

2. 메카니즘

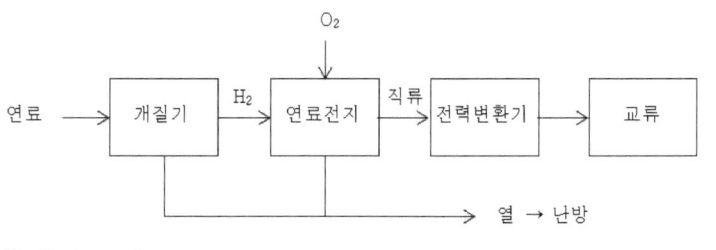

① Reforming

천연가스, 납사, 메탄올 등 연료 → 개질기(Reformer) →
H_2 + 열 발생

② Cell reaction

H_2 + O_2 → 연료전지 → Anode, Cathode 반응 → 직류
+ 열 발생

③ Converting

직류 전원 → 전력 변환기(Converter) → 교류 전원

3. 연료전지 내 반응

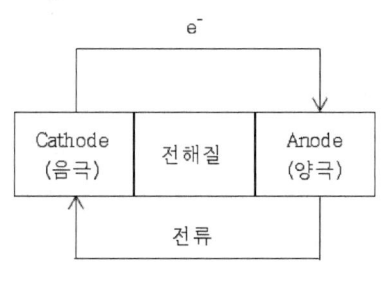

㉠ 반응 원리

H_2 → Anode → H^+ → 전해질 → Cathode → H^+ + e^-
+ O_2 → H_2O → 전자 이동으로 인한 전기 생성

㉡ 전체 반응

H_2 + $1/2$ O_2 → H_2O

4. 연료전지 종류
　① 저온형
　　㉠ 고분자 전해질막 연료전지(PEMFC)
　　　가정용, 자동차용
　　㉡ 인산형 연료전지(PAFC)
　　　발전용, 건물용
　② 고온형
　　㉠ 용융 탄산염형 연료전지(MCFC)
　　　대규모 발전
　　㉡ 고체 산화물형 연료전지(SOFC)
　　　대규모 발전 → 효율↑

5. 고체 산화물형 연료전지(SOFC)
　① 고체상 세라믹 전해질 사용
　② 고온 운전 : 800℃ 전후
　③ 고 발전효율 : 고온 운전 → 고 효율
　④ 내부 개질 가능 → 다양한 연료 적용 가능

17 수소 제조방식 분류(수소 에너지)

1. 개요
　석유, 석탄, 천연가스 등 1차 에너지원 → 탈탄소 에너지화
　위한 차세대 청정에너지

2. 수소 제조방식 분류
① 화석연료 이용376)

제조방식	원료	에너지원
㉠ 수증기 개질	천연가스, LPG, 납사	열
㉡ 부분산화	중질유, 석탄	열
㉢ 자열개질	천연가스, LPG, 납사	열
㉣ 직접분해	천연가스	열
㉤ 이산화탄소 개질	천연가스	열

② 비 화석연료 이용377)

제조방식	원료	에너지원
㉠ 전기분해	물	전기
㉡ 열화학 분해	물	열
㉢ 생물학적 분해	물, 바이오매스	열, 미생물
㉣ 광화학적 분해	물	태양광

3. 수소 에너지 특징

장점	단점
① 기체, 액체상태 저장, 수송 ② 공해물질 배출↓ ③ 고열량 ④ 제조 자원 풍부	① 고온, 고압 → 위험 ② 수소취성 발생 ③ 제조, 수송, 저장 기술개발 　필요

---

376) 암기 수부자직이
- 수소 제조방식 중 화석연료 이용 방식 종류 : 수증기 개질, 부분산화, 자열개질, 직접분해, 이산화탄소 개질

377) 암기 전열생광
- 수소 제조방식 중 비화석연료 이용 방식 종류 : 전기분해, 열화학 분해, 생물학적 분해, 광화학적 분해

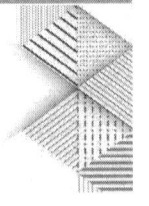

18 수증기 개질법(SMR)

1. 수증기 개질법(SMR : Steam Mathane Reforming) 개념
   탄화수소(황분 제거) + 수증기 → 촉매 충전한 개질탑 → 가열 → 수소

2. 메카니즘[378]

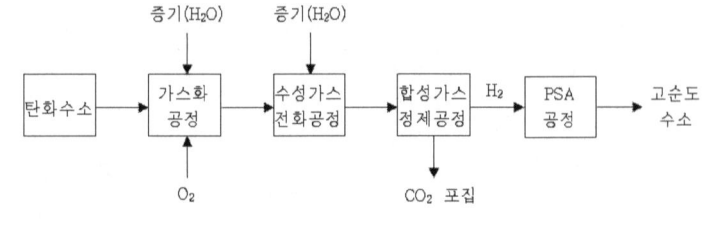

① 가스화 공정
   탄화수소 + O_2 + 증기(H_2O) → 합성가스(CO + H_2)
② 수성가스 전화공정
   CO + 증기(H_2O) → CO_2 + H_2
③ 합성가스 정제공정
   수성가스 + 황 이용 → CO_2 제거 → 저순도 H_2
④ PSA공정
   저순도 수소 → PSA공정 → 고순도 수소 생성

---

378) 암기 가수합P
   - 수증기 개질법(SMR) 메카니즘 : 가스화 공정, 수성가스 전화공정, 합성가스 정제공정, PSA공정

3. 반응 조건
　　① 온도 : 800℃ 전후
　　② 압력 : 20 kg/cm^2 이상

4. 수증기 개질공정 방지대책 : <u>본수능절</u>

19 수소 충전소

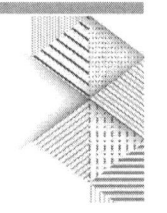

1. 개요
　석유, 석탄, 천연가스 등 1차 에너지원 → 탈탄소 에너지화
　위한 차세대 청정에너지

2. 수소 충전소 종류
　① 현장 연료 개질형

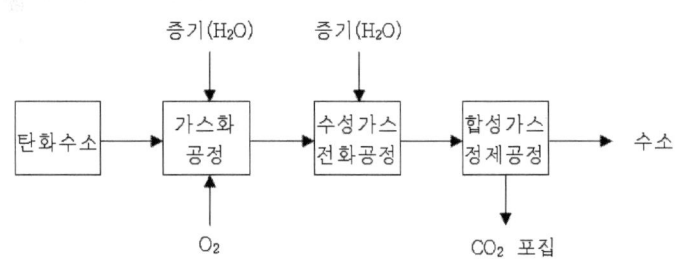

　② 현장 수전해형

$$2H_2O \xrightarrow{\text{전기분해}} 2H_2 + O_2$$

　③ 압축수소 저장형
　　㉠ 외부 수소 제조 → 압축 → 운반 → 저장 → 충전

   ⓛ 예 : 울산 수소타운
  ④ 액화수소 저장형
    ㉠ 외부 수소 제조 → 액화 수소 → 운반 → 저장 → 충전
    ⓛ 운반시 기화손실 10% 발생
  ⑤ 배관 연결형
    수소 대량 생산처 → 파이프 라인 연결 → 충전

3. 충전소 안전관리

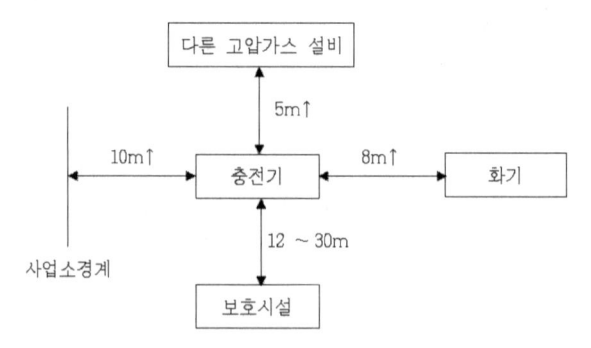

 ① 사업소 경계 로부터의 안전거리 : 10m↑
 ② 다른 고압가스 설비 로부터의 안전거리 : 5m↑
 ③ 화기시설 로부터의 안전거리 : 8m↑
 ④ 보호시설 로부터의 안전거리 : 12~30m

20 폐기물 가공 연료(RDF)

1. 폐기물 가공 연료(RDF : Refuse Derived Fuel) 정의
   도시 쓰레기 → 가연성물질 가공 → 고형 연료

2. 제조 공정
   ① 분쇄 공정 : 도시 쓰레기 → 파쇄 → 분쇄 → 건조
   ② 성형 공정 : 선별 → 혼합 → 성형 → 제품화

3. 특징
   ① 수송, 저장 용이
     분체 상태, 펠릿 등 고형 상태 → 수송, 저장 용이
   ② 고부가가치 에너지
     폐기물 → 고효율 연료 재사용(발열량 3,500 kcal/kg 전후)
   ③ 연소조절 용이
     수분, 재, 고정탄소 등 함량 균일 → 연소조절 용이
   ④ 대기오염 방지 효율↑
     처리 과정 시 → 대기오염 발생 물질 제거 → 연소시 대
     기오염 방지효율↑
   ⑤ 부패 가능성 有
     유기물질 함유 → 함수율↑ 시 → 부패 가능

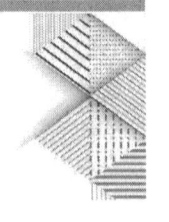

21 초고온 가스로(VHRT)

1. VHTR(Very High Temperature Reactor, 초고온 가스로,
   차세대 수소생산 원자로) 개념
   차세대 수소생산 원자로 → 수소 대량 생산 가능 → 최근
   (2015년) 안전성 모의 시험에 성공

2. VHTR 공정

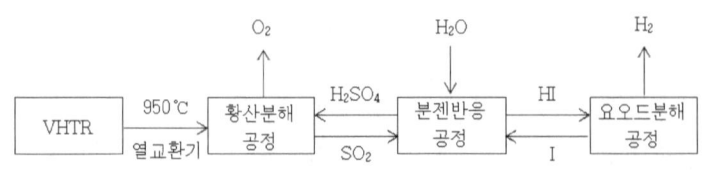

   ① 황산분해 공정 : 950℃ 열 에너지 이용 → H_2SO_4 분해
   ② 분젠반응 공정 : $SO_2 + I + H_2O$ + 고열 → H_2SO_4 + HI
      → 황산 및 요오드 분해공정 공급
   ③ 요오드분해 공정 : 요오드화 수소산(HI) 분해 → 수소(H_2)
      생산

3. 특징
   ① CO_2 배출 無 : 생산 고정 중 CO_2 배출 無 → 온실가스
      감축 기술
   ② 대량 수소 생산 가능 : 황산분해, 분젠반응, 요오드분해
      공정 → 대량 수소 생산 가능
   ③ 고효율 전기 생산 가능 : 950℃ 고온의 열에너지 이용 →
      고효율 전기 생산

22 C1 가스 정제 기술

1. 개념

① C1 가스

㉠ C1 가스 : CO, CH_4 등 탄소개수 1개인 가스

㉡ CO : 산업 부생가스 → CO + $1/2\ O_2$ → CO_2(온실가스) 생성

㉢ CH_4 : 오일, 가스 채굴과정 발생 → 온실가스(지구온난화 지수 21)

② C1 가스 리파이너리 기술

CO, CH_4 → 생물학적, 화학적 전환 → 기초 화학소재, 수송용 연료 생산

2. 활용 분야

① 활용 가스

㉠ 산업 부생가스 : CO

㉡ 오일, 가스 채굴과정 발생 가스 : CH_4

② 생산 제품

기초 화학소재	수송용 연료
㉠ 올레핀 ㉡ 유기산 ㉢ BTX ㉣ 탄화수소 ㉤ 아민계 고분자	㉠ 메탄올 ㉡ 에탄올 ㉢ 부탄올

3. 특징
　① 고부가가치 에너지
　　산업 부생가스, 온실가스 등 활용 → 화학소재, 연료 생산
　② 친 환경적
　　온실가스 재활용 → 지구온난화 방지
　③ 에너지 수입 대체 효과
　　메탄올 대량 생산 시 → 년간 3,500 억원 수입대체 효과

 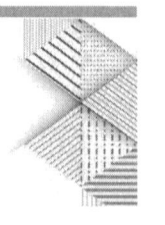

23 열병합발전(CHP)

1. 열병합발전(Cogeneration, CHP : Combined Heat and Power) 이란?

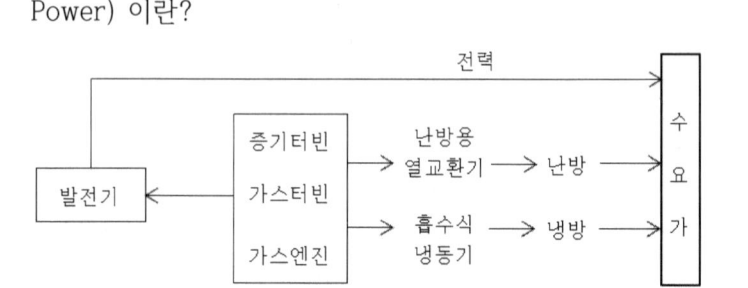

단일 에너지원 → 전력 + 열 동시 생산

2. 열병합발전의 분류
　① 원동기 종류에 따른 분류
　　㉠ 증기터빈 방식 : 랭킨 사이클
　　㉡ 가스터빈 방식 : 브레이톤 사이클

ⓒ 가스엔진 방식 : 오토 사이클

② 적용 형태에 따른 분류

　　㉠ 집단에너지 공급방식 : 산업단지 열병합발전, 지역 냉·
　　　난방

　　㉡ 자가발전 방식 : 산업체 및 건물 자가용

3. 열병합발전 종류 설명(원동기 분류)

(1) 증기터빈 방식(랭킨 사이클) 참조

(2) 가스터빈 방식(브레이톤 사이클) 참조

(3) 가스엔진 방식(오토 사이클 = Otto cycle)

　　① 개념 : 4 사이클식 가솔린 기관(정적 사이클)

　　② P-V 선도

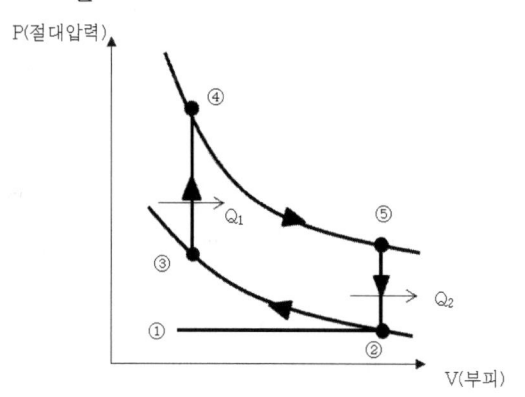

　　㉠ 흡입(①→②) : 공기 흡입

　　㉡ 단열압축(②→③) : 피스톤 압축 → 압력↑

　　㉢ 정적가열(③→④) : 점화플러그에 의해 착화 → 폭발
　　　→ 압력↑

　　㉣ 단열팽창(④→⑤) : 가솔린 엔진 → 일 → 압력↓

　　㉤ 정적방열(⑤→②) : 배기가스 배출

5. 열병합발전 특징
   ① 에너지 이용 효율↑
   ② 경제성↑
   ③ 환경 오염↓
   ④ 전력 및 열 동시 공급

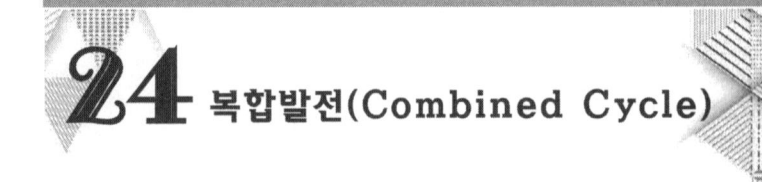

24 복합발전(Combined Cycle)

1. 개념
   ① 두 종류 열 사이클 조합 발전 방식(고효율)
   ② 대표적 복합발전 : 가스터빈 + 증기터빈

2. 복합발전 계통도

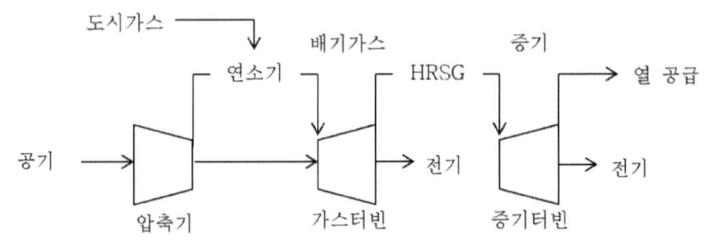

   ① 압축기
      연소공기 압축 → 연소기 내 LNG 연소 → 배기가스 가스
      터빈 공급
   ② 가스터빈
      배기가스 → 터빈 Rotor 회전 → Generator 발전
      열 에너지 → 기계 에너지 → 전기 에너지

③ HRSG

Heat Recovery Steam Generator 로써 배기가스 열 회수 → 스팀 생산

④ 증기터빈

고온, 고압 스팀 → 터빈 Rotor 회전 → Generator 발전

열 에너지 → 기계 에너지 → 전기 에너지

3. 특징

① 고효율

화력발전 대비 발전 효율↑(화력 40%, 복합 50%)

② 발전단가↑

원자력, 석탄 대비 LNG 단가↑ → 발전단가↑ → SMP 영향력↑

③ 가동 용이성

화력 발전 대비 Shut Down, Start Up 시간 빠름

④ 유지보수 용이성

화력 발전 대비 설비 유지보수 기간↓

⑤ 설비 가동시간↑

화력 발전 대비 설비 가동시간↑(화력 1년 미만, 복합 1년 이상)

25 석탄가스화 복합발전(IGCC)

1. 석탄가스화 복합발전(Integrated Gasification Combined Cycle) 개념

   석탄 → 가스화 → 전기생산 → 열 생산

2. IGCC 계통도

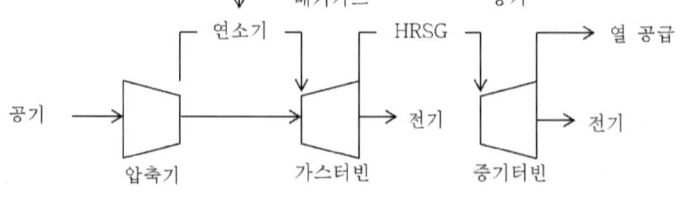

   ① Gasification(가스화)

   석탄 + O_2 + 증기(H_2O) → 합성가스(CO + H_2)

   ② ~ ⑤ 압축기, 가스터빈, HRSG, 증기터빈

3. 특징 : 복합발전과 동일

4. IGFC(Integrated Coal Gasification Fuel Cell Combineed Cycle)

   ① 개념 : 석탄 → 가스화 → IGCC → 연료전지

   ② IGFC 계통도 : 복합발전 + 연료전지(Gasification → 수소 이용)

   ③ 특징 : IGCC 특징 동일 + IGCC 대비 CO_2 배출량 30%↓

26 폐압발전(TEG)

1. 폐압발전(TEG : Turbo Expander Generator) 개념
   도시가스 → 정압기 대신 TEG → 감압 후 수요처 공급 →
   전기 생산

2. 폐압발전 계통도

   도시가스 ──고압──→ TEG ─(G) 전기 생산
                              감압↘ 수요처 공급

   ① 고압 도시가스
      약 70 bar 전후 고압 도시가스 → 감압 필요
   ② TEG
      터보 팽창형 발전기로써 고압 LNG → 저압 LNG 가압 →
      전기 발전

3. 특징
   ① 전기 생산
      기존 정압기는 단순 감압, TEG는 감압 + 전기 생산
   ② 응축 방지장치 필요
      TEG 발전 운용에 따라 응축 발생 가능 → 응축 방지장치
      사용 필요 → Heating 에너지 소요

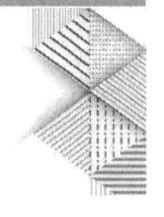

27 NGV 연료계통 및 안전장치

1. 개념

    Natural Gas Vehicle(천연가스 자동차) 연료공급

    ① LNG(Liqufied Natural Gas) : 초저온 용기

    ② CNG(Compressed Natural Gas) : 고압 저장용기

2. LNG 연료계통

    초저온 용기(-162℃) → LNG 기화기 → 저압용 필터 → 저압용 레귤레이터 → LNG 엔진

3. CNG 연료계통

    고압 저장용기(250bar) → 고압용기 밸브 → 고압용 필터 → 고압용 레귤레이터 → CNG 엔진

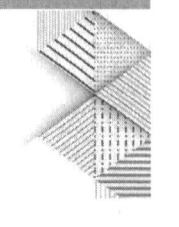

28 융·복합 및 패키지형 자동차 충전소 설치기준

1. 개요

    기존 CNG, LPG 충전소 및 주유소

    +┌수소 충전소 병행설치
    └소규모 패키지형 수소충전소 병행설치

2. 융·복합 및 패키지형 자동차 충전소 개념
　① 융합충전소
　　기존 CNG, LPG 충전소 및 주유소 + 제조식 수소 충전소
　　→ 하나 사업소 내 설치 및 운영
　② 복합충전소
　　기존 CNG, LPG 충전소 및 주유소
　　　+⌈저장식 수소 충전소
　　　　⌊다른 에너지원 충전소
　　→ 하나 사업소 내 설치 및 운영
　③ 소규모 패키지형 수소 충전소
　　충전에 필요한 설비 → 보호함 내 창착 → 일정한 장소
　　배치 → 압축 수소 충전

3. 설치기준
　① 수소 충전시설 ↔ 화기 이격거리 : 8m↑
　② 상용압력 40 MPa↓ 수소 충전시설 ↔ 화기 이격거리
　　㉠ 가연성가스 통하는 부분 : 6m↑
　　㉡ 액화수소 통하는 부분 : 2m↑
　③ 화기 이격거리 유지하지 않아도 되는 기준
　　㉠ 유동 방지조치 설치 시
　　㉡ 자동 소화장치 설치 시
　④ 충전시설 ↔ 보호시설 이격거리 유지 곤란 시
　방호벽 실치 → 이격거리 유지 면책

4. 융·복합 충전소 5가지 유형
　① CNG 충전소 + 수소 충전소 + 전기 충전소
　② LPG 충전소 + 수소 충전소 + 전기 충전소

③ CNG 충전소 + LPG 충전소 + 전기 충전소

④ 주유소 + 수소 충전소 + 전기 충전소

⑤ 소규모 패키지형 수소 충전소 충전설비 → 보호함 내 장착

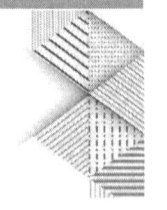

29 CNG 용기 종류

1. 개요

도시가스 → 250 bar 압축 → CNG(Compressed Natural Gas)

2. 종류

① Type 1

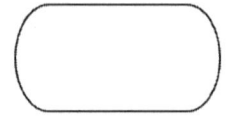

㉠ 재질 : 강, 알루미늄 실린더(완성용기)

㉡ 특징

ⓐ 두께↑ → 내압 강도↑

ⓑ 내부부식 주의

② Type 2

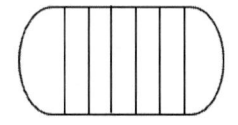

㉠ 재질 : 강, 알루미늄 라이너 + 복합재료 원주방향 감음

ⓛ 특징

　　　　ⓐ Type 1 대비 내압 강도↓, 무게↓

　　　　ⓑ 건조장치 설치 → 부식방지

　③ Type 3

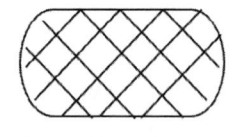

　　㉠ 재질 : 강, 알루미늄 라이너 + 복합재료 나선형 감음

　　ⓛ 특징

　　　　ⓐ Type 1, 2 대비 내압 강도↓, 무게↓

　　　　ⓑ 갈바닉 부식방지 필요

　④ Type 4

　　㉠ 재질 : 비금속 라이너 + 복합재료 나선형 감음

　　ⓛ 특징

　　　　ⓐ Type 1, 2, 3 대비 내압 강도↓, 무게↓

　　　　ⓑ 가스투과도 해결 필요

3. 결론

　① 현재 Type 2, 3 가장 많이 사용

　② Type 4는 LPG용 사용 중이며 계속 연구, 발전 중임.

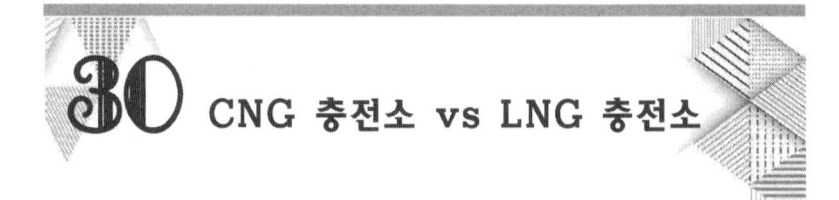

30 CNG 충전소 vs LNG 충전소

1. CNG 충전소 vs LNG 충전소

구분	CNG 충전소	LNG 충전소
연료공급 방식	배관 → 압축 → 250bar → 차량 충전	탱크로리 액상(-162℃) → 저장 → 차량 충전
설비구성	도시가스 배관 → 압축기 → 충전기 → 차량	탱크로리 → 초저온 저장 탱크 → 펌프 → 충전기 → 차량
안전관리	고압 관련 안전관리	초저온 관련 안전관리

2. CNG 충전소 배치기준

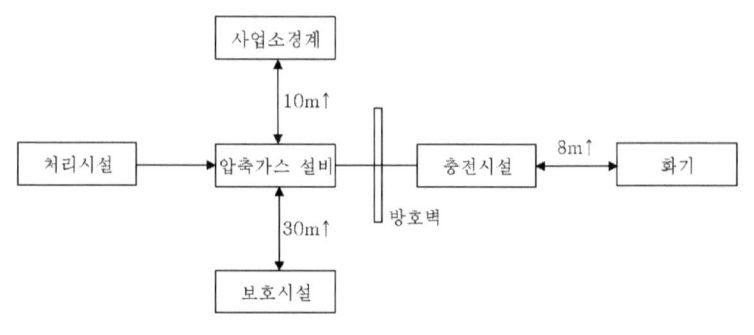

31 LCNG 충전소

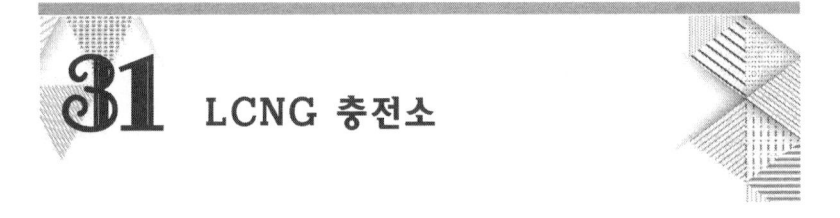

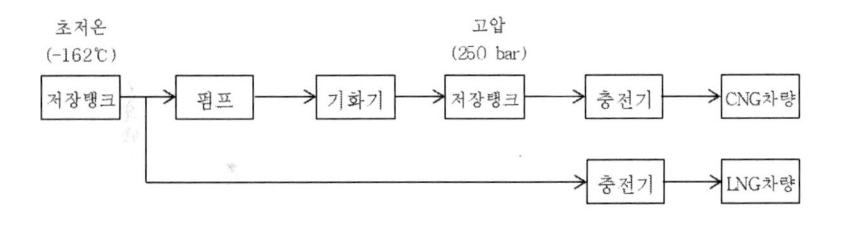

32 HCNG 충전소

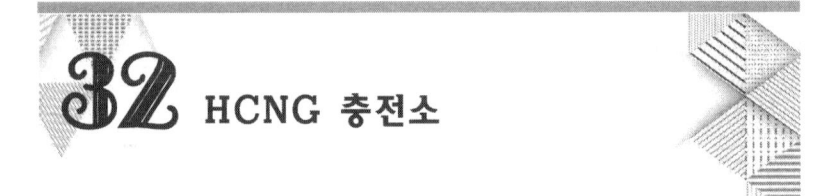

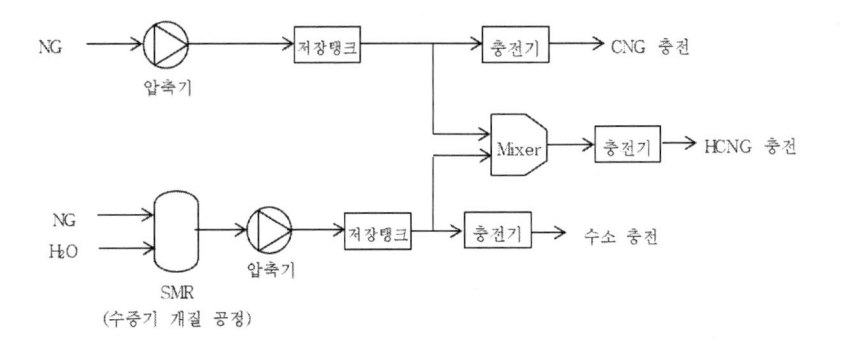

제20장
산업안전

사고발생 5단계 이론(도미노이론)

1. 하인리히(도미노 연쇄이론)
   ① 1단계 : 유전적 및 사회적 환경 요소
      ㉠ 유전적, 사회적, 환경적 결함
      ㉡ 기초원인(간접원인)
   ② 2단계 : 개인적 결함
      ㉠ 후천적 결함
      ㉡ 2차원인(간접원인)
   ③ 3단계 : 불안전한 행동, 불완전한 상태 ← 제거 대상
      ㉠ 신체적 부적응, 기계적 고장상태
      ㉡ 1차원인(직접원인)
   ④ 4단계 : 사고
      ㉠ 화재, 폭발, 누출 등 사고
      ㉡ 재해의 원인
   ⑤ 5단계 : 재해
      ㉠ 인적, 물적, 환경적 피해
      ㉡ 사고의 결과

2. 버드(신도미노 연쇄이론)
   ① 1단계 : 제어의 부족
      ㉠ 안전관리 미흡
      ㉡ 통제 체계 미흡

② 2단계 : 기본 원인 ← 제거 대상
　　㉠ 개인적 요인
　　㉡ 작업상 요인
③ 3단계 : 직접 원인
　　㉠ 불안전한 행동
　　㉡ 불완전한 상태
④ 4단계 : 사고
　　㉠ 화재, 폭발, 누출 등 사고
　　㉡ 재해의 원인
⑤ 5단계 : 재해
　　㉠ 인적, 물적, 환경적 피해
　　㉡ 사고의 결과

3. 아담스(사고연쇄 반응이론)
① 1단계 : 관리 구조 ← 제거 대상
　　㉠ 조직의 목적
　　㉡ 작업 계획 및 수행 방법
② 2단계 : 작전적에러
　　㉠ 관리감독자 실수, 잘못된 판단
　　㉡ 목표설정 미흡
③ 3단계 : 전술적에러
　　㉠ 불안전한 행동 및 조작
　　㉡ 직접원인
④ 4단계 : 사고
　　㉠ 화재, 폭발, 누출 등 사고
　　㉡ 재해의 원인

⑤ 5단계 : 재해

　　㉠ 인적, 물적, 환경적 피해

　　㉡ 사고의 결과

4. 웨버

　① 1단계 : 유전과 환경

　② 2단계 : 인간의 실수

　③ 3단계 : 불안전한 행동, 불완전한 상태

　④ 4단계 : 사고

　⑤ 5단계 : 재해

5. 자베타키스

　① 1단계 : 개인과 환경

　② 2단계 : 불안전한 행동, 불완전한 상태

　③ 3단계 : 물질에너지의 기준 이탈

　④ 4단계 : 사고

　⑤ 5단계 : 구호

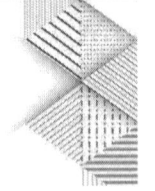

사고비율연구(재해발생빈도)

1. 하인리히
   ① 개요도

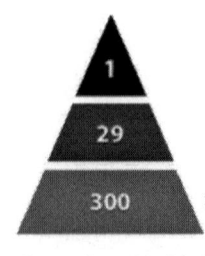

   ㉠ 1건 : 중상(사망)
   ㉡ 29건 : 경상해
   ㉢ 300건 : 무상해사고

   ② 1:29:300 법칙
   ㉠ 중상자 1명 발생 시 같은 재해로 경상자 29명, 잠재적
      부상자 300명 발생
   ㉡ 큰사고는 우연적, 갑작스럽게 발생하는 것이 아니라 반
      드시 경미한 사고들이 반복되는 과정에서 발생한다는
      것을 입증

   ③ 적용
   ㉠ 사소한 문제 발생시 → 면밀히 검토 → 잘못된 것 시
      정 → 대형사고 예방
   ㉡ 노동현장 재해에 국한하지 않고 각종 사고, 재난, 사회
      적·개인적 위기나 실패에 적용
   ㉢ FTA에서 사소한 문제(기본사상)을 관리함으로써 → 화

학공장에서 화재, 폭발, 누출 방지

2. 버드
　① 개요도
　　㉠ 1건 : 중상(사망)
　　㉡ 10건 : 경상해(물적, 인적 상해)
　　㉢ 30건 : 무상해사고(물적 손실)
　　㉣ 600건 : 무상해무사고(위험순간)
　② 1:10:30:600 법칙
　　㉠ 641건 사고 중 중상 1건, 경상 10건, 무상해사고 30
　　　건, 무상해·무사고 600건의 비율로 사고 발생
　　㉡ 재해의 배후에는 상해를 수반하지 않는 사고 즉 아차
　　　사고가 630건으로 이 사고가 사업장 안전대책 수립에
　　　중요한 실마리를 제공
　③ 적용
　　하인리히와 동일

3. 콘패스 이론
　① 재해사고의 크기와 빈도에 관한 이론
　② 콘패스 이론과 하인리히 이론의 차이점
　　㉠ 상해사고 비율은 동일
　　㉡ 손해(물적) 사고에서는 다름.
　　㉢ 즉 상해사고 없이도 수억원의 경제적 손실 발생 예고

4. ILO(국제노동기구)
　① 개요도
　　㉠ 1건 : 중상

ⓛ 20건 : 경상

ⓒ 200건 : 무상해사고

② 1:20:200 법칙

 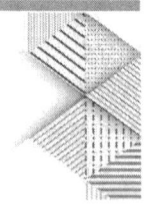

③ 재해코스트(손실방지론)

1. 하인리히
   ① 총재해코스트 = 직접비 + 간접비
   $$= 직접비 + (4 \times 직접비)$$
   $$= 5 \times 직접비$$
   ② 직접비 : 간접비 = 1 : 4
   ③ 직접비 = 재해로 인해 받게 되는 산재보상금
   ④ 간접비 = 직접비 제외 모든 비용(생산손실 등)

2. 시몬즈
   ① 총재해코스트 = 보험비 + 비보험비
   ② 보험비 = 산재보험료
   ③ 비보험비 = A × 휴업상해건수 + B × 통원상해건수 +
   C × 응급조치건수 + D × 무상해건수
   ④ A, B, C, D는 장애정도에 따라 결정
   ⑤ 재해사고
   ⑦ 휴업상해 : 영구부분노동 불능, 일시 전노동 불능
   ⓛ 통원상해 : 일시 부분노동 불능, 의사조치 필요 통원상해
   ⓒ 응급조치 : 8시간 미만 휴업

◎ 무상해사고 : 인명손실과 무관

3. 버드
　　① 빙산의 원리 주장
　　② 총재해코스트 = 보험비 + 비보험비
　　　　　　　　　　＝ 보험비 + 비보험 재산비용
　　　　　　　　　　　　＋ 비보험 기타손실비용
　　③ 비보험 재산비용 : 쉽게 측정 가능
　　④ 비보험 기타손실비용 : 양 측정 곤란
　　⑤ 보험비 : 비보험 재산비용 : 비보험 기타손실비용 = 1:5~50:1~3

4. 콤패스
　　① 총재해코스트 = 공동비용(불변) + 개별비용(변수)
　　② 직접비, 간접비 외에 기업 활동능력 상실되는 손실 반영

5. 노구치
　　① 시몬즈 평균치법 근거 → 일본 상황에 맞는 손실방법 제시
　　② M = A + B + C + D + E + F

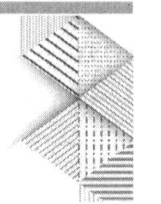

4. 하인리히 사고예방대책 기본원리 5단계

1. 1단계 : 안전관리 조직
　　① 안전목표 설정
　　② 안전 활동방침 및 계획 수립

2. 2단계 : 사실의 발견
　　① 안전 사고 및 활동에 대한 기록 검토
　　② 사고조사

3. 3단계 : 분석, 평가
　　① 사고조사 결과 분석
　　② 불안전한 행동, 불완전한 상태 분석

4. 4단계 : 시정책의 선정
　　기술적 개선, 교육적, 개선, 제도 개선

5. 5단계 : 시정책의 적용
　　3E 적용 : 기술적(Engineering), 교육적(Education), 제도적
　　(Enforcement) 대책

재해방지 대책의 3E

1. 개요
　　① Harvey가 주장한 이론으로 인간공학 모든 분야에 적용
　　② 3E : Engineering(기술적), Education(교육적), Enforcement
　　(제도적)
　　③ 4E : 3E + Environment(환경적)

2. 3E + Environment
   ① Engineering
      ㉠ 본질적 안전 확보위한 기술적 요소 적용
      ㉡ Fail Safe, Fool Proof 안전설계 원칙 적용
         ⓐ Fail Safe : 시스템의 이중화, 병렬화
         ⓑ Fool Proof : 완벽한 방호장치 구축
   ② Education
      ㉠ 안전관리규정 준수
      ㉡ 주기적인 교육, 훈련 실시
      ㉢ 휴먼에러 최소화
   ③ Enforcement
      ㉠ 관계법령에 의한 규제 → 투자유도
      ㉡ 보험요율의 차등적용 → 인센티브 부여
   ④ Environment
      ㉠ 재해와 관련된 주위 환경, 여건 개선
      ㉡ 예) 가뭄철 산림화재에 대한 경계 강화

6 인간공학 정의 및 필요성

1. 인간공학
   ① 정의 : Man-Machine system(인간-기계 조화 체계) 갖추기 위한 학문
   ② 인간공학의 목적
      ㉠ 안전성 : 안전성↑ → 사고방지

ⓒ 쾌적성 : 작업 환경 쾌적 → 작업능률↑

ⓒ 효율성 : 편리성↑ → 실용적 효능↑ → 작업효율↑

2. 인간공학의 가치 및 효과
    ① 성능 향상
    ② 훈련비용 절감
    ③ 인력이용률 향상
    ④ 사고, 오용에 의한 손실 감소
    ⑤ 생산성 향상

3. Man-Machine system

구분	인간 > 기계 우수기능	기계 > 인간 우수기능
감지 기능	예기치 못한 사건 감지	일정 범위내 자극 감지
정보처리 기능	귀납적 추리	대량 정보 신속처리
행동 기능	한가지 일 전념 → 효율↑	동시에 다양한 일 행동가능

하인리히의 재해 예방 4원칙

1. 예방 가능의 원칙
    ① 모든 사고는 미연에 방지 가능함.
    ② 체계적, 과학적인 예방 대책 요구됨.
    ③ 원인 징후 사전 발견 → 재해 발생 최소화

2. 손실 우연의 원칙 : 1:29:300의 법칙

3. 원인 연계의 법칙
   ① 사고와 원인과의 관계는 필연적임.
   ② 직접원인 : 불안전한 행동 + 불완전한 상태
   ③ 간접원인 : 기술적 원인, 교육적 원인, 관리적 원인 등

4. 대책 선정의 법칙
   ① 정확한 원인 규명 → 대책 선정
   ② 안전사고에 대한 예방책 : 3E
   → Engineering, Education, Enforcement

8 Fail Safe, Fool Proof

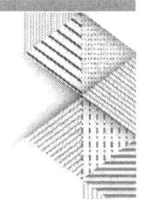

1. Fail Safe
   ① 개념
      ㉠ 기계 고장을 반영한 설계
      ㉡ 기계 중복설치(Redundancy)
      ㉢ 오동작 방지장치, 안전도 증강 장치
   ② 적용 예
      ㉠ 상용전원 차단시 예비전원 확보
      ㉡ 독성물질 이송배관의 이중배관 설치
      ㉢ 누설방지 차단밸브 2중 설치
      ㉣ 통신라인의 Loop화
      ㉤ Control v/v 동력원 이중화(기계적, 전기적)

③ Fail Safe의 3단계 분류

　　㋀ Fail Passive

　　　ⓐ 자동 감지 기능

　　　ⓑ 기계 부품 고장시 → 정지하는 방향으로 이동

　　　ⓒ 적용 예 : PT, TT 작동 x → 긴급차단밸브 작동

　　㋁ Fail Active

　　　ⓐ 자동 제어 기능

　　　ⓑ 기계 부품 고장시 → 경보 발생, 짧은 시간 동안 운전가능

　　　ⓒ 적용 예 : Abort switch, 누전경보기

　　㋂ Fail Operation

　　　ⓐ 차단 및 조정 기능

　　　ⓑ 기계 부품 고장시 → 보수 기간동안 안전한 기능 유지하도록 병렬계통으로 운전

　　　ⓒ 적용 예 : Stand-by pump 설치, 배관 이중화

2. Fool Proof

　① 개념

　　㋀ 인간 실수를 포용한 설계

　　㋁ 위험 인지 쉬운 표지 설계

　　㋂ 오조작 및 과실 방지장치

　② 적용 예

　　㋀ 조작밸브의 시건장치

　　㋁ 회전부 보호커버 분리시 운전정지

　　㋂ 스위치 버튼 조작순으로 배열

　　㋃ 피난방향으로 문개폐

　　㋄ 위험물, 긴급상황 인지 쉬운 그림 표지 사용

휴먼에러(Human Error)

1. 개요
① 화학공장 사고발생 원인 중 인간과오는 25% 비중을 차지
② 휴먼에러 최소화할 수 있는 본질적인 안전설계와 안전관리 중요

2. 휴먼에러 분류
(1) 행위적 관점
① Commission Error : 실행오류
② Omission Error : 생략오류
③ Sequence Error : 순서오류
④ Time Error : 시간오류
⑤ Extraneous Error : 불필요한 수행오류

(2) 원인에 의한 분류
① Primary Error : 작업자 자신으로부터 발생
② Secondary Error : 작업조건의 문제로부터 발생
③ Command Error : 작업자 움직일 수 없어 발생

3. 휴먼에러 원인(영향인자)
(1) 4M 배후요인
① Man : 인간의 과오, 망각, 무의식
② Machine : 기계 결함, 안전장치 미설치
③ Media : 작업순서, 작업방법, 작업환경 미비

④ Management : 안전관리조직, 교육 및 훈련 미흡

(2) 개인 및 환경적 측면

① 개인 특성

㉠ 동기 : 동기↑ → 업무충실 → 휴먼에러 발생률↓

㉡ 정신상태 : 작업에 대한 선호, 관심↓ → 휴먼에러 밸생률↑

㉢ 감정

ⓐ 지속적 감정 : 업무, 대인관계 통한 개인의 감정 상태

ⓑ 일시적 감정 : 가정, 사화관계에서의 갈등

㉣ 개성 : 업무에 대한 개인적 성향, 능력

㉤ 습관 : 지속적으로 몸에 베인 행동

② 개인 능력

㉠ 지식 : 학습, 경험 통해 습득한 것

㉡ 주의력 : 업무에 대한 집중력

㉢ 신체적 특징 : 신체조건, 피로를 느끼는 정도

③ 환경 조건

㉠ 작업 환경

ⓐ 유해·위험시설의 안전성

ⓑ 긴급시 안전대책

㉡ 심리적 환경

ⓐ 동기부여

ⓑ 피로, 스트레스

4. 휴먼에러 방지대책

① 설비, 작업환경적 요인

㉠ 본질적인 안전설계 : Fail Safe, Fool Proof

㉡ 불완전한 상태 제거

ⓒ 양립성, 시인성 등 인간공학적 설계
　② 인적 요인
　　　㉠ 교육, 훈련 강화 → 위험예지능력 배양
　　　ⓒ 불안전한 행동 제거
　　　ⓒ 작업 모의 실험
　③ 관리 감독적 요인
　　　㉠ 지적확인제도 등 관리기법 적용
　　　ⓒ 안전관리규정 등 제도 개선
　　　ⓒ 안전분위기 조성

10 재해율 평가지수(산업재해통계)

1. 목적
재해정보 통계 분석 → 동종재해, 유사재해 재발방지

2. 평가지수
① 연천인율

$$연천인율 = \frac{연간\ 재해자수}{연평균\ 근로자수} \times 10^3$$

→ 연근로자 1,000명당 1년간 발생한 재해자수

② 도수율

$$도수율(건) = \frac{재해건수}{연\ 근로시간수} \times 10^6$$

→ 근로시간 100만 시간당 발생하는 재해건수
→ 연천인율 = 도수율 × 2.4

③ 강도율

$$강도율(일) = \frac{근로손실일수}{연\ 근로시간수} \times 10^3$$

→ 근로시간 1,000 시간당 근로손실일수

→ 사망, 장애등급 1~3급 근로손실일수 : 7,500일

→ 장애등급 4~14급 근로손실일수 : 5,500일 ~ 50일

④ 종합재해지수

$$종합재해지수 = \sqrt{도수율 \times 강도율}$$

⑤ 환산도수율, 환산강도율

㉠ 환산도수율 = 도수율/10

㉡ 환산강도율 = 강도율×100

→ 한사람 평생근로시간 100,000 시간 기준

⑥ 사망만인율

근로자 10,000명당 발생한 사망자 수(통상 1년 기준)

11 욕조곡선(Bathtub Curve)

1. 개요

① 정의

기계설비 사용시간과 고장률과의 관계 나타내는 곡선

② 욕조곡선 구성

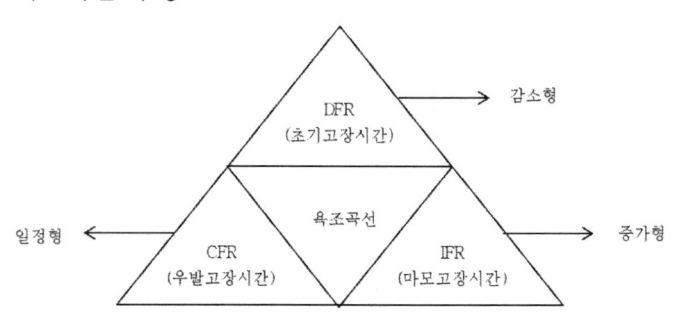

2. 욕조곡선

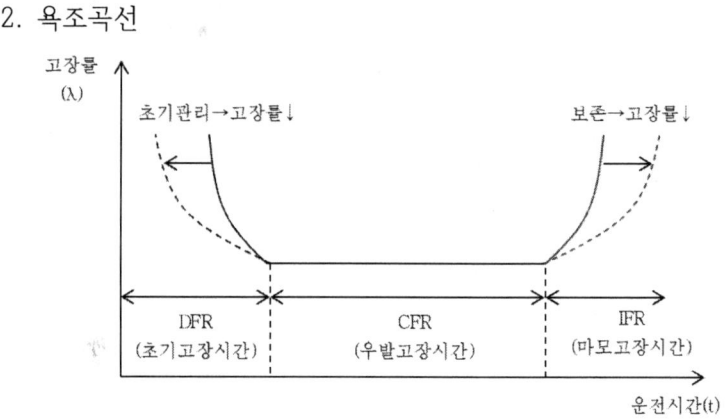

(1) 초기 고장기간(DFR : Decreasing Failure Rate)

　　① 개념 : 고장률 감소 구간

　　② 발생 원인

　　　㉠ 설계상, 구조상 결함

　　　㉡ 불량제조, 생산과장 등 품질관리 미비

　　③ 대책

　　　㉠ 점검작업

　　　㉡ 시운전 → 사전 예방

④ 동일 의미의 기간

　　㉠ Debugging : 기계 결함 찾아내 고장률 안정시키는 기간

　　㉡ Burn-In : 설비 장기간 가동 → 고장 요인, 원인 제거

　　㉢ Aging : 비행기 3년 이상 시운전

(2) 우발 고장기간(CFR : Constant Failure Rate)

　① 개념

　　㉠ 고장률 일정, 안정 구간

　　㉡ 우발적 사고 등 랜덤으로 재해 발생 구간

　② 대책 : 점검작업, 시운전 → 재해방지 불가

　③ 내용 수명 : 규정 고장률이 유지되는 구간

(3) 마모 고장기간(Increasing Failure Rate)

　① 개념 : 고장률 증가 구간

　② 발생 원인

　　㉠ 설비 노후화

　　㉡ 기계적 요수, 부품 마모

　③ 대책

　　㉠ 정밀 안전진단

　　㉡ 주기적인 보수

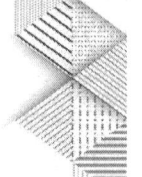

12 고장확률

※ MTBF, MTTR, MTTF, 고장률(λ), 신뢰도($R(t)$), 고장확률($P(t)$)

1. MTBF, MTTR, MTTF 관계

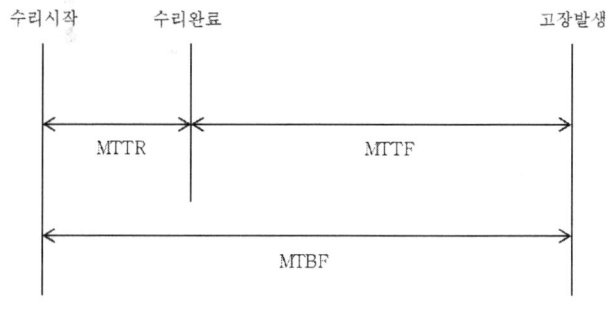

(1) MTTR(Mean Time To Repair, 평균 고장수리 기간)
① 정의 : 설비 고장시 수리하는 데 걸리는 평균 시간
② 관계식 : $MTTR = \dfrac{1}{\mu(수리율)}$

(2) MTTF(Mean Time To Failure, 평균 고장수명)
설비 고장 없이 정상 작동하는 시간

(3) MTBF(Mean Time Between Failures, 평균 고장간격)
① 정의 : 평균적으로 고장을 일으키는 데 걸리는 시간
② 관계식
㉠ MTBF = MTTR + MTTF
㉡ $MTBF = \dfrac{1}{\lambda(고장률)} = \dfrac{t(총가동시간)}{N(고장건수)} = t_0(평균 고장시간)$

2. 고장률(λ), 신뢰도($R(t)$), 고장확률($P(t)$)
  ① 고장률(λ)
    ㉠ 가동시간에 대하여 고장 발생건수
    ㉡ $\lambda = \dfrac{N(\text{고장건수})}{t(\text{총가동시간})}$
  ② 신뢰도($R(t)$)
    ㉠ 설비 가동 중 고장 없이 정상 작동할 수 있는 확률
    ㉡ $R(t) = e^{-\frac{t}{t_0}} = e^{-\lambda_t}$
  ③ 고장확률($P(t)$)
    ㉠ 설비 가동 중 고장 발생 확률
    ㉡ $P(t) = 1 - R(t) = 1 - e^{-\lambda_t}$

3. 신뢰도와 고장률 계산
  ① 시스템 직렬 설치
    ㉠ 신뢰도 : $R(t) = R_1 \times R_2 \times \cdots \times R_n$
    ㉡ 고장률 : $\lambda(t) = \lambda_1 \times \lambda_2 \times \cdots \times \lambda_n$
  ② 시스템 병렬 설치
  ㉠ 신뢰도 : $R(t) = 1 - (1 - R_1)(1 - R_2) \cdots (1 - R_n)$
  ㉡ 고장률 : $\lambda_t = -\dfrac{\ln R(t)}{t}$

13 RCM

1. RCM(Reliability Centered Maintenance, 신뢰도 중심의 유지관리) 개념

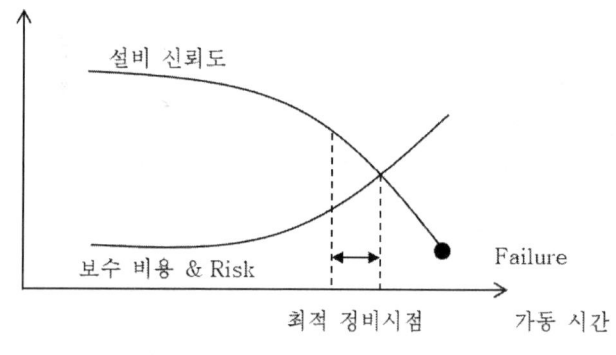

설비의 신뢰성, 가용성, 안전성 기반으로 행하는 유지보수 최적화 기법

2. RCM 목적(필요성)
① 과잉정비로 인한 비용손실 방지
② 설비 정비주기에 대한 과학적인 신뢰성 확보
③ 고장시 정비이력 기록 → 분석 → 효율적 정비 계획 수립
    → 안전성↑, 가용성↑ → 신뢰성↑

3. RCM 절차(적용단계별 세부사항)
① 기준정의 : 운영환경에서 각 자산의 기능과 성능기준 정의
② 기능적인 고장
    ㉠ 기능 고장의 환경 원인 파악

　　　　ⓒ 기능 고장의 사건 원인 파악
　③ 고장모드
　　　⊙ 고장상태 발생시키는 모든 사건 조사
　　　ⓒ 고장목록 작성
　　　　ⓐ 열화, 마모, 파손에 의한 고장
　　　　ⓑ 휴먼에러에 의한 고장
　　　　ⓒ 설계 결함에 의한 고장
　④ 고장효과 : 고장으로 인해 무엇이 발생하는 지에 대한 분석
　⑤ 고장결과
　　　⊙ 고장의 유형에 따른 영향
　　　ⓒ 영향의 크기 고려 → 정비계획 수립시 우선적 반영 →
　　　　효율적인 관리
　　　ⓒ 고장결과의 4가지 그룹
　　　　ⓐ 숨겨진 고장 결과 : 직접적 충격없으나 중대한 피해
　　　　　를 일으킬 수 있는 고장
　　　　ⓑ 인적, 환경적 영향 미치는 고장
　　　　ⓒ 생산에 영향 미치는 고장
　　　　ⓓ 직접적인 수선비에만 영향 미치는 고장
　⑥ 결과분석
　　　⊙ 분석대상에 대한 유지보수 일정 수립
　　　ⓒ 분석대상 운용 절차 수립
　　　ⓒ 설계 변경 목록 작성
　　　ⓔ 요구되는 특성 발휘 못할 시 조치사항
　⑦ 이행
　　　⊙ 유지보수 계획, 통제시스템에 적용
　　　ⓒ 설계변경 검토
　　　ⓒ 표준 운용절차 반영

4. 적용시 효과
   ① 플랜트 안전성, 이용률 향상
   ② 기기고장으로 인한 Emergency Shut Down 발생률 감소
   ③ 직접적인 정비비 감소
   ④ 자원, 조직의 효율화
   ⑤ 정비관리 체계, 정비 절차서 개선

14 GHS

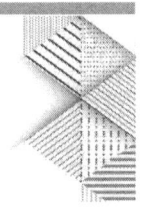

1. 개요
   ① 정의
      Globally Harmonized System of Classification and Labelling of Chemicals
      화학물질 분류 및 표지에 관한 세계조화시스템
   ② 목표
      표지, MSDS, 심벌 등 표준화된 유해성 정보 전달시스템 확립

2. GHS 주요내용
(1) 화학물질의 분류
   ① 물리적 위험성 물질 : 인화성가스 등 16종
   ② 건강 유해성 물질 : 급성독성 물질 등 11종
   ③ 환경유해성 물질 : 수생환경 유해성 물질 1종

(2) 표지

　① 그림문자 형태

　　마름모 모양(붉은색 테두리), 그림 흑색, 배경 흰색

　② MSDS 대상물질 담은 용기, 포장 경고표지 포함사항[379]

　　㉠ 명칭 : 해당 대상화학물질 명칭

　　㉡ 그림문자 : 화학물질 분류에 따라 유해·위험 내용 표현

　　㉢ 신호어 : 심각성 정도에 따라 "위험", "경고" 문구

　　㉣ 유해·위험문구 : 화학물질 분류에 따라 유해·위험 표현

　　㉤ 예방조치 문구 : 노출시, 부적절한 저장·취급시 조치사
　　　항 등

　　㉥ 공급자 정보 : 제조자, 공급자 이름 및 연락처

(3) MSDS

　① 작성대상 : 화학물질 분류 28종 일정비율 이상 포함한 물질

　② 작성자 : 제조자, 공급자

　③ 작성항목 : 16가지

3. GHS 도입에 따른 기대효과

　① 근로자 건강, 환경보호 강화

　② 중복교육 해소

　③ 국제교역용이

---

379) 암기 명그신유예공
　　- MSDS 대상물질 담은 용기, 포장 경고표지 포함사항 : 명칭, 그
　　림문자, 신호어, 유해·위험문구, 예방조치 문구, 공급자 정보

④ 화학물질의 시험, 평가 필요성 감소
⑤ 통일된 정보제공으로 혼돈 방지

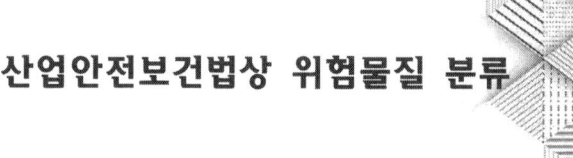

15 산업안전보건법상 위험물질 분류

1. 폭발성물질 및 유기과산화물
(1) 정의
  ① 폭발성물질
    ㉠ 자체 화학반응으로 주위환경 손상 가능 가스 발생시키
      는 물질
    ㉡ 니트로화합물, 피크린산
  ② 유기과산화물
    ㉠ 과산화수소 유도체 포함 물질
    ㉡ 아세틸퍼옥사이드, 호박산퍼옥사이드

(2) 작업시 조치
  ① 화기 등 점화원 될 우려 있는 곳에 접근 금지
  ② 가열, 마찰, 충격 금지

2. 물반응성물질 및 인화성고체
(1) 정의
  ① 물반응성물질
    ㉠ 물과 반응 → 자연발화, 인화성가스 발생
    ㉡ 칼륨, 나트륨, 알킬알루미늄

② 인화성고체
　　㉠ 쉽게 연소되는 고체
　　㉡ 황린, 적린, 유황

(2) 작업시 조치
　① 화기 등 점화원 될 우려 있는 곳에 접근 금지
　② 가열, 마찰, 충격 금지
　③ 물 접촉 금지

3. 산화성액체 및 산화성고체
(1) 정의
　① 산화성액체
　　㉠ 산소공급하여 연소 발생 및 촉진하는 액체
　　㉡ 질산, 과염소산, 과산화수소
　② 산화성고체
　　㉠ 산소공급하여 연소 발생 및 촉진하는 고체
　　㉡ 염소산염류, 브롬산염류

(2) 작업시 조치
　① 가열, 마찰, 충격 금지
　② 분해 촉진 우려 물질과 접촉 금지

4. 인화성액체
(1) 정의
　① 인화점 23℃ 미만, 비점 35℃ 이하 물질
　　에틸에테르, 가솔린
　② 인화점 23℃ 미만, 비점 35℃ 초과 물질
　　노르만헥산, 아세톤

③ 인화점 23℃ 이상, 인화점 60℃ 이하 물질

　　등유, 경유

(2) 작업시 조치

　① 화기 등 점화원 될 우려 있는 곳에 접근 금지

　② 가열, 증발시키는 행위 금지

5. 인화성가스

(1) 정의

　① 20℃, 표준압력에서 공기와 혼합하여 인화범위 가지는 가스

　② 인화범위 기준

　　㉠ LFL 13% 이하

　　㉡ 폭발범위 12% 이상

　③ 수소, 아세틸렌, 에틸렌, 메에프로부탄

(2) 작업시 조치

　① 화기 등 점화원 될 우려 있는 곳에 접근 금지

　② 가열, 압축시키는 행위 금지

6. 부식성물질

(1) 정의

　① 화학적 작용으로 금속을 손상, 부식시키는 물질

　② 부식성산류, 부식성염기류로 구분

　③ 부식성산류

　　㉠ 농도 20% 이상 : 염산, 황산, 질산

　　㉡ 농도 60% 이상 : 인산, 아세트산, 불산

　④ 부식성염기류

　　농도 40% 이상 : 수산화나트륨, 수산화칼륨

(2) 작업시 조치

  인체에 접촉시키는 행위 금지

7. 급성독성물질

(1) 정의

  ① 입, 피부 통해 투여, 흡입시 유해한 영향을 일으키는 물질

  ② 기준

    ㉠ LD50(경구, 쥐) : 300 mg/kg 이하

    ㉡ LD50(경피, 토끼 또는 쥐) : 1,000 mg/kg 이하

    ㉢ LC50(쥐, 4시간 흡입)

      ⓐ 가스 : 2,500 ppm 이하

      ⓑ 증기 : 10 mg/L 이하

      ⓒ 분진, 미스트 : 1mg/L 이하

(2) 작업시 조치

  ① 주기적인 작업환경 측정 및 관리

  ② 개인 보호구 착용

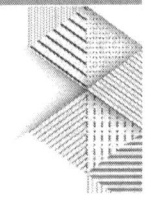

16 극인화성물질

1. 극인화성물질

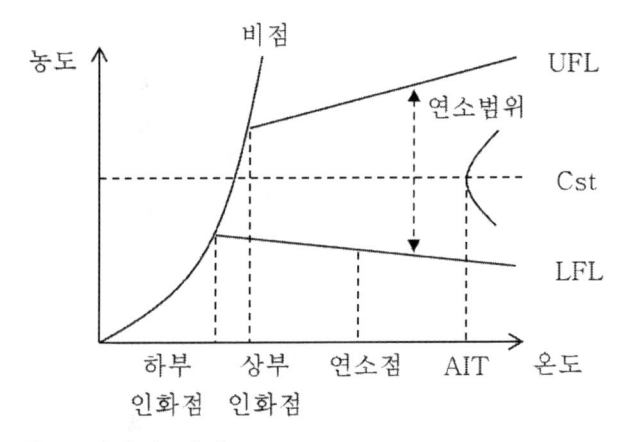

① 극인화성 액체
   인화점 0℃ 미만, 비점 35℃ 이하인 액체 물질
② 극인화성 기체
   상온, 상압하에서 공기와 접촉시 인화성 갖는 기체 물질

2. 인화성물질
   ① 인화성액체
   ② 인화성가스

3. 특징
   ① 인화점↓ → 인화성↑ → LFL↓ → 폭발범위↑ → 위험도↑
   ② 인화성↑ → LFL↓ → 연소열↑

$\rightarrow$ Burgess Wheeler 법칙

: LFL(%) × ΔH(kcal/mol) ≒ 1,050

③ 인화점↓ → 인화성↑ → 증발률↑ → 증기압↑ → 폭발
위험성↑

④ 인화점↓ → MIE↓ → 폭발위험성↑

17 급성독성물질의 표현단위

1. 고체, 액체 화합물의 독성 표현단위

① LD(Lethal Dose) : 한마리 동물의 치사량

② MLD(Minimum LD) : 한무리(10마리 이상)에서 한마리
죽는 치사량

③ LD50 : 한무리에서 50% 죽는 치사량

④ LD100 : 한무리에서 100% 죽는 치사량

2. 기체, 증발 화합물의 독성 표현단위

① LC(Lethal Concentration) : 한마리 동물의 치사농도

② MLC(Minimum LC) : 한무리(10마리 이상)에서 한마리
죽는 치사농도

③ LC50 : 한무리에서 50% 죽는 치사량

④ LC100 : 한무리에서 100% 죽는 치사량

18 유해물질

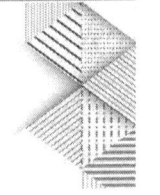

1. 유해물질이란?

   인체 침입시 생체기관 활동에 영향 주어 장애, 해 발생 물질

2. 유해물질 인체 침입 경로

   ① 피부, 점막을 통한 침입

   ② 호흡기를 통한 침입

   ③ 구강, 소화기를 통한 침입

3. 유해물질 표시단위

   ① 가스 : ppm

   ② 증기 : mg/m^3

   ③ 분진, 미스트 : mg/m^3

4. 유해물질 종류(성상)[380)]

종류	성상	입자크기
① 흄(Fume)	고체상 미립자	0.01~1μm
② 스모크(Smoke)	불완전연소 시 생긴 입자	0.01~1μm
③ 미스트(Misk)	액체상 미립자	100μm 미만
④ 분진(Dust)	고체 입자	500μm 미만
⑤ 가스(Gas)	상온, 상압 하 기체	-
⑥ 증기(Vapor)	상온, 상압 하 액체로부터 증발	-

---

380) [암기] 흄스미분가증

   - 유해물질 종류 : 흄(Fume), 스모크(Smoke), 미스트(Misk), 분진
   (Dust), 가스(Gas), 증기(Vapor)

5. 유해물질(만성독성물질)의 노출기준

(1) TLV(Threshold Limit Values, 허용한계농도)의 정의

① 노출시 악영향 없는 최대 허용한계농도

② 인체침입 시 해독시켜 제거할 수 있는 양

(2) TLV 3종류

① TLV-TWA(TLV-Time Weighted Average Concentration)

㉠ 정의

시간가중 평균농도로써, 근로자가 일주일에 40시간, 하루 8시간씩 정상근무시 노출되어도 악영향 없는 최고 평균농도

㉡ 공식

ⓐ 단일물질

$$\text{TLV-TWA 농도} = \frac{C_1 T_1 + C_2 T_2 + \cdots + C_n T_n}{8}$$

C : 유해물질 측정농도(ppm, mg/m^3)

T : 유해물질 발생시간(hr)

ⓑ 혼합물질

$$\sum_{i=1}^{n} \frac{C_i}{TLV - TWA_i} > 1 \rightarrow \text{과도노출}$$

n : 유해물질 가지수

② TLV-STEL(TLV-Short Term Exposure Limit)

㉠ 정의

단시간노출 허용농도로써, 짧은시간 노출되어도 악영향 없는 최고 허용농도

㉡ 조건

ⓐ 노출 시간 : 15분

ⓑ 악영향 : 참을수 없는 자극, 혼수상태, 작업능률 감소

ⓒ 노출시간 사이 간격 : 최소한 60분 휴식

　　　ⓓ 휴식시간 제한 : 4번 이상 휴식시간 허용안됨

　　　ⓔ 매일 TLV-TWA 초과 불가

　③ TLV-C(TLV-Ceiling Value)

　　　㉠ 정의

　　　　최고 허용농도로써, 근로자가 1일 작업시간 동안 잠시
　　　　라도 노출되어서는 안되는 최고 허용농도

　　　㉡ 유의사항

　　　　어떤 상황에도 초과되어서는 안될 상한치이므로, 항상
　　　　표시된 농도 미만을 유지하여야 함.

19 안전의식 (Safety Consciousness)

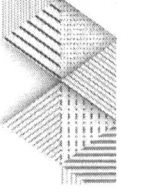

1. 안전의식이란?

　① 정의

　　안전에 대한 근로자가 가지는 잠재적 관심

　② 안전의식 수준

　　㉠ 높은 수준 : 안전에 대한 관심 → 행동 및 실천 반영

　　㉡ 낮은 수준 : 안전에 대한 관심 → 행동 및 실천 미반영

2. 안전의식 고취방법

　① 경영자의 안전의식 향상

　　가장 효율적인 방법이며, 현장에서 가장 반영되어야 할 방
　　법임

② 안전 교육 및 훈련

　형식적인 내용 보다 쉽고 임팩트 있는 내용으로 실시

③ 캠페인 및 홍보

　작업자가 항상 볼 수 있는 장소에 '아빠, 잘 다녀오세요.'

　등 안전의식 고취 포스터 등을 비치하는 방법

④ 개인의 자발적 의지 개선

　아무리 좋은 방법으로 개인의 의식을 바꾸는 것은 어렵다.

　따라서 자발적으로 개인의 의지를 개선할 필요가 있다.

 **Safety Standard**

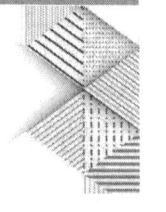

※ Safety Code, Safety Standard, Recommended Practice, Specification

1. 안전코드(Safety Code)

　① 설계 및 특정설비의 사용 등에 대한 기술 문서

　② 규정에 해당

　③ 특별한 예외가 없는 한 반드시 지켜야 함.

　④ 준수사항을 표현할 경우 Shall 조동사 사용

　⑤ 대표적인 안전코드

　　㉠ NFPA(National Fire Protection Association)

　　㉡ ASME(American Society of Mechanical Engineers)

　　㉢ ASTM(American Society for Testing and Materials) 등

2. 안전표준(Safety Standard)
   ① 제품의 안전성, 호환성, 균일성 확보를 위한 가이드 라인
   ② 표준에 해당
   ③ 반드시 지켜야 할 사항과 권장 사항을 포함
   ④ ┌ Shall : 준수사항 표현
      └ Should : 권장사항 표현
   ⑤ 대표적인 안전표준
      ㉠ 산업안전보건기준에 관한 규칙
      ㉡ KGS Code
      ㉢ Kosha Guide
      ㉣ 사업장에서 정하는 안전관리규정, 작업표준

3. Recommended Practice
   ① 경험, 기술적 노하우를 통하여 얻어진 기준
   ② 권장사항에 해당
   ③ Should 또는 Would 조동사 사용

4. Specification
   ① 기계·장치에 요구되는 구조, 성능, 제조·시험 방법 등을 기술한 시방서
   ② Code 및 Standard를 기초로 하여 발주처 요구사항을 Specification으로 표현하여 설계, 시공, 감리 업체에 배포하기도 함.

21 Fail Close 및 Fail Open

1. 개념
① 동력원 공급이 Fail 되었을 때 Control Valve의 Position 선정은 공정안전에 매우 중요
② Fail Close : 이상상태 발생 시 조절밸브 폐쇄되는 것이 안전한 경우
   Fail Open : 이상상태 발생 시 조절밸브 개빙되는 것이 안전한 경우
③ Fail 시점의 Position 유지하여야 할 상황에서는 Fail Lock, Fail Last, Stay Put 형태를 적용하기도 한다.

2. Fail Close 및 Fail Open 선정 기준 및 예시
(1) Fail Close
① 선정 기준
   ㉠ 유해위험물질 공급 배관에 설치된 조절밸브
   ㉡ 동력원 공급 실패로 인해 조절밸브 개방시 공정상 위험을 초래하는 우려 있을시
② 예시
   ㉠ 반응기의 연료 유량조절밸브
   ㉡ 가열기의 원료 유량조절밸브
   ㉢ 반응기의 촉매 조절밸브
   ㉣ 저장탱크 액위조절밸브
   ㉤ 공정의 압력을 유지하기 위한 압력조절밸브

(2) Fail Open

  ① 선정 기준

    ㉠ 안전설비의 작동과 관계된 조절밸브

    ㉡ 동력원 공급 실패로 인해 조절밸브 폐쇄시 공정상 위험을 초래하는 우려 있을시

  ② 예시

    ㉠ 가열로의 공기 유량조절밸브

    ㉡ 폭발한계 조절을 위한 불활성가스 유량조절밸브

    ㉢ 반응기의 냉매 조절밸브

    ㉣ 용기의 기상 배출에 의한 압력조절밸브

22 중대재해

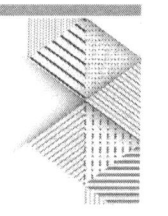

1. 중대재해

  ① 정의

    산업재해 중 사망 등 재해정도가 심한 것으로써, 고용노동부령이 정하는 재해

  ② 고용노동부령이 정허는 중대재해

    ㉠ 사망자가 1명 이상 발생한 재해

    ㉡ 3개월 이상의 요양이 필요한 부상자가 동시에 2명 이상 발생한 재해

    ㉢ 부상자 또는 직업성 질병자가 동시에 10명 이상 발생한 재해

2. 산업재해
① 정의

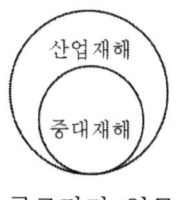

근로자가 업무에 관계되는 건설물, 설비, 원재료, 가스, 증
기, 분진 등에 의하거나 작업 또는 그 밖의 업무로 인하
여 사망 또는 부상하거나 질병에 걸리는 것
② 산업재해 발생보고의 의무
㉠ 사업주는 사망자 또는 3일 이상의 휴업이 필요한 부상
을 입거나 질병에 걸린자가 발생한 때에는
㉡ 산업재해가 발생한 날부터 1개월 이내에 산업재해조사
표를 작성하여 지방노동관서에 제출하여야 한다.

3. 중대산업사고
대통령령이 정하는 유해위험설비로부터의 위험물질의 누출,
화재, 폭발 등으로 인하여 사업장내의 근로자에게 즉시 피해
를 주거나 사업장 인근지역에 피해를 줄 수 있는 사고

 **충격감도**

1. 개념
   고체 폭발성물질 낙하 → 충격에 의한 에너지 측정 → 발화
   성 확인

2. 목적
   고체의 폭발위험성, 발화위험성 상호 비교
   → 제조, 운반 등 취급 시 활용

3. 충격감도 시험방법
   ① 낙하
      ㉠ 낙하높이↑ → 위치에너지↑(Ep = mgh)
      ㉡ 높이 변화 → 충격 에너지 변화 → 폭발시 낙하높이
         측정
   ② 위험성 확인
      ㉠ 폭발시 낙하높이↓ → 낮은 에너지에서 폭발 → 폭발
         위험성↑
      ㉡ 폭발시 낙하높이↑ → 높은 에너지에서 폭발 → 폭발
         위험성↓

4. 충격감도 적용
   ① 대상 물질
      ㉠ 5류 위험물 폭발성물질 : 니트로글리세린, TATP
      ㉡ 화약류 : TNT

② 안전데이터 활용 : 5류 위험물, 화약류 저장, 취급하는 장소에서 안전데이터로 활용

5. 다른 기준에서의 충격감도
　① 독성물질에서의 충격감도

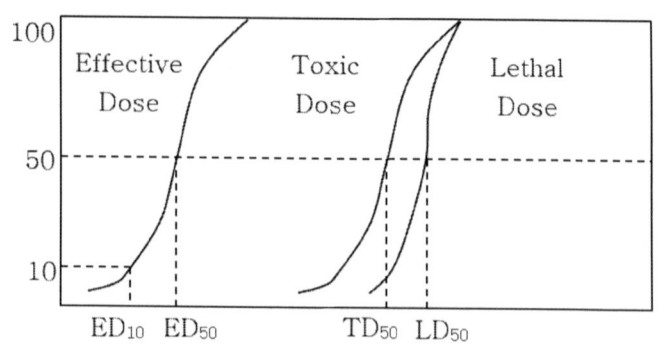

　　㉠ 투여량에 따른 인체에 대한 영향력
　　　ⓐ ED : 신체 반응 미약
　　　ⓑ TD : 간, 허파 손상
　　　ⓒ LD : 사망
　　　　　→ LD50 : 독성반응으로 50%가 사망 확률
　　㉡ 인체 반응정도↑ → 충격감도↑ → 위험성↑
　② 사고영향 평가에서의 충격감도

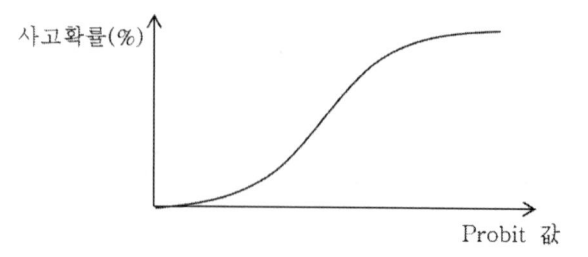

　　㉠ 화재, 폭발에 대한 사고확률
　　㉡ Probit↑ → 충격감도↑ → 사고확률↑ → 위험성↑

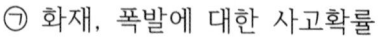

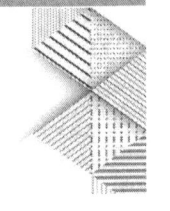

24. 제조물책임법(PL)

1. 제조물책임법(PL : Product Liability) 정의
   제품 안전성 결여 → 소비자 피해 발생 → 제조자 손해배상 책임

2. 도입배경
   ① 민사책임법의 과실원칙의 불합리
      소비자가 직접
      ㉠ 제품 결함 존재 입증
      ㉡ 결함과 피해간의 인과관계 입증
      ㉢ 제조자 고의 과실 입증
   ② 소비자의 피해구제 수단 제공 필요성 인식
   ③ 국민생활의 안전향상 필요
   ④ 국민경제의 건전한 발전 필요

3. 결함의 종류
   ① 설계상 결함
      ㉠ 개념 : 설계시 합리적인 대체설계 미적용 → 결함 발생
      ㉡ 예) ⓐ 안전설계 불량   ⓑ 자재선정 미흡
              ⓒ 안전장치 미비   ⓓ 기술수준 불합격
   ② 제조상 결함
      ㉠ 개념 : 원래 의도한 설계와 다르게 제조 → 결함 발생
      ㉡ 예) ⓐ 주요자재 불량   ⓑ 조립상태 불량
              ⓒ 안전장치 고장   ⓓ 품질관리 불량

③ 표시상 결함
　　㉠ 개념 : 합리적인 설명, 지시, 경고, 표시 미적용 → 결
　　　함 발생
　　㉡ 예) ⓐ 경고사항 없음　　ⓑ 경고사항 잘못
　　　　　ⓒ 명시된 보증위반

4. 제조물책임법 시행으로 인한 효과

긍정적인 면	부정적인 면
① 안전성 향상	① 소송증가
② 고객만족 경영의 실현	② 생산비용 증가
③ 기업 경쟁력 강화	③ 인력자원 손실
④ 사고재발 방지	④ 신제품 개발지연

5. 기업의 제조물책임법 대책

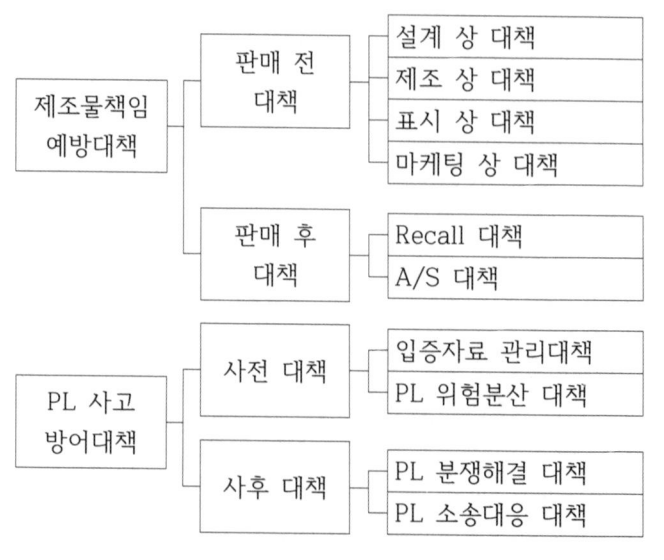

6. 민법 vs PL법[381]

구분	민법	PL 법
① 원칙	㉠ 과실책임 ㉡ 불법행위	㉠ 무과실책임 ㉡ 엄격책임
② 책임요건	㉠ 제조자의 고의과실 ㉡ 손해발생	㉠ 제조물의 결함 ㉡ 손해발생
③ 입증범위	제조자의 고의과실과 손해발생과의 인과관계	제조물의 결함과 손해발생고의 인과관계
④ 입증주체	소비자	제조자
⑤ 소멸시효	㉠ 불법행위를 한날 로부터 10 년 ㉡ 손해입은 자를 안날로부터 3 년	㉠ 제조물공급일로 부터 10 년 ㉡ 손해배상책임자를 안날로부터 3 년

25 반응기

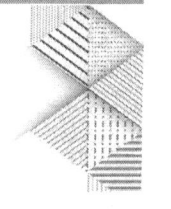

1. 반응기의 개념

① 반응물 + 정촉매 + 고온 + 고압 → 생성물

② 반응과 제어 불균형 → 반응속도 지수함수적 상승 → 반응폭주 위험 존재

---

381) 암기 원책입입소
- 민법 vs PL법 비교 항목 : 원칙, 책임요건, 입증범위, 입증주체, 소멸시효

2. 반응기의 종류

구분	회분식 반응기	연속식 반응기	반회분식 반응기
① 개념	반응물 투입→반응개시→반응완료→조작중지→생성물 배출	반응물 공급과 생성물 배출을 연속적으로 행함	원 반응물 多 투입→반응 중 다른 반응물 少 첨가→생성물 배출
② 적용	중·소규모 공장	대규모 공장	복합반응계
③ 조성	시간에 대한 조성변화 有 (비정상조작)	시간에 대한 조성 변화 無 (정상조작)	시간에 대한 조성 및 용적 변화 有 (비정상조작)
④ 특징	㉠ 구조 간단 ㉡ 처리량 少 ㉢ 품질관리 곤란 ㉣ 노동비↑	㉠ 구조 복잡 ㉡ 처리량 多 ㉢ 품질관리 용이 ㉣ 노동비↓	㉠ 반응초기 온도 조절 곤란 ㉡ 융통성 있지만, 반응 해석 어려움

3. 반응기 설계시 고려사항 [조부상 온압 경체 냉수열]

(1) 조작방법

　① 반응물, 생성물, 운전조건, 규모 등을 고려하여 조작방법 결정

　② ┌ 회분식 반응기 : 처리량 적은 중·소규모 공장
　　　└ 연속식 반응기 : 처리량 많은 대구모 공장

(2) 부식성

　① 취급화학물질 고려 → 내식성 재질 선정

　② 부식방지 대책

(3) 상의 상태

　① 물질의 취급과 반응활성도 측면에서 반응·생성물의 상 형

태 고려

② 기상반응은 혼합, 접촉 용이 → 반응속도↑ → 반응폭주
우려↑ 따라서 설계 시 반응폭주 방지대책 고려

(4) 운전온도

① 운전온도 10℃↑ → 반응속도 2배↑ → 반응시간↓ → 수율↑

② 운전온도↑ ┌ 발화점, 인화점 보다 높을 시 → 화재·폭발 위험
　　　　　　└ 고온부식 우려↑, 장치강도↓ → 위험성↑

(5) 운전압력

운전압력↑ ┌ 반응속도↑ → 수율↑
　　　　　　└ 이상압력 도달 시 → 반응폭주 위험

(6) 공간속도 및 공간시간

① 공간속도(Space Velocity)

단위시간당 반응기 용적의 몇배에 해당하는 처리속도

$$SV = \frac{V_0}{V} = \frac{1}{\tau}$$

SV : 공간속도(hr^{-1})　　　　　V : 반응기 부피(m^3)

V_0 : 시간당 부피유량(m^3/hr)　　τ : 공간시간(hr)

② 공간시간(Space Time)

반응기 용적만큼의 반응물을 처리하는 데 필요한 시간

$$\tau = \frac{V}{V_0} = \frac{1}{SV}$$

(7) 경제성

① 온도↑
　압력↑ ┐ 건설 용이성↓ → 경제성↓
　극저온일수록 ┘ → 경제적 이익과 비용에대한 검토 필요

② VE(가치공학)

$$V(Value, 가치) = \frac{F(Function, 가치)}{C(Cost, 비용)}$$

┌ 비용을 최소화하고
└ 기능(경제저 이익)을 최대화 할 수 있는 설르계 필요

(8) 냉각수 공급 설비

발열속도 > 열 방산속도 → 반응기 내부 온도↑ → 냉각수
공급↑ → 발열속도 < 열 방산속도 → 반응폭주 억제

(9) 수율

① 수율(%) =   x 100

② 운전 온도↑, 압력↑ ┐→ 반응속도↑ → 수율↑ → 고효율 시스템
　　정촉매　　　　　┘

(10) 열전달

① ┌ 전도 : 공식
　├ 대류 : 공식
　└ 복사 : 공식

② 열전달은 2가지 이상의 복합적인 과정 결합 → 열전달에
대한 정확한 이해 통해 → 온도상승 정확히 예측 → 반응
폭주 방지

4. 반응기 설계시 안전상 고려사항

① 내부반응 감시장치
② 공원내내불냉반
③ 압력방출장치
④ 안전거리 및 보유공지

[부록]

1. 가스기술사 자격 정보
2. 주요암기 요약

1 가스기술사 자격 정보

1. 개요
사용량이 점차 증가하고 대형화 복잡화 다양화되는 가스 설비에 대하여 가스제조 작업의 기기안전, 취급안전, 제조 안전에 대한 사항과 고압가스 안전관리, 가스사업 및 도시가스 사업에 대한 지식을 익힘으로써 가스로 인한 폭발, 화재, 독성 물질 누출 등의 중대사고(Major Accident)를 예방하기 위하여 각종 규제대책과 제반시설의 검사 등 산업안전관리를 담당할 전문인력을 양성하고자 자격제도 제정

2. 변천과정

'83.12.20.대통령령 제 11281 호	'91.10.31.대통령령 제 13494 호	현재
안전관리기술사(가스)	가스기술사	가스기술사

3. 수행직무
가스분야에 관한 고도의 전문지식과 실무경험에 입각한 계획, 연구, 설계, 분석, 시험, 운영, 시공, 평가 또는 이에 관한 지도, 감리등의 기술 업무 수행

4. 진로 및 전망

고압가스 제조·저장·사용 및 판매업체에 취업할 수 있으며, 이밖에 한국가스공사, 한국가스안전공사 및 관련 연구소로 진출할 수 있다.

최근 국민생활수준의 향상과 산업의 발달로 연료용 및 산업용 가스의 수습규모가 대형화되고, 가스시설의 복잡·다양화됨에 따라 가스사고건수가 급증하고 사고 규모도 대형화되는 추세이다. 또한 가스설비의 경우 유해·위험물질을 다량으로 취급할 뿐만 아니라 복잡하고 정밀한 장치나 설비가 자동제어되는 연속공정으로 거대 시스템화 되어 있어 이들 설비의 잠재위험요소를 확인·평가하고 그 위험을 제거하거나 통제할 수 있는 전문인력의 필요성은 계속 증가할 것이다.

이에 따라 가스의 사용량은 증가하고 이에 따라 가스기술사의 인력수요는 증가할 것이다.

5. 자격 검정현황(~2022년)

필기			실기		
응시 (명)	합격 (명)	합격률 (%)	응시 (명)	합격 (명)	합격률 (%)
3,388	401	11.8	612	390	63.7

6. 취득방법

① 시 행 처 : 한국산업인력공단

② 관련학과 : 대학 및 전문대학의 기계공학, 화학공학 가스

냉동학, 가스산업학 관련학과
③ 검정방법
　　㉠ 필기 : 단답형 및 주관식 논술형
　　　　　　(매교시당 100분 총 400분)
　　㉡ 면접 : 구술형 면접시험(30분 정도)
④ 합격기준 : 100점을 만점에 60점 이상

7. 필기시험 출제기준 (2023.1.1. ~ 2026.12.31.)
　※ 시험과목 : 안전관리일반(사고원인 분석, 대책, 점검 및 조사방법), 산업안전공학, 가스관계 및 산업안전관계법규, 고압가스설계와 시공 및 가스공업의 안전운영에 관한 계획 및 관리와 조사, 기타 안전에 관한 사항

주요항목	세부항목
1. 가스 법령 및 KGS 코드	1. 고압가스안전관리법 - 법ㆍ시행령ㆍ시행규칙ㆍ고시 및 코드기준 2. 액화석유가스의 안전관리 및 사업법 - 법ㆍ시행령ㆍ시행규칙ㆍ고시 및 코드기준 3. 도시가스사업법 - 법ㆍ시행령ㆍ시행규칙ㆍ고시 및 코드기준
2. 가스 관련 법령	1. 산업안전보건법 2. 에너지이용합리화법 3. 화학물질관리법 4. 기타 가스와 관련된 안전 법령
3. 안전관리 계획수립	1. 안전관리규정 및 안전성향상계획 2. 가스시설 안전점검 및 진단

주요항목	세부항목
	3. 안전성(위험성) 평가
	4. 화학물질 장외영향평가 및 방지 계획
	5. 위해예방관리계획
4. 가스 특성 및 안전기술	1. 가스 특성
	2. 연소·폭발이론 및 방지대책
	3. 배관관리 및 부식·방식 기술
	4. 가스설비 운전 및 제어기술
	5. 가스시설 가동 적정성 및 수명 평가 등 안전진단 기술
5. 가스시설. 제품의 설계 및 시공·감리	1. 고압가스 제조·저장·충전·판매·사용
	2. 액화석유가스 충전·저장·집단공급·판매·사용
	3. 도시가스 사업자 공급시설, 도시가스 충전·사용
	4. 용기·특정설비·냉동기 및 연소기기·유체기계 설비
	5. 가스용품 및 안전기기·계측기기·제어장치
	6. 가스시설 감리
6. 가스사고 예방·관리	1. 가스사고 원인·분석
	2. 가스사고 재발방지대책, 안전교육
	3. 방호장치 및 보호구
	4. 안전점검 방법
	5. 확산방지 및 응급조치
	6. 가스사고 보고서 작성
7. 내진설계 및 방폭기기	1. 가스시설 내진설계 방법
	2. 가스배관 내진설계 방법

주요항목	세부항목
	3. 가스시설의 폭발범위장소 종류 구분 및 범위산정 4. 가연성가스의 폭발등급과 발화도 분류 및 이에 대응하는 방폭전기기기의 등급분류 5. 방폭전기기기의 설계, 선정 및 설치 6. 방폭전기기기의 점검 및 유지관리
8. 에너지관리 기술	1. 신·재생에너지 기술 2. 기후변화 및 온실가스 3. 대체 연료 4. 에너지 절약 및 진단 5. 기타 연료원의 적정성 평가 기술

8. 면접 출제기준 (2023.1.1. ~ 2026.12.31.)

주요항목	세부항목
1. 가스 법령 및 KGS 코드	1. 고압가스안전관리법 - 법·시행령·시행규칙·고시 및 코드기준 2. 액화석유가스의 안전관리 및 사업법 - 법·시행령·시행규칙·고시 및 코드기준 3. 도시가스사업법 - 법·시행령·시행규칙·고시 및 코드기준
2. 가스 관련 법령	1. 산업안전보건법 2. 에너지이용합리화법 3. 화학물질관리법 4. 기타 가스와 관련된 안전 법령

주요항목	세부항목
3. 안전관리 계획수립	1. 안전관리규정 및 안전성향상계획 2. 가스시설 안전점검 및 진단 3. 안전성(위험성) 평가 4. 화학물질 장외영향평가 및 방지 계획 5. 위해예방관리계획
4. 가스 특성 및 안전기술	1. 가스 특성 2. 연소·폭발이론 및 방지대책 3. 배관관리 및 부식·방식 기술 4. 가스설비 운전 및 제어기술 5. 가스시설 가동 적정성 및 수명 평가 등 안전진단 기술

5. 가스시설.
제품의 설계
및 시공·감리
	1. 고압가스 제조·저장·충전·판매·사용
	2. 액화석유가스 충전·저장·집단공급·판매
	   ·사용
	3. 도시가스 사업자 공급시설, 도시가스 충전
	   ·사용
	4. 용기·특정설비·냉동기 및 연소기기·
	   유체기계 설비
	5. 가스용품 및 안전기기·계측기기·제어장치
	6. 가스시설 감리

6. 가스사고 예방·관리	1. 가스사고 원인·분석 2. 가스사고 재발방지대책, 안전교육 3. 방호장치 및 보호구 4. 안전점검 방법 5. 확산방지 및 응급조치 6. 가스사고 보고서 작성

주요항목	세부항목
7. 내진설계 및 방폭기기	1. 가스시설 내진설계 방법 2. 가스배관 내진설계 방법 3. 가스시설의 폭발범위장소 종류 구분 및 범위산정 4. 가연성가스의 폭발등급과 발화도 분류 및 이에 대응하는 방폭전기기기의 등급분류 5. 방폭전기기기의 설계, 선정 및 설치 6. 방폭전기기기의 점검 및 유지관리
8. 에너지관리 기술	1. 신 · 재생에너지 기술 2. 기후변화 및 온실가스 3. 대체 연료 4. 에너지 절약 및 진단 5. 기타 연료원의 적정성 평가 기술
9. 기술사로서 품위 및 자질	1. 기술사가 갖추어야 할 주된 자질, 사명감, 인성 2. 기술사 자기개발 과제

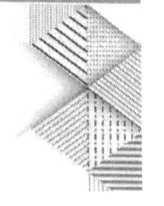

2 주요암기 요약

- Back Draft 메카니즘 : Flash Over 발생, 산소부족, 산소유입

HP침표정 ··· 503
- 에틸렌 제조시설에서 나프타 분해로 코일 침탄작용 예방대책 :
H2S 투입, Protective Oxide Layer, 침탄성 강한 재료 사용,
표면 절삭가공, 정기적 두께 측정

LG극성저항허전 ··· 137
- 본질안전 방폭구조 안전막 선택시 유의사항 : Local 사용 전
기기기 중 에너지 축적 장비는 인증기구 사용, Gas Group에
적합한 안전막 사용여부, 안전막의 극성에 유의, 안전막의 저
항고려 - 방폭 전기기기 동작에 충분한 Power 공급 가능 여
부, 허용케이블 길이를 초과하지 않을 것, 안전지역 전압이 안
전막 작동 전압 초과하지 않을 것

LI입단 ··· 325
- Roll Over 대책 : LNG 조성범위 제한, Jet 노즐 사용, 탱크
상·하층 입구 분리, 단열 강화

M불 ··· 100
- 소방대책(가스화재 대책) 중 산소 관리 방법 : MOC, 불활성화

PC유대 ··· 138
- 내압 방폭구조의 특징 : Passive System, 가스 폭발등급 C
적용 시 구조복잡, 유지관리 용이, 대형회전기는 방폭기기 폭
발등급 IIB, IIC 적용 곤란

PPM공건방 ··· 742
- HAZOP study 검토 시 필요 자료 : PFD, P&ID, MSDS, 공정
설명서, 건물·설비 배치도, 방폭지역 구분도·전기단선도

RFF ··· 353
- 천연가스 액화 기술(GTL : Gas to Liquid) 공정 :
Reforming, F-T 합성, F-T 생산

RIC ··· 339
- LNG LRC 저장탱크 구성 설비 : Rock(암반), Ice Ring(빙벽),
Containment system(내조 시스템)

기 선정, 제어기 선정, 살포기의 살포방식, 억제제 선정, 타시
스템과 연동, 방폭, 폭발위험물질의 폭발 특성

리 요령, 긴급대피 요량, 안전운전 절차서, 유지보수 절차서

- 반응폭주 발생원인 : 냉각장치 고장·냉각능력 부족, 동력원의 부조화 및 급정지, 계장시스템의 고장, 공기유입에 의한 산화반응, 조작자 실수, 반응억제제 투입설비 고장, 원재료 배합비율 이상, 혼합위험에 대한 발열

- 파열판 설치기준 : 반응폭주 우려 시, 독성물질 누출 우려 시,
이물질 누적 우려 시, 부식성 유체 우려 시

반접기 ··· 598
- 가스누출 검지경보기 종류 : 반도체식, 접촉연소식, 기체 열전
도식

발L냉액산기 ··· 333
- LNG 냉열 이용 분야 : 냉열 발전, LO2·LN2 제조, 냉동 창고,
액화탄산가스, 산업폐기물 처리, 기타

발도부인 ··· 153
- 화학공장에서 정전기 방지대책 : 발생방지 대책, 도체의 대전
방지 대책, 부도체의 대전방지 대책, 인체의 대전방지 대책

발분혼반 ··· 30
- 중합폭발 메카니즘 : 발열, 분출, 혼합, 반응폭주 발생

발착연수회연 ··· 240
- 탄화도 증가 시 변화특성 : 발열량↑, 착화점↑, 연료비↑, 수
분함량↓, 회분함량↓, 연소속도↓

발화고화 ··· 688
- 고압산소배관 사고 메카니즘 : 발화 발생, 화학반응, 고압산소
분출, 화재·폭발

방전발 ··· 156
- 정전기 위험성 중 방전현상에 의한 생산장해 : 방전에너지, 전
자파, 발광

배관노가위원안RR ··· 396
- 도시가스 시설 현대화 방법 : 배관망 전산화, 관리대상 시설
개선, 노후 배관 교체, 가스사고 발생빈도, 위험성 평가, 원격
감시제어 시스템, 안전장치 연구, 개발, RBI 기법 도입, RFID
기술 도입

배배접탱이내취안유 ··· 99
- 소방대책(가스화재 대책) 중 가연물 관리 방법 : 배관 및 압력
용기 설계 및 재질 선정, 공정 배출물의 처리, 접속부 관리,

위험물 저장탱크, 위험물 긴급이송 설비, 내화구조, 위험물 취급설비 구조, 안전거리 및 보유공지 확보, 유지보수

- 반응폭주 메카니즘 : 불균형, 반응폭주

- 호환성 곡선 구성요소 : 불완전연소, 적외선연소, 역화, 적외선
버너, 리프팅

- 촉매열화의 원인 : 불순물의 표면 피복, 황분에 의한 피복, 고
온에 의한 응김, 저온에 의한 납사 분해, 스팀 부족에 의한 카
본 생성

- BLEVE 발생조건 : 비점이상으로 가열, 밀폐계, 파열·균열에
의해 내용물이 대기중 방출, 기계적 강도이상의 압력 형성

- 화학설비의 치환작업 방법 : 비어있는 용기에 가연성물질 충전
시 불활성 분위기 유지, 산소농도 검지, 치환작업의 제어점,
불활성설비에 압력조정기 설치, 치환방법(진압사스) 결정

- 응력-변형률 선도 구성 : 비례한계, 탄성한계, 항복응력, 극한
응력, 파단응력

- 가스 발화온도에 따른 방폭 종류 선정 기준 : 450, 300, 200,
135, 100, 85

- 최소점화전류비 기준 : 0.45 이상 0.8 이하

- 통보해야하는 가스 사고 종류 : 사망 사고, 부상·중독 사고, 화
재·폭발 사고, 시설파손·인명대피·공급중단, 저장탱크 가스 누출

- LOPA 6 단계 수행 절차(적용 방법) : 사고 영향 확인, 사고
시나리오 선택, 초기사고 확인 및 빈도 평가, 독립방호계층 규
명 및 고장확률 평가, 위험도 추정, 위험도 평가

Relief System 설계

분산화, 자열개질, 직접분해, 이산화탄소 개질

비 대비 경비 절감, 보험료 감액), 간접 효과(생산성 향상, 보험료 감액, 손상 메카니즘 규명, 유지보수 및 안전관리 전문가 양성)

아가전화방 472
- 용접 재해 종류 : 아크재해, 가스·흄재해, 전격재해, 화재·폭발, 방사선재해

아닌승감상용 267
- 고압가스 제조행위 종류 : 고압가스 아닌 물질을 고압가스로 변화, 승압, 감압, 상태 변화, 용기 충전

아질압오C 685
- 공기액화 분리장치 사고원인 : 공기 흡입구로부터 아세틸렌 혼입, 공기 중 질소화합물(NOx) 혼입, 압축기용 윤활유 분해에 의한 탄화수소 생성, 액체공기 중 오존 혼입, $CO_2 \cdot H_2O$ 존재

안기적적기본 772
- SMS 구축방법 : 안전성평가, 기본모델, 적용, 적합성 평가, 기본모델 수정, 본격적 운영

안비PM 95
- 화학공정의 위험관리 전략 중 절차상 방법 안전교육 종류 : 안전·환경·보건, 비상조치계획, PSM, MSDS

안양안구U 167
- 방폭지역 내 Control room 설치기준 : 안전장소, 양압설비, 안전거리 유지, 구조기준, UVCE로부터의 보호대책

안전예지평배점 102
- 폭발예방 대책 : 안전대책 검토, 폭발 위험성 예지, 위험의 분석 및 평가, 공정 배출물에 의한 화재·폭발 방지, 점화원 관리

안절 95
- 화학공정의 위험관리 전략 중 절차상 방법 종류 : 안전교육, 절차

안파통폭 65
- 폭발배출 종류 : 안전밸브, 파열판, 통기설비, 폭압방산공

- BLEVE 발생 메카니즘 : 액온상승, 연성파괴, 액격현상, 취성 파괴

가공, 금속조직

및 입출하 설비, 건조설비, 열교환기, 반응설비, 이송·압축장치

위재비안보구 ··· 724
- MSDS 활용범위 : 공정 위험성평가, 화학물질 취급설비 재질
선정, 비상대책 수립, 안전작업절차서 작성, 보건대책 수립,
화학물질 취급설비 구조선정

위충저장 ··· 288
- LPG 충전소 문제점 : 위탁경영에 따른 문제, 충전용기 보수설
비 미사용, 저장능력 부족에 의한 안전관리상 문제, 장소협소
로 인한 안전거리 미확보

유기안경유내외관자 ··· 652
- PE(Poly Ethylene) 관 장단점 : 유동성, 기밀 유지성↑, 안정
성↑, 경제성↑, 유지관리 용이성↑, 내열성↓, 외압 강도↓,
관 위치 탐사 곤란, 자외선 침해

유무구원통 ··· 337
- 가스홀더 분류 : 유수식, 무수식, 구형, 원통형

유비마박충분적침유부동 ··· 150
- 정전기 발생형태(대전현상) 종류 : 유도대전, 비말대전, 마찰대
전, 박리대전, 충돌대전, 분출대전, 적하대전, 침강대전, 유동
대전, 부상대전, 동결대전

유수건여액 ··· 519
- 증기 압축식 냉동기 구성 중 기타 설비 구성 : 유분리기, 수액
기, 건조기, 여과기, 액분리기

응확포이제현 ··· 696
- 독성가스 누출시 조치 절차 : 응급조치, 확산방지 조치, 포집,
이송 조치, 제독조치, 현장정리 및 방지대책 수립

이방안보통지과정소낙불감긴계예환 ··· 112
- 저장탱크 화재·폭발대책 : 이상내압 상승방지 장치, 방유제, 안
전거리, 보유공지, 통기설비, 지락 방지 설비, 과충전 방지 설
비, 정전기 발생 방지 설비, 소화설비, 낙뢰방지설비, 불활성
화 설비, 이상 누출 감지기, 긴급차단설비, 예비전력설비, 환
기설비

위 온도 및 압력 조건

일레중벨파 ··· 65
- 안전밸브 작동방식 구분 : 일반형, 레버식, 중추식, 벨로즈형, 파일럿 조작형

일이힘 ··· 539
- 다단압축 목적 : 일량 절약, 이용효율↑, 힘 평형 향상

일자완기0415 ··· 423
- 압력용기 검사 제외대상 : 일체용 용기, 자동차 에어백용 가스 충전용기, 완충기에 속하는 용기, 용기 제조기술기준·검사기준 적용 용기, 설계압력(kg/cm2) × 내용적(m3) = 0.04 이하 용기, 압력 관계없이 지름·폭·길이가 150mm 이하인 용기

일장피시사사문대 ··· 706
- 사고조사 보고서 포함사항 : 일시, 장소, 피해현황, 시설현황, 사고내용, 사고원인, 문제점, 대책

임축흡안 ··· 554
- 원심펌프 분류 방법 : 임펠러 수에 따른 분류, 축 방향에 따른 분류, 흡입구 수에 따른 분류, 안내 깃 유무에 따른 분류

입자방방가장긴 ··· 104
- 폭발 경감화 대책 : 입지조건, 자동화·원격화, 방호벽 설치, 방출물 처리설비, 가연물 대책, 장치 등의 배치, 긴급시 대책

자밸 ··· 217
- 연소(소화) 안전장치 광전관식 메카니즘 : 자외선 검출, 밸브 Close

자이주신본내Fa재차 ··· 576
- 긴급차단밸브 설치기준 : 자동·원격 조작 가능, 이격 거리, 주 밸브와 겸용 금지, 신속성·기밀성, 본체, 내화 조치, Fail Close 기능, 재질, 차단시간

자현종보 ··· 761
- 정밀 안전진단 Process : 자료 수집 및 분석, 현장 조사, 종합 평가, 보수 조치

- 정압기 설계 및 선정 시 평가 기준 : 정특성, 동특성, 유량특
  성, 사용 최대차압, 작동 최소차압

정원결재안 747
- FTA 분석 절차 : 정상사상 결정, 원인 규명, 결함수 구성, 재
  해발생 확률 계산, 안전대책 수립

- 용기의 분체도장 작업 방법 : 정전 스프레이 도장법, 유동 침
  적법, 정전 유동 침적법

- 안전밸브 특징 : 정밀도 高, 자동복원, 방출량 少, 사용 유체
  한계

- 건조설비 위험요인 : 정전기로 인한 화재·폭발, 환기 불충분
  시 화재·폭발

- 도시가스 공급관리 방안 : 제조량 관리, 저장량 관리, 송출 압력
  및 유량 관리, 공급압력 관리, 공급라인 조작시 면밀한 검토

- 소화방법 종류 : 제거소화, 질식소화, 냉각소화, 억제소화

- 펌프 구비조건 : 조작·보수 쉬울 것, 부하변동 대응 가능할 것,
  효율 클 것, 작동 확실할 것, 병렬운전에 지장 없을 것, 가격
  쌀 것, 고온·고압 견딜 것, 고장↓·수명↑

- 정압기 이상현상 중 2차측 압력 상승 원인 : 조절관 파손, 이
  물질 존재, 수분에 의한 동결, 시트 불량, 바이패스 누설

- 화학공장의 안전관리상 문제점 : 화학물질의 종류 다양 및 사
  용량 多, 화학설비의 노후화, 위험에 대한 기업간 경보체계 미
  흡, 유해위험성 조사 미비, 비현실적 법령 및 기술기준, 화학

설비의 대형화 및 복잡화, 안전관련 부속설비 결함 빈번, 위험
설비의 이력관리 및 검사미비

주긴안액압온부 ··· 447
- 탱크로리 부착 부속품 종류 : 주 밸브, 긴급차단장치, 안전밸
브, 액면계, 압력계, 온도계, 부속품 조작상자

주오냄무 ··· 359
- 부취농도 측정 방법 : 주사기법, 오더미터법, 냄새주머니법, 무
취실법

주인현통R계 ··· 372
- SCADA 구성요소 : 주 컴퓨터 장치, 인간·기계 연락 장치, 현
시반, 통신 제어 장치, RTU, 계측 변화

중백중자인담 ··· 235
- 분말소화기 소화약제 종류 및 표시색 : 중탄산나트륨(백색), 중
탄산칼륨(자색), 인산암모늄(담홍색)

증고전 ··· 17
- 물리적폭발 종류 : 증기폭발, 고상간 전이폭발, 전선폭발

증풀제풀 ··· 75
- 가스화재의 종류 : 증기운화재, Pool Fire(액면화재), Jet Fire
(분출화재), 플래쉬화재

지방 ··· 180
- 탄화수소 종류 : 지방족 탄화수소, 방향족 탄화수소

지지사지기 ··· 676
- 내진 설계 평가 항목 지반특성 : 지반 진동크기, 지반 영구변
형, 사면 안전성, 지반 액상화 잠재성, 기초 안전성

진공산열 ··· 230
- 연소온도 영향인자 : 진발열량, 공기비, 산소농도, 열전달

진압사스 ··· 51
- 불활성화 방법 종류 : 진공퍼지, 압력퍼지, 사이폰퍼지, 스위퍼
퍼지